СПРАВА
ВАСИЛЯ СТУСА

УКЛАДАЧ ВАХТАНГ КІПІАНІ

Справа
ВАСИЛЯ СТУСА

ЗБІРКА ДОКУМЕНТІВ
З АРХІВУ КОЛИШНЬОГО КДБ УРСР

БІБЛІОТЕКА «ІСТОРИЧНОЇ ПРАВДИ»

УКЛАДАННЯ ВАХТАНГА КІПІАНІ

Харків

2019

УДК 94(477)
С74

Серія «Історія та політика»

Дизайнер обкладинки *Михайло Присяжний*

Справа Василя Стуса. Збірка документів з архіву колишнього
С74 КДБ УРСР / уклад. В. Кіпіані. — Х. : Віват, 2019. — 688 с. : іл.
(Серія «Історія та політика», ISBN 978-966-942-843-1).
ISBN 978-966-942-927-8

Правда про кримінальну справу, життя і смерть Василя Стуса. У книжці зібрано архівні документи з кримінальної справи Василя Стуса, покази свідків, листи поета з тюрми, спогади його рідних та друзів. Ознайомившись із наведеними матеріалами, читачі дізнаються про невідомі факти щодо життя, ув'язнення та загибелі Стуса, які досі охороняли під грифом «Секретно».

УДК 94(477)

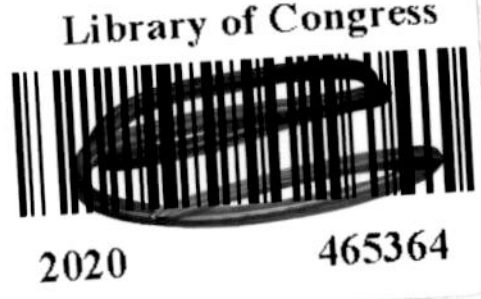

ISBN 978-966-942-843-1 (серія)
ISBN 978-966-942-927-8

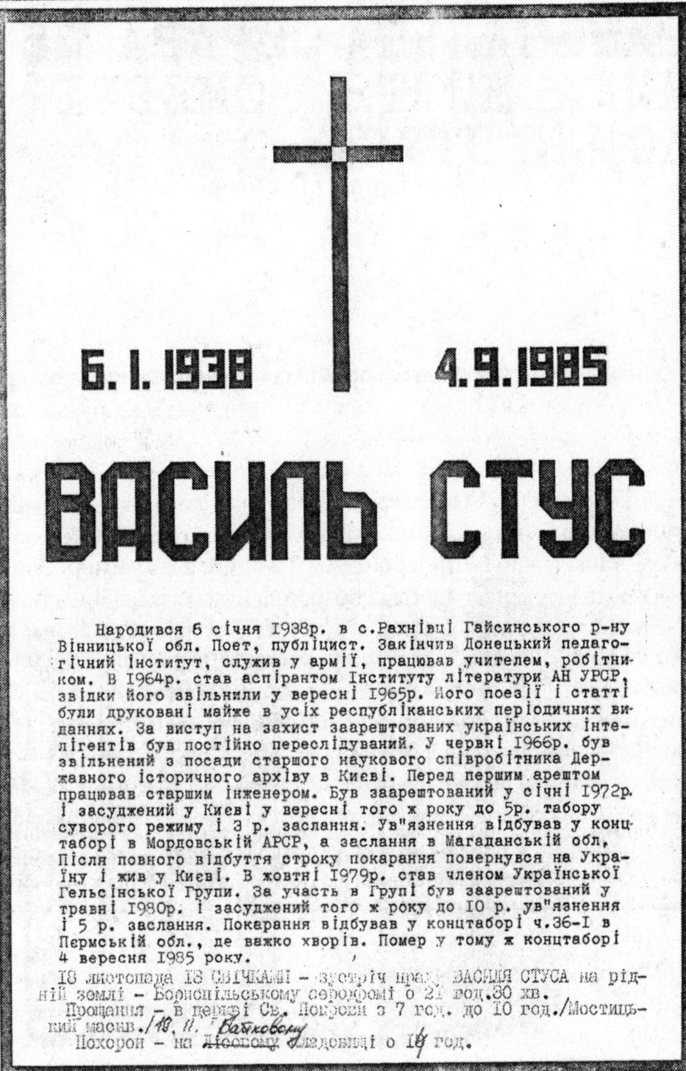

6.1.1938 4.9.1985

ВАСИЛЬ СТУС

Народився 6 січня I938р. в с.Рахнівці Гайсинського р-ну Вінницької обл. Поет, публіцист. Закінчив Донецький педагогічний інститут, служив у армії, працював учителем, робітником. В I964р. став аспірантом Інституту літератури АН УРСР, звідки його звільнили у вересні I965р. Його поезії і статті були друковані майже в усіх республіканських періодичних виданнях. За виступ на захист заарештованих українських інтелігентів був постійно переслідуваний. У червні I966р. був звільнений з посади старшого наукового співробітника Державного історичного архіву в Києві. Перед першим арештом працював старшим інженером. Був заарештований у січні I972р. і засуджений у Києві у вересні того ж року до 5р. табору суворого режиму і 3 р. заслання. Ув"язнення відбував у концтаборі в Мордовській АРСР, а заслання в Магаданській обл. Після повного відбуття строку покарання повернувся на Україну і жив у Києві. В жовтні I979р. став членом Української Гельсінської Групи. За участь в Групі був заарештований у травні I980р. і засуджений того ж року до I0 р. ув"язнення і 5 р. заслання. Покарання відбував у концтаборі ч.36-I в Пермській обл., де важко хворів. Помер у тому ж концтаборі 4 вересня I985 року.

I8 листопада ІЗ СВІЧКАМИ – зустріч праху ВАСИЛЯ СТУСА на рідній землі – Бориспільському аеродромі о 21 год.30 хв.

Прощання – в церкві Св. Покрови з 7 год. до I0 год./Мостицький масив./ 18.11. Байковому

Похорон – на ~~Лісовому~~ кладовищі о I~~0~~ год.

Листівка-запрошення на перепоховання поета Василя Стуса, випущена в листопаді 1989 року Українською Гельсінською спілкою

КРИМІНАЛЬНА СПРАВА №5 — КНИГА ЖИТТЯ І СМЕРТІ ВАСИЛЯ СТУСА

19 листопада 1989 року Києвом пройшла незвична траурна процесія. Люди, а їх було дуже багато — тисячі і тисячі, несли на руках три домовини, вкриті «червоною китайкою», — так колись ховали козаків. А в руках у демонстрантів були синьо-жовті прапори — заборонені тоді «націоналістичні» стяги. Але КГБ того дня нікого за це не покарав. Спадкоємці «залізного Фелікса» мовчки спостерігали з вікон за цим дійством з вікон кабінетів сірої будівлі по вул. Володимирській, 33.

У не такі й далекі часи ця сама потворна будівля мала інше призначення й іншу поштову адресу. За первісним задумом за адресою вул. Короленка, 33 мав бути «Дом Союзов». Спершу там навіть була вивіска «Палац Праці». Утім, після перенесення столиці Радянської України з Харкова тут розмістився комуністичний ЦК, а потім і НКВД.

І потім, незважаючи на зміну абревіатур — НКВД-МГБ-КГБ — там працював орган російської окупації й панування Кремля над Україною. Хай не вводить в оману слово Української РСР в його повній назві. Усі ключові рішення ухвалювались у Москві. Місцевим же залишалась опція — виконати план і перевиконати його. За це давали нагороди, звання, платили непогані гроші. Зрада свого народу завжди оплачувалась щедро.

У Вільнюсі на стінах КГБ написані імена людей, які отримали вироки або були розстріляні «заплечных дел мастерами». У Києві ніщо не нагадує про моторошне минуле будинку. Хоча саме тут отримали свої вироки тисячі найдостойніших. І один з них — Василь Стус.

Якраз у 1989-му я вперше почув це ім'я. Роком раніше закінчив школу і, ясна річ, на уроках української літератури годі було щось почути про поета, книжки якого виходили на Заході, за залізною завісою, шанс потрапити за яку видавався тоді майже нульовим. Спершу була листівка, видана Українською Гельсінською спілкою — політичною організацією вчорашніх політзеків, частина з яких були товаришами і однодумцями Стуса.

Потім були численні замітки у непідцензурній пресі про трьох українців — Василя Стуса, Юрія Литвина та Олексу Тихого, яких повернули з Уралу на рідну землю. Історію перепоховання зафіксовано на кіноплівці. Варто подивитись документальну стрічку режисера Станіслава Чернілевського «Просвітлої дороги свічка чорна», вона є на youtube.

Усе, що було потім, — це вже наші часи. Численні видання поезії Василя Стуса, визнання феноменального доробку літературознавством, вулиці його імені і водночас карколомна політична кар'єра, аж до глави адміністрації президента і «кума Путіна», одного з тих, хто розпинав поета, — призначеного державою адвоката Медведчука.

Прощання з поетом Стусом біля пам'ятника поетові Шевченку

Ця книжка містить документальні матеріали з архіву колишнього КГБ, які внаслідок ухвалення пакету ініційованих Українським інститутом національної пам'яті декомунізаційних законів доступні для всіх, хто хоче знати про минуле все. І тисячі українців та іноземців уже скористались можливістю краще зрозуміти історію власних родин і історію всієї країни.

Кримінальна справа Василя Семеновича Стуса — це хроніка боротьби злочинної комуністичної системи з людиною, повної болі та гідності. Ми бачимо громадянина, правозахисника, творчу особистість, який чудово розуміє наслідки своєї «негнучкості» перед каральною машиною. І тим не менше він іде до кінця.

Жодна газета у Радянській Україні тоді не писала про арешт, слідство і суд. І тому безцінними свідченнями з залу суду виступають аркуші зі справи, де Михайлина Коцюбинська та Світлана Кириченко — товаришки Василя Стуса — говорять про нього як про людину кришталевого сумління.

Потрапивши за ґрати у травні 1980 року, поет більше не побачив волі. Слідчий ізолятор київського КГБ, етап і зона особливого режиму в селі Кучино на Уралі — таким був його шлях на Голгофу. Обставини його смерті дотепер не з'ясовані — чи це було вбивство, чи зупинка серця, чи навіть самогубство (є й така версія). Разом зі Стусом у таборі загинула і його остання рукописна поетична збірка «Птах душі» в звичайному учнівському зошиті у блакитній обкладинці. Їй також не вдалося вилетіти через в'язничні ґрати.

Ця книжка зробить нас сильнішими. Бо опір злу — це щоденна потреба людини.

Вахтанг Кіпіані,
головний редактор сайту «Історична правда»

«Історична правда» і видавництво «Віват» дякують голові Галузевого державного архіву СБУ Андрієві Когуту та колишньому заступнику ГДА СБУ Володимиру Бірчаку за допомогу та консультації, а також сину поета Дмитрові Стусу за право републікувати останній відомий нам текст Василя Стуса «З таборового зошита».

Розсекречено 05.07.2011 р. 24/35/4—301
Слідчий відділ
Комітету Державної безпеки УРСР

Кримінальна справа

УГОЛОВНОЕ ДЕЛО № 5

По обвинению
(дописано від руки: По звинуваченню)

СТУСА Василя Семеновича в скоєнні злочину,
передбаченого ст. 62. ч. 2 КК УРСР та ст. 70 ч. 2 КК РРФСР

Начато «13» травня 1980 г.
Окончено «10» вересня 1980 г.

В шести томах

ТОМ I

ПОСТАНОВА

про порушення кримінальної справи і прийняття її до свого переведення

м. Київ "13" травня 1980 року

Старший слідчий слідчого відділу КДБ УРСР майор Селюк, розглянувши матеріали відносно Стуса Василя Семеновича, 1938 року народження, уродженця села Рахнівка Гайсинського району Вінницької області, українця, громадянина СРСР, безпартійного, з вищою освітою, судимого 7 вересня 1972 року Київським обласним судом за ст. 62 ч. І КК УРСР на 5 років позбавлення волі та 3 роки заслання, працюючого робітником Київського взуттєвого об'єднання «Спорт» і проживаючого в м. Києві, вул. Чорнобильська, 13а, кв. 94,

ВСТАНОВИВ:

Стус, будучи судимим 7 вересня 1972 року за проведення антирадянської агітації і пропаганди на 5 років позбавлення волі і 3 роки заслання, не став на шлях виправлення. З березня 1977 року, знаходячись в засланні в с. Матросово Тенькінського району Магаданської області, а з серпня 1979 року мешкаючи в м. Києві, проводив агітацію і пропаганду з метою підриву та ослаблення Радянської влади шляхом систематичного поширення наклепницьких вигадок, що порочать радянський державний і суспільний лад, виготовлення та розповсюдження літератури антирадянського та наклепницького змісту.

Вказаними діями Стус скоїв злочин, передбачений от. 62 ч. 2 КК УРСР та ст. 70 ч. 2 КК РРФСР.

На підставі наведеного та приймаючи до уваги, що згідно зі ст. 112 КПК УРСР проведення попереднього слідства по таким справам є обов'язковим, керуючись ст.ст. 94 п. І, 98 та 113 ч. 2 КПК УРСР, —

ВСТАНОВИВ:

1. Порушити кримінальну справу проти Стуса Василя Семеновича за ознаками злочину, передбаченого ст. 62 ч. 2 КК УРСР і ст. 70 ч. 2 КК РРФСР.

2. Кримінальну справу прийняти до свого переведення і приступити до попереднього слідства.
3. Копію цієї постанови надіслати прокуророві УРСР.

Старший слідчий слідчого відділу КДБ УРСР майор А. В. Селюк

ЗГОДНІ
Заступник Голови Комітету державної безпеки УРСР
генерал-лейтенант С. Н. Муха

Начальник слідчого відділу КДБ УРСР полковник В. П. Туркін

2-вд

УССР
КОМИТЕТ ГОСУДАРСТВЕННОЙ БЕЗОПАСНОСТИ
Украинской ССР

13 мая 1980 г.
№ 5/2—9387
г. Киев
НАЧАЛЬНИКУ СЛЕДСТВЕННОГО ОТДЕЛА
КГБ Украинской ССР полковнику тов. Туркину В. П.
т. Селюк А. В.

Прошу изучить материалы для решения вопроса о возобновлении уголовного дела в отношении Стуса.

Направляем на Ваше рассмотрение материалы в отношении Стуса Василия Семеновича, выделенные из уголовных дел, а также поступившие из других органов:

- выделенные материалы из уголовного дела по обвинению Лукьяненко Л. Г. в соответствии с постановлением от 20 апреля 1978 года;
- выделенные материалы из уголовного дела по обвинению Калиниченко В. В. в соответствии с постановлением от 15 марта 1980 года;
- выделенные материалы из уголовного дела по обвинению Великановой Т. М. в соответствии с выпиской из постановления от 31 марта 1980 года;

- заявление Стуса В. С. в Президиум Верховного Совета СССР от 10 декабря 1976 года и его письмо в Прокуратуру Союза ССР от 10 декабря 1976 года;
- материалы объявления официального предостережения Стусу В. С. в 1975 и 1978 годах органами КГБ по Указу Президиума Верховного Совета СССР от 25 декабря 1975 г. в связи с совершением им действий, противоречащих интересам государственной безопасности СССР;
- заявления граждан Банниковой А. Н., Казакова П. В., Мастракова П. М., Никифоренко Н. К., Радевича Е. В., Русова Е. К., Стефановского Б. Г. о том, что Стус В. С. допускал в их присутствии измышления, порочащие советский государственный и общественный строй.

НАЧАЛЬНИК УПРАВЛЕНИЯ КГБ Украинской ССР А. А. Цветков

След отдел КГБ при СМ УССР
13.V.1980 г. Вх. № 549

ПОСТАНОВА
про доручення проведення попереднього слідства по справі декільком слідчим

місто Київ 14 травня 1980 року

Начальник Слідчого відділу КДБ Української РСР полковник Туркін, розглянувши матеріали кримінальної справи № 5 відносно Стуса Василя Семеновича та приймаючи до уваги, що по цій справі має бути виконано значний обсяг роботи, керуючись ст.ст. 114-І і 119 КПК Української РСР, —

ПОСТАНОВИВ:
Доручити проведення попереднього слідства по кримінальній справі № 5 старшим слідчим Слідчого відділу КДБ УРСР майору Селюку, майору Пастухову та майору Цімоху.

Старшим групи призначити старшого слідчого КДБ Української РСР майора Селюка, прийнявшого справу до свого переведення.

Начальник Слідчого відділу КДБ Української РСР
полковник В. П. Туркін

Постанову оголошено ________________
Постанова була пред'явлена підозрюваному Стусу В. С. 15 травня 1980 року. Знайомитись і підписувати її Стус відмовився.
Старший слідчий Слідвідділу КДБ УРСР майор Селюк
15 травня 1980 року

ПОСТАНОВЛЕНИЕ
о выделении материалов из уголовного дела
г. Чернигов 20 апреля 1978 г.

Начальник следственной труппы Управления КГБ по Черниговской области капитан Полунин, рассмотрев материалы уголовного дела № 39 по обвинению Лукьяненко Льва Григорьевича в совершении преступления, предусмотренного ст. 62 ч. 2 УК УССР, —

УСТАНОВИЛ:
Обвиняемый Лукьяненко на протяжении 1976—1977 гг. занимался изготовлением, размножением и распространением враждебных документов, в которых содержатся клеветнические измышления, порочащие советский государственный и общественный строй.

Свою преступную деятельность он прикрывал «защитой прав человека» в составе так называемой «Української Громадської групи сприяння виконанню Хельсінських угод».

12 декабря 1977 года при обыске в квартире Лукьяненко Л. Г. по адресу — г. Чернигов, ул. Рокоссовского, 41-б, кв. 41 был обнаружен и изъят машинописный документ на пяти стандартных листах бумаги, начинающийся со слов: «с. Матросова, 9.11.77 р. Шановний пане Левку! На превелику силу прочитав...» и заканчивающийся словами: «...Це наш обов'язок перед народом, нащадками. Дай Боже! Василь Стус».

Осмотром документа установлено, что в нем содержатся злостные клеветнические измышления, порочащие советский государственный и общественный строй.

Аналогичный машинописный документ по своему содержанию обнаружен и изъят при обыске 12 декабря 1977 года в квартире Лукьяненко Александра Григорьевича [рідний брат Левка Лук'яненка], проживающего в г. Чернигове, ул. Рокоссовского, 49, кв. 36.

Подлинник этого документа не обнаружен.

Допрошенный по делу в качестве обвиняемого Лукьяненко Лев Григорьевич в отношении данного документа показаний не дал.

На допросе 4 января 1978 года свидетель Лукьяненко Александр Григорьевич в отношении изъятого у него при обыске документа показал, что этот документ в числе других передал ему на хранение его родной брат — Лукьяненко Лев Григорьевич.

По заключению криминалистической экспертизы от 10 февраля 1978 года упомянутые выше два документа отпечатаны в одну закладку на машине «Москва», принадлежащей обвиняемому Лукьяненко Льву Григорьевичу, которая обнаружена и изъята у него 12 декабря 1977 года.

Тогда же 12 декабря 1977 года у Лукьяненко Л. Г. изъяты:

1. Пять листов машинописного текста, начинающегося со слов: «Василь Стус. У темінь сну занурюється шлях...» и заканчивающегося словами: «...безбережжя голубиний гуд».

   Текст идейно-вредного содержания.
2. Рукописный текст на одном листе бумаги, начинающийся со слов: «Василь Стус у темінь...» и заканчивающийся словами: «...безбережжя голубиний гуд».

   Документ идейно-вредного содержания.
3. Почтовый конверт на имя Лукьяненко Льва Григорьевича, отправителем которого значится Стус, с письмом на одном листе бумаги, датированным 17 июня 1977 года.

   Письмо идейно-невыдержанного содержания.

12 декабря 1977 года при обыске у брата Лукьяненко — Лукьяненко Александра Григорьевича также изъят машинописный документ на двух листах, начинающийся словами: «с. Матросова, 31.10.77 р.» и заканчивающийся: «Василь Стус».

Документ по своему содержанию идейно-вредный.

10 февраля 1978 года был произведен обыск у Стуса Василия Семеновича, проживающего по адресу: Магаданская область, Тенькинский район, пос. им. Матросова, ул. Центральная, 37, комната 36 (общежитие рудника им. Матросова), в результате чего были обнаружены и изъяты:

1. Записная алфавитная книжка на 64 листах с записями номеров телефонов, адресов и других записей на украинском, русском и иностранном языках. На первом листе записной книжки записи начинаются со слов: «Омак Трасп. 6—35 7—20...», и на последнем листе книжки записи заканчиваются словами: «...Таллин... 33 Юскевич Ольге Александровне». На листе № 29 записан адрес Лукьяненко — «Черн-19, Рокоссовского, 41-б, кв. 41».

   Возвращена Стусу 25 февраля 1978 г.

   Письмо на украинском языке, исполненное на полулисте белой канцелярской бумаги, начинающееся со слов: «22 грудня 1977 р. Добрий день друже Василю!...» и заканчивающееся словами: «...2) п'ять чистих поштівок».

   Документ идейно-вредного содержания.

   Письмо на одном листе бумаги в линейку: «Багдарин 25.12.77 Дорогой Василь!...»... «А тут ты вряд ли поможешь».

   Документ идейно-невыдержанного характера.

4. Машинописный документ на 16 листах, начинающийся словами: «Заключний акт наради з питань і співробітництва в Європі...» и заканчивающийся словами: «...Соціалістичної республіки Югославії Йосип... Тіто надруковано в газетах «Правда» і «Известия» 2 серпня 1975 р. ...»
5. Письмо на 2-х листах бумаги из ученической тетради в клеточку, начинающееся словами: «20.12.77 р. Валю дістав сьогодні...» и заканчивающееся словами: «...тепер майже не кульгаю».

   Документ идейно-вредного содержания.
6. Рукописний текст на 2 листах бумаги, начинающийся словами: «Члену Президиума Верховного Совета СССР Расулу Гамзатову... Стуса» и заканчивающийся словами: «...молодых человеческих жизней».

   Документ клеветнического характера.
7. Рукописный текст на одном листе бумаги, начинающийся словами: «преступников против человечности...» и заканчивающийся словами: «...бремя ложится все же на нас».

Документ идейно-вредного содержания.

8. Открытый почтовый конверт, на лицевой части которого от руки написан адрес: «Магаданская область, Тенькинский р-н, с. им. Матросова, до востребования Стусу Василию». Отправителем значится: «252030 г. Киев-30, п/о № 30, до востребования, Маринович Мирослав Франкович». В конверте находится письмо на одном листе бумаги, начинающееся словами: «Шановний Василю! Пише до Вас…» и заканчивающееся словами: «…На все добре! Мирослав».
   Письмо идейно-невыдержанного содержания.
9. Письмо, исполненное на трех листах белой бумаги в линейку, начинающееся словами: «Шановна пані Ганно! Кілька днів тому…» и заканчивающееся словами: «…отделения языка и литературы приблизно 745 р.».
   Документ бытового характера.
   Возвращено Стусу 25.XII.78 г.
10. Рукописный текст на одном листе бумаги в линейку, начинающийся словами: «Побувавши в роз'їздах, пересвідчився, що…» и заканчивающийся словами: «…минуле, прагнучи того». Текст на украинском языке.
    Документ бытового характера.
    Возвращено Стусу 25.XII.78 г.
11. Рукописний текст на одном листе бумаги, начинающийся словами: «будуть /программа-максимум…/» и заканчивающийся словами: «…Проте не подобає нам рюмсати». Текст на украинском языке.
    Документ идейно-вредного содержания.
12. Рукописний текст на одном листе бумаги, начинающийся словами: «Уважаемый Петр Григорьевич, обращается…» и заканчивающийся словами: «…ни одной украинской книги, журнала, газеты».
    Документ клеветнического содержания.
13. Рукописный документ на одном листе белой бумаги, начинающийся словами: «Уважаемый Петр Григорьевич! Ваше имя…» и заканчивающийся словами: «…социализма, врагов гуманизма и …».
    Документ клеветнического содержания.
14. Письмо на одном стандартном листе бумаги, на украинском языке, начинающееся словами: «Пустомити, 30 вересня 1976 Добрий день…» и заканчивающееся словами: «…До скорої зустрічі на

Волі. Ваш Іван К...» Правее текста простым карандашом написано (на поле): «290053, Львів-53, Наукова, 110/33 І. Кандиба».
Документ идейно-вредного содержания.

15. Лист бумаги с рукописным текстом, исполненным на украинском языке, начинающийся со слов: «І прийде і згуртує й поведе...» и заканчивающийся словами: «...у воду зоряну й гряде».
Возвращено Стусу 25.XII.78 г.
Стихотворение из жанра интимной лирики.
16. Фотокопия рукописного текста на украинском языке; на трех листах бумаги. Документ начинается со слов: «Шановні земляки-краяни! Ми неодноразово намагалися...» и на третьем листе заканчивается словами: «...можуть розповісти Вам п. Мих. та п. Ол.».
Документ идейно-вредного содержания.
17. Самодельная тетрадь из белой стандартной бумаги на 54 (условно пронумерованных) листах с рукописным текстом, на украинском языке. Текст на первом листе начинается со слов: «Заперечення процедурного порядку: 1. Обшук на моїй квартирі...» и заканчивается на обороте листа № 54 словами: «...и нападением на слона е1». Оборотная сторона листов №№ 8, 14, 15, 17, 24, 25, 26, 27, 31 записей не имеет, листы тетради под №№ 16, 18—23, 32—46 чистые, без пометок и записей. Текст представляет собой черновые записи, написано ряд стихотворений. На оборотной стороне листа № 47 имеется текст на русском языке.
В целом записи по своему содержанию идейно-вредные.
18. Самодельная тетрадь без обложек из белой бумаги на 60 листах (условно пронумерованных) с рукописным текстом, исполненным на украинском языке. Текст на обороте листа № 30 начинается со слов: «У цім безхліб'ї і бездоллі...» и заканчивается на листе № 31 словами: «...перевали порожнеч». На лицевой части листа № 30 имеется текст, исполненный простым карандашом, маловидный и неразборчивый.

Текст представляет собой два лирических стихотворения упаднического характера.

Возвращено Стусу 25.XII.78 г.

19. Ученическая тетрадь в клеточку на 6 листах (условно пронумерованных) с рукописным текстом, который на лицевой части обложки тетради начинается со слов: «Нотатки до ...О білий світе...»

и заканчивается на внешней стороне задней обложки словами: «...віддані на офіру за віддаємось офірі».
Текст идейно-вредного содержания.

20. Общая тетрадь в клеточку на 48 листах (условно пронумерованных) с рукописным текстом на украинском языке. Текст представляет собой отдельные стихотворения, написанные в черновом плане, и начинается на первой странице со слов: «Пожухле листя опадає з віт...» и заканчивается на 35-м листе словами: «... моєї всевідради всеглядно постає». На листах №№ 4, 36—48 записей не имеется. Возвращена Стусу в июне 1978 г.
Стихотворения лирического, бытового содержания.
21. Общая тетрадь в клеточку на 48 листах (условно пронумерованных) с рукописным текстом на украинском языке. Текст представляет собой отдельные стихотворения, написанные в черновом плане, на оборотной стороне лицевой обложки тетради начинается со слов: «Палімпсести 1. Ти тут, Ти тут 2. Як тихоня...» и на листе 38 заканчивается словами: «...піднос-ся пісня — і віща й ...».
Текст идейно-вредного содержания.
22. Письмо, исполненное на двух листах бумаги на украинском языке, начинающееся со слов: «Дорога Любомиро! Дякую...» и заканчивающееся словами: «...я сусідував чотири доби».
Текст письма идейно-вредного содержания.
23. Письмо, исполненное на двух листах бумаги на украинском языке, начинающееся словами: «Шановний п. Іване! 7.1.77 р. 2 січня дістав...» и заканчивающееся: «...22 грудня — сприкрило ІІ.ВС».
Текст письма идейно-вредного содержания.
24. Ученическая тетрадь на 12 листах бумаги с рукописным текстом на русском языке. Текст на оборотной стороне лицевой обложки начинается со слов: «Отсюда та благонамеренная...» и заканчивается словами: «...обреченных на изоляцию».
Текст идейно-вредного содержания.
25. Письмо, исполненное на двух листах бумаги, начинающееся со слов: «13.XI. Дорогий Василю! Пишу у ...» и заканчивающееся словами: «...цінним листом, може дійде». Письмо написано на украинском языке.
Текст письма идейно-вредного содержания.

26. Самодельная тетрадь из листов белой бумаги на 56 листах (условно пронумерованных) с рукописным текстом на русском и украинском языках. Текст на первом листе начинается со слов: «Почему? Зачем? Недоуменье...» и заканчивается словами: «...ознайомитися з речами вилученими».

Выписки и записи в тетради носят тенденциозный характер.

Будучи допрошенным в качестве свидетеля, Стус В. С. в отношении изъятых у него документов показаний не дал.

Принимая во внимание, что причастность Стуса В. С. к изготовлению и распространению враждебных документов требует дальнейшей проверки, а выделение материалов на него не может отрицательно сказаться на всесторонности, полноте, объективности исследования и разрешения дела в отношении Лукьяненко Л. Г., руководствуясь ст. 130 УПК УССР —,

ПОСТАНОВИЛ:

Из уголовного дела № 39 по обвинению Лукьяненко Льва Григорьевича выделить в отношении Стуса Василия Семеновича следующие материала:

I. <u>В подлинниках:</u>

1. Документы, изъятые у Стуса В. С. и указанные в постановлении в пп. 1, 3—13, 15—26.

II. <u>В электрографических копиях:</u>

1. Постановление о производстве обыска у Стуса В. С. от 30.1.1978 г.;
2. Протокол обыска от 10 февраля 1978 года;
3. Протоколы допросов свидетеля Стуса В. С. от 11, 12 и 13 февраля 1978 года;
4. Письмо на украинском языке на полулисте бумаги, начинающееся со слов: «22 грудня 1977 р. Добрий день, друже Василю!...»;
5. Письмо на одном стандартном листе бумаги, начинающееся словами: «Пустомити, 30 вересня 1976 Добрий...»;
6. Протокол допроса обвиняемого Лукьяненко от 28 и 29 марта 1978 года;
7. Машинописный документ на 5 листах, начинающийся со слов: «с. Матросова 9.II.77 р. Шановний пане Левку!...»;
8. Протокол осмотра документов, изъятых у Стуса (в копии);

9. Выписку из протокола осмотра документов, изъятых у Лукьяненко Л. Г.;
10. Копия протокола допроса свидетеля Лукьяненко А. Г. от 4 января 1978 года.
11. Документы, изъятые при обыске у Лукьяненко Л. Г. и указанные в настоящем постановлении в пп. 1—3.
12. Протокол осмотра документов, изъятых у Лукьяненко Александра Григорьевича от 13—15 декабря 1977 года.
13. Машинописный документ, начинающийся словами: «с. Матросова, 31.10.77 р.

Перечисленные материалы направить для дальнейшей проверки в УКГБ при СМ СССР по Магаданской области.

НАЧАЛЬНИК СЛЕДГРУППЫ при СМ УССР
по ЧЕРНИГОВСКОЙ ОБЛАСТИ капитан /ПОЛУНИН/

«СОГЛАСЕН»: НАЧАЛЬНИК УПРАВЛЕНИЯ КГБ при
СМ УССР по ЧЕРНИГОВСКОЙ ОБЛАСТИ полковник /ДИЧЕНКО/

«20» апреля 1978 года

Копія

ПРОВЕДЕНИЕ ОБЫСКА

«САНКЦИОНИРУЮ»
ПРОКУРОР ЧЕРНИГОВСКОЙ ОБЛАСТИ
государственный советник юстиции 3 класса /П. ТАРАСОВ/
«30» января 1978 г.

ПОСТАНОВЛЕНИЕ
о производстве обыска

гор. Чернигов «30» января 1978 г.

Начальник следгруппы УКГБ при СМ УССР по Черниговской области капитан Полунин, рассмотрев материалы уголовного дела № 39 и принимая во внимание, что по данным предварительного следствия имеются достаточные основания считать, что в квартире Стус Василия Семеновича, проживающего в селе Матросово Тенькинского р-на, Магаданской области могут храниться предметы и документы, которые имеют значение для дела, руководствуясь ст. 177 УПК УССР, —

ПОСТАНОВИЛ:
Провести обыск в квартире Стуса Василия Семеновича по адресу с. Матросово Тенькинского района Магаданской области для обнаружения и изъятия указанных предметов и документов, которые имеют значение для дела.

НАЧАЛЬНИК СЛЕДСТВЕННОЙ ГРУППЫ УКГБ
при СМ УССР по ЧЕРНИГОВСКОЙ ОБЛ. капитан /ПОЛУНИН/

«СОГЛАСЕН»: НАЧАЛЬНИК УПРАВЛЕНИЯ КГБ
при СМ УССР по ЧЕРНИГОВСКОЙ ОБЛАСТИ,
полковник /ДИЧЕНКО/

Постановление мне объявлено «___» ___________ 1978 г.
(подпись)

Стус В. С. От получения отказался.
Понятые: 1. подпись 2. подпись

Копія

ПРОТОКОЛ ОБЫСКА

поселок им. Матросова 10 февраля 1978 г.
Тенькинского района
Магаданской области
(*город, поселок, район, область*)
Обыск начат в *12 час. 35 мин.*
Окончен в 20 час. 00 мин.
Следователь УКГБ при СМ СССР по Магаданской области
майор (подпись) Устинов

(должность, воинское звание, фамилия следователя или лица производящего дознание)

с участием понятых: Петрусь Виктора Григорьевича и Кравченко Владимира Иосифовича, проживающих в пос. им. Матросова, Тенькинского района, Магаданской области; начальников отделений УКГБ по Магаданской области майоров Грушецкого и Поселянова, участкового инспектора Тенькинского РОВД Магаданской области младшего лейтенанта милиции Любавина и переводчика украинского языка Бобовского Ю. А.

в присутствии: Стуса Василия Семеновича, Русова Евгения Константиновича и Парникова Василия Захаровича, проживающих по адресу: Магаданская область, Тенькинский район, пос. им. Матросова, ул. Центральная, 37, комната 36 (общежитие рудника им. Матросова), с соблюдением требований ст. ст. 169—171, 176 и 177 УПК РСФСР произвел обыск у гр-на Стус Василия Семеновича в комнате 36, дома № 37 по ул. Центральной, пос. им. Матросова с целью отыскания и изъятия предметов и документов, имеющих значение для уголовного дела.

Выше перечисленным лицам разъяснено их право присутствовать при всех действиях следователя (представителя органа дознания), производящего обыск, и делать заявления по поводу тех или иных его действий. Понятым, кроме того, разъяснена на основании ст. 135 УПК РСФСР их обязанность удостоверить факт, содержание и результаты обыска.

Перед началом обыска следователем (лицом, производящим дознание) было предъявлено постановление об обыске от 30 января 1978 г., внесенное начальником следственной группы УКГБ при СМ УССР по Черниговской области Стусу Василю Семеновичу, после чего ему было предложено выдать: переписку и документы политически вредного содержания, на что Стус В. С. заявил, что он отказывается вести по этому поводу какие-либо разговоры.

Затем был проведен обыск книжной полки, постели, картонной коробки, тумбочки, чемодана и портфеля, находящихся в комнате № 36 и принадлежащих Стусу В. С., а также принадлежащие ему чемодан и рюкзак, находящиеся в камере хранения общежития.

При обыске обнаружено и изъято:

1. С книжной полки (находились среди книг):
   а) записная алфавитная книжка в синей обложке из винилкожи на 64 листах в мелкую клеточку с записями №№ телефонов, различных адресов и другими записями на украинском, русском и иностранных языках. На передней внутренней обложке записной книжки наклеен карманный календарь за 1978 год. На последней внутренней обложке имеется запись арабским шрифтом, исполненная красным красителем.
   б) письмо на украинском языке, исполненное на полулисте белой канцелярской бумаги, красителем синего цвета, начинающееся словами: «22 грудня 1977 р. Добрий день, друже Василю…» и заканчивающееся словами «…п'ять чистих поштівок».
   в) письмо, исполненное красителем фиолетового цвета на школьном листе бумаги белого цвета в линейку и начинающееся словам: «Багдарин 25.12.77 Дорогой Василь!…» и заканчивающееся словами: «…А тут ты вряд ли поможешь».
   г) машинный текст, исполненный под копирку черного цвета на 16 листах белой стандартной канцелярской бумаги, начинающийся словами: «Заключний акт наради з питань і співробітництва…» и заканчивающийся словами: «… в газетах «Правда» і «Известия» 2 серпня 1975 р. …». Текст имеется только на одной странице каждого листа. На полях в некоторых местах имеются пометки, исполненные от руки, красителем фиолетового цвета. И текст и пометки исполнены на украинском языке.
   д) письмо, исполненное на двух школьных листах белой бумаги в клеточку, начинающееся словами: «20.12.77 р. Валю дістав сьогодні…» и заканчивается словами: «…тепер майже не кульгаю». Письмо написано на украинском языке.
   е) Рукописний текст на двух полулистах белой канцелярской бумаги красителем фиолетового цвета, начинающийся словами: «Члену Президиума Верховного Совета СССР Расулу Гамзатову…» и заканчивающийся словами: «…сотни молодых человеческих жизней».
   ж) отдельный полулист белой канцелярской бумаги с рукописным текстом, исполненным красителем синего цвета на русском языке, начинающийся словами: «преступников против чело-

вечности…» и заканчивающийся словами: «…бремя ложится все же на нас».

з) конверт заказного письма с адресом получателя: «Магаданская область, Тенькинский р-н, с. им. Матросова, до востребования Стусу Василию» и адресом отправителя: «252030 г. Киев-30, п/о № 30, до востребования, Маринович Мирослав Франкович». В конверт вложено письмо, исполненное синим красителем на украинском языке на стандартном листе канцелярской бумаги белого цвета, начинающееся словами: «Шановний Василю! …» и заканчивающееся словами: «…На все добре! Мирослав».

и) письмо, исполненное на 3 листах ученической тетради в линейку красителем красного цвета, начинающееся словами: «Шановна пані Ганно!…» и заканчивающееся словами: «…отделения языка и литературы приблизно 745 р.)».

к) лист белой ученической тетради в линейку с рукописным текстом на украинском языке, исполненный красителем синего цвета, начинающийся словами: «Побувавши в роз'їздах…» и заканчивающийся словами: «… минуле, прагнучи того…»

л) отдельный полулист белой канцелярской бумаги с рукописным текстом, исполненным красителем синего цвета на украинском языке, начинающимся словами: «будуть (программа-максимум…» и заканчивающимся словами: «…Проте не подобає нам рюмсати».

2. Из картонной коробки:

1) отдельный полулист белой канцелярской бумаги с рукописным текстом, исполненным красителем синего цвета на русском языке, начинающийся словами: «Уважаемый Петр Григорьевич…» и заканчивающийся словами: «…ни одной украинской книги, журнала, газеты».

2) отдельный полулист белой канцелярской бумаги с рукописным текстом, исполненным красителем синего цвета на русском языке, начинающимся словами: «Уважаемый Петр Григорьевич!..» и заканчивающимся словами: «…социализма, врагов гуманизма и…».

3) письмо, исполненное от руки на листе белой канцелярской бумаги красителем фиолетового цвета на украинском языке,

начинающееся словами: «Пустомити, 30 вересня 1976...» и заканчивающееся словами: «...зустрічі на Волі. Ваш Іван К...»

4) отдельный полулист белой бумаги с рукописным текстом, исполненным карандашом на украинском языке, начинающийся со слов: «І прийде і згуртує й поведе...» и заканчивающийся словами: «...у воду зоряну й гряде».
5) фотокопия рукописного текста на украинском языке; на двух листах: «Шановні земляки-краяни! ...» — начало текста. И заканчивается текст словами: «...Пишіть про все...»
6) фотокопия рукописного текста на украинском языке на одном листе, начинающийся словами: «...ну і як хочете, навіть ...» и заканчивающийся словами: «...розповісти Вам п. Мих. та п. Ол.».
7) Самодельная тетрадь из канцелярских листов белой бумаги на 54 листах с рукописным текстом на украинском языке, исполненным карандашом, начинающимся словами: «Заперечення процедурного порядку...» и заканчивается словами: «...d2 и нападением на слона е1».
8) Самодельная тетрадь из листов белой канцелярских бумаги на 60 листах с рукописным текстом на украинском языке, исполненным карандашом в серединных листах тетради. Тетрадь начинается словами: «У цім без...» и заканчивается словами: «...перевали порожнеч».
9) Ученическая тетрадь в клеточку на 6 листах с рукописной пометкой в верхнем правом углу «Нотатки» (на обложке). В тетрадке рукописный текст на украинском языке начинается словами: «У ст.: «Кощунство» О. Г. пише...» и заканчивается словами на внутренней стороне задней обложки: «наклеп на рад. д-сть».
10) общая тетрадь в клеточку на 48 листах с рукописным текстом на украинском языке, исполненная красителем синего цвета, начинающимся словами: «Пожухле листя опадає з віт...» и заканчивающимся словами на 33 листе «...всеглядно постає».
11) общая тетрадь в клеточку на 48 листах с рукописным текстом на украинском языке, исполненным красителем фиолетового цвета, начинающимся словами: «Ти тут, Ти тут...» и заканчивающимся словами: «...піднос-ся пісня — і віща й...».
12) письмо на почтовой бумаге с изображением в верхнем углу листа Пермского речного вокзала. Письмо исполнено красителем

синего цвета на украинском языке и начинается словами: «Дорога Любомиро!...» и заканчивается словами: «...сусідував чотири доби».

13) письмо, исполненное на листах (двух) ученической тетради в клеточку красителем синего цвета на украинском языке, начинающееся словами: «Шановний п. Іване! 7.1.77 р. ...» и заканчивающееся словами: «...22 грудня — сприкрило».

3. Из коричневого портфеля:
   1) ученическая тетрадь в клеточку на 12 листах бумаги с рукописным текстом на первых двух листах, исполненным на украинском языке красителем синего цвета, начинающаяся словами: «Уваж. Итак я получил от Вас...» и заканчивающаяся словами: «... и обреченных на изоляцию».
   2) письмо, исполненное на 2 листах белой канцелярской бумаги, исполненное красителем синего цвета на украинском языке, начинающееся словами: «13.XI. Дорогий Василю! ...» и заканчивающееся словами: «...цінним листом, може дійде».
   3) самодельная тетрадь из листов белой канцелярской бумаги с рукописным текстом на русском и украинском языках, исполненным карандашом и красителями разных цветов. В тетради 56 листов. Текст начинается словами: «Почему? Зачем? ...» и заканчивается словами: «...з речами вилученими».

Все перечисленные в настоящем протоколе обыска документы изъяты.

Зачеркнутое слово «украинском» не читать.

Надписанное слово «русском» читать.

З оригіналом згідно: старший слідчий
Слідвідділу КДБ при РМ Української РСР капітан Санько
20 квітня 1978 р.

Протокол обыска прочитан следователем. Записано правильно. Замечаний по поводу обыска и протокола от участников обыска, кроме Стуса В. С., не поступило. Стус В. С. на этот вопрос отвечать отказался.

Обыскиваемый (Стус)
Понятые

При обыске присутствовали:
1. (Русов) 2. Парников
Сотрудники УКГБ:
майор (Поселянов)
майор (Грушецкий)
Участковый инспектор (Любавин)
Переводчик (Боровский)
Обыск произвел и протокол составил следователь УКГБ при СМ СССР по Магаданской области, майор (Устинов)
Экземпляр протокола получать Стус В. С. отказался и подписывать его не пожелал.
Понятые: (подпись) (подпись)
Следователь (подпись)

З оригіналом згідно: старший слідчий Слідвідділу КДБ
при РМ Української РСР капітан Санько
20 квітня 1978 р.

Копия

ПРОТОКОЛ ОСМОТРА

гор. Чернигов 13—19 марта 1978 г.

Старший следователь следственного отдела КГБ при СМ УССР майор СИМЧУК, в помещении УКГБ по Черниговской области, в соответствии со ст. ст. 85, 190, 191 и 195 УПК УССР в присутствии понятых:
1. САПОН Евгении Ильиничны, проживающей в гор. Чернигове, ул. Ленина, дом 47, кв. 14,
2. ИОНЫЧЕВОЙ Веры Потаповны, проживающей в гор. Чернигове, ул. Одинцова, дом № 1, кв.18,

провел осмотр документов, изъятых во время обыска 18 февраля 1978 года в комнате СТУСА Василия Семеновича, проживающего в пос. им. Матросова, ул. Центральная, 37, комната № 36, Тенькинского района Магаданской области.

В соответствии со статьей 127 УПК УССР понятым разъяснено их право присутствовать при всех действиях следователя во время осмотра, делать заявления по поводу тех или иных его действий, а также их обязанность удостоверить своими подписями факт, содержание и результат осмотра.

(САПОН) (ИОНЫЧЕВА)

ОСМОТРОМ УСТАНОВЛЕНО:

Изъятые во время обыска документы были упакованы в пакеты под №№ 1—3 и опечатаны печатью № 3 УКГБ при СМ СССР по Магаданской области. Перед осмотром печати не были повреждены.

Пакеты раскрыты в присутствии понятых, изъятые материалы представляют собой:

1. Записная книжка, алфавитная, размером 9 × 12,7, в синей обложке из винилинкожи на 64 листах в мелкую клетку с записями номеров телефонов, адресов и других записей на украинском, русском и иностранном языках. Записи учинены синим, фиолетовым и красным красителями, а также черным карандашом. На первом титульном листе наклеен карманный календарь на 1978 год. На первом листе записной алфавитной книжки записи начинаются со слов: «Омчак Трансп. 6—35 7—20...» и на последнем листе книжки записи заканчиваются словами: «...Таллин... 33 Юскевич Ольге Александровне». На листе № 29 записной книжки имеется такая запись: «Черн-19, Рокоссовского, 41-б, кв. 41 Лук. Лев Григ.». На этом же листе записан адрес Могильного Виктора Никол. «252124 К-24, а/с 82/1» и других лиц. На других листах имеются адреса лиц, осужденных за антисоветскую деятельность, в частности Светличного Ивана «618263 пос. Кучино, 389—36», Сверстюка Е. А. «618810 Перм, обл., Чусовский р-н пос. Всесвятская ВС 389/35 и др.
2. Письмо на украинском языке, исполненное на полулисте белой канцелярской бумаги красителем синего цвета, начинающееся словами: «22 грудня 1977 р. Добрий день, друже Василю!»... и заканчивающееся словами: «...2) п'ять чистих поштівок». Автор письма сообщает, что у него и других были проведены обыска. Упоминает Тихого, Руденко и других осужденных лиц. Документ в целом идейно-вредного содержания.
3. Письмо на русском языке, исполненное красителем фиолетового цвета на одном листе бумаги в линейку, начинающееся словами:

«Багдарин 25.12.77 Дорогой Василь!»... и заканчивающееся словами: «...А тут ты вряд ли поможешь». Автор документа упоминает Шабатуру, Григоренко, Марченко. Указывает, где они находятся в настоящее время.

Документ идейно не выдержанный.

4. Машинописный текст, исполненный под копирку черного цвета на 16 листах белой стандартной бумаги, начинающийся словами: «Заключний акт наради з питань і співробітництва в Європі...» и заканчивающийся словами: «Соціалістичної... республіки Югославії Йосип ... Тіто Надруковано в газетах «Правда» і «Известия» 2 серпня 1975 р. ...» Текст документа исполнен на украинском языке. В тексте имеются дописки слов, букв, исполненных от руки синим красителем, но не влияющих на содержание документа. Отдельные слова зачеркнуты, а взамен им дописаны другие. Часть слов написано на полях листов.

   Документ официальный, публиковавшийся в нашей прессе.

5. Письмо на 2 листах бумаги из ученической тетради в клеточку, исполненное красителем синего цвета на украинском языке, начинающееся словами: «20.12.77 р. Валю дістав сьогодні...» и заканчивающееся словами: «...тепер майже не кульгаю». Автор письма описывает о себе, о том, что он получил травму, но сейчас ему лучше. Одновременно упоминает 1972 год, когда он был арестован и якобы в то время органы советской власти ущемляли его интересы.

   В целом документ идейно-вредного содержания.

6. Рукописный текст, исполненный красителем фиолетового цвета на 2 листах белой бумаги размером 12,5 х 18,5 см, начинающийся словами: «Члену Президиума Верховного Совета СССР Расулу Гамзатову ... Стуса...» и заканчивающийся словами: «...молодых человеческих жизней».

В этом документе автор возводит заведомо ложные измышления, порочащие советский, государственный и общественный строй. Так, он клеветнически утверждает, что в СССР якобы существует «беззаконие и насилие», что результатом этого явилось якобы необоснованное привлечение к уголовной ответственности его и его товарищей Валентина Мороза, Вячеслава Чорновола, Ивана Светличного, Ивана Дзюбы. Этих лиц, осужденных за государственные преступления, он старается показать как «представителей украинской интеллигенции», якобы пострадавшей за свои убеждения.

С враждебной позиции автор также заявляет, что в Советском Союзе, якобы, «томятся сотни людей по тюрьмам и лагерям».

В целом документ клеветнического характера.

7. Рукописный текст, исполненный красителем синего цвета на одном листе белой бумаги размером 12,5 × 18,6 см, начинающийся словами: «преступников против человечности…» и заканчивающийся словами: «…бремя ложится все же на нас». Автор документа (Стус) описывая о себе, одновременно упоминает украинское «диссидентство». Стус заявляет, что «задачи украинского «диссидентства» значительно сложнее, нежели русского». Здесь же автор заявляет, что «отклонение украинской интеллигенции от точного исполнения своего долга у нас началось давно. Многие столетия нещадного террора и подкупа разложили ее костяк…» Далее в документе утверждается, что в местах заключения «костяк почти каждой зоны состоит преимущественно из украинского материала…»
Данный документ по своему содержанию идейно вредный.
8. Открытый почтовый конверт, на лицевой части которого от руки написан адрес: «Магаданская область, Тенькинский р-н, с. им. Матросова, до востребования Стусу Василию». Отправителем значится: «252030 г. Киев-30, ц/о № 30, до востребования, Маринович Мирослав Франкович». Имеется штемпель: «Киев 15 04 77 18», «им. Матросова Магадан, обл. 27 04 77 15». В конверте имеется письмо на одном листе белой стандартной бумаги, исполненное красителем синего цвета, начинающееся словами: «Шановный Василю. Пише до Вас…» и заканчивается словами: «…На все добре! Мирослав». Автор письма сообщает, что у него был обыск, а поэтому он не смог передать книги для жены Стуса. Обещает это сделать позже.
Письмо идейно-невыдержанного содержания.
9. Письмо, исполненное на трех листах белой бумаги в линейку, красителем красного цвета, начинающееся словами: «Шановна пані Ганно! Кілька днів тому…» и заканчивающееся словами: «…отделения языка и литературы приблизно 745 р.». В документе упоминаются Стефания, Анна, Галина, Вячеслав и другие.
Документ бытового характера.

10. Рукописный текст, исполненный красителем синего цвета, на одном листе белой бумаги в линейку, начинающийся словами: «Побувавши в роз'їздах, пересвідчився що...» и заканчивающийся словами: «... минуле, прагнучи того». Текст на украинском языке. Посредине листа, вверху над текстом, учинена цифра таким же красителем «3», а на обратной стороне листа, над текстом учинена цифра «4». Как видно из документа, это часть текста, в котором затрагиваются вопросы бытового характера.
11. Рукописный текст, исполненный красителем синего цвета на одном листе белой бумаги, размером 12,7х19 см, начинающийся словами: «будуть /программа-максимум.../» и заканчивающийся словами: «...Проте не подобає нам рюмсати». Текст на украинском языке. Автор письма упоминает такие имена: Стефания, Попадюк Любовь, Михаила Г[орыня], Олесю и других. Кроме бытовых вопросов автор касается в документе и деятельности В. Мороза, осужденного за антисоветскую деятельность. Документ идейно-вредного содержания.
12. Рукописный текст, исполненный красителем синего цвета на одном листе белой бумаги, размером 12,4 х 18,4 см, начинающийся словами: «Уважаемый Петр Григорьевич, обращается...» и заканчивающийся словами: «...ни одной украинской книги, журнала, газеты». Автор документа пишет, что он «бывший узник Мордовских лагерей», ныне находится в ссылке. С учетом таких условий он не намерен «сидеть сложа руки» — даже при ограниченных возможностях...». Далее заявляет: «...я даю согласие... и Вам, как представителю демократического движения, на свое участие во всех начинаниях, способствующих делу прогресса в вопросах обеспечения человеческих прав и прав народов на самостоятельное решение своей судьбы...»

В документе автор предлагает «москвичам» представительство «украинских интересов» в Москве, где, как он заявляет, «имеется куда более удачный форум, нежели в Киеве». Это способствовало бы, как утверждает автор документа, «...их большей консолидации и действенности...»

Возводя клеветнические измышления, порочащие советский государственный и общественный строй, автор документа утверждает, что украинский народ якобы «лишен права въезда в родные места».

Украинских националистов, которые вели вооруженную борьбу против Советской власти, а в настоящее время отбывают наказание, автор документа называет «участниками партизанского движения на Западной Украине», сожалеет, что они «лишены права выезда на Украину...»

Далее он заявляет, что украинцы лишены своего родного языка, клеветнически утверждает, что на Украине «...в магазинах не найдешь ни одной украинской книги, журнала, газеты».

В целом документ носит клеветнический характер.

13. Рукописный документ, исполненный красителем синего цвета на одном листе белой бумаги, размером 12,5х18,5 см, начинающийся словами: «Уважаемый Петр Григорьевич! Ваше имя...» и заканчивающийся словами: «...социализма, врагов гуманизма и...»

    Описывая о себе, автор заявляет, что его якобы необоснованно осудили, а в настоящее время «уже 9 месяцев "исправляют"». Клеветнически утверждает, что на Украине якобы были «репрессии творческой интеллигенции», о чем он писал в своих открытых письмах до осуждения.

    В этом же документе автор клевещет на советские органы правосудия. В целом документ носит клеветнический характер.

14. Письмо на одном стандартном листе белой бумаги, учиненное красителем фиолетового цвета, на украинском языке, начинающееся словами: «Пустомити, 30 вересня 1976 Добрий день...» и заканчивающееся словами: «...До скорої зустрічі на Волі. Ваш Іван К...». Правее текста простым карандашом написано (на поле) — «290053, Львів-53, Наукова, 110/33 І. Кандиба». Других дописок в тексте не имеется.

    Автор документа, описывая о своей жизни и работе, одновременно утверждает: «...Світ ще на так низькому рівні, що все в основному вирішується силою — з позиції права, а не сили права...» Документ идейно-вредный.

15. Лист белой бумаги размером 10х14,6 см с рукописным текстом, исполненным на украинском языке черным карандашом, начинающийся словами: «І прийде і згуртує й поведе...» и заканчивающийся словами: «...у воду зоряну й гряде».

    Стихотворение из жанра интимной лирики.

16. Фотокопия рукописного текста на украинском языке, исполненного черным красителем на трех листах бумаги размером 10 × 11,5 см,

9,6 × 11,8 см и 8,7 × 11,8 см. Документ начинается со слов: «Шановні земляки-краяни! Ми неодноразово намагалися…» и на третьем листе заканчивается словами: «… можуть розповісти Вам п. Мих. та п. Ол.».

В письме автор от имени украинцев, находящихся в заключении, сообщает, с какой радостью они готовились встретить осужденного за антисоветскую деятельность Валентина Яковлевича, но позже разочаровались, т. к. он начал клеветать на «наилучших, проверенных людей», требовать от них слепо подчиняться ему.

Автор письма, сообщая об этом, стремится довести, что такие люди, как Валентин, создают неблагоприятные условия для их «общего дела». Документ идейно-вредного содержания.

17. Самодельная тетрадь из белой стандартной бумаги на 54 (условно пронумерованных) листах с рукописным текстом на украинском языке, исполненным простым карандашом и красителем зеленого цвета. Текст на первом листе начинается словами: «Заперечення процедурного порядку: 1. Обшук на моїй квартирі…» и заканчивается на обороте листа № 54 словами: «…и нападением на слона е1». Оборотная сторона листов №№ 8, 14, 15, 17, 24, 25, 26, 27, 31 записей не имеет, листы тетради под № 16, 18—23, 32—46 чистые, без пометок и записей. Текст представляет собой черновые записи, сделанные Стусом во время предварительного следствия по его предыдущему уголовному делу, отдельные выписки из клеветнических документов, которые ему вменялись в вину, заметки с его опровержениями оценок, которые были даны следствием его документам; имеется ряд стихотворных набросок. На оборотной стороне листа № 47 есть текст на русском языке.

В записях и заметках автор проводит мысль о том, что он осужден якобы необоснованно. Утверждает, что на Украине будто бы существует нечеловеческое отношение к творческой интеллигенции, пытается оправдывать лиц, проводивших антисоветскую деятельность, а судебные процессы в отношении такой категории лиц называет «несправедливыми» (л. 4).

Отстаивая свое утверждение о якобы его невиновности в проведении антисоветской деятельности, за что он был привлечен к уголовной ответственности, автор в записях продолжает допускать нездоровые суждения о нашей советской действительности. В частности, он пишет: «Окремі мої думки і висловлювання могли бути витлумачені зацікавленими людьми в антирадянському дусі, але це вже не моя вина...» (л. 28).

Продолжая излагать свои мысли о якобы безосновательном привлечении его к уголовной ответственности, автор заявляет: «...меня арестовали по подложному обвинению в причастности к делу бельгийского туриста Добоша» и считает это «грубым сценарием» (л. 47).

В целом данные записей по своему содержанию являются идейно-вредными.

18. Самодельная тетрадь без обложек из белой стандартной бумаги на 60 листах (условно пронумерованных) с рукописным текстом, исполненным простым карандашом на украинском языке. Текст на обороте листа № 30 начинается со слов: «У цім безхліб'ї і бездоллі...» и заканчивается на листе № 31 словами: «...перевали порожнеч». На лицевой части листа № 30 имеется текст, исполненный простым карандашом, мало видимый и неразборчивый. Текст представляет собой два лирических стихотворения упаднического характера.
19. Ученическая тетрадь в клеточку на 6 листах (условно пронумерованных) с рукописным текстом, исполненным фиолетовым и синим красителями на украинском языке. Текст на лицевой обложке тетради начинается со слов: «Нотатки до ...О білий світе...» и заканчивается на внешней стороне задней обложки словами: «...віддані на офіру за віддаємось офірі».

В своих черновых записях автор касается литературных вопросов, упоминая при этом Антоненко-Давидовича, Зерова, Бердника. При этом употребляет слово «самиздат». Имеются отдельные выдержки из статьи И. Дзюбы, в которой он осуждает свою враждебную деятельность. Кроме того, в тетради имеются отдельные заметки в отношении И. Калинца, осужденного за антисоветскую деятельность, перечисляются враждебные документы, изъятые у него, и фамилии лиц, проводивших по данным документам экспертизу.

В целом заметки в этой тетради идейно-вредного содержания.

20. Общая тетрадь в клеточку на 48 листах (условно пронумерованных) с рукописным текстом на украинском языке, исполненным синим красителем. Текст представляет собой отдельные стихотворения, написанные в черновом плане, и начинается на первой странице

со слов: «Пожухле листя опадає з віт...» и заканчивается на 35-м листе словами: «...моєї всевідради всеглядно постає». На листах №№ 4, 36—48 записей не имеется.

Стихотворения носят лирический, бытовой характер.

21. Общая тетрадь в клеточку на 48 листах (условно пронумерованных) с рукописным текстом на украинском языке, исполненным фиолетовым и синим красителями. Текст представляет собой отдельные стихотворения, написанные в черновом плане. Текст на оборотной стороне лицевой обложки тетради начинается со слов: «Палімпсести 1. Ти тут, Ти тут 2. Як тихоня...» и на листе 38 заканчивается словами: «...піднос-ся пісня — і віща й...». В тексте имеются исправления букв и слов, а также дописки, исполненные простым карандашом, фиолетовым, синим и красным красителями. На лицевой части обложки тетради имеется рукописный текст, исполненный на иностранном языке: «Wassyl Stus Zeirichte Zyrik».

Большинство стихотворений написаны в упадническом духе, а некоторые имеют идейно-вредное содержание. Так, в стихотворении, обозначенном п 47 с. 11 об. автор пишет: «...У порожній кімнаті біла ніби стіна ...Мій соколе обтятий, в ту гостину, де ти, ні пройти, ні спитати, ні дороги знайти...»

В другом стихотворении, обозначенном п. 63, с. 16, автор пишет: «Зайди за грань нам надто тяжко жити...»

В стихотворении, озаглавленном «Трени М. Г. Чернышевского», с. 24-об. автор пишет: «Народе мій, коли тобі проститься крик предсмертний і тяжка сльоза розстріляних, замучених, забитих по соловках, Сибірах і Сибірах? Державо напівсонця, напівтьми ти крутишся у Гадину...»

В стихотворении «На Схід, на Схід...» (с. 27) автор, упоминая Украину, указывает: «...Тепер провидь у маячні десь Україна — там уся в антоновім огні на як докір всім світам жахтіє (палає) всеочам в минувшині — будучині роздарена світам...»

22. Письмо, исполненное на двух листах белой почтовой бумаги красителем синего цвета, на украинском языке. На первом листе письма в левом верхнем углу изображен Пермский речной вокзал. Текст письма начинается со слов: «Дорога Любомиро! Дякую...» и заканчивается словами: «...я сусідував чотири доби».

В письме упоминаются лица (Стефа, Ирина Калинец, Игорь Калинец), осужденные за антисоветскую деятельность.

В целом текст письма идейно-вредного содержания.

23. Письмо, исполненное красителем синего цвета на двух листах бумаги в клеточку на украинском языке, начинающееся словами: «Шановний п. Іване! 7.1.77 р. 2 січня дістав...» и заканчивающееся: «...22 грудня — сприкрило II.ВС».

В письме автор упоминает ряд лиц, осужденных за антисоветскую деятельность. Текст письма идейно-вредного содержания.

24. Ученическая тетрадь на 12 листах бумаги в клеточку с рукописным текстом на русском языке, исполненным синим красителем. Текст на оборотной стороне лицевой обложки начинается со слов: «Отсюда та благонамеренная...» и заканчивается словами: «...обреченных на изоляцию».

Автор документа, описывая о себе и одновременно вспоминая лиц, осужденных за антисоветскую деятельность в 1960 годах, называет их «жертвами репрессий августа-сент. 1965 г.», а 1972—3—4 г.г. называет временем «повальных арестов». Далее пишет: «...А в воздухе пахло Соловками...»

В целом текст идейно-вредного содержания.

25. Письмо, исполненное на двух листах белой стандартной бумаги красителем синего цвета. Текст письма начинается со слов: «13.XI. Дорогий Василю! Пишу у...» и заканчивается словами: «...цінним листом, може дійде». Письмо написано на украинском языке. В письме автором упоминаются лица, осужденные за антисоветскую деятельность: «Стефания Шабатура, Иван Светличный и другие».

Автор письма, обращаясь к Стусу, пишет в отношении такой категории лиц: «...кожна втрата особливо болить, просто-таки фізично відчуваю це...».

В целом текст письма идейно-вредного содержания.

26. Самодельная тетрадь из листов белой стандартной бумаги на 56 листах (условно пронумерованных) с рукописным текстом на русском и украинском языках, исполненным простым карандашом, черным, фиолетовым и синим красителями. В тексте много заметок, дописок букв и слов, имеются исправления. Отдельные

слова, абзацы выделены скобками, подчеркнуты. Текст на первом листе начинается со слов: «Почему? Зачем? Недоуменье...» и заканчивается словами: «...знайомитися з речами вилученими».

Текст представляет собой черновые записи и выписки по материалам уголовного дела по обвинению Стуса, сделанные от его имени. В записях и выписках дается субъективная оценка доказательствам, которые легли в основу его обвинения. Автор записей пытается доказать, что он был привлечен к уголовной ответственности необоснованно.

В тексте неоднократно упоминаются лица, осужденные за антисоветскую деятельность, указано время их ареста и сроки наказания. (Осадчий, Гель, Калинец, Антонюк, Шабатура и другие) л. 13, 44.

В целом указанные выписки и записи носят тенденциозный характер.

Осмотр проводился с 9 часов утра до 18 часов с перерывом на обед с 13 часов до 14 часов.

Протокол нами прочитан. Записано правильно. Замечаний по поводу осмотра и содержания протокола не имеем.

ПОНЯТЫЕ: (САЛОН) (ИОНЫЧЕВА)

Осмотр произвел и протокол составил старший следователь следотдела КГБ при СМ УССР майор СИМЧУК

З оригіналом згідно: старший слідчий
Слідвідділу КДБ при РМ Української РСР капітан Санько
20 квітня 1978 р.

РАСПИСКА

Мне, Стусу Василию Семеновичу, 25 декабря 1978 г. возвращены:

1) записная книжечка начинается с буквы «А» словами «375007 Е 7, Нижин»;
2) письмо на 3 листах, первый начинается словами «Шановна пані Ганно!»;

3) лист с текстом, начинается словами «побувавши...»;
4) лист с текстом, начинается словами «і прийде, і згуртує...»;
5) тетрадь из 60 листов, на 30—31 листах текст, начинающийся словами «у цім бездім'ї», кончается словами: «...порожнеч».

25 грудня 1978 р. Василь Стус

РОЗПИСКА

Мені повернув представник КДБ майор Грушецький записник, пару аркушів, ще один аркуш і ще один аркуш.

ВИТЯГ
ПРОТОКОЛ ОГЛЯДУ

м. Чернігів 13—17,19—24, 26—28 грудня 1977 р.

Старший слідчий слідчого відділу КДБ при РМ УРСР майор Плужник і старший слідчий того ж відділу майор Сімчук, в приміщенні Управління КДБ при РМ УРСР по Чернігівській області, у відповідності зі ст.ст. 85, 190, 191 та 195 КПК УРСР, в присутності понятих:

- Кучури Зої Іванівни, що мешкає в м. Чернігові по вул. Леніна, 195, кв. 62,
- Ушакової Віри Михайлівни, що мешкає в м. Чернігові по вул. Леніна, 47 кв. 34;

провели огляд документів та предметів, вилучених під час обшуку 12 грудня 1977 року в квартирі Лук'яненка Левка Григоровича в місті Чернігові по вулиці Рокоссовського, 41-б, кв. 41.

Понятим на підставі ст. 127 КПК УРСР роз'яснено їх право бути присутніми при всіх діях слідчих і робити свої зауваження з приводу тих, чи інших їх дій, а також їх обов'язок засвідчити своїми підписами відповідність записів у протоколі виконаним діям.

підпис /Кучура/ підпис /Ушакова/

ОГЛЯДОМ ВСТАНОВЛЕНО:

Вилучені під час обшуку документи були упаковані у пакети під №№ 1—8 та скріплені печаткою № 15 УКДБ при РМ УРСР по Чернігівській області. Перед оглядом печатки не були пошкоджені.

Пакети розкриті і всі вилучені матеріали являють собою:

...П'ять аркушів машинопису розміром 15 х 21 см, що являють собою 5 примірників віршованого тексту одного і того ж змісту. Текст починається зі слів: «Василь Стус. У темінь сну закурюється шлях...» і закінчується словами: «...безбережжя голубиний гуд». Автор твердить: «...Зайди на грань. Нам надто жити тяжко непевністю мети...». В цілому вірш ідейно-шкідливий.

...Рукописний текст на одному аркуші паперу в клітинку, учинений барвником синього кольору, що починається зі слів: «Василь Стус у темінь...» і закінчується словами: «...безбережжя голубиний гуд». Автор заявляє: «...Зайди на грань. Нам надто тяжко жити непевністю мети...»

В цілому вірш ідейно-шкідливий.

...Поштовий конверт, відкритий, з листом на ім'я Лук'яненка Лева Григоровича від Стуса В., що мешкає: «с. Матросова Тенькінського р-ну Магаданської області...»

В листі, що учинений на одному аркуші паперу сірого кольору, синім барвником, автор пише, що: «...прийшли мої рукописи ЗГБ... ґвалтували, мабуть мою Музу, песиголовці... Напишіть мені за Укр. Гром. Групу Сприяння...» Лист датований I7.VI.77 р.

Документ ідейно не витриманий.

Огляд проводився щоденно від 9 до 18 години з перервою на обід від 13 до 14 години.

Під час огляду документи, зазначені в п.п. 32, 36, 51, 52, 54, були обпилені магнітним порошком, але відбитків папілярних узорів слідів пальців рук не виявлено.

Фотоплівка, на яку було зафотографовано під час обшуку 12 грудня 1977 року на квартирі у Лук'яненка Л. Г. схованку з документами (пункт № 20 протоколу обшуку), виявилась неякісною. Фотознімки з неї вийшли нечіткими, а тому до протоколу огляду не прилучаються.

Зауважень від понятих з приводу огляду не надійшло.
Протокол нами прочитано, записано правильно.

Поняті: підпис /Кучура/ підпис /Ушакова/

СТАРШІЙ СЛІДЧІЙ СЛІДВІДДІЛУ
при РМ УРСР майор
підпис /Плужник/

СТАРШІЙ СЛІДЧІЙ СЛІДВІДДІЛУ
КДБ при РМ УРСР майор
підпис /Сімчук/

Витяг зроблено вірно. Оригінал документу знаходиться в кримінальній справі № 39 по обвинуваченню Лук'яненка Левка Григоровича.

СТАРШІЙ СЛІДЧІЙ СЛІДВІДДІЛУ
при РМ УРСР майор /СІМЧУК/

Копія

ПРОТОКОЛ ОГЛЯДУ

місто Чернігів 13—15 грудня 1977 року

Старший слідчий Слідчого відділу КДБ при РМ УРСР капітан ПОХИЛ, в приміщенні УКДБ при РМ УРСР по Чернігівській області, у відповідності зі ст.ст. 85, 190, 191 та 195 КПК УРСР в присутності понятих:

МОРОЗ Лідії Сергійовни, яка мешкав в місті Чернігові, вулиця 50 років СРСР, буд. 16а, кв. 8,

УМАНЕЦЬ Галини Васильовни, яка мешкає в місті Чернігові, вулиця К. Маркса, буд. 14а, кв. 60, —

провів огляд предметів і документів, які вилучені під час обшуку 12 грудня 1977 року в квартирі ЛУК'ЯНЕНКА Олександра Григоровича за адресою: м. Чернігів, вул. Рокоссовського, буд. № 49, кв. 36.

У відповідності зі ст. 127 КПК УРСР понятим роз'яснено їх право бути присутніми при всіх діях слідчого під час огляду, робити свої зауваження з приводу тих чи інших його дій, а також їх обов'язок засвідчити своїми підписами відповідність записів у протоколі виконаним діям.

/МОРОЗ/ /УМАНЕЦЬ/

Огляд проводився при денному та електричному освітленні.

Оглядом встановлено, що вилучені на квартирі у ЛУК'ЯНЕНКА Олександра Григоровича документи та предмети уявляють собою:

1. Машинописний текст на одному аркуші білого паперу стандартного формату, який починається словами: «м. Київ Прокурору УРСР від Лук'яненка Олександра Григоровича з м. Чернігова, вул. Рокосовського, 49, кв. 36. ЗАЯВА 15 січня 1977 року…» і закінчується словами «…29 січня 1977 року».

   В цьому документі автор, посилаючись на окремі життєві обставини, які нібито мали місце з його дружиною та рідними, твердить про те, що з боку КДБ мають місце окремі безпідставні дії, чим утискуються права його сім'ї та рідних.

   В кінці документа автор вказує, що його копію він надсилає до «Української Громадської Групи Сприяння» для «реєстрації факту порушення прав людини». (Цей примірник заяви у відповідності з протоколом обшуку був виданий добровільно господаркою квартири ЛУКЬЯНЕНКО В. Т.)

   За своїм змістом документ ідейно-шкідливий.

2. 5 примірників вищезгаданого документа «м. Київ Прокуророві Української РСР від Лук'яненка Олександра Григоровича…». Машинописний текст виконаний з використанням копіювального паперу чорного кольору, який за своїм змістом аналогічний з машинописним документом, оглянутим в п. 1 цього протоколу.

3. Машинописний текст на трьох аркушах білого паперу стандартного формату, надрукований під копіювальний папір чорного кольору, який починається словами «Інта, 8.ІІ.77 р. Шановний Левку! Хочу подякувати…» і закінчується на третьому аркуші словами «…Володимир Затварський».

   Автор документа, повідомляючи адресату «Левку» про те, що. він вдруге був притягнутий до кримінальної відповідальності в 1960 році Верховним Судом УРСР за ст.ст. 1 і 9 Закону про державні злочини до

8 років позбавлення волі, зводить наклеп на судові та інші адміністративні органи.

Робить спробу показати, що його нібито безпідставно переслідують, обмежують в правах тощо.

Документ за своїм змістом націоналістичний, ідейно-шкідливий.

4. Машинописний текст на 5 аркушах білого паперу стандартного формату, надрукований під копіювальний папір чорного кольору, який починається словами «с. Тегульдет 11. II.77 р. Добрий день, шановний земляче! Перш за все багаторазово...» і закінчується словами на 5 аркуші «...Микола Коц».

   Цей машинописний документ є листом, адресованим «шановному земляку» від Миколи Коца, який у відповідності з вироком знаходиться у «засланні» в с. Тегульдет Томської області.

   В листі автор повідомляє адресата про окремі труднощі, які виникають у нього в питаннях передплати на різні видання. Разом з тим викладає окремі факти, які нібито змушують його забути рідну мову — українську і користуватись тільки російською. В зв'язку з цим автору листа доводиться «пробивати мовний бар'єр» і доказувати «що і моя мова має право на функціонування».

   За змістом документ ідейно-шкідливий.

5. 2 примірника одного й того ж віршу під заголовком «ВОЗСОЄДИНЄННИЙ ГАЛИЧАНИН», один з яких надрукований під копірувальний папір чорного кольору. Текст кожного примірника надрукований на одному аркуші білого паперу стандартного формату і починається словами: «Поважний зборе...» та закінчується словами «...все пігмеї!». По боках машинописного текста вірша є рукописний текст: зліва «Вірш Володимира Самійленка 26 лютого 1890 р.», а справа — «1. Поет московський Херасков написав твір «Россияда», в котрім прославляє лютого царя Івана Грізного великим царем. 2. Хай буде Божа воля». Цей рукописний текст на першому примірнику виконано кульковою ручкою синім барвником, а на другому примірнику він виконаний під копірувальний папір чорного кольору. В машинописному тексті вірша після слів «Прометеї», «епопеї», «тієї» є забарвлені місця чорним барвником, крізь який продивляється машинописний текст «Ах, дайте, дайте сто рублів Слузі всеруської ідеї!»

   За своїм змістом вірш ідейно не витриманий.

Рукописний текст документа на 3 аркушах паперу стандартного формату, виконаний барвником синього кольору, який починається словами: «Председателю Совета Министров СССР от рабочего г. Караганда Ильчук Ивана Алексеевича…» і закінчується на 3-му аркуші словами «…15.VII.1977 год.».

Автор документа, звертаючись до Голови Ради Міністрів СРСР, повідомляє про те, що він націоналіст, за що був суджений в минулому і зараз мешкає за межами України. Він радить дещо змінити в зовнішній політиці КПРС і уряду. Разом з тим автор просить надати можливість українським націоналістам проводити збори, мати свої видання, сформувати козацько-княжеські дружини для підтримки внутрішнього порядку.

За своїм змістом документ ідейно-шкідливий.

7. Машинописний текст в двох примірниках надрукований на двох аркушах білого частково лінованого паперу стандартного формату, який починається словами: «До Ради Міністрів Української РСР копія: Митрополиту Київському і Галицькому Філарету, Патриаршому Екзарху України КЛОПОТАННЯ…» і закінчується словами: «…що й стверджуємо нашими підписами». Нижче рукописним текстом як на першому, так і на другому аркуші написано барвником синього кольору «ЛУК'ЯНЕНКО Олександр Григорович» і нерозбірливий підпис. Крім того, нижче в лініях проставлені цифри «2, 3, 4, 5». Перший і другий примірники надруковані на друкарській машинці під копірувальний папір чорного кольору.

Автор цього «клопотання» нібито від імені «віруючих християн міста Чернігова», до яких зараховує і себе, під виглядом турботи про віруючих та справедливість в нашому суспільстві наклепницьки твердить, що начебто віруючим чиняться «перепони здійснення служби Божої та релігійних обрядів» з боку радянської влади. Ці надумані автором «перепони» він називає «дискримінацією». А наприкінці свого клопотання, знову ж таки нібито від імені віруючих, вимагає відкрити ще одну церкву в місті Чернігові.

В цілому в цьому документі містяться наклепницькі вигадки, що порочать радянський державний та суспільний лад.

8. Машинописний текст на одному аркуші білого паперу стандартного формату, який починається словами: «ЕКЗАРХУ Київському, Галицькому і всієї України ФІЛАРЕТУ ЗВЕРНЕННЯ…» і закінчується словами: «…від церкви».

В «Зверненні» від імені віруючих (православних християн) під виглядом турботи про дотримання «законності і справедливості» в нашій країні пропонується офіційно дозволити вести релігійну пропаганду. Документ за змістом ідейно-шкідливий.

9. Рукописний текст на 3 невеличких аркушах паперу розміром 14,5 × 10 см, виконаний синім барвником. Текст починається словами: «Здравствуй, батенька». І закінчується словами на зворотній стороні 3-го аркушу: «...не отвечать! Конец».

   Цей рукописний текст є віршем невідомого автора, в якому згадується прізвище «Аджубей» та імена «Никита», «Нина». За своїм змістом вірш ідейно-невитриманий.

10. Невеличкий аркуш паперу в клітинку розміром 8,7 × 5,5 см.

    На першій сторінці цього аркуша простим олівцем написано: «Свобода 6—8—31, 41 18—20—19, 25, 31 22—01—31, 49», а на другій сторінці олівцем синього кольору написано: «7 ч.-41, 31, 25, 19 м».

11. Білий аркуш паперу стандартного формату з рукописним текстом, виконаним чорним барвником, який починається на першій сторінці аркуша словами: «М, І5-я Парковая...» і закінчується на другій сторінці словами «...Бертран т.-295—89—98».

    На обох сторінках записані адреси та номера телефонів різних осіб: РУДЕНКА М. Д., МАРИНОВИЧА М. Ф., МАТУСЕВИЧА М. І., РУБАНА В. П. та інших.

12. Машинописні тексти на окремих аркушах паперу стандартного формату (позначені в п. 3 протоколу обшуку). Машинописні тексти є листами від різних осіб. В тому числі:

- лист, надрукований під копірувальний папір чорного кольору на одному аркуші білого паперу. Текст цього листа починається словами: «День добрий, друже!...» і закінчується словами «...Федір 5.12.1976 року». В ньому автор повідомляє адресата про своє життя. Згадує своїх і адресата знайомих по місцях позбавлення волі, які тепер роз'їхались по різних містах Радянського Союзу, «біля 12-ти чоловік...» виїхало за кордон. Згадуючи про СОКУЛЬСЬКОГО, який зупинився у Дніпропетровську, автор заявляє: «...кожного із нас намагаються закидати грязюкою — і зрозуміло хто...» В цілому лист ідейно-ущербний;
- лист, надрукований під копірувальний папір чорного кольору на 2 аркушах білого паперу стандартного формату, текст якого

починається словами: «Доброго дня, шановний пане Левку!...» і закінчується на другому аркуші словами «Вітання Вашій родині! 17.12.76 року». З листа видно, що його автором є МАТВІЮК Кузьма Іванович, 1941 року народження, проживаючий в Кіровоградській області, в 1972 році був засуджений до 4 років позбавлення волі за ст. 62 ч. І КК УРСР. Автор, тенденційно підбираючи факти, що сталися з ним після повернення з місць позбавлення волі, намагається довести, що по причині його судимості він не може влаштуватися на роботу. В цілому лист ідейно-ущербний;

- лист на 2 аркушах цигаркового паперу стандартного формату, надрукований на друкарській машинці під копірувальний папір чорного кольору, який починається словами: «Здоров був, Левку!...» і закінчується словами «...З пошаною до Вас Степан 26.12.1976 року». В листі автор, виходячи з особистих обставин, які сталися у нього за місцем роботи, пише, що нібито навколо нього «почала діяти блокировка» і причиною цьому нібито є його судимість в 1963 році за антирадянську агітацію та пропаганду. Крім того, автор безпідставно стверджує про те, що нібито його листи, адресовані «Левку», перш ніж до нього потрапити, кимось читаються. В цілому лист за своїм змістом ідейно-невитриманий.

13. Машинописний текст (перший примірник) на двох аркушах білого паперу стандартного формату, який починається словами: «Добрий День! Вашого листа одержав...» і закінчується на другому аркуші словами «...15.ІІ.77 р. о. Шубків». Ці аркуші скріплені металевими скріпками.

Виходячи із змісту цього тексту, він є листами Кузьми Матвіюка, що надіслані адресату. В листі автор, говорячи про проект Конституції Радянського Союзу, заявляв, що в процесі її «Хвалити можу. А не погоджуватися — небезпечно, бо хто зна, де та межа, що починається не на «упрощение власти». В цілому лист ідейно-шкідливий за своїм змістом.

14. Машинописний текст на 5 аркушах цигаркового паперу стандартного формату, надрукований під копірувальний папір чорного кольору, який починається словами: «с. Матросова, 9.ІІ.77 Шановний пане Левку!...» і закінчується словами на 5-му аркуші «...Дай Боже! Василь Стус».

Виходячи із змісту машинописного тексту, він є листом Стуса до «Левка». В цьому листі автор з ворожих позицій зводить злісний наклеп на радянський державний та суспільний устрій. З цією метою, заявляючи про своє бажання також бути членом «Укр. Наглядового Комітету», підбурює учасників «цього «Комітету» посилити його діяльність в більш широкому плані, працювати не над долею окремої особи, а над долею всього українського народу. Про це він пише так: «…Але хоч і які несприятливі умови маємо, проте питання вироблення прав нашого народу і їх існуючий простір у межах закл. акту [Заключний акт Наради з безпеки і співробітництва в Європі 1975 р., також відомий як Заключний акт] — і має бути обговорене. Бо наших окремих доль немає, а є одна велика доля народу нашого». Разом з тим автор листа наклепницьки стверджує про те, що на Україні нібито проводяться «репресії української інтелігенції», що в занедбаному стані знаходиться українське «письмо», що начебто «…Чимало є ще українців, яким боронено проживати на Україні і вони коріняться будь-де: на Колимі, в Красноярському краї, Казахстані і т. ін.». З націоналістичних позицій паплюжить рівноправність Української республіки у складі Союзу РСР», в зв'язку з чим «український демократичний рух має на меті поставити перед урядом ті питання, без розв'язання яких неможливе конституційне право про фактичну рівноправність націй».

15. Машинописний текст на 2 аркушах білого паперу стандартного формату, надрукований під копірувальний папір чорного кольору, який починається словами: «с. Матросова 31.10.77 р. Дорогий Левку…» і закінчується на другому аркуші словами. «…Чолом, брате. Ваш Василь Стус».

    Автор листа повідомляє «Левка» про те, що отримав від нього 2 листа, про своє життя, безпідставно твердить, що нібито по вині окремих службових осіб органів КДБ зникають його листи, висловлює своє бажання бути членом «Наглядового комітету», доручення якого буде виконувати «радо».

    За своїм змістом лист ідейно-шкідливий.

16. Машинописний текст на одному аркуші цигаркового паперу стандартного формату, надрукований під копірувальний папір чорного кольору, який починається словами: «м. Київ До Ради Міністрів Української РСР КЛОПОТАННЯ…» і закінчується словами «…Вчинено у Києві 14 жовтня 1977 року».

    В цьому «Клопотанні», складеному від імені БЕРДНИКА, ГРИГОРЕНКО, КАНДИБИ, ЛУК'ЯНЕНКА, МАРИНОВИЧА, МАТУСЕВИЧА, МЕШКО,

РУДЕНКА, СТРОКАТОВОЇ, ТИХОГО, повідомляється Рада Міністрів УРСР про створення 9 вересня 1976 року «Українська громадська група сприяння виконанню Хельсінських угод» та викладається прохання про надання цій «групі» статусу юридичної особи. В цілому документ за своїм змістом ідейно-шкідливий.

17. Машинописний текст на трьох аркушах цигаркового паперу стандартного формату, надрукований під копірувальний папір чорного кольору, який починається словами: «Інта, 8.11.77 р. Шановний Левку! Хочу...» і закінчується на третьому аркуші словами «...Володимир Затварський».

 Співставленням встановлено, що цей текст аналогічний за змістом з машинописним текстом документа, який детально оглянутий в п. 3 цього протоколу.

18. Машинописний текст, на 5 аркушах цигаркового паперу стандартного формату, надрукований під копірувальний папір чорного кольору, який починається словами: «с. Тегульдет 11.11.77 р. Добрий день, шановний земляче! Перш за все багаторазово...» і закінчується словами на 5-му аркуші «...Микола Коц».

 Співставленням встановлено, що цей текст аналогічний за змістом з машинописним текстом документа, який детально оглянутий в п. 4 цього протоколу.

19. Машинописний текст на 8 аркушах цигаркового паперу стандартного формату, надрукований під копірувальний папір чорного кольору, який починається словами: «ВИРОК, ім'ям Української...» і закінчується на 8-му аркуші словами «...згідно-головуючий». Виходячи із змісту цього документу, він є вироком у справі Назаренка, Кондрюкова. Карпенка від 1 січня 1961 року, засуджених за ст. 162 ч. 1 КК УРСР.

20. Машинописний текст на 12 аркушах білого паперу стандартного формату, надрукований під копірувальний папір чорного кольору, який починається словами: «Генеральному Прокуророві СРСР... Скарга» і закінчується на 12-му аркуші словами «...листопад 1977 року Б. ЧУЙКО».

 За змістом цей машинописний текст є скаргою Чуйка, засудженого на підставі статей 56, 58 і 64 КК УРСР до 15 років позбавлення волі, про перегляд його справи. Автор скарги тлумачить про те, що його нібито судили без достатніх доказів. За змістом ідейно-шкідлива.

Машинописні документи оглянуті в п. 13—20 цього протоколу, були загорнуті в один пакунок 7—8 сторінками газети «Литературная газета № 47 23 ноября 1977 г.».

21. В конверті з адресою одержувача «Чернігів-19, вул. Рокоссовського ...ЛУК'ЯНЕНКУ Левкові Григоровичу» та з адресою відправника «м. Дубно ...КУРИЛЯК Степан» є лист на 3 аркушах білого паперу стандартного формату, що починається словами «Здоров був, Левку!..» і закінчується словами на 3-му аркуші «...З пошаною до Вас Ваш Степан 26.12.76». Лист виконаний рукописним текстом.

    Співставленням встановлено, що цей лист за своїм змістом аналогічний з машинописним текстом, який детально оглянутий в п. 13 цього протоколу.
22. Конверт «Авиа» з адресою одержувача «Чернігів-14 вул. Рокосовського, 41-Б, кв. 41 Лук'яненку Левку Г.» і адресою відправника «Томская обл., с. Тегульдет, вул. Пушкина, 48, кв. 2 КОЦ М.». В конверті є лист, виконаний рукописним текстом синім барвником на 8 аркушах паперу в клітинку, текст якого починається словами «с. Тегульдет 11.11.1977 р. Добрий день, шановний земляче Левку!...» і закінчується на 8-му аркуші словами «...я і зараз його не виграв».

    Співставленням встановлено, що цей лист за своїм змістом аналогічний з машинописним текстом, який більш детально оглянутий в п. 4 цього протоколу.
23. Конверт з поштовим штемпелем поштового відділення в Інті, Комі АРСР, з датою 11.11.77 року, на якому рукописним текстом написано: «ценное 10 десять руб.», адреса відправника «Инта Коми АССР ... Володимир Затварський», і адреса одержувача «г. Чернигов-19 вул. Рокоссовского, 41-Б, кв. 41 Левко Лук'яненко». В конверті є лист, виконаний рукописним текстом синім барвником на 3 аркушах білого паперу стандартного формату, який починається словами «Інта, 8.XI.1977 Шановний Левку! Хочу подякувати...» і закінчується на третьому аркуші словами «...Щиро прихильний Володимир Затварський».

    Співставленням встановлено, що цей лист за своїм змістом аналогічний змісту машинописного тексту, який більш детально оглянутий в п. 3 цього протоколу.
24. Конверт з поштовим штемпелем поштового відділення міста Чернігова з датою «22.12.76» та адресою одержувача «м. Чернігів-19,

вул. Рокоссовського, 41-б, кв. 41, Лук'яненку Левкові Григоровичу» і адресою відправника «Кіровоградська, Олександрія, Червоноармійська, 58—8, Матвіюку К.», в якому є лист. Лист виконаний рукописним текстом чорним барвником на одному аркуші білого паперу стандартного формату, який починається на першій сторінці словами «Добрий день, пане Левку! Як Ви там...» і закінчується на другій сторінці словами «...Привіт Вашій родині з повагою Кузьма 17.12.76 р. Олександрія».

В листі автор безпідставно заявляє, що труднощі у нього виникають по вині КДБ. За своїм змістом лист ідейно-шкідливий.

25. Конверт з поштовим штемпелем поштового відділення міста Чернігова з датою «14.11.76». На конверті рукописним текстом вказана адреса відправника «Кіровоградська, Олександрія ... Матвіюку К.» і адреса одержувача «Чернігів-19, в. Рокоссовського, 41-б, кв. 41, Лук'яненку Левкові Гр.». В цьому конверті є лист, виконаний на одному аркуші білого паперу стандартного формату рукописним текстом фіолетовим барвником. Текст листа починається словами «Доброго дня, шановний пане Левку!...» і закінчується словами на другій сторінці «...І8.Х.76 р. Матвіюк К.».

Автор, тенденційно підбираючи факти, намагається довести, що нібито порушуються його права з боку окремих службових осіб. За своїм змістом лист ідейно-шкідливий.

26. Конверт з надписом «Ценное — 10 руб.» і адресами: одержувач — «Чернигов ул. Рокоссовского 41-б, кв. 41 ЛУКЬЯНЕНКО Льву Григорьевичу», відправник — «Молд. ССР, г. Бендеры, ул. Лазо 33, кв. 50 Сусленскому Я. Н.». В цьому конверті є лист, виконаний рукописним текстом фіолетовим барвником на одному аркуші паперу, який починається словами «Друже Левко, день добрий!..» і закінчується на другій сторінці словами «...всему честному народу». В листі автор повідомляє адресата про те, що йому та його жінці з боку «ОВИРа» і «КГБ» чиняться різні перешкоди, які направлені на те, щоб не дати можливості їм виїхати за кордон. За змістом лист ідейно-шкідливий.

27. Конверт з поштовим штемпелем відділення в місті Чернігові з датою «1.4.77». На конверті одержувачем листа вказана адреса Лук'яненка і його прізвище, а відправником значиться Прокопович Григорій, що мешкає в Красноярському краї, ст. Курагіно.

В конверті є лист на одному аркуші паперу в клітинку, виконаний рукописним текстом фіолетовим барвником.

Автор листа поздоровляє «Левка» з нагоди «свята Паски». Разом з тим він пише: «…Так хай розвеселиться і наша Батьківщина, бо очікувана справедливість і перемога над злом повинна прийти внаслідок перемоги Ісуса Христа… » За змістом лист ідейно-шкідливий.

28. Поштовий конверт з адресою одержувача «Чернигов-19, ул. Рокоссовского № 41-б, к. 41 Лук'яненко Левко Григорьевич». На цьому конверті є поштовий штемпель «Донецк Славянск 21.03.77». В конверті є рукописний текст на трьох аркушах білого паперу стандартного формату, виконаний під копірувальний папір фіолетового кольору. Текст починається словами «Открытое письмо Генеральному секретарю ЦК КПСС Л. И. Брежневу Руденко Раиса Афанасьевна г. Киев… » і закінчується на третьому аркуші словами «…Советским Правительством. 21.11.1977 г. Р. Руденко».

    В «Открытом письме» автор безпідставно твердить про те, що нібито порушуються права її сім'ї, а чоловіка Миколу Руденка засудили без будь-яких доказів.

    За своїм змістом «Открытое письмо» ідейно-шкідливе.

29. Поштовий конверт з адресою відправника «Васильківка на Дніпр. Щорса вул. 2, Калиниченко В. В.» та адресою одержувача «Чернигів-19 Рокоссовського вул. 41 «б» ком. 41 Лук'яненку Левкові Гр.». В конверті є один аркуш паперу стандартного формату з рукописним текстом, виконаним фіолетовим барвником. Текст починається словами «Віталій Калиниченко 323230, селище Васильківка на Дніпропетровщині Щорса вул., 2 Ініціаторові Української Громадської групи сприяння виконанню Гельсінських угод юристові Левку Лук'яненку Заява…» і закінчується словами «…економіст Віталій Калиниченко 15 жовтня 1977 року».

Автор «Заяви» просить прийняти його до «Групи сприяння…» як її члена. Разом з тим автор зводить наклеп на органи правосуддя в нашій країні, заявляючи про те, що в нашій країні провадяться «безпідставні і незаконні арешти». В цілому в документі містяться наклепницькі вигадки на радянський державний устрій.

30. Поштовий конверт з надписом «Коштовний — 10 (десять) крб» з поштовими штемпелями «Житомир Леніне 23.06.77» і адресами: одержувач — «Чернігів, 19, вул. Рокоссовського, 41-б, кв. 41,

Лук'яненку Левкові Григоровичу», відправника — «Житомирська обл., Радомишльський р.н. с. Леніне, Овсієнко В. В.».

В цьому поштовому конверті знаходяться: лист «Левку» на 7 аркушах білого паперу, що починається словами «Добридень, п. Левку! Ваші листи...» і закінчується словами «...Василь Овсієнко 22 червня 1977 року»; заяви Овсієнка до Міністерства Освіти Української РСР (копія), Прокуророві УРСР (копія) від 7 квітня 1977 року. Всі заяви і лист виконані рукописним текстом синім барвником. В них автор, тенденційно підбираючи факти, намагається довести, що з боку окремих службових осіб та організацій нібито порушуються його особисті права і тільки по тій причині, що він раніше був суджений за антирадянську агітацію та пропаганду. В цілому ці документи за своїм змістом ідейно-шкідливі.

31. Поштовий конверт з штемпелями поштових відділень м. Радомишль та Чернігова і адресами відправника — «Житомирська обл. Радомишльський р-н, с. Леніне, Овсієнко В. В.» та отримувача — «Чернігів-19, вул. Рокоссовського, 41-б, кв. 41, Левкові Лук'яненку». В цьому конверті знаходяться три листа, виконані рукописним текстом синім барвником, що починаються словами: «Вельмишановний пане Левку! Мені дуже...», «Вельмишановний пане Левку! Пишу цього...», «Добридень, п. Левку. Насамперед...» та закінчуються відповідно словами «...6 квітня 1977 року. Щиро Ваш Вас. Овсієнко», «...Вітає Вас», «...добрий приятель В. О.».

В цих листах автор повідомляє адресата про те, що він в 1973 році був суджений за ст. 62 КК УРСР разом із Василем Лісовим та Євгеном Пронюком. Під час слідства та суду у нього були «тяжкі часи, коли я ледве врятував свою душу...Не будучи тоді достатньо твердим у переконаннях, я багато чим поступився, але то від недосвідченості, а головне наслідком модного тоді (1973 рік) шантажу божевільнею».

За своїм змістом ці листи ідейно-шкідливі.

32. 5 поштових конвертів з адресою відправника «278100 Молдавская ССР, г. Бендеры, ул. Лазо, 33, кв. 50 Сусленскому Я. М.» та адресою отримувача «Чернигов, ул. Рокоссовского 41-Б, кв. 41 Лукьяненко Льву Григорьевичу». На одному з цих конвертів одержувачем вказані «Лукьяненко Надежде Никитовне и Л. Г.». В конвертах знаходяться листи, виконані рукописним текстом синім, зеленим, фіолетовим та чорним барвниками, що починаються та закінчуються

словами: «Дорогой Левко! Я отправил...» — «...Ваш Яков»; «23/III-77 г. Здравствуйте, Левко! Получил Ваше письмо...» — «...пребывание в ПКТ»; «Дорогой Левко! Ваше письмо от 18/IV...» — «...Ваш Яков 29/IV-77 г.»; «Друг ты мой сердечный Левко!...»; «...Дошли, будь ласка»; «9.III-77 Здравствуйте, Левко! Получил Ваше письмо...» — «...Обожающий Вас Яков...». Автор листів тенденційно підбирає факти і на їх підставі робить узагальнюючі висновки, зокрема заявляє, що в наш час «цвет человечества идет на эшафот», що його оточує «пресыщенность, бездуховность», «меня с моими гуманистическими идеалами добра, чести, человеческого достоинства, благородства и т. п. — поднимают на смех», що його кореспонденція потрапляє до КДБ, згадує прізвища осіб, засуджених за антирадянську діяльність, просить повідомити його про вирок по справі Руденка.

За своїм змістом ці листи ідейно-шкідливі.

33. Поштовий конверт, на якому вказана адреса відправника «Пермская обл. Чусовской р-н п. Кучино, учр. ВС-389/36 Гирчак Григорий Андр.» та адреса отримувача «Чернигов-19 ул. Рокоссовского 41-Б, кв. 41 Лук'яненко Левко Г.». В конверті знаходиться лист на 2 аркушах паперу, що починається словами «Гаразд, шановний Левку! Нині 17 жовтня...» і закінчується словами «...До побачення! Гриць». Лист виконаний рукописним текстом фіолетовим барвником. Автор листа повідомляє «Левка», що відбуває покарання в місцях позбавлення волі і що 5.XII.1977 року звільняється.

Поштовий конверт з адресою відправника «260367, Житомирська обл., Радомишльський р-н, с. Леніне, Овсієнко В.» та адресою отримувача «Чернігів,19, вул. Рокоссовського, № 41-б, кв. 41, Лук'яненку Левкові Григоровичу». Текст листа виконаний фіолетовим барвником і починається словами «Шановний п. Левку! Від Вас...» та закінчується словами «...Василь Овсієнко 29.V.1977 року». Автор листа повідомляє «Левка» про те, що йому не надають можливості працювати в школі, в зв'язку з чим він пише скарги, а також про окремих осіб, котрі звільняються із місць позбавлення волі. В цілому лист ідейно-шкідливий за своїм змістом.

35. Три поштових конверта з адресою відправника «Томская обл. с. Бачкар 636200 до востребования Чуйко» і адресою отримувача «Чернигов-19 ул. Рокоссовского, 41-Б, кв. 41 Лукьяненко Л. Г.».

В цих конвертах знаходяться листи, виконані рукописним текстом фіолетовим та чорним барвниками. Текст листів починається та закінчується словами: «с. Бакчар 28.IV.1977 Добрий день! Високоповажанні Надія Никонівна і Левко Григорович!...» — «...Богдан 29 квітня 1977 р.»; «село Бакчар 25 квітня 1977 р. Добрий день! Високоповажанні!...» — «...З повагою! 15.IV. 1977 р.»; «село-районний центр-Бакчар Добрий день! Вельмишановні...» — «...12 лютого І977 р.».

Автор листів повідомляє адресата про те, що він відбуває покарання без достатніх підстав, що його клопотання залишаються без уваги, що з ним поводяться погано. В цілому за змістом листи ідейно-шкідливі.

36. Поштовий конверт з адресою відправника. «Мордовская АССР, Зубово-Полянский район, пос. Ударный учр. жих 385—10 Курчик Микола Якович» та адресою одержувача «Украина, Черниговская область, р-н Городня, с. Хрипівка, Лук'яненко Григорію».

В конверті знаходиться лист, виконаний рукописним текстом синім барвником на 2 аркушах паперу із загального зошита в клітинку, що починається словами «4 жовтня 1977 року...» і закінчується словами «...Романка розпитаю». Автор листа повідомляє адресата, що він відбуває покарання в місцях позбавлення волі і чекає скорого звільнення. Разом з тим він безпідставно заявляє, що знаходиться в «осиновому кублі, де панує суцільний орловско-ліпецький та московський шовінізм, антогонізм і т. інше...». За своїм змістом лист ідейно-шкідливий.

37. Поштовий конверт з адресою відправника «3—85—34 (24-позвуть) м. Прилуки, вул. Комінтерна, 58, Рубан Л. Ф.» та адресою одержувача «м. Чернігів-19, вул. Рокоссовського, 41-Б, кв. 41, Лук'яненку Левку Григоровичу». В цьому конверті знаходиться лист на 4 аркушах паперу з учнівського зошита в лінійку. Текст листа виконаний рукописним текстом фіолетовим барвником і починається словами «Шановний, пане, Левко Григорович!...» та закінчується словами: «...від мене 13.XII.76 р.». З тексту листа видно, що його автором є дружина Рубана. Вона повідомляє про те, що її чоловік чекає суду, який відбудеться «десь 20 грудня». Дякує «Левка Григоровича» за поради у справі і запитує: «Ви вже, мабуть, отримали з Києва копію моєї скарги в президію». Автор листа намагається довести,

що її чоловіка судять як «видатного майстра, і розвиток традиційного мистецтва нашого народу від цього терпить шкоду». За змістом лист має тенденційну спрямованість, ідейно-шкідливий.

38. Поштовий конверт з адресою відправника «431170 Мордовская АССР, ст. Потьма, п/о Лесной, учр. ЖХ-385—19, Семенюк Роман Захарович» та адресою одержувача «УССР, Чернігів, вул. Рокоссовського, 41-Б, кв. 41, Лук'яненко Левко Григорович». В конверті знаходиться лист на 4 аркушах паперу із загального зошита в лінійку, що починається словами «Слава Ісусу Христу! ...» і закінчується словами «...До скорої зустрічі Роман 27.2.1977 року». Лист виконаний рукописним текстом синім барвником. Автор листа повідомляє «Левка», що його листа, виключно одного, отримав. «В першому Твойому листі була знимка з Іваном і юридична справка про громадянство як до чого». Також говорить, що після відбуття покарання хотів би зупинитися жити на Україні. Про це він зокрема пише: «...Хотілося б побачити сестру і дядька; та побачити ту країну, в якій наш нарід найшов своє пристанище, гнаний злиднями і зайдами...». За змістом лист ідейно-шкідливий.

39. Два поштових конверта з адресою відправника «662920 Красноярск. край, ст. Курагино, Молодежная, 3-б, Прокопович Григорий Гр.» та адресою отримувача «Чернигов-19, ул. Рокоссовского, 41-б, кв. 41, Лукьяненко Левко Григорьевич». В цих конвертах знаходяться рукописні листи, виконані синім барвником на аркушах паперу із загального зошита в клітинку. Перший лист на 2 аркушах починається словами «Дай Боже гаразд, дорогі і шановні...» і закінчується словами «Гриць 27-X-1976». Другий лист на одному аркуші починається словами «Дорогі побратими! Дорога...» і закінчується словами «...Христос народився 31.12.76 р.».
В першому листі автор тенденційно повідомляє адресата про окремі трудноші в його житті, але він виходить з них, користуючись лозунгом: «Другим можна, тобі — ні». І тут же наводить слова Ільфа і Петрова «Пиво продается только членам профсоюзов», які доповнює своїми словами: «Я член профсоюза, але молоко не п'ю». Другий лист релігійного змісту. В цілому ці листи за своїм змістом ідейно-невитримані.

40. Два поштових конверта з адресою отримувача ЛУК'ЯНЕНКО Надії Никонівни та адресою відправника ЛУК'ЯНЕНКА Левка Григорови-

ча. Відповідно з поштовими штемпелями, що є на конвертах, вони були відправлені в 1968 і в 1969 роках. В цих конвертах знаходяться два листа: один виконаний простим олівцем на одному аркуші паперу з учнівського зошита і починається словами «Добрий день, Надюньку!..» та закінчується словами «…Цілую. Левко»; другий лист виконаний на одному аркуші паперу із загального зошита в клітинку фіолетовим барвником і починається словами «Добрий день, Надюньку!..» та закінчується словами: «…моїм батьком». Ці листи за своїм змістом побутового характеру.

41. Поштовий конверт з поштовими штемпелями відділень м. Дубно та м. Чернігова з адресами: одержувач — «м. Чернігів-19, вул. Рокосовського, 41-б, кв. 41, Лук'яненку Левкові Григоровичу», відправник — «Дубно-4, вул. Добровольців, 3/72 Куриляк Ст.». В цьому конверті є лист, текст якого починається словами «Дорогий Левку! Ще раз повідомляю…» і закінчується на другій сторінці словами «…що з того буде».

В листі автор тенденційно підбирає обставини про труднощі за місцем його роботи, де адміністрація діє проти нього нібито за чиїмись «вказівками». За своїм змістом лист ідейно-шкідливий.

42. Фотоапарат «Смена-2» з фото об'єктивом № 287068 в коричневому футлярі з шкірозамінника. В фотоапараті знаходилась кольорова фотоплівка, яка була проявлена в процесі огляду. Фотоплівка виявилась заекспонованою, на якій зафотографовані діти, жінки.

Оглянуті документи та предмети в п.п. 1—42 цього протоколу до огляду знаходились в окремих пакетах, які були запечатані печаткою № 15 УКДБ при РМ УРСР по Чернігівській області.

В процесі огляду були сфотографовані 3 аркуші копіювального паперу, що позначені в п. 6 протоколу обшуку.

Протокол прочитаний, записано вірно. Під час огляду заяв та зауважень не надійшло.

ПОНЯТІ: /МОРОЗ/ /УМАНЕЦЬ/

Старший слідчий слідчого відділу КДБ
при РМ УРСР капітан ПОХИЛ
З оригіналом звірено: Старший слідчий
Слідвідділу КДБ при РМ Української РСР капітан Санько
20 квітня 1978 р.

Копія

ПРОТОКОЛ
допроса свидетеля

г. Усть-Омчуг «11» февраля 1978 г.
Тенькинского района
Магаданской области

Допрос начат в 13 час. 00 мин.
окончен 17 час. 00 мин.

Следователь УКГБ при СМ СССР по Магаданской области майор Устинов в помещении Тенькинского РО УКГБ при СМ СССР по Магаданской области по отдельному поручению начальника следственной группы УКГБ при СМ СССР по Черниговской области капитана Полунина допросил с соблюдением требований ст. ст. 157, 158 и 160 УПК РСФСР в качестве свидетеля нижепоименованных:

1. Фамилия, имя, отчество: Стус Василь Семенович
2. Год рождения: 1938
3. Место рождения: о. Рахнивка Гайсинского р-на Винницкой области
4. Национальность: украинец
5. Гражданство: гражданин СССР
6. Партийность: беспартийный
7. Образование: высшее
8. Семейное положение: женат, имеет сына 1966 года рождения
9. Судимость: судим в 1972 году к 5 годам лишения свободы и 3 годам ссылки по ст. ст. 62 ч. I УК УССР. Киевским областным судом.
10. Документ, предъявленный свидетелем в удостоверение своей личности: удостоверение (взамен паспорта) № СН-21/248, выданное 4 марта 1977 года Тенькинским РОВД Магаданской области.
11. Место работы: рудник им. Матросова, Тенькинского района Магаданской области.
12. Род занятий или должность: машинист скреперной лебедки участка № 1 рудника им. Матросова.

13. Местожительство: Магаданская область, Тенькинский район, поселок им. Матросова, улица Центральная, дом 37, ком. № 36 (общежитие рудника имени Матросова).
14. В каких отношениях состоит с обвиняемым и потерпевшим: (прочерк)

В соответствии с частью 2 ст. 158 УПК РСФСР гр-ну Стусу Василию Семеновичу разъяснены обязанности свидетеля, предусмотренные ст. 73 УПК РСФСР, и он предупрежден об ответственности по ст. 182 УК РСФСР за отказ или уклонение от дачи показаний и по ст. 181 УК РСФСР за дачу заведомо ложных показаний.

Свидетель Стус В. С. от подписи отказался — следователь

На предложение рассказать все ему известное об обстоятельствах, в связи с которыми он вызван на допрос, свидетель Стус Василий Семенович показал:

Русским языком я владею свободно, в переводчике не нуждаюсь, разговаривать согласился на русском языке.

По существу заданных вопросов свидетель Стус В. С. показал: на все вопросы касающихся моих репрессированных товарищей, в том числе Лукьяненко Льва Григорьевича, я отвечать отказываюсь, считая их жертвами необоснованных политических репрессий, и это единственное, что я могу подписать.

ВОПРОС. Знаете ли вы Лукьяненко Льва Григорьевича и какие у вас с ним взаимоотношения?

ОТВЕТ. Отвечать на вопрос отказываюсь.

ВОПРОС. Поддерживали ли вы с Лукьяненко Львом Григорьевичем переписку и какого содержания?

ОТВЕТ. Отвечать на вопрос отказываюсь.

ВОПРОС. Обуславливалась ли у вас с Лукьяненко Л. Г. информация, которая должна помещаться в письмах?

ОТВЕТ. Отвечать на вопрос отказываюсь.

ВОПРОС. Не получали ли вы от Лукьяненко Л. Г., кроме писем, какие-либо иные документы? Если да, то их название и какого они содержания, где они находятся в настоящее время?

ОТВЕТ. Отвечать на вопрос отказываюсь.

ВОПРОС. Что вам известно об изготовлении и распространении Лукьяненко Львом Григорьевичем документов враждебного содержания?

ОТВЕТ. Об изготовлении и распространении Лукьяненко Львом Григорьевичем каких-либо враждебных документов мне ничего не известно, и я подвергаю большому сомнению возможность того, что он мог быть автором подобных документов.

ВОПРОС. При обыске у Лукьяненко Л. Г. 12 декабря 1977 года изъят блокнот с его записями, из которых усматривается, что он 25 ноября 1977 года направил вам два заявления о своем выезде за границу. Получали ли вы эти заявления? С какой целью присылал их вам Лукьяненко Л. Г., где они находятся в настоящее время? В каком виде они были изготовлены? Знакомили ли вы с этими заявлениями других лиц и если да, то кого конкретно?

ОТВЕТ. Никаких подобных заявлений от Лукьяненко Л. Г. я не получал.

ВОПРОС. Перед допросом вам были разъяснены смысл и содержание части 2 ст. 158 и ст. 73 УПК РСФСР, смысл и содержание ст. ст. 181 и 182 УК РСФСР. С этими статьями УПК и УК РСФСР вы ознакомились, и лично вы были предупреждены об уголовной ответственности за отказ или уклонение от дачи показаний и за дачу заведомо ложных показаний. Почему вы отказываетесь удостоверить этот факт своей подписью?

ОТВЕТ. Отвечать на этот вопрос отказываюсь, потому что считаю, что репрессии многих представителей украинской интеллигенции не идут на пользу престижу нашей страны.

Протокол допроса лично мною прочитан, с моих слов записано правильно. Замечаний, заявлений по поводу допроса и протокола не имею. Не имею к протоколу допроса и дополнений. (*Василь Стус*)

Допрос произвел и протокол составил
Следователь УКГБ при СМ СССР по Магаданской области
майор (подпись)

З оригіналом звірено:
Старший слідчий Слідвідділу КДБ при РМ Української РСР
капітан Санько
20 квітня 1978 р.

Копія

ПРОТОКОЛ

дополнительного допроса свидетеля

г. Усть-Омчуг «12» февраля 1978 г.
Тенькинского р-на
Магаданской области
Допрос начат в 10 час. 00 мин.
окончен 19 час. 15 мин.

Следователь УКГБ при СМ СССР по Магаданской области майор Устинов в помещении Тенькинского РО УКГБ при СМ СССР по Магаданской области допросил с соблюдением требований ст. ст. 157, 158 и 160 УПК РСФСР в качестве свидетеля Стуса Василя Семеновича, 1938 г. рождения, уроженца с. Рахнивка Гайсинского р-на Винницкой области УССР.

(Более полные данные о личности свидетеля указаны в протоколе его допроса от «11» февраля 1978 г.)

В соответствии с частью 2 ст. 158 УПК РСФСР свидетелю Стусу Василию Семеновичу разъяснены обязанности свидетеля, предусмотренные ст. 73 УПК РСФСР, и он предупрежден об ответственности по ст. 182 УК РСФСР за отказ или уклонение от дачи показаний и по ст. 181 УК РСФСР за дачу заведомо ложных показаний

Свидетель Стус В. С. от подписи отказался.

ВОПРОС. Вам предъявляется для ознакомления машинописный текст письма на украинском языке, начинающийся словами: «с. Матросова, 9.11.77 г. Шановний пане Левку!...» и заканчивающийся словами: «...Дай Боже. Василь Стус» на 5 листах. Не являетесь ли вы автором этого документа?

ОТВЕТ. С предъявленным мне на обозрение упомянутым выше письмом я ознакомился путем личного его прочтения. На поставленный мне вопрос по поводу этого письма и его автора я отвечать отказываюсь, протестуя против нарушения тайны переписки.

ВОПРОС. При чем здесь нарушение тайны переписки?

ОТВЕТ. Отвечать на этот вопрос я отказываюсь.

ВОПРОС. Что вы можете пояснить об упомянутом в предъявленном вам для ознакомления документе, так называемом «Украинском наглядовом комитете»?

ОТВЕТ. Право на общественные ассоциации гарантируется как советскими законами, так и международными правовыми положениями. Любая деятельность, содействующая выполнению содержания Хельсинкского совещания, гарантирована самим Хельсинкским документом, и уже поэтому ничего противозаконного в этой деятельности быть не может. Это полностью относится и к деятельности «Української наглядового комітету».

ВОПРОС. Как видно из содержания упомянутого письма, автором которого являетесь вы, в нем содержатся клеветнические измышления, порочащие советский государственный и общественный строй, а также национальную политику в нашей стране. В частности, в нем клеветнически утверждается о том, что Украина якобы находится в неравноправном положении по сравнению с другими республиками в составе Союза ССР, в настоящее время на Украине якобы проводятся «репрессии украинской интеллигенции», в упадническом состоянии находится украинское «письмо» и тому подобное. Что вы можете показать в связи с этим и для каких целей вы направили его Лукьяненко Льву Григорьевичу?

ОТВЕТ. Тайна переписки обеспечивается законом, а нарушение ее законом карается. Больше ничего в своем ответе на поставленные вопросы добавить не могу.

ВОПРОС. При чем здесь тайна переписки?

ОТВЕТ. На этот вопрос я отвечать отказываюсь.

ВОПРОС. На допросе 11 февраля 1978 года и на сегодняшнем допросе вы отказались отвечать на некоторые поставленные вам вопросы. Почему вы уклонились от ответов на эти вопросы?

ОТВЕТ. На некоторые поставленные мне вопросы на сегодняшнем допросе и на допросе 11 февраля 1978 года я отвечать отказался, ибо проводимые в последние годы политические репрессии в нашей стране являются, по моему мнению, печальным рецидивом прошлых нарушений социалистической законности. Одним из наиболее ярких примеров того является так называемое «дело» Льва Григорьевича Лукьяненко, судимого в 1961 году по сфальсифицированному обвинению в измене Родине и арестованного в декабре 1977 года в нарушение советских и международных правовых положений. Его новый арест ничего, кроме чувства протеста, у меня не вызывает. Более того, считаю Льва Григорьевича Лукьяненко достойным поборником прав человека, гражданина, защитником интересов народа, идеалов свободы, добра и справедливости.

ВОПРОС. Какие имеются у вас основания утверждать, что в 1961 году Лукьяненко Л. Г. был арестован по сфальсифицированному обвинению и что в декабре 1977 года он арестован в нарушение советских законов и международных правовых положений?

ОТВЕТ. На этот вопрос я отвечать отказываюсь.

ВОПРОС. При обыске у вас в комнате в общежития 10 февраля 1978 года был обнаружен и изъят машинописный текст, начинающийся словами: «Заключний акт Наради з питань безпеки…» и заканчивающийся словами «…в газетах "Правда" і "Известия" 2 серпня 1975 р.», с рукописными пометками на полях и исправлениями в тексте от руки. Текст и пометки исполнены на украинском языке. Что это за документ? Не являетесь вы автором текста, пометок и исправлений?

ОТВЕТ. Это официальный документ — заключительный акт Хельсинкского совещания в части вопросов, касающихся «третьей корзины», то есть гуманитарных положений, исполненный на украинском языке. На вопрос в части, касающейся рукописных пометок на полях и исправлений в тексте, я отвечать не буду. Не буду я давать никаких пояснений и в отношении всех других изъятых у меня при обыске 10 февраля 1978 года документов: писем, стихов, различных иных записей. От таких показаний я отказываюсь потому, что произведенный в моей комнате общежития обыск я считаю неправомерным, а изъятие упомянутых выше документов — необоснованным.

Допрос производился с перерывом с 13 часов 35 минут до 17 часов 10 минут.

Протокол допроса лично мною прочитан, с моих слов записано правильно. Замечаний и заявлений по поводу допроса и протокола не имею. Дополнений к протоколу допроса тоже не имею. (*Василь Стус*)

Допрос произвел и протокол составил
Следователь УКГБ при СМ СССР по Магаданской области
майор (подпись)

З оригіналом звірено:
Старший слідчий Слідвідділу КДБ при РМ Української РСР
капітан (подпись) Санько
20 квітня 1978 р.

ПРОТОКОЛ
дополнительного допроса свидетеля

г. Усть-Омчуг «13» февраля 1978 г.
Тенькинского р-на
Магаданской области
Допрос начат в 10 час. 50 мин.
окончен в 13 час. 10 мин.
Следователь УКГБ при СМ СССР по Магаданской области майор Устинов в помещении Тенькинского РО УКГБ при СМ СССР по Магаданской области допросил с соблюдением требований ст. ст. 157, 158 и 160 УПК РСФСР в качестве свидетеля Стуса Василя Семеновича, 1938 г. рождения, уроженца с. Рахнивка Гайсинского р-на Винницкой области УССР. (Более полные данные о личности свидетеля указаны в протоколе его допроса от «11» февраля 1978 г.)

В соответствии с частью 2 ст. 158 УПК РСФСР свидетелю Стусу Василию Семеновичу разъяснены обязанности свидетеля, предусмотренные ст. 73 УПК РСФСР, и он предупрежден об ответственности по ст. 182 УК РСФСР за отказ или уклонение от дачи показаний и по ст. 181 УК РСФСР за дачу заведомо ложных показаний.

Свидетель Стус В. С. от подписи отказался.

ВОПРОС. Из ваших показаний от 11 и 12 февраля 1978 года видно, что вам известен Лукьяненко Лев Григорьевич. Когда, где и при каких обстоятельствах вы познакомились с ним и каковы у вас с ним взаимоотношения?

ОТВЕТ. На допросе 11 февраля 1978 года я отказался отвечать на подобный вопрос. Отказываюсь отвечать на поставленный выше вопрос и сегодня.

ВОПРОС. На допросе 12 февраля 1978 года вы показали, что считаете Лукьяненко Льва Григорьевича «...поборником прав человека, гражданина, защитником интересов народа, идеалов свободы, добра и справедливости». В чем конкретно заключается эта его деятельность и какой она носит характер?

ОТВЕТ. Это Лукьяненко Лев Григорьевич доказал своим многолетним испытанием. Насколько мне известно, он всегда был активным защитником идеалов справедливости. Лукьяненко Л. Г. всегда интересовали вопросы не личного, а общественного блага. О более конкретной деятельности Лукьяненко Льва Григорьевича я отвечать отказываюсь.

ВОПРОС. Что вам известно о деятельности так называемой «Украинского наглядового комитета»?

ОТВЕТ. Я уже давал показания по этому поводу на допросе 12 февраля 1978 года и ничего другого к ним добавить не желаю, ибо в деятельности подобных комитетов я не усматриваю ничего противозаконного.

ВОПРОС. Вам предъявляются для ознакомления письма, стихи, различные записи и другие документы, изъятые у вас при обыске 10 февраля 1978 года. Кто является авторами этих документов и что вы можете пояснить по существу их содержания?

ОТВЕТ. При обыске 10 февраля 1978 года у меня были изъяты письма, наброски моих стихов, записная книжка, текст заключительного акта Хельсинкского совещания и другие записи. Все это никакого отношения к враждебной деятельности не имеет. При обыске была нарушена тайна переписки, было неправомерное вмешательство в процесс моей литературной поэтической деятельности. Поэтому никаких ответов по существу заданного вопроса я давать не буду. Знакомиться с изъятыми у меня при обыске бумагами я отказываюсь.

ВОПРОС. На допросах 11, 12 февраля 1978 года и на сегодняшнем допросе вы отказывались удостоверить своей подписью тот факт, что вам разъяснены смысл и содержание ст. ст. 73 и 158 УПК РСФСР и ст. ст. 181 и 182 УК РСФСР. Не считаете ли вы, что таким способом вы сможете избежать привлечения вас к уголовной ответственности за отказ или умышленное уклонение от дачи показаний?

ОТВЕТ. Нет, не считаю. Протокол допроса лично мною прочитан, с моих слов записано правильно. Замечаний и заявлений по поводу допроса и протокола не имею. Желаю сделать дополнение к своим показаниям, которые хотел бы изложить собственноручно.

В соответствии со ст. 160 УПК РФСР свидетелю Стусу В. С. предоставляется возможность сделать дополнения к своим показаниям собственноручно: «Желал бы, чтобы копии проколов моих допросов от 11. 12 и 13 февраля 1978 г., а также копии всех обвинительных материалов по т. наз. «делу» Лукьяненко Л. Г. 1961 года, материалы суда и следствия над моими товарищами, репрессированными в 1965, 1972 и последующих годах, были направлены в адрес Белградского совещания по безопасности и сотрудничеству в Европе, в адрес Комиссии ООН по правам человека, лично Курту Вальдхайму для определения степени объективности проведения следственной и судебной процедур».

Допрос произвел и протокол составил
Следователь УКГБ при СМ СССР по Магаданской области
майор (*подпись*)

Копія

ПРОТОКОЛ

додаткового допиту обвинуваченого

м. Чернігів 28 березня 1978 р.

Старший слідчий слідчого відділу КДБ при РМ УРСР капітан Санько в приміщенні УКДБ при РМ УРСР по Чернігівській області з додержанням вимог ст. ст. 143, 145 і 146 КПК УРСР допитав обвинуваченого Лук'яненка Левка Григоровича (дані про особу обвинуваченого маються у справі).

Допит почато в 14 год. 45 хв.
Закінчено в 19 год. 00 хв.

ЗАПИТАННЯ. На допиті 15 грудня 1977 року вам пред'являвся вилучений під час обшуку 12 грудня того ж року у вашій квартирі в тайнику під пластиковим покриттям кухонного столу перший примірник машинописного документа на 5 аркушах цигаркового паперу у вигляді листа на ваше ім'я від Василя Стуса, який датовано 9.11.1977 року. За висновком криміналістичної експертизи від 10 лютого 1978 року, з яким ви ознайомились 15 лютого 1978 року, вищезазначений документ у вигляді листа від Василя Стуса надрукований на вашій друкарській машинці «Москва». Ці обставини вказують на те, що вилучений у вашій квартирі машинописний примірник є копією листа до вас Василя Стуса від 9.11.1977 року. Покажіть, коли саме і за яких обставин ви одержали від Стуса лист, датований 9.11.1977 року? Як виглядав оригінал цього листа від Василя Стуса і де він зараз знаходиться?

ВІДПОВІДЬ. На ці запитання я відповідати відмовляюсь, бо моє листування зі Стусом не носило антирадянського характеру, тому допит з приводу одного з листів Стуса я вважаю замахом на мої демократичні права.

ЗАПИТАННЯ. В скількох примірниках і в зв'язку з чим був передрукований на вашій друкарській машинці лист Василя Стуса від 9.11.1977 року? Де інші примірники цього документа?

ВІДПОВІДЬ. Відмовляюсь відповідати.

ЗАПИТАННЯ. З якою метою машинописний примірник лист Василя Стуса від 9.11.1977 року ви зберігали у своїй квартирі в тайнику?

ВІДПОВІДЬ. Відмовляюсь відповідати.

ЗАПИТАННЯ. Вам пред'являється для ознайомлення вилучений під час обшуку 12 грудня 1977 року у квартирі вашого брата Лук'яненка Олександра Григоровича в м. Чернігові не перший примірник машинописного документа у вигляді листа на ваше ім'я від Василя Стуса на 5 аркушах цигаркового паперу, що починається на першому аркуші зі слів: «с. Матросова, 9.11.1977 Шановний пане Левку!..» і закінчується на п'ятому аркуші словами: «...Дай Боже! Василь Стус», який за висновком криміналістичної експертизи від 10 лютого 1978 року (з яким ви ознайомились 15 лютого 1978 року) надрукований на вашій друкарській машинці «Москва» в одну закладку з тим примірником листа Стуса від 9.11.77 року, котрий вилучено під час обшуку у вашій квартирі під час обшуку.

Що ви можете показати з приводу пред'явленого вам машинописного примірника листа Стуса від 9.11.1977 року, який вилучено в квартирі вашого брата?

ВІДПОВІДЬ. Відмовляюсь відповідати.

ЗАПИТАННЯ. Допитаний як свідок по вашій справі Лук'яненко Олександр Григорович показав, що приблизно з 1977 року ви почали передавати йому для зберігання одержані вами листи від друзів та інші документи. Покажіть, які саме документи та листи ви передали Лук'яненку Олександру на зберігання і в зв'язку з чим?

ВІДПОВІДЬ. Відповідати відмовляюсь.

ЗАПИТАННЯ. Дайте показання, з якою метою, зокрема, ви передали Лук'яненку Олександру вищезазначений машинописний примірник листа Василя Стуса від 9.11.77 року?

ВІДПОВІДЬ. Відмовляюсь відповідати.

ЗАПИТАННЯ. Попереднім слідством по вашій справі встановлено, що ви розмножили отриманий вами лист Стуса від 9.11.77 року і активно його розповсюджували. Вам пропонується дати показання про розмноження і всі факти розповсюдження цього документа.

ВІДПОВІДЬ. Відповідати відмовляюсь.

ЗАПИТАННЯ. Вам пред'являються для ознайомлення вилучені під час виїмки 8 грудня 1977 року по кримінальній справі на Мариновича і Матусевича на Київському главпоштамті цінні листи на ім'я Кравчука, Мешко, Кандиби, Антоненка-Давидовича, Мороз, Калиниченка та Масюткіна, а саме:

- поштовий конверт з адресою відправника: «250019, м. Чернігів-19, вул. Рокоссовського, 41-Б/41, Лук'яненко Л. Г.» і адресою отримувача: «Тернопільська обл., Тернопільський р-н, с. Великий Глибочок, Кравчуку Степану Миколайовичу», які написані від руки синім барвником, та відбитком поштового штемпелю «Киев I 28.11.77»; рукописний текст листа, виконаний синім барвником на одному аркуші паперу, що починається зі слів: «Добрий день, Степане!..» і закінчується словами на звороті словами: «Бувай! 27.11.77 року», в якому, зокрема, автор повідомляє про те, що разом зі своїм листом він надсилає лист Стуса; не перший примірник машинописного документа на 5 аркушах паперу, що починається на першому аркуші зі слів: «с. Матросова, 9.11.77 р. Шановний пане Левку!..» і закінчується на п'ятому аркуші словами: «...Дай Боже! Василь Стус»;
- поштовий конверт з адресою відправника: «250027, м. Чернігів-27, вул. Рокоссовського, 12-а, кв. 34, Карандій О. Є.» і адресою отримувача: «Київ-86, вул. Верболозна, 16, Мешко Оксані Яківні», які написані від руки синім барвником, та відбитком поштового штемпелю «Киев I 28.11.77»; рукописний текст листа виконаний синім барвником на одному аркуші паперу, що починається зі слів: «Вельмишановна добродійко! Надсилаю Вам два листа Василя Стуса...»

і закінчується на звороті: «Вітання Олексієві, Дзвінці, Устимкові. 26.11.1977 року. Ваш підпис»; не перший примірник машинописного документу на 5 аркушах паперу, що починається на першому аркуші словами: ««с. Матросова, 9.11.77 р. Шановний пане Левку!...» і закінчується на п'ятому аркуші словами: «...Дай Боже! Василь Стус»;

- поштовий конверт з адресою відправника: «250027, м. Чернігів-27, вул. Рокоссовського, 12-а, кв. 34, Карандій О. Є.» і адресою отримувача: «Львів-53, вул. Наукова, 110, кв. 33, Кандибі Степану Олексійовичу», які написані від руки синім барвником, та відбитком поштового штемпелю «Киев I 28.11.77»; опис вкладення листа, заповнений від руки синім барвником на стандартному бланку, з особистим підписом відправника; рукописний текст листа виконаний синім барвником на одному аркуші паперу, що починається зі слів: «Здоров був, Іване...» і закінчується на звороті словами: «...(листи тільки поштові)», в якому, зокрема, автор повідомляє про те, що разом із своїм листом надсилає два листа Василя Стуса; не перший примірник машинописного документа на 5 аркушах паперу, що починається на першому аркуші зі слів: «с. Матросова, 9.11.77 р. Шановний пане Левку!..» і закінчується на п'ятому аркуші словами: «...Дай Боже! Василь Стус»;
- поштовий конверт з адресою відправника: «250027, м. Чернігів-27, вул. Рокоссовського, 12-а, кв. 34, Карандій О. Є.» і адресою отримувача: «Київ-30, вул. Леніна, 68, кв. 24, Антоненко-Давидовичу Борису Дмитровичу», які написані від руки синім барвником, та відбитком поштового штемпелю «Киев I 28.11.77»; опис вкладення листа, заповнений від руки синім барвником на стандартному бланку, з особистим підписом відправника; не перший примірник машинописного документа на 5 аркушах паперу, що починається на першому аркуші зі слів: «с. Матросова, 9.11.77 р. Шановний пане Левку!..» і закінчується на п'ятому аркуші словами: «...Дай Боже! Василь Стус»; рукописний текст листа виконаний синім барвником на одному аркуші паперу, що починається зі слів: «...Вельмишановний добродію, Борисе Дмитровичу! Надсилаю Вам два листи Василя Стуса, які нещодавно дістав...» і закінчується на звороті словами: «...27.11.77 року Ваш — підпис»;
- поштовий конверт з адресою відправника: «250027, м. Чернігів-27, вул. Рокоссовського, 12-а, кв. 34, Карандій О. Є.» і адресою отри-

мувача: «Івано-Франківськ, вул. Набережна, 14, Мороз Раї Василівні», які написані від руки синім барвником, та відбитком поштового штемпелю «Киев I 28.11.77»; опис вкладення листа, заповнений від руки синім барвником на стандартному бланку, з особистим підписом відправника; рукописний текст листа виконаний синім барвником на одному аркуші паперу, що починається зі слів: «Раю, будь здорова! Надсилаю тобі два листа Василя Стуса…» і закінчується на звороті словами: «…Левко 27.11.77 року»; не перший примірник машинописного документа на 5 аркушах паперу, що починається на першому аркуші зі слів: «с. Матросова, 9.11.77 р. Шановний пане Левку!…» і закінчується на п'ятому аркуші словами: «…Дай Боже! Василь Стус»;

- поштовий конверт з адресою відправника: «250027, м. Чернігів-27, вул. Рокоссовського, 12-а, кв. 34, Карандій О. Є.» і адресою отримувача: «Дніпропетровська обл., м. Васильківка, вул. Щорса, 2, Калиниченко Віталію В.», які написані від руки синім барвником, та відбитком поштового штемпелю «Киев I 28.11.77»; опис вкладення листа, заповнений від руки синім барвником на стандартному бланку, з особистим підписом відправника; рукописний текст листа виконаний синім барвником на одному аркуші паперу, що починається зі слів: «Здоров був, Віталію! Недавно отримав два листи Василя Стуса. Вони цікаві, і мені хочеться познайомити з ними тебе та ін. дніпропетровців…» і закінчується на звороті словами: «Хай допоможе тобі Господь!.. Левко 27.11.77 року»; не перший примірник машинописного документа на 5 аркушах паперу, що починається на першому аркуші зі слів: «с. Матросова, 9.11.77 р. Шановний пане Левку!…» і закінчується на п'ятому аркуші словами: «…Дай Боже! Василь Стус»;
- поштовий конверт з адресою відправника: «250027, м. Чернігів-27, вул. Рокоссовського, 12-а, кв. 34, Карандій О. Є.» і адресою отримувача: «Херсонська обл. Нова Каховка, с. Дніпряни, вул. К. Маркса, Масюткіну Михайлові Савичу», які написані від руки синім барвником, та відбитком поштового штемпелю «Киев I 28.11.77»; опис вкладення листа, заповнений від руки синім барвником на стандартному бланку, з особистим підписом відправника; рукописний текст листа виконаний синім барвником на одному аркуші паперу, що починається зі слів: «Здоровенькі були, Михайле

Савичу! Нещодавно я отримав два листи від Василя Стуса...» і закінчується на звороті словами: «...тільки коштовні листи)»; не перший примірник машинописного документу на 5 аркушах паперу, що починається на першому аркуші зі слів: «с. Матросова, 9.11.77 р. Шановний пане Левку!..» і закінчується на п'ятому аркуші словами: «...Дай Боже! Василь Стус».

Дайте показання з приводу пред'явлених вам цінних листів та їх вкладень.

ВІДПОВІДЬ. Я ознайомився з пред'явленими цінними листами на ім'я Кравчука, Мешко, Кандиби, Антоненко-Давидовича, Мороз, Калиниченка та Масюткіна і їх вкладеннями, що зазначені у запитанні, але ніяких показань щодо пред'явлених документів давати не буду.

Протокол пред'явлено обвинувачуваному для прочитання, але він від його прочитання відмовився. Після цього протокол йому оголошено слідчим. Лук'яненко підтвердив, що його відповіді на запитання записано правильно, підписати протокол відмовився.

Ст. слідчий слідчого відділу КДБ при РМ УРСР
капітан (Санько)

З оригіналом звірено: Старший слідчий Слідвідділу КДБ
при РМ Української РСР капітан Санько
20 квітня 1978 р.

Копія

ПРОТОКОЛ
додаткового допиту обвинуваченого

м. Чернігів 29 березня 1978 р.

Старший слідчий слідчого відділу КДБ при РМ УРСР капітан Санько в приміщенні УКДБ при РМ УРСР по Чернігівський області з додержанням вимог ст. ст. 143, 145 и 146 КПК УРСР допитав обвинуваченого Лук'яненка Левка Григоровича (дані про особу обвинуваченого маються у справі).

Допит почато в 9 год. 45 хв.
Закінчено в 18 год. 40 хв.
З перервою з 13 до 14 год. 45 хв.

ЗАПИТАННЯ. Вчора, тобто 28 березня 1978 року, вам на допиті пред'являлись для ознайомлення вилучені під час виїмки 8 грудня 1977 року по кримінальній справі відносно Мариновича і Матусевича на Київському головпоштамті цінні листи на ім'я Кравчука, Мешко, Кандиби, Антоненко-Давидовича, Мороз, Калиниченка та Масюткіна і їх вкладення.

За висновком криміналістичної експертизи від 10 лютого 1978 року, з якими ви ознайомились 15 лютого 1978 року, адреси на семи пред'явлених вам конвертах цінних листів, самі листи вищеназваним особам, а також підписи в листах та описах вкладень — виконані вами. За висновком цієї ж експертизи всі сім машинописних примірників листа Василя Стуса від 9.11.1977 року, які знаходились у вищезазначених цінних листах, надруковані на вашій друкарській машинці «Москва» в одну закладку з примірником цього листа, які вилучені під час обшуків 12 грудня 1977 року на вашій квартирі і квартирі вашого брата — Лук'яненка Олександра Григоровича, а всього згідно висновку надруковано цих документів в одну закладку не менше 10 примірників.

Ці обставини, а також вилучені документи вказують на те, що ви, отримавши від Стуса лист від 9.11.1977 року і розмноживши на своїй друкарській машинці, розіслали його Кравчуку, Мешко, Кандибі, Антоненко-Давидовичу, Мороз, Калиниченку та Масюткіну. При цьому в більшості своїй використовували підставну зворотну адресу Карандій Ю. Є., а, надсилаючи лист Кандибі Івану, також адресу Кандиби Степана Олексійовича.

Вам ще раз пропонується дати показання про мету й обставини надсилання вказаним особам і передачі своєму брату машинописних копій листа Стуса машинописних копій від 9 листопада 1977 року.

ВІДПОВІДЬ. Відмовляюсь відповідати.

ЗАПИТАННЯ. У вищезазначених листах на ім'я Мешко, Кандиби, Антоненко-Давидовича та Мороз, які вилучені 8 грудня 1977 року на Київському головпоштамті, ви, зокрема, повідомляєте вказаних осіб про те, що вас «звідусіль тиснуть — либонь за "Рік свободи"?».

Що ви можете показати з приводу вказаних записів у ваших листах?

ВІДПОВІДЬ. В останні місяці перед арештом я став помічати посилений нагляд за мною з боку міліції та на роботі. Я допускав, що це пов'язано з передачею моєї статті-нарису «Рік свободи» закордонними радіостанціями, тому про це написав у вищезгаданих листах. Більше ніяких показань щодо цього давати не буду.

ЗАПИТАННЯ. З вищезазначених записів у листах і ваших пояснень вбачається, що Мешко, Кандибі Івану, Антоненко-Давидовичу та Мороз відомий ваш документ під назвою «Рік свободи». Що ви можете пояснити з приводу цього?

ВІДПОВІДЬ. Я припустив, що ці особи могли чути про цей нарис з передач закордонних радіостанцій. Інших пояснень щодо цього давати не буду.

ЗАПИТАННЯ. У вказаних листах, зокрема у листі Мешко, ви пишете: «До заяви про клопотання про реєстрацію Групи я пропонував доповнення такого змісту: Група поповнюється із суспільно активних громадян (незалежно від національності) і діє у складі членів Групи і кореспондентів». Якби таке доповнення погодився включити Олесь Павлович, то тоді таких людей, як Стус, можна б вважати кореспондентами (як би це оформлялося, не має значення)...»

Дайте пояснення щодо цієї своєї пропозиції і, зокрема, щодо вашої ідеї використання в діяльності Групи так званих «кореспондентів».

ВІДПОВІДЬ. Відмовляюсь відповідати.

ЗАПИТАННЯ. У листі Масюткіну Михайлу Савичу ви, зокрема, про Стуса і його листи пишете: «Він прав у головному — ми не можемо байдуже дивитися на навколишнє життя і заспокоювати своє сумління рабською формулою: головою стіну не проб'єш. Він закликає до активного ставлення щодо наших проблем і в цьому заслуговує на наслідування...»

Що ви можете пояснити з приводу цих своїх записів?

ВІДПОВІДЬ. Відповідати відмовляюсь.

ЗАПИТАННЯ. Вам пред'являється для ознайомлення вилучений 12 грудня 1977 року під час обшуку у вашій квартирі поштовий конверт з адресою відправника: 686071, с. Матросова, Тенькін. р-ну, Магаданської обл., Стусу В. С.» і адресою отримувача «250019, Чернигов-19, Рокоссовского, 41-б, кв. 41, Лукьяненко Льву Григорьевичу», які виконані від руки синім барвником. На лицьовій частині цього конверта є відбиток поштового штемпелю «Им. Матросова Магадан. обл. 10.11.77», а на зворотній стороні такі записи, виконані від руки синім барвником: «Ант. Давид. Мешко Кравчук Морозисі Кандибі Калинич. Масюткін».

З відбитку поштового штемпеля та записів на зворотній стороні конверту вбачається, що певне в цьому конверті Стус надіслав вам свій лист від 9.11.1977 року, на якому ви позначили осіб, яким в свою чергу розіслали розмножений вами вказаний лист Стуса, що підтверджується проведеною виїмкою листів 8 грудня 1977 року на Київському головпоштамті.

Що ви можете показати з приводу цього?

ВІДПОВІДЬ. Оглянувши пред'явлений мені конверт, я вважаю, що це дійсно той поштовий конверт, яким я отримав листа від Стуса. Більше ніяких пояснень щодо цього давати не буду.

ЗАПИТАННЯ. У вищезазначеному документі — листі Стуса від 9.11.1977 року на ваше ім'я — містяться злісні наклепницькі вигадки, що порочать радянський державний і суспільний лад. Автор листа, заявляючи про своє бажання бути членом так званого «Укр. наглядового комітету», підбурює його учасників проводити діяльність «Комітету» в більш широкому плані, працювати не над «долею окремої особи», а над «долею всього українського народу»; він наклепницьки стверджує про те, що на Україні нібито проводяться «репресії української інтелігенції», що в занедбаному стані знаходить українське «письмо», що начебто «чимало ще є українців, яким боронено проживати на Україні, — і вони коріняться будь-де: на Колимі, в Красноярському краю, Казахстані і т. ін.». У листі з націоналістичних позицій паплюжиться рівноправність Української республіки у складі СРСР, у зв'язку з чим заявляється, що «український демократичний рух має на меті поставити перед урядом ті питання, без розв'язання яких неможливе конституційне право про фактичну рівноправність націй».

Дайте показання, з якою метою ви розмножували, розповсюджували та зберігали у своїй квартирі цей ворожий нашому суспільству документ.

ВІДПОВІДЬ. Я відмовляюсь відповідати.

ЗАПИТАННЯ. Чи визнаєте ви, що цей документ за своїм змістом спрямований на підрив та ослаблення Радянської влади?

ВІДПОВІДЬ. Ні, не визнаю.

ЗАПИТАННЯ. 6 березня 1978 року ви допитувались відносно вилученого під час обшуку 12 грудня 1977 року у вашій квартирі не першого примірника документа, так званого «Клопотання», адресованого до Ради Міністрів Української РСР і (копія) Митрополиту Київському і Галицькому Філарету, але ніяких показань щодо цього документа не дали.

Вам ще раз пропонується дати показання щодо виготовлення, розмноження та розповсюдження цього ворожого документа.

ВІДПОВІДЬ. Відмовляюсь відповідати.

ЗАПИТАННЯ. Чи передавали ви зазначений документ своєму братові — Лук'яненку Олександру Григоровичу, якщо так, то в зв'язку з чим, коли, за яких обставин і скільки примірників?

ВІДПОВІДЬ. Відповідати відмовляюсь.

ЗАПИТАННЯ. Вам пред'являються для ознайомлення вилучені під час обшуку 12 грудня 1977 року в квартирі Лук'яненка Олександра Григоровича два не перших примірника машинописного тексту аналогічного змісту (кожний на одному аркуші паперу), що починається зі слів: «До Ради Міністрів Української РСР копія: Митрополиту Київському і Галицькому Філарету, Патріаршому Екзарху України Клопотання...» і закінчується словами: «...стверджуємо нашими підписами...». На кожному примірнику під машинописом від руки синім барвником написано «Лук'яненко Олександр Григорович» і стоїть підпис.

Що ви можете показати з приводу пред'явлених вам документів?

ВІДПОВІДЬ. Допити щодо вказаного документу є зазіханням на мої демократичні права і зокрема на мої релігійні права, тому ніяких пояснень щодо цього документа я не даватиму.

ЗАПИТАННЯ. Покажіть, чи ви знаєте Калиниченка Віталія Васильовича і які між вами стосунки?

ВІДПОВІДЬ. Калиниченка Віталія Васильовича я добре знаю, познайомився з ним приблизно в 1970 році в місцях позбавлення волі, стосунки між нами нормальні.

ЗАПИТАННЯ. Чи надсилав вам Калиниченко заяву з проханням рекомендувати його для прийняття в члени так званої «Групи», якщо так, то коли саме і де знаходиться ця заява?

ВІДПОВІДЬ. Відповідати відмовляюсь.

ЗАПИТАННЯ. Під час обшуку 12 грудня 1977 року на квартирі вашого брата — Лук'яненка Олександра Григоровича — вилучені:

рукописний документ під заголовком «Заява», що починається зі слів: «Ініціаторові Української Громадської групи сприяння виконання Гельсінських угод юристові Левку Лук'яненку…» і закінчується словами: «… Відданий тобі — економіст Віталій Калиниченко 15 жовтня 1977 року» та поштовий конверт з адресою відправника: «Васильківка на Дніпров, Щорса вул. 2, Калиниченко В. В.» і адресою отримувача: «м. Чернігів-19, вул. Рокоссовського, 41-б, ком. 41, Лук'яненку Левові Гр.», в якому знаходилась вказана «Заява». Ксерокопії цієї «Заяви», лицьової та зворотної частини поштового конверту вам пред'являються для ознайомлення.

Що ви можете показати з приводу цих документів?

ВІДПОВІДЬ. Я ознайомився з вищезазначеними документами, але ніяких пояснень щодо них давати не буду.

ЗАПИТАННЯ. Допитаний 20 січня 1978 року як свідок по вашій справі Калиниченко В. В., якому була пред'явлена вищезазначена заява, поштовий конверт, вилучені під час обшуку у вашого брата — Лук'яненка Олександра Григоровича, показав, що автором, виконавцем та відправником пред'явленої йому «Заяви» в конверті є він. Він також пояснив, що цю заяву з проханням про прийняття його членом так званої «Групи» надіслав вам поштою 15 жовтня 1977 року. Показання свідка Калиниченка в цій частині вам оголошуються.

Що ви можете пояснити з приводу наведених показань свідка Калиниченка В. В.?

ВІДПОВІДЬ. Показання свідка Калиниченка Віталія Васильовича мені зрозумілі. Ніяких пояснень щодо його показань давати не буду.

ЗАПИТАННЯ. Дайте показання, яким чином заява Калиниченка від 15 жовтня 1977 року, яка надійшла на вашу адресу в м. Чернігів, потрапила до вашого брата Лук'яненка Олександра Григоровича?

ВІДПОВІДЬ. Цю заяву в конверті я разом з іншими листами та документами передав братові для зберігання. Це могло бути десь в кінці жовтня 1977 року. При цьому я мав на увазі, що він не буде читати ті документи і листи, які я йому передав. Будь-яких інших пояснень щодо цього давати не буду.

ЗАПИТАННЯ. Як видно із змісту «Заяви» Калиниченка В. В. від 15 жовтня 1977 року, в ній зводяться наклепницькі вигадки на радянський державний та суспільний лад, зокрема стверджується, що в нашій країні провадяться нібито «безпідставні і незаконні арешти».

Дайте показання, з якою метою ви зберігали у своїй квартирі цей ворожий документ, який згодом передали своєму брату Лук'яненку Олександру Григоровичу.

ВІДПОВІДЬ. Відмовляюсь відповідати на це запитання.

Протокол пред'явлено обвинувачуваному для прочитання, але він від його прочитання відмовився. Після цього протокол йому оголошено слідчим. Лук'яненко підтвердив, що його відповіді на задані запитання записані правильно, підписати протокол відмовився.

Ст. слідчий слідчого відділу КДБ при РМ УРСР
капітан (Санько)

З оригіналом звірено: Старший слідчий Слідвідділу КДБ
при РМ Української РСР капітан Санько
20 квітня 1978 р.

ПОСТАНОВА
про виділення матеріалів з кримінальної справи

м. Дніпропетровськ 15 березня 1980 року

Старший слідчий слідчого відділення Управління КДБ УРСР по Дніпропетровській області старший лейтенант ЛОБАЧ, розглянувши матеріали кримінальної справи № 69 по обвинуваченню КАЛИНИЧЕНКА Віталія Васильовича у скоєнні злочину, передбаченого ст. 62 Ч. 2 КК УРСР, —

ВСТАНОВИВ:

Під час виїмки поштової кореспонденції в поштовому відділенні м. Києва 25 січня та 5 березня 1980 року на підставі постанови від 21 січня 1980 року про накладення арешту на поштово-телеграфну кореспонденцію СТУСА Василя Семеновича, що мешкає в місті Києві по вул. Чорнобильській № 13-а, кв. 94, були вилучені міжнародна телеграма з Лондона, яка надійшла на ім'я СТУСА В. С., а також лист СТУСА В. С. в адресу мешканки м. Москви ЛІСОВСЬКОЇ Ніни Петрівни. В телеграмі генеральний секретар англійського «ПЕН-клубу» сповіщає, що Іван СТУС підписав афідевіт[1] для В. СТУСА та його сім'ї. У листі до ЛІСОВСЬКОЇ СТУС на ряду з питаннями побутового характеру доводить повний текст своєї заяви до Прокуратури УРСР від 19 листопада.

Вилучені під час поштової виїмки документи детально оглянуті 10 березня 1980 року.

Беручи до уваги, що для з'ясування усіх обставин, про які йдеться у перелічених у цій постанові документах, необхідно провести додаткову перевірку, а виділення матеріалів відносно СТУСА Василя Семеновича не вплине негативно на об'єктивність, повноту і всебічність розслідування та вирішення кримінальної справи № 69, керуючись ст. 130 КПК УРСР, —

ПОСТАНОВИВ:

Матеріали відносно СТУСА Василя Семеновича виділити з кримінальної справи № 69 по обвинуваченню КАЛИНИЧЕНКА В. В. і направити для подальшої перевірки до оперативного підрозділу КДБ УРСР.

Виділенню підлягають:

- Міжнародна телеграма на ім'я СТУСА В. С.;
- лист СТУСА В. С. до ЛІСОВСЬКОЇ Н. П.;
- протокол виїмки поштової кореспонденції від 25 січня 1980 року;
- протокол виїмки поштової кореспонденції від 5 березня 1980 року;
- протокол огляду документів від 10 березня 1980 року.

Старший слідчий слідвідділення УКДБ УРСР
по Дніпропетровській області ст. лейтенант /ЛОБАЧ/

ЗГОДЕН: Начальник слідвідділення УКДБ УРСР
по Дніпропетровській області полковник /МАРКІН/

ПЕРЕВОД МЕЖДУНАРОДНОЙ ТЕЛЕГРАММЫ

Мр. В. Стус ул. Чернобыльская, 13 А, кв. 94 Киев /179/ Украинская ССР СССР /252179/
ZCZC LSR 627 LBS515 SUMX CO GBLB 045 Лондон/LB TF 45 28 1735.

---

[1] Афідевіт — письмове показання, підтверджене присягою або урочистою заявою.

Надеемся, что Вы получили наши письма и приглашение читать лекции в Лондоне. Слышали, что Иван Стусь в Канаде подписал аффидевит для Вас и Вашей семьи.
Генеральный секретарь английского «Пен-клуба»
Переводчик /СИНИЦА/

ПРОТОКОЛ
объявления предостережения
пос. Барашево Мордовской АССР «19» октября 1975 г.

Сотрудник органов государственной безопасности старший лейтенант Мишин объявил гражданину:
фамилия — Стус
имя/отчество — Василий Семенович
дата рождения (число, месяц, год) — 1938
место рождения — с. Рахнивка Гайсинского р-на Винницкой области
национальность — украинец
гражданство — СССР
партийность — беспартийный
осужденному 7.09.1972 г. Киевским областным судом по ст. 62, ч. I УК УССР к 5 годам лишения свободы, отбывает срок наказания — в учреждении ЖХ 385/3,

о том, что он вызван в органы госбезопасности в связи с тем, что, отбывая наказание в ИТК-3 Дубравного, не изменил своих прежних националистических убеждений, проводит обработку в националистическом духе других осужденных, выискивает единомышленников для проведения антисоветской деятельности, занимается сбором тенденциозной информации с последующей передачей ее своим единомышленникам на свободу, игнорирует проводимые администрацией колонии политико-воспитательные мероприятия. 4 января 1974 года Стус во время проведения вечерней проверки осужденных самовольно вышел из строя, подал команду «Внимание» и начал выступать перед ними с тенденциозной речью, используя при этом смерть осужденного Климанова. Стус является также инициатором акции, которую намечено было провести 30.10.1974 г., и проведения голодовки 8 марта 1975 г.

12 мая 1975 г. контролерским составом указанной выше колонии у Стуса во время обыска была изъята рукопись, предназначенная для передачи на свободу. Администрацией колонии Стус характеризуется отрицательно.

Гражданину Стусу Василию Семеновичу в соответствии с Указом Президиума Верховного Совета СССР от 25 декабря 1972 года объявлено официальное предостережение о недопустимости указанных выше действий, противоречащих интересам государственной безопасности СССР, и разъяснено, что подобные поступки с его стороны в дальнейшем, если он не сделает надлежащих выводов, могут привести к преступлению и повлекут за собой уголовную ответственность. Ему сообщено, что о сделанном предостережении будет уведомлен прокурор Мордовской АССР Государственный советник юстиции 3 класса тов. Конышев В. Ф.

Гражданину Стусу В. С. разъяснено также, что в случае совершения им преступления, наносящего ущерб интересам государственной безопасности, настоящий протокол будет приобщен к уголовному делу.

Профилактическая беседа началась в 16 час. 45 мин.
Окончена в 17 час. 00 мин.

(подпись лица, которому сделано предупреждение)

Сотрудник органов госбезопасности (подпись)
19 октября 1975 года

После ознакомления с протоколом объявления предостережения Стус заявил, что никаких бумаг, как он выразился «тюремных», подписывать не будет и с лицами подобной организации разговаривать не желает.

При ознакомлении осужденного Стуса с протоколом присутствовал начальник участка майор Александров.

/Александров/

Сотрудник органов госбезопасности Мишин

ПРОТОКОЛ
объявления предостережения

19 июня 1978 года г. Магадан здание УКГБ

Беседа начата в «10» час. «30» мин.
Окончена в «12» час. «30» мин.

Сотрудник органов государственной безопасности подполковник САФОНОВ В. А. с участием следователя УКГБ майора УСТИНОВА Л. Н. и сотрудника майора ГРУШЕЦКОГО В. М. объявил гражданину:
фамилия — СТУС
имя, отчество — Василий Семенович
дата рождения (число, месяц, год) — 1938 г. р.
место рождения — о. Рахнивка Гайсинского р-на Винницкой области
национальность — украинец
гражданство — СССР
партийность — беспартийный
место жительства — пос. им. Матросова Тенькинского р-на Магаданской обл.
место работы, должность — рудник им. Матросова, машинист скрепера,
о том, что он вызван в органы госбезопасности в связи с опубликованием 15.01.78 г. в издаваемой в г. Мюнхене (ФРГ) газете украинских националистов «Путь победы» заметки «Василь Стус был тяжело ранен» клеветнического содержания. В заметке полученная по вине Стуса бытовая травма преподносится как результат организованного бандитского нападения. Стус не желает опровергнуть эту клеветническую информацию, а, наоборот, стремится убедить в ее правдоподобности. В этой же газете 29.01.78 г. опубликованы два заявления Стуса в Президиум Верховного Совета СССР и одно в Международную организацию «ПЕН-клуб», где он возводит клевету на национальную политику СССР, советскую демократию, заявляет о стремлении выехать из Советского Союза по политическим мотивам.

Зарубежные публикации Стуса и заметка о нем являются клеветническими, его действия способствуют антисоветским организациям в подрывной деятельности против СССР и наносят определенный морально-политический ущерб Советскому государству.

Гражданину Стусу Василию Семеновичу в соответствии с Указом Президиума Верховного Совета СССР от 25 декабря 1972 года объявлено официальное предостережение о недопустимости указанных выше действий, противоречащих интересам государственной безопасности СССР, и разъяснено, что подобные поступки с его стороны в дальнейшем, если он не сделает надлежащих выводов, могут привести к преступлению и повлекут за собой уголовную ответственность. Ему сообщено, что о сделанном предостережении будет уведомлен прокурор Магаданской области тов. ВИНОКУРОВ И. И.

Гражданину Стусу В. С. разъяснено также, что в случае совершения им преступления, наносящего ущерб интересам государственной безопасности, настоящий протокол будет приобщен к уголовному делу.

Читал: /СТУС/

Сотрудник органов госбезопасности (подпись)

19 июня 1978 года

Начальнику Тенькинского РО УКГБ по Магаданской обл.
Банниковой Аллы Николаевны
прож. пос. Матросова,
ул. Центральная 45, кв. 9,
работающей в книжном магазине поселка

за заведомо ложные данные предупреждена по статье 180 УК РСФСР

ЗАЯВЛЕНИЕ

Работая воспитателем общежития, а затем зав. книжным магазином в пос. Матросова, я имела неоднократные беседы со Стусом Василием Семеновичем. Я обратила внимание на то, что Стус неправильно понимает некоторые вопросы нашей социалистической действительности и неверно их трактует. Цель моей беседы была оказать на него положительное влияние, переубедить его.

В частности мне запомнился случай, когда в октябре 1978 года всенародно обсуждался проект новой Конституции, Стус говорил, что у нас нарушается демократия, преследуются все инакомыслящие, что

Советское правительство не отличается от царского режима, оно отправляет в ссылку всех тех, кто не согласен с официальной линией партии, он сказал, что является членом Украинского комитета по контролю за соблюдением Хельсинкского соглашения и якобы состоит в одной организации с Сахаровым.

Он заявил, что на рабочем собрании все его осудили, потому что всех пропустили через партком. В районной газете его тоже осуждают, а он не может себя защитить Все поселение «кегебезировано».

Когда в районной газете «Ленинское знамя» в марте 1979 г. была опубликована статья «Это страшное слово война», я спросила у Стуса, что он может сказать по этой статье. т. к. упоминалась его фамилия. Стус ответил, что война приносит много зла, что он против войны. Он сказал, что Сталин ничем не отличается от Гитлера, потому что по его приказу было убито много ни в чем не повинных людей. Этим была нарушена демократия. Нарушается она также в том, что в выборах правительства участвуют не все, а только коммунисты при избрании партийных органов, в частности Брежнева Л. И.

Себя он называл передовым человеком, сравнивал с Чацким, говорил, что время Чацких еще придет.

Я попросила его почитать свои стихи. Он прочел «На Лысой горе», оно пронизано чувством упадничества, он заявил, что его не хотят печатать. В беседах о литературе отдавал предпочтение зарубежным авторам. Особенно американским. Советских авторов, в частности Анатолия Иванова, называл подхалимами.

17 апреля 1980 г. (подпись) Банникова

Нач-ку Тенькинского РО УКГБ по Магаданской обл.
от Казакова Петра Викторовича,
проживающего пос. Матросова Тенькинского района,
скрепериста рудника имени Матросова

ЗАЯВЛЕНИЕ

В декабре 1978 года в раздевалке присутствовали Стус В. С., Стефановский Борис, Голубенко В. В., Рудой Михаил и я (все шахтеры указанного рудника). Помню, как Стефановский Б. сказал Стусу В. С., что последний за хорошую работу скоро получит значок «Ударник коммунистического труда». На это Стус В. С. заявил, что, как только ему дадут этот значок, он бросит его в полицейского Шарипова (так Стус В. С. назвал Шарипова Г. Р., члена КПСС, начальника отдела кадров рудника им. Матросова). Находившийся рядом Голубенко В. В. сказал Стусу В. С., чтобы тот прекратил оскорблять коммунистов, и заметил, если б было больше таких людей, как Шарипов, то мы бы быстрее построили коммунизм. Тут же Стус В. С. набросился на члена КПСС Голубенко В. В. с нападками и оскорблениями. В частности Стус В. С. заявил, что Голубенко В. В. тоже полицейский, коммунисты довели до того, что скоро в одних трусах пойдете на свое партийное собрание. Лишь после резкого требования Голубенко В. В. прекратить нападки на КПСС Стус В. С. замолчал.

Стус В. С. называл Шарипова полицейским потому, что тот был требовательным, принципиальным коммунистом.

За заведомо ложный донос предупрежден по ст. 180 УК РСФСР.

18.04.80 г.

(подпись) Казаков

Начальнику Тенькинского РО УКГБ по Магаданской обл.
от Мастракова Петра Михайловича,
жителя пос. Матросова,
проходчика р-ка им. Матросова

За заведомо ложный донос предупрежден об ответственности по ст. 180 УК РСФСР

ЗАЯВЛЕНИЕ

С сентября 1978 год по январь 1979 года в течение 4 месяцев проживал в одной комнате совместно со Стусом Василием Семеновичем.

В первые дни, когда меня поселили в комнату к Стусу, он отнесся очень враждебно и сказал, что «подставили еще одну сучку из к.г.б.». Как затем мне стало известно, Стус всех подозревал, что за ним якобы следят и преследуют.

В ходе ежедневного общения и постоянных бесед со Стусом он мне о себе рассказал, «что он является политическим заключенным, несправедливо был осужден за стихи, которые не хотели издавать в СССР, а напечатали их за границей. Срок он отбывал в Мордовии и теперь прислали на Матросова и он находится под надзором милиции и к.г.б. В лагере политических заключенных, со слов Стуса, он сидел с другими своими друзьями, которые сейчас находятся в ссылке в Якутии, Красноярске. В Алтайском крае в ссылке находится его друг Светличный, которого он очень возвышал как личность. Из разговоров Стуса мне известно, что своим друзьям он высылал деньги для помощи, говорил, что среди таких политических, как он, существует очень сильная дружба. В Якутию своему другу он выслал куртку меховую зеленого цвета, которую показывал мне. Стус мне рассказывал, что за границей у него есть друзья, которые высылают ему посылки с вещами и с продуктами питания. Из продуктов он мне показывал, что ему выслали, жвачки, кофе, сахар, шоколад, кубики бульона, курева и другие продукты, а также джинсовый костюм. Эти посылки он говорит, что высылают друзья из разных стран. Англия, ФРГ, Канада, Франция. Продукты и вещи он расхваливал, говорил, что по качеству они лучше наших советских. Он мне сказал однажды, что состоит в Английском ПЭН-клубе, который оказывает ему материальную помощь. Членами этого клуба, со слов Стуса, являются также его друзья, которые сейчас находятся в Мордовском концлагере и ссылке.

Себя Стус называл политическим заключенным, которого несправедливо осудили, считал себя защитником прав человека, говорил, что в СССР выступает за демократию, права человека, а правительство само нарушает их. Часто расхваливал богатство Украины и говорил, что если бы Украина была самостоятельной, то украинцы жили бы значительно лучше и богаче, чем теперь в СССР.

По его словам, правительство СССР ведет нашу страну не по ленинскому пути, а делает отклонение, поэтому у нас в СССР нарушается демократия, ущемляются права человека. Я замечал, что Стус с часу до двух ночи слушал ежедневно по радиоприемнику (транзистор) радиопередачи «Голос Америки» и что-то записывал в записную книжку. Когда свободный он от работы — целыми днями писал. После одной из таких передач Стус мне рассказал, что дали Нобелевскую премию Садату. Я ему возразил, что дали ему Нобелевскую премию не за что и незаслуженно, так как из советских газет я знаю, что Садат предал интересы своего народа. На это мне Стус ответил, что я плохо разбираюсь в политике. Стус мне также рассказывал, что он хорошо знаком с Солженицыным, выехавшим из СССР, который не согласен с политикой советского правительства. В целом Стус его поддерживал, но в кое в чем он был с ним не согласен. Также он мне рассказывал о дирижере, выехавший из СССР, фамилии я его не знаю, и он говорил, что выдающийся талантливый человек, которого не смогли оценить в СССР.

После освобождения из ссылки, Стус говорил, будет просить визу для выезда за границу, так как его здесь притесняют, ущемляют в правах. Не печатают стихи и что там ему предложили преподавать в университете. В беседах со мной Стус говорил, что в «капиталистических странах даже безработные получают денежные пособия и живут лучше, чем наши рабочие». Проживая с нами в общежитии в одной комнате, он постоянно рабочих называл «быдлом и сучней К.Г.Б.», которые все работают на К.Г.Б.». Особенно он ненавидел нач. отд. кадров Шарипова, называл его «надзирателем» секретаря парткома Вечканова. Ко мне Стус относился подозрительно, замечал только плохое, в целом он неодобрительно отзывался о нашей советской действительности.

Однажды я ему посоветовал отказаться от своих враждебных убеждений, но Стус мне сказал: и ты «снюхался с К.Г.Б.», после этого он перестал мне доверять.

19/IV.1980 год [подпись] Мастраков

Начальнику Тенькинского райотделения КГБ по Магаданской обл.
от Никифоренко Нины Кирилловны,
прожив. Магаданская обл. Тенькинский р-н
п. Транспортный
Почтовая 22,
работающая в больнице
п. Транспортный
зам. глав. врача по АХЧ

ЗАЯВЛЕНИЕ

Работая сестрой-хозяйкой хирургического отд(еления) больницы пос. Транспортный, в сентябре 1977 года по долгу своей работы я познакомилась с больным Стусом Василием Семеновичем, который лежал с переломом пяточных костей обеих ног. В ходе неоднократных бесед он рассказывал, что ранее окончил институт, работал учителем и был осужден за то, что был не согласен с официальной линией партии и правительства.

Рассказывал о строгом режиме, о порядках в тюрьме, где он якобы сидел с «бытовиками», «об игре в карты, о поножовщине». Являясь политическим заключенным, сейчас он находится в ссылке под надзором милиции и вынужден проживать со всяким «быдлом», как он называл рабочих, живущих в этом общежитии.

Когда больным в палаты приносила старшая сестра отделения советские газеты, я неоднократно слышала, как больной Стус В. С., читая их, извращал содержание прочитанного, клеветал на советскую действительность, говорил, что жизнь у нас плохая. В магазинах не хватает продуктов (мяса, молока), а за границей все есть и жизнь там значительно лучше. Ругал Советское правительство, которое нарушает законы, демократию, ущемляет права человека. В этом плане он говорил, что за границей люди имеют больше прав, даже негры, чем советские люди.

Своих взглядов и убеждений он не скрывал от больных и младшего медперсонала.

Запомнились также мне его разговоры, которые он вел в палате среди больных, читая газеты об Украине, что, если бы не москали, Украина была бы самостоятельной и жили бы украинцы лучше, а так все вывозят в Россию.

Некоторые больные (фамилии их не помню) пытались ему доказывать, разгорались споры, но Стус В. С. оставался всегда при своем мнении.

За заведомо ложные данные предупреждена об уголовной ответственности по ст. 180 УК РСФСР.

17/IV-1980 [подпись] (Никифоренко)

Начальнику Тенькинского РО КГБ по Магаданской области
от Радевича Евгения Владимировича,
проживающего в пос. А. Матросова
ул. Центральная 37/18,
работающего проходчиком
уч. № 2 руд. А. Матросова

ЗАЯВЛЕНИЕ

С ноября 1977 года по настоящее время я проживаю в общежитии указанного поселка. Являюсь председателем совета общежития. В 1977—1979 гг. я неоднократно беседовал со Стусом Василием Семеновичем.

В беседах со мной Стус В. С. неоднократно допускал суждения клеветнического и антисоветского характера. В частности, он мне говорил, что является политическим ссыльным, до этого отбывал наказание в Мордовии. Заявлял, что в СССР отсутствуют права и свободы граждан и его осудили незаконно, то есть как он выражался. За его стихи, которые были изданы за границей, а также за антиполитическую деятельность, направленную против советского правительства. Заявлял, что вместе с ним незаконно осудили много его соратников, которые поддерживали его взгляды и составляли оппозицию советскому правительству. Утверждал, что его единомышленников осудили в нарушение правил, заложенных в конституции. Стус В. С. утверждал, что в СССР нет прав и свобод человека, они нарушаются властями сплошь и рядом, в стране творится беззаконие. Все это он привязывал к себе, заявлял, что он осужден незаконно.

Примерно в ноябре 1978 г. Стус В. С. мне, как земляку, рассказывал об Украине и выразил такую мысль, что в СССР каждая союзная республика по конституции имеет право на отделение. Но это право, по заявлению Стуса В. С., зажимается Москвой. После моего возражения Стус В. С. прекратил разговор на данную тему.

В разговорах со мной Стус В. С. неоднократно утверждал, что в СССР существует политическая оппозиция советскому правительству (к этой оппозиции Стус В. С. относил и себя) и членов этой оппозиции советское правительство сажает в психбольницы, хотя все они являются нормальными людьми.

Во всех нарушениях прав человека в СССР, по утверждению Стуса В. С., виновно советское правительство, которое он называл верхушкой, олигархией, кликой.

В своем заявлении я точных дат не указываю из-за того, чтобы не быть неточным. Беседы с ним я проводил неоднократно на протяжении двух с лишним лет.

За заведомо ложный донос предупрежден по ст. 180 УКа РСФСР.

18.04.1980 г. [подпись] (Радевич Е. В.)

Начальнику Тенькинского
районного отделения КГБ
от Русова Евгения Константиновича,
проживающего в пос. Омчак
ул. Новая 19, кв. 7
Тенькинского р-на
Магаданской обл.,
работающего гл. энергетиком
ЗИФ рудника им. Матросова

ЗАЯВЛЕНИЕ

Я знал Стуса Василия Семеновича и проживал с ним в одной комнате в общежитии рудника Матросова с января 1978 г. по июнь 1979 года. За этот период неоднократно состоялись беседы со Стусом В. С., из которых я узнал, что он был осужден и отбывал наказание в Мордовской АССР. С его слов, он был осужден за стихи, которые были изданы за рубежом, и за свои убеждения, расходящиеся с линией КПСС и Советского государства. Как выражался Стус В. С., он был осужден несправедливо и отбывал наказание в концлагере (цитирую Стуса В. С. дословно). Свое прибытие в ссылку на Север он расценивал как продолжение отбывания срока наказания, которым его хотят заставить отказаться от его убеждений. Неоднократно заявлял, что он не «прогнется», вкладывал в это выражение, что он останется при своих убеждениях.

Стус В. С. неоднократно резко отрицательно отзывался о советской действительности, в частности заявлял, что в СССР нарушаются права человека, демократия, а противников «советского режима содержат в домах для умалишенных» (цитирую Стуса В. С.).

В разговорах зачастую пытался преувеличивать значение своей персоны и своей роли среди «поборников за права человека» (в понимании Стуса В. С.), т.е. по-нашему — антисоветчиков.

Имел фото, где, по его словам, изображен Сахаров, которого Стус изображал как главу «демократов» и «инакомыслящих», составляющих оппозицию Советскому строю. Здесь же упомянул о жене Сахарова, которая, по словам Стуса В. С., тоже «великий поборник прав человека».

Стус В. С. постоянно называл себя литератором, свою работу скреперистом на участке считал чуть ли не каторгой и наказанием. Хвастался, что как литератор, изданный за рубежом, принят в члены ПЭН-клуба, якобы заочно, называя тот клуб чисто литературным.

В период совместного проживания я видел, что Стус В. С. получал продовольственные и вещевые посылки, причем вещи и продукты были зарубежного производства.

Во время обыска у Стуса В. С. в феврале 1978 года Стус В. С. в присутствии понятых Кравченко В. И., Петруся В. Г. и следователя, а также в присутствии жильцов комнаты (меня и Парникова В.) без всяких поводов оскорблял сотрудника КГБ, провоцируя его на ответные оскорбления, хотя обращение со Стусом со стороны работников КГБ было весьма тактичным и вежливым. К нему обращались на Вы и по имени/отчеству. В ответ на это Стус В. С. называл сотрудников КГБ «бериевцами», которые продолжают, по словам Стуса, и сейчас творить беззакония и произвол, как это сейчас имеет место, по убеждению Стуса, и в отношении его, о чем свидетельствует проводимый у него обыск.

В обиходе Стус В. С. старался всегда показать себя вежливым и предупредительным человеком, этот случай для меня показал всю цену его напускной вежливости и предупредительности.

За заведомо ложные данные предупрежден об ответственности по ст. 180 УК РСФСР.

17 апреля 1980 г. [подпись] Е. К. Русов

Нач-ку Тенькинского
райотделения УКГБ
по Маг. обл.
от Стефановского Бориса Геннадиевича,
проживающего в пос. «Омчак»,
работающего скреперистом
на руднике им. Матросова

ЗАЯВЛЕНИЕ

В декабре 1978 г. во время переодевания перед сменой в раздевалке я сказал рабочему Стусу Василию Семеновичу, что он вроде бы начал лучше работать и за это ему могут вручить значок «Ударник коммунистического труда». В ответ Стус заявил, если ему дадут этот значок, он бросит его в полицейского Шарипова (так он называл начальника отдела кадров р-ка имени Матросова). Голубенко В. В., услышав такие слова Стуса, потребовал от него прекратить оскорбления коммунистов и сказал, если б побольше было таких людей, как Шарипов, то быстрее бы построили коммунизм. Стус в свою очередь оскорбительно высказался в адрес Голубенко и заявил, что Голубенко такой же полицейский, как и Шарипов, и коммунисты довели страну до того, что все скоро будут нищими и в одних трусах будут ходить на партийные собрания.

Мне неоднократно приходилось встречаться со Стусом в производственной обстановке, перед и после смены в раздевалке. Стус часто резко оскорбительно отзывался о руководстве рудника и в целом о Советском правительстве. Ему почему-то не нравится Советский строй, и при любой возможности он стремился оклеветать руководителей. Стус, работая вместе с другими, одновременно называл шахтеров «быдлом», презирал их, всячески стремился подчеркнуть свое превосходство над другими, гордился тем, что он политический заключенный и был осужден за политику. В целом личность Стуса какая-то непонятная, поскольку все наше Советское ему не нравится и по своей натуре он какой-то злобный, видит только одно плохое.

За заведомо ложные данные я предупрежден об ответственности по ст. 180 УК РСФСР.

18/IV.1980 г. [подпись] (Стефановский)

ПРОТОКОЛ
огляду архівної кримінальної справи

місто Київ "11" червня 1980 року

Старший слідчий Слідчого відділу КДБ Української РСР майор Селюк в службовому приміщенні цього ж відділу в присутності понятих: Покотило Марії Іванівни, що мешкає в місті Києві, вул. Вишгородська, буд. 90-а, кв. 85, та Черв'якової Міри Дмитрівни, що проживає за адресою: місто Київ, вул. Курнатовського, буд. 22, кв. 55, керуючись вимогами ст.ст. 85, 190, 191 та 195 КПК Української РСР в зв'язку з розслідуванням кримінальної справи № 5, оглянув архівну кримінальну справу № 67320 по обвинуваченню Стуса Василя Семеновича в скоєнні злочину, передбаченого ст. 62 ч. І КК УРСР.

У відповідності зі ст. 127 КПК УРСР понятим роз'яснено їх право бути присутніми при всіх діях слідчого під час огляду, робити зауваження з приводу тих чи інших його дій, а також їх обов'язок засвідчити своїми підписами відповідність записів у протоколі виконаним діям.

[підпис] Покотило [підпис] Черв'якова

Оглядом встановлено:
Кримінальна справа (архівний № 67320) по обвинуваченню Стуса Василя Семеновича, 1938 року народження, уроженця села Рахнівки Гайсинського району Вінницької області, українця, безпартійного, з вищою освітою (в 1959 році закінчив Донецький педінститут), одруженого, має сина 1966 року народження, мешканця міста Києва, вул. Львівська, 62, квартира № 1, до арешту працював старшим інженером республіканського об'єднання «Укрорґтехбудматеріали», була порушена 13 січня 1972 року Слідчим відділом КДБ Української РСР за ознаками злочину, передбаченого ст. 187—1 КК УРСР на підставі матеріалів, які були вилучені в нього під час обшуку 12 січня 1972 року, проведеного за дорученням Управління КДБ УРСР по Львівській області, в зв'язку з розслідуванням кримінальної справи на бельгійського громадянина Ярослава Добоша.

15 січня 1972 року відносно Стуса В. С. була обрана міра запобіжного заходу — тримання під вартою, а 22 січня 1972 року йому

було пред'явлено обвинувачення в скоєнні злочину, передбаченого ст. 187—1 КК УРСР.

В зв'язку з тим, що під час попереднього слідства по справі були одержані додаткові докази злочинної діяльності Стуса, пред'явлене йому обвинувачення було замінене і постановою від 30 червня 1972 року він був притягнутий як обвинувачений в скоєнні злочину, передбаченого ст. 62 ч. І КК УРСР.

Зібраними по справі доказами Стус у достатній мірі викривався в тому, що він, на грунті антирадянських переконань та невдоволення існуючим в СРСР державним та суспільним ладом, з метою підриву і ослаблення Радянської влади, починаючи з 1963 року і до січня 1972 року, систематично виготовляв, зберігав та розповсюджував антирадянські та наклепницькі документи, що порочать радянський державний і суспільний лад, а також займався антирадянською агітацією в усній формі.

Так, в період 1963—1972 років Стус написав і зберігав у себе в квартирі 14 віршів наклепницького змісту, в тому числі вірш «Безпашпортний, закріпачений в селі…», в якому паплюжиться радянський державний і суспільний лад, зводяться наклепи на умови життя радянського народу, зокрема колгоспного селянства.

В період 1965—1972 років виготовив 10 документів антирадянського та наклепницького змісту, серед яких і документ, що починається зі слів: «Існує тільки дві форми…». В виготовлених ним документах порочаться соціалістичні завоювання в нашій країні, ототожнюється радянський лад з гітлерівським режимом, твердиться про начебто існуюче національне гноблення на Україні та порушення соціалістичної законності, робиться спроба «довести» неможливість побудови комуністичного суспільства в Радянському Союзі.

У другій половині 60-х років Стус виготовив наклепницького листа, якого адресував Президії Спілки письменників України, в копіях Секретареві ЦК КПУ та редакції журналу «Всесвіт». В цьому листі, виступаючи на захист засудженого за антирадянську діяльність Караванського С. Й. та інших осіб, Стус очорнює радянську дійсність, твердить, що на Україні нібито переслідуються інтелігенція і науковці і що в нашій країні начебто відсутні демократичні свободи.

Зазначений документ був поширений Стусом серед своїх однодумців, а, потрапивши за кордон до ворожих видавництв українських буржуазних націоналістів, широко використовувався ними в пропагандистських заходах, спрямованих проти Радянського Союзу. В квітні, травні та грудні 1969 року він був надрукований в журналі «Сучасність» в Мюнхені, газетах «Українське слово» в Парижі і «Шлях перемоги» в Мюнхені під тенденційними заголовками: «Боягузство — друге найменння підлості» та «Літературу здано на поталу полторацьким».

В 1970 році Стус виготовив саморобну поетичну збірку під назвою «Веселий цвинтар», куди ввійшла значна кількість антирадянських та наклепницьких віршів, в тому числі вірші «Ось вам сонце, сказав чоловік з кокардою на кашкеті...» і «Колеса глухо стукотять, мов хвиля об паром...». В цих віршах робиться спроба довести читачеві знівічене уявлення про радянське соціалістичне суспільство, СРСР порівнюється з концтабором, наклепницьки твердиться про те, що соціалізм у нашій країні нібито будується на «крові і кістках».

В 1970—1971 роках Стус написав дві ворожі статті під назвами «Феномен доби» і «Зникоме розцвітання», в яких зводить наклепницькі вигадки на досягнення радянського народу в соціалістичному й культурному будівництві та порочить радянський державний і суспільний лад.

Поряд з цим Стус у 1970 році упорядкував нелегальну збірку під назвою «Зимові дерева», в яку вмістив ряд віршів наклепницького змісту; в листопаді 1971 року написав наклепницького листа до ЦК КПУ та Президії Спілки письменників України, що починається словами: «За статистичними підрахунками...», в грудні 1971 року дав згоду на участь у діяльності так званого «Громадського комітету захисту Ніни Строкатової», членами якого була складена «заява», в якій містяться наклепницькі вигадки, що порочать радянський державний і суспільний лад; зберігав у себе вдома два примірники ворожого документа І. Дзюби «Інтернаціоналізм чи русифікація»; саморобну збірку віршів наклепницького змісту М. Холодного «Крик з могили» та документ антирадянського спрямування В. Захарченка під назвою «Дзвінок».

Крім того, перебуваючи в грудні 1971 року на лікуванні в місті Моршині Львівської області, в розмовах з відпочиваючими висловлював антирадянські та наклепницькі судження.

На допитах, під час попереднього слідства, Стус визнав, що він є автором: вірша «Безпашпортний, закріпачений...» (т. І а. с. 129, 247, 288), поетичної збірки «Веселий цвинтар», до якої входять поряд з іншими вірші «Колеса глухо стукотять...» і «Ось вам сонце, сказав

ЛІТЕРАТУРА І МИСТЕЦТВО

Під диким сонцем

ІЗ ЗБІРКИ «ЗИМОВІ ДЕРЕВА»

Василь Стус

ДВОЄ СЛІВ ЧИТАЧЕВІ

Перші уроки поезії — мамині. Знала багато пісень і вміла дуже інтимно їх співати. Пісень було стільки, як у баби Зуїхи, нашої землячки. І таких самих. Найбільший слід на душі — од маминої колискової «Ой, люлі-люлі, моя дитино». Шевченко над колискою — це не забувається. А співане тужно: «Іди ти, сину, на Україну, нас кленучи» — хвилює й досі. Щось схоже до тужного надгробного голосіння з «Заповіту»: «Поховайте та вставайте, кайдани порвіте, і вражою злою кров'ю волю окропіте». Перші знаки нашої духовної аномалії, журба — як перше почуття немовляти в білому світі. Ще були — враження од дитинства. Гарного дитинства.

Шкільне навчання — вадило. Одне — чужомовне, а друге — дурне. Чим швидше забудеш школу, тим краще. В четвертому класі щось заримував про собаку. По-російському. Жартівливе. Скоро минуло. Відродилося в старших класах, коли прийшла любов.

Інститутські роки — трудні. Перша публіцистика віршована — позви з історією. Захоплення Рильським і Вергарном. Ще чогось прагнув безтелесий дух. І знову ж — любов. Стужілий за справжньою (не донецькою) Україною, поїхав учителювати на Кіровоградщину, поблизу Гайворона. Там витеплів душею, звільнився од студентського схимництва. Армія — Прискорила. Почувся мужчиною. Вірші, звичайно, майже не писалися, оскільки на плечах — погони. Але там прийшов до мене Бажан. Тоді ж — перші друковані вірші — 1959 рік.

Післяармійський час був уже часом поезії. Це була епоха Пастернака і — необачно велика любов до нього. Звіль-

---

Збірка «Зимові дерева», з якої передруковуємо поданий тут цикл поезій, є першою збіркою молодого радянського поета Василя Стуса (нар. 1938 року на Вінничині), поширюваною на Україні в машинописних копіях. Надрукувало цю збірку з одержаного з України відпису еміграційне видавництво «Література і мистецтво» у Брюсселі 1970 року, без згоди і без відома автора. Приготована до друку в Київському видавництві «Радянський письменник» збірка поезій В. Стуса була скреслена з видавничого пляну. Правопис оригіналу збережений.

Публікація поезій Василя Стуса у журналі ОУН(б) «Визвольний шлях» чоловік з кокардою на кашкеті...» (т. І а. с. 310—312), та документа, що починається словами: «Існує тільки дві форми...» (т. І а. с. 228—229, 291—292), і заявив, що це чернетки його творів, написаних під впливом «хвилевих настроїв», в яких він нічого антирадянського чи наклепницького не вбачає.

Признав також, що виготовив та розповсюдив листа, адресованого Президії Спілки письменників України, в копіях: Секретареві ЦК КПУ та редакції журналу «Всесвіт». В той же час заперечив, що за змістом цей лист є наклепницьким (т. І а. с. 301—303).

Будучи допитаним по пред'явленому обвинуваченню, Стус винним себе не визнав, заявив, що займався виключно літературною діяльністю і свій арешт розцінює як «розправу над молодою українською творчою інтелігенцією» (т. І а. с. 288).

Проте злочинна діяльність Стуса в достатній мірі викривається показаннями свідків Мацкевича П. М., Сидорова В. Г., Кислинського В. В., Тельнюка С. В., Селезненка Л. В., Світличного І. О. та інших, протоколами очних ставок, вилученими по справі речовими доказами — виготовленими Стусом антирадянськими і наклепницькими документами та висновками криміналістичних експертиз.

В травні 1972 року на підставі постанови слідчого обвинуваченому Стусу була проведена стаціонарна судово-психіатрична експертиза. Експертна комісія дала висновок, що «Стус Василий Семенович обнаруживает психопатические черты характера, но душевным заболеванием он не страдает и не страдал таковым в период, к которому относятся инкриминируемые ему действия. Следовательно, Стус В. С. под признаки ст. 12 УК УССР не подпадает и его следует считать ВМЕНЯЕМЫМ» (електрографічна копія акту судово-психіатричної експертизи додається до протоколу огляду).

В матеріалах справи є дві характеристики на Стуса В. С. із Інституту літератури імені Т. Г. Шевченка АН Української РСР та із виробничого об'єднання «Укрооргтехбудматеріали», електрографічні копії яких також додаються до протоколу огляду.

11 липня 1972 року попереднє слідство було закінчено і обвинувачений Стус особисто ознайомився з матеріалами справи, відмовившись від послуг захисника.

31 серпня, 1, 4—7 вересня 1972 року Судова колегія в кримінальних справах Київського обласного суду з участю прокурора і адвоката

розглянула в закритому судовому засіданні справу про обвинувачення Стуса В. С.

В процесі судового засідання підсудний показав, що інкриміновані йому вірші та документи виготовлені ним, але він не вважає їх антирадянськими, і, зокрема, заявив: «У цих віршах є хибні думки, і дійсно, що коли б вони вийшли з друку, то, без всякого сумніву, відіграли б ворожу роль по відношенню до нашої держави» (т. 6, а. с. 105). Винним себе в проведенні антирадянської агітації і пропаганди не визнав, в той же час показав: «Визнаю, що в моїх творах є різкі твердження, які я формулюю як помилки. Думаю, що деякі твори були соціально шкідливі, але вважаю, що будь-яка моя із соціальних дій не є справою підсудною» (т. 6, а. с. 136).

Допитані в судовому засіданні свідки: Франко З. Т., Калиниченко І. О., Світличний І. О., Кислинський В. В., Сидоров В. Г., Мацкевич П. М., Тельнюк С. В., Недзвідський А. В., Клочча-Леветський А. В. [Клоччі (Клочча), справжнє прізвище — Левицький], Холодний М. К., Селезненко Л. В., Дзюба І. М. підтвердили злочинну діяльність Стуса.

В останньому слові Стус засудив свої вчинки і заявив: «Мені прикро, що ті чи інші мої твори використовує ворожа пропаганда, оскільки в націоналістичній пресі було надруковано, хай і без мого на те дозволу, кілька моїх листів. Це саме повторилось із збіркою моїх віршів; бандерівська преса визнала мене за свого спільника, а люди, на чиїх руках ще не обсохла кров радянських людей, визнали мене за одновірця. Мушу сказати, що панам із жовто-блакитних куренів мені не по дорозі. Вони мої вороги, бо це вороги українського радянського народу, бо це повзучі рептилії іноземних контррозвідок, бо це змії з отруйними жалами антирадянських оббріхувачів, що користуються кожною слушною нагодою, аби тільки розпалити ватра, аби тільки вилити на нашу країну свою злобу…

Я твердо знаю, що знайду в собі сили, щоб зняти з душі іржу певних націоналістичних нерадянських настроїв, зможу переглянути свої позиції і стати в один ряд з тими, що в строю. Я знайду в собі сили повністю засудити свої вчинки як політично сліпі, як соціально хибні, як об'єктивно шкідливі. Я їх засуджую сьогодні тут, у цьому залі. Засуджую раз і назавжди. Повернення до них не буде. Бо Україна моя — тільки радянська. І так воно було, і так воно є, і так воно завжди буде. Бо Вітчизна моя — СРСР і так було, є, і так завжди буде. І народ мій радянський. Я обіцяю більше так не робити. А Стус, коли обіцяє, то не підводить і не зламає слова…» (т. 6, а. с. 252—253, 256—257).

На прохання Стуса написаний ним власноручно текст останнього слова приєднано до протоколу судового засідання (т. 6, а. с., 264—267). (Копія цього документа — останнього слова Стуса додається до протоколу огляду.)

Судова колегія в кримінальних справах Київського обласного суду, врахувавши розкаяння Стуса в останньому слові, 7 вересня 1972 року приговорила його на підставі ст. 62 ч. І КК УРСР позбавити волі у виправно-трудовій колонії суворого режиму строком на п'ять років з засланням на три роки. (Електрографічна копія вироку додається до протоколу огляду.)

Касаційні скарги Стуса та його адвоката на вирок Судової колегії в кримінальних справах Київського обласного суду ухвалою Судової колегії в кримінальних справах Верховного Суду УРСР від 16 листопада залишені без задоволення, а вирок відносно Стуса Василя Семеновича — без змін. (Ксерокопія ухвали додається.)

Під час огляду кримінальної справи були зняті електрографічні копії зразку машинопису друкарської машинки «Эрика» № 4525453 і зразки рукописного почерку та машинопису, виконаного Стусом, які необхідні для проведення експертного дослідження по кримінальній справі № 5.

Крім того, до протоколу огляду додаються електрографічні копії машинописних текстів віршів «Ось вам сонце, сказав чоловік з кокардою на кашкеті…», «Колеса глухо стукотять…», які ввійшли до поетичної збірки «Веселий цвинтар»; рукописний текст вірша «Безпашпортний, закріпачений в селі…»; рукопис документа, що починається зі слів «Існує тільки дві форми…», та машинопис листа, адресованого Президії Спілки письменників України, в копіях Секретареві ЦК КПУ, редакції журналу «Всесвіт».

Огляд проводився з 9 годин 30 хвилин
до 18 годин 00 хвилин
з перервою на обід з 13 до 14 години

Архівно-кримінальна справа № 67320 складається з 12 томів і зберігається в архіві КДБ Української РСР.

Протокол нами прочитаний. Записи в протоколі відповідають виконаним діям. Зауважень відносно огляду і змісту протоколу не маємо.

Поняті: [підпис] Покотило
[підпис] Черв'якова

Огляд провів і протокол склав:
Старший слідчий Слідвідділу КДБ УРСР
майор Селюк

Копія:

ВИРОК
ІМ'ЯМ УКРАЇНСЬКОЇ РАДЯНСЬКОЇ СОЦІАЛІСТИЧНОЇ РЕСПУБЛІКИ

1972 року, вересня, 7 дня, Судова колегія в кримінальних справах Київського обласного суду, в складі:
головуючого — Дишель Г. А.
народних засідателів — Войтенко А. П. і Самченко І. С.
при секретарі — Кухарській Т. Г.
з участю прокурора — Погорелого В. П.
з участю адвоката — Кржепицького С. М.
розглянула у закритому судовому засіданні в м. Києві справу про обвинувачення СТУСА ВАСИЛЯ СЕМЕНОВИЧА, 8 січня 1938 року народження, уродженця с. Рахнівка Гайсинського району Вінницької області, із селян, українця, громадянина СРСР, безпартійного, з вищою освітою, одруженого, маючого сина 1966 року народження, мешканця м. Києва, вул. Львівська, № 62, кв. 1, працювавшого старшим інженером відділу технічної інформації республіканського об'єднання "Укрорттехбудматеріали", раніше не судимого, в злочині, що передбачений ст. 62 ч. І КК УРСР.

Матеріалами попереднього та судового слідства колегія встановила:

Підсудний СТУС, проживаючи у місті Києві, на грунті антирадянських переконань та невдоволення існуючим в СРСР державним та суспільним ладом, з метою підриву і ослаблення Радянської влади, починаючи з 1963 року і до дня арешту — січня 1972 року, систематично виготовляв, зберігав та розповсюджував антирадянські та наклепницькі документи, що порочать радянський державний та суспільний лад, а також займався антирадянською агітацією в усній формі.

Так, в період 1963—1972 років написав і зберігав у себе на квартирі до дня арешту 14 віршів, а саме: «Доволі! Ситий вже…», «Безпаспортний, закріпачений в селі…», «Опускаюсь — ніби підіймаюсь…», «Розмова з другом…», «Коли багряніла українська революція…», «Комуністи — вперед!..», «Режисер із людожерів», «Кубло бандитів…», «Три С. — неначе жарт…», «Наша нація — найпередовіша…», «На історичному етапі…», «Між божевіллям і самогубством…», «Від радості у степ…», «Ви ходили до Петлюри…», в яких порочить радянський державний та суспільний лад, зводить наклеп на умови життя радянського народу, на КПРС і Конституцію СРСР.

В 1965—1972 роках написав 10 документів антирадянського наклепницького змісту, в тому числі: два листи, що починаються словами «Шановний Петре Юхимовичу…», рукописи: «Привид бродить по Європі…», «Ми живемо в дуже цікаву епоху…», «Ми живемо в час парадоксів…», «Франція — це я…», «Відвідини. Лекція на заводі…», «Це існування є злочином…», «Існує тільки дві форми…», «Якийсь киянин…».

В цих наклепницьких документах порочаться соціалістичні завоювання в нашій країні, наводиться злісний наклеп на радянську демократію і гарантовану конституцією недоторканність особи, на національну політику нашої держави, робляться спроби «довести» неможливість побудови комуністичного суспільства в Радянському Союзі.

Перелічені антирадянські, наклепницькі документи зберігав у себе до дня їх вилучення під час обшуків 12 січня і 4 лютого 1972 року.

28 липня 1970 року написав листа ворожого змісту, використавши при цьому раніш складений ним текст «Привид бродить по Європі…», адресувавши його ЦК КПУ і КДБ УРСР.

Цей лист потім був надрукований у нелегальному антирадянському журналі «Український вісник» № 3 за 1970 рік, що був розповсюджений на території УРСР та за кордоном.

Текст цього листа було також вилучено у притягнутого до кримінальної відповідальності за антирадянську діяльність Дзюби І. М. під час обшуку 13 січня 1972 року.

В згаданому листі зводяться наклепницькі вигадки на радянську дійсність, зокрема на матеріальне і духовне життя нашого народу, робиться спроба обілити В. Мороза, засудженого за антирадянську діяльність, і вміщується звернення виступити за його звільнення від кримінальної відповідальності.

В середині 1970 року написав інший наклепницький документ у вигляді листа, що починається словами: «Кожне нормально організоване суспільство…», адресованого до голови Спілки письменників України, секретаря ЦК КП України та Голови Президії Верховної Ради УРСР, використавши при цьому вищезгаданий текст написаного ним документа «Франція — це я…».

Цей документ також був вміщений до нелегального так званого журналу «Український вісник» № 3 за 1970 рік.

В цьому документі зводяться наклепницькі вигадки на національну політику КПРС, робиться спроба захищати осіб, що займаються ворожою діяльністю, та висловлюється обурення мірами, спрямованими на припинення антирадянської діяльності цих осіб.

В період після 1965 року написав документ наклепницького змісту у вигляді листа, адресованого Президії Спілки письменників України і в копіях секретареві ЦК КП України та редакції журналу «Всесвіт».

В цьому листі, виступаючи на захист засудженого за антирадянську діяльність Караванського С. Й. та інших осіб, СТУС зводить наклеп на політику Радянського Уряду по відношенню інтелігенції і науковців, а також на радянську демократію.

В 1968 році ознайомив з цим документом Селезненка Л., а в січні 1972 року машинописний текст цього листа було вилучено у Світличної Н., що мешкає в м. Києві, та у Гулик С., що мешкає у Львові.

Цей наклепницький документ, потрапивши за кордон до видавництв українських буржуазних націоналістів, широко використовувався в пропагандистських заходах, спрямованих проти Радянського Союзу.

Так, у квітні 1969 року він був надрукований в журналі «Сучасність» в Мюнхені, в травні 1969 року у газеті «Українське слово» в Парижі, в травні 1969 р. та грудні 1970 року в газеті «Шлях перемоги» в Мюнхені під тенденційними заголовками: «Боягузтво — друге наймення підлості» та «Літературу здано на поталу полторацьким».

В 1969 році написав листа на адресу редактора журналу «Вітчизна» та в копії до редакції газети «Літературна Україна» під заголовком

«Місце в бою чи в розправі?», в якому з антирадянських позицій наводить наклеп на політику радянської влади по відношенню до творчих працівників. В 1969 р. ознайомив з цим листом Селезненка Л.

Цей документ також був розповсюджений і використовувався ворожими елементами як на Україні, так і за кордоном.

В 1970 році, в січні місяці, він був надрукований в нелегальному журналі «Український вісник» № 1, який видавався ворожими елементами на Україні і в І971 році був передрукований в Парижі.

У червні 1971 року цей лист СТУСА «Місце в бою чи в розправі?» передавався зарубіжною радіостанцією «Свобода», а в серпні того ж року був надрукований у газеті «Шлях перемоги» у Мюнхені.

Крім того, текст цього документу в січні 1972 року було вилучено у Мешко О. Я., що мешкає у Києві.

В 1970 році упорядкував нелегальну збірку своїх віршів під назвою «Зимові дерева», в які вмістив вірші, написані ним на протязі 1963—1970 років.

В збірку ввійшли вірші наклепницького змісту: «Не можу я без посмішки Івана...», «Звіром вити, горілку пити...», «Отак живу як мавпа...», «Даждь нам...», «Розмова...», «Балухаті мистецтвознавці...», «Який це час...». «Йдуть три циганки...», «У Мар'їнці стоять кукурудзи...»

В цих віршах наводиться наклеп на роботу та життя в колгоспах, на радянську демократію, на радянських людей.

У тому ж 1970 році ця збірка Стусом була передрукована на друкарській машинці і розповсюджена Стусом серед своїх знайомих. Два примірники цієї збірки Стус передав Селезненкові Леоніду, по одному примірнику передав Дзюбі Івану і Світличному Івану, що мешкають у Києві, та Калинець Ірині, що мешкає у Львові.

Один з двох примірників «Зимових дерев», одержаних від Стуса, Селезненко у 1970 році передав громадянці Чехословаччини Коцуровій Ганні, який вона вивезла за кордон і передала Левицькому, що мешкає у Англії.

В тому ж 1970 році збірка з передмовою автора була видана брюссельським видавництвом і віддрукована в Англії.

Вірш «Не можу я без посмішки Івана...» з цієї збірки, крім того, друкувався окремо за кордоном в антирадянському націоналістичному журналі «Сучасність» № 12 за 1971 рік.

При обшуці у Стуса 12 січня 1972 року вилучено два написаних ним рукописних тексти вірша «У Мар'їнці стоять кукурудзи...», який входить у збірку «Зимові дерева».

В 1970 році виготовив саморобну нелегальну збірку під назвою «Веселий цвинтар», куди ввійшли, разом з іншими віршами, написані ним антирадянські, наклепницькі вірші «Ось вам сонце», «Колеса глухо стукотять...», «Рятуючись од сумнівів...», «Марко Безсмертний...», «Їх було двоє...», «Напередодні свята...», «Сьогодні свято...», « В період розгорнутого...». В цих віршах робиться спроба довести читачеві перекручене уявлення про радянське соціалістичне суспільство, зводиться наклеп на заходи КПРС і Радянського уряду, пов'язані з святкуванням 100-річчя з дня народження засновника радянської держави, на умови життя радянських людей і радянську соціалістичну демократію.

Розмноживши цю збірку на своїй друкарській машинці, Стус розповсюдив її, а також окремі вірші, що увійшли до збірки, серед своїх знайомих. В 1970 р. передав по одному примірнику збірки Світличному Івану і Шабатурі Стефанії. У тому ж році у себе вдома ознайомив Селезненка Леоніда і Калиниченка Івана з віршем «Колеса глухо стукотять»... із збірки «Веселий цвинтар» і на прохання Калиниченка та Селезненка надав можливість їм переписати цей вірш у двох примірниках для власного користування.

Крім того, у себе на квартирі зберігав один примірник збірки «Веселий цвинтар», машинописний та рукописний тексти віршів «Колеса глухо стукотять...» і «Марко Безсмертний», які були вилучені у нього під час обшуку 12 січня 1972 року.

На протязі 1970—1971 років написав дві ворожі статті під назвами «Феномен доби» і «Зникоме розцвітання».

В статті «Феномен доби» під виглядом дослідження творчості поета П. Тичини намагався нав'язати читачеві антирадянські, націоналістичні погляди і уявлення щодо оцінки творчості радянського українського поета, намагався довести «шкідливість» принципу партійності в літературі. Разом з тим намагався нав'язати спотворені ворожі погляди на колективізацію сільського господарства в Радянському Союзі та наводив наклеп на політику Радянської влади в галузі розвитку культури.

В статті «Зникоме розцвітання» при дослідженні творчості В. Свідзінського Стус робить оцінку спадщини поета з буржуазних позицій, наводить наклепницькі вигадки на досягнення радянського народу в соціалістичному і культурному будівництві, порочить радянський державний та суспільний лад.

В 1971 році статтю «Феномен доби» розповсюдив, ознайомивши з нею Франко Зиновію, Світличного Івана, Селезненка Леоніда, Тельнюка Станіслава, і передав один примірник Калинець Ірині, яка мешкає у Львові, один примірник цієї статті був вилучений у Сверстюка Є. під час обшуку 12 січня І972 року.

Чернетки і повний машинописний текст статті «Феномен доби» СТУС зберігав у себе до вилучення під час обшуку 12 січня 1972 року.

Статтю «Зникоме розцвітання» наприкінці 1970 року чи початку 1971 року передав для ознайомлення Селезненку Л., яка зберігалась у нього до 12 січня 1972 р. і була вилучена під час обшуку.

21 листопада І971 року СТУС написав листа до ЦК КП України та Президії Спілки письменників України, що починається словами: «За статистичними підрахунками», в якому наклепницьки змальовує становище в сучасній українській радянській літературі, при цьому всіляко вихваляючи деяких літераторів, які проявили свою ворожість до радянського суспільства, одночасно наводячи наклеп на заходи радянської влади, спрямовані на розвиток радянської літератури та на радянське правосуддя.

В другій половині 1971 року при написанні цього листа ознайомив з його змістом Дзюбу Івана і Сверстюка Євгена. Після передрукування листа на своїй друкарській машинці один примірник передав Світличному Івану, у якого він був вилучений в січні 1972 року.

Тоді ж згаданий документ давав для ознайомлення Селезненку Л. Три інших примірники цього документу були вилучені під час обшуків у січні 1972 року у Світличної Надії, Дзюби Івана і Плюща Леоніда.

Рукописний текст згаданого листа Стус зберігав у себе до 12 січня 1972 року.

Крім того, цей наклепницький документ потрапив за кордон, про що 14 березня 1972 року було зроблено повідомлення антирадянською радіостанцією «Свобода».

В грудні 1971 року на пропозицію Чорновола дав згоду прийняти участь у діяльності так званого «Громадського комітету захисту Ніни Строкатової», заарештованої за антирадянську діяльність. Членами цього «комітету» була складена заява та довідка про особу Строкатової, в яких вміщуються наклепницькі твердження відносно правосуддя в СРСР.

В період після 1965 року придбав у когось із своїх знайомих і зберігав до 12 січня 1972 року два примірники антирадянського документа І. Дзюби «Інтернаціоналізм чи русифікація?» у вигляді машинописного тексту та фоторепродукції, який є пасквілем на радянську дійсність, національну політику КПРС і практику комуністичного будівництва в Радянському Союзі.

В період після 1966 року придбав і зберігав до січня 1972 року машинописний текст так званої «новели» В. Захарченка «Дзвінок». Цей документ має антирадянське спрямування, вмішує наклеп на радянську дійсність, на органи управління та державні установи і спосіб життя радянських людей.

В 1968—1969 роках придбав у когось із своїх знайомих і зберігав до 12 січня 1972 року саморобну збірку віршів М. Холодного під назвою «Крик з могили», в якій у віршах «Собака», «Дядько має заводи і фабрики...» та багатьох інших автор з антирадянських позицій змальовує радянський лад, життя та побут нашого народу, зводить наклеп на політику КПРС і Радянського уряду.

В грудні 1971 року та в січні 1972 року, перебуваючи на лікуванні в санаторії «Світанок» в м. Моршині Львівської області, в розмовах з відпочиваючими Мацкевичем П. М., Кислинським В. В. та Сидоровим В. Г. висловлював антирадянські судження.

Викладаючи свої ворожі погляди, в образливій формі висловлювався на адресу засновника Радянської держави, наводив наклеп на радянську демократію, вихваляючи в той же час буржуазну демократію капіталістичних країн, вихваляв українських буржуазних націоналістів, які вели збройну боротьбу проти радянської влади на Україні, та наводив наклеп на матеріальне становище трудящих нашої країни.

Підсудний Стус, стверджуючи факти виготовлення, зберігання та розповсюдження вищеназваних антирадянських документів, свою вину у проведенні антирадянської агітації, поширенні наклепницьких вигадок, що порочать радянський державний та суспільний лад, не визнав, пояснивши, що всі наведені вище написані ним вірші та листи і літературні дослідження не містять в собі наклепницьких та антирадянських тверджень, а в основному відображають дійсність і лише в окремих випадках ним допущені у його творах дещо різкі вислови, але без мети підриву і ослаблення Радянської влади, хоч ці вислови об'єктивно в деякій мірі шкідливі, про що він зрозумів в ході судового процесу, однак вони не містять будь-якого складу злочину.

При цьому Стус пояснив, що ці окремі різкі вислови не є його твердими постійними переконаннями, а лише короткочасними думками, що виникали під впливом складних життєвих ситуацій, та, висловивши ці думки на папері в чернетках, він зберігав ці чернетки без будь-якої мети, не маючи на увазі розповсюджувати ці думки.

Однак вина Стуса доведена слідуючими доказами по справі.

Факт написання Стусом і зберігання 14 наклепницьких віршів антирадянського змісту, що починаються словами: «Доволі! Ситий вже...», «Безпашпортний, закріпачений в селі...», «Опускаюсь — ніби підіймаюсь...», «Розмова з другом...», «Коли багряніла українська революція»..., «Комуністи — вперед!..», «Режисер із людожерів», «Кубло бандитів...», «Три С — неначе жарт...», «Наша нація — найпередовіша...», «На історичному етапі...», «Між божевіллям і самогубством...», «Від радості у степ...», «Ви ходили до Петлюри...», стверджується показами обвинуваченого Стуса про те, що він є автором цих віршів, речовими доказами — вилученими під час обшуку аркушами паперу, зошитами, записними книжками, в яких містяться тексти названих віршів (т. І а. с. 16—22, 24—27); протоколами огляду цих речових доказів (т. І, а. с. 34, 46, 48, 53, 55, 57); висновками криміналістичних експертиз про те, що згадані вірші написані власноручно Стусом (т. 2, а. с. 196, 206).

Факт написання Стусом у 1965—1972 роках і зберігання у себе 10 антирадянських документів наклепницького характеру, що починаються словами: «Шановний Петре Юхимовичу...», «Привид бродить по Європі...», «Ми живемо в дуже цікаву епоху...», «Ми живемо в час парадоксів...», «Франція — це я...», «Відвідини. Лекція на заводі», «Це існування є злочином...», «Існує тільки дві форми...», «Якийсь киянин...», стверджується показаннями підсудного Стуса про те, що він є автором цих документів; речовими доказами — вилученими рукописами і долученими до справи (т. І а. с. 16—22, 24—27 та додаток до справи № 1); протоколами огляду речових доказів)т. І а. с. 62—70, 90—91); висновками криміналістичних експертиз про те, що всі зазначені рукописи виконані Стусом (т. ІІ, а. с. 196, 206).

Написання Стусом 28 липня 1970 року ворожого листа до ЦК КПУ і КДБ УРСР, з використанням для цього раніш складеного рукопису «Привид бродить по Європі...», стверджується показами Стуса про те, що зазначений лист був написаний ним, а про те, що цей лист був надрукований в антирадянському журналі «Український вісник» № 3, стверджується протоколом огляду «Українського вісника» № 3, в якому вміщено цей лист до ЦК КП України і КДБ УРСР (т. II, а. с. 126—135). Розповсюдження цього листа стверджується фактом вилучення тексту цього листа 13 січня 1972 р. у Дзюби та долученням до справи копії цього листа (том 5, а. с. 3—4, 5—6).

Написання наклепницького листа, що починається словами «Кожне нормально організоване суспільство...», адресованого Голові Спілки письменників України, секретарю ЦК КП України та Голові Президії Верховної Ради УРСР, з використанням раніш складеного рукопису «Франція — це я» і вміщення цього листа в антирадянському журналі «Український вісник» № 3, стверджується показами Стуса про те, що він є автором цього листа, але, як потратив цей лист за кордон, йому невідомо, також невідомо і про те, як цей лист потратив в журнал «Вісник» № 3, копією протоколу огляду «Українського вісника» № 3, з якого видно, що названий лист СТУСА вміщений у цьому журналі (т. II а. с. 126—127, 136—137).

Написання Стусом листа наклепницького змісту, адресованого Президії Спілки письменників України, секретареві ЦК КП України та редакції журналу «Всесвіт», спрямованого на захист засудженого за антирадянську діяльність Караванського, ознайомлення в 1967—1968 роках з цим листом Селезненка, зберігання цього листа Світличною Н., що мешкає у Києві, та Гулик С., що мешкає у Львові, надрукування його у видавництвах українських буржуазних націоналістів, в журналі «Сучасність» у Мюнхені, в газеті «Українське слово» в Парижі, в газеті «Шлях перемоги» у Мюнхені, стверджується показами підсудного Стуса про те, що він є автором названого антирадянського документа та що цей документ він спрямував вказаним на листі адресатам; показами свідка Селезненка про те, що Стус знайомив його з текстом названого листа, фактом вилучення цього листа у Світличної Н. та Гулик (т. IV, а. с. 211—213, 215—222, 235, 236—237); протоколом огляду літератури, виданої за кордоном, і документами, долученими до цього протоколу (том III, а. с. 1—3, 6—11, 33—37, 46—47, 50—51).

Написання Стусом у 1969 році листа на адресу редактора журналу «Вітчизна» та в копії до редакції газети «Літературна Україна» під заголовком «Місце в бою чи в розправі?», в якому наводиться наклеп на відношення Радянського Уряду до працівників літератури, ознайомлення з цим листом Селезненка, поширення тексту листа за кордоном у нелегальному журналі «Український вісник» № 1, який у 1971 р. був передрукований в Парижі, передача тексту цього листа в червні 1971 року антирадянською зарубіжною радіостанцією «Свобода», а в серпні 1971 року надрукування цього листа в газеті «Шлях перемоги» в Мюнхені, зберігання копії листа Мешко О. Я., що мешкає у Києві, стверджується показами підсудного Стуса про те, що він є автором цього листа, показами свідка Селезненка про те, що Стус знайомив його з текстом цього листа, витягом з протоколу обшуку, проведеного у Мешко О. Я., з якого видно, що під час обшуку вилучено листа Стуса під назвою «Місце в бою чи в розправі?» (т. 4, а. с. 181—185), протоколом огляду літератури, виданої за кордоном, з якого видно, що в ній вміщена стаття Стуса; вилученим під час обшуку у Плюща Л. І. журналом «Український вісник», що виданий в Парижі, в якому вміщено зазначену статтю (том 4, а. с. 197, 200, 202—205), повідомленням Українського радіокомітету про передачу ворожою радіостанцією тексту статті Стуса «Місце в бою чи в розправі?» у червні 1971 року (т. III а. с. 96—100).

Виготовлення Стусом у 1970 р. саморобної нелегальної збірки «Зимові дерева», вміщення в ній написаних в 1963—1970 роках антирадянських, наклепницьких віршів: «Не можу я без посмішки Івана…», «Звіром вити, горілку пити…», «Отак живу як мавпа…», «Даждь нам…», «Розмова», «Балахут і мистецтвознавці…», «Який це час?», «Йдуть три циганки…», «У Мар'їнці стоять кукурудзи…», передрукування цієї збірки на друкарській машинці і розповсюдження її серед своїх знайомих, зокрема передача двох примірників збірки Селезненку Л., по одному примірнику Дзюбі Івану, Світличному Івану, Калинець Ірині, поширення цієї збірки за кордоном, стверджується показами підсудного Стуса про те, що він є автором віршів, які вміщені у збірці «Зимові дерева», що цю збірку зробив, розмножив він і він же передав примірники збірки Селезненкові, Дзюбі, Світличному, Калинець, але для розповсюдження її за кордоном нікому не передавав та не знає, як ця збірка потрапила за кордон і була там надрукована; показами свідка Селезненка про те, що одержав від Стуса два примірники збірки, один з яких передав громадянці Чехословаччини Коцуровій Ганні, показами на суді свідків Світличного та Дзюби про те, що вони одержали від Стуса по одному примірнику саморобної збірки «Зимові дерева», показами на попередньому слідстві

Калинець І. О. про те, що в січні 1972 р. вона одержала від Стуса саморобну збірку його віршів «Зимові дерева», і ствердженням цього акту на суді підсудним Стусом; вилученням у Селезненка і Дзюби по одному примірнику збірки «Зимові дерева» (т. 4, а. с. 129, т. 5, а. с. 8—4); показами заарештованої органами МВС ЧССР Коцурової Ганни (т. 3, а. с. 178—179, 190—191, 201) та речовими доказами — збіркою «Зимові дерева», виданою за кордоном (додаток № 1 до справи).

Про те, що вірш зі збірки «Зимові дерева» «Не можу я без посмішки Івана…» окремо друкувався за кордоном в антирадянському націоналістичному журналі «Сучасність» № 12 за 1971 рік, стверджується протоколом огляду виданої за кордоном літератури, в якій вміщено цей вірш Стуса (т. 3, а. с. 2, 26—27).

Зберігання Стусом 2 примірників вірша «У Мар'їнці стоять кукурудзи…» стверджується речовими доказами — двома загальними зошитами, в яких вміщено рукописний текст цього вірша (додаток до справи № 1), показами Стуса про те, що автором цього вірша є він, протоколом обшуку і огляду рукописів (т. 1 а. с. 19, 48—49), висновком криміналістичної експертизи про те, що обидва примірники даного вірша виконані рукою Стуса (т. 2, а. с. 196).

Виготовлення Стусом саморобної збірки віршів під назвою «Веселий цвинтар», куди ввійшли антирадянські вірші «Ось вам сонце…», «Колеса глухо стукотять.,.», «Рятуючись од сумнівів…», «Марко Безсмертний…», «Їх було двоє…», «Напередодні свята…», «Сьогодні свято…», «В період розгонутого…», розмноження цієї збірки на друкарській машинці, передача по одному примірнику цієї збірки Шабатурі Стефанії і Світличному Івану, стверджується показами підсудного Стуса про те, що він є автором згаданої збірки віршів, показами свідків Шабатури та Світличного про те, що вони одержали від Стуса по одному примірнику цієї збірки, висновком криміналістичної експертизи про те, що збірка «Веселий цвинтар» надрукована на машинці, яка належить Стусу (т. 2, а. с. 226).

Читання Стусом Селезненкові та Калиниченкові вірша «Колеса глухо стукотять…» і надання Стусом цього вірша Калиниченкові для переписання в двох примірниках, один з яких одержав Селезненко, стверджується показами свідків Калиниченко та Селезненко, які ствердили цей факт, протоколом обшуку у Селезненка, під час якого було вилучено і примірник вірша Стуса (т. 4, а. с. 128).

Зберігання Стусом у себе на квартирі одного примірника збірки «Веселий цвинтар» та окремо віршів «Колеса глухо стукотять...» і «Марко Безсмертний...», стверджується фактом вилучення цієї збірки і віршів у квартирі Стуса 12 січня 1972 р. (т. 1 а. с. 19, 25, 26), протоколами огляду названих документів (т. 1 а. с. 47—48, 83, 88—89), висновками криміналістичних експертиз про те, що збірка «Веселий цвинтар» і два машинописних тексти вірша «Марко Безсмертний» надруковані на машинці Стуса, а «Колеса глухо стукотять...» написані рукою Стуса (т. 2, а. с. 196, 226).

Написання Стусом в 1970—1971 році наклепницького документа під назвою «Феномен доби», розповсюдження його шляхом ознайомлення з документом Франко Зиновії, Світличного І., Селезненка Л., Тельнюка С. стверджується показами Стуса про те, що він є автором цієї статті і давав її для ознайомлення Тельнюку С. В., показами свідків Франко З. Т., Тельнюка С. В., Світличного І. О. та Селезненка Л. В. про те, що Стус давав їм названого документа для ознайомлення; двома листами Тельнюка до Стуса з приводу написання названої статті, які вилучені у Стуса (додаток до справи № 4 а. с. 1—15); матеріалами обшуків, з яких видно, що у Сверстюка та Світличного вилучено по одному примірнику статті «Феномен доби» (т. 4, а. с. 166 т. 5 а. с. 69).

Факт передачі одного примірника «Феномен доби» Калинець Ірині стверджується показами на попередньому слідстві Калинець Ірини про те, що Стус, перебуваючи в січні 1972 р. у Львові, дав їй один примірник статті «Феномен доби», ствердженням цього факту Стусом на суді.

Зберігання чернеток «Феномен доби» і машинописного тексту до 12 січня 1972 року стверджується визнанням Стусом цього факту та протоколом обшуку і огляду документів, вилучених у Стуса (том 1, а. с. 20—21, 58—59).

Написання Стусом антирадянської статті «Зникоме розцвітання», передача її для ознайомлення Селезненку Л. В. стверджується показами Стуса про те, що він є автором названого документу, показами свідка Селезненка про те, що він одержав від Стуса статтю «Зникоме розцвітання», протоколом обшуку (т. 4, а. с. 136), з якого видно, що ця стаття вилучена у Селезненка.

Написання Стусом 2 листопада 1971 року листа до ЦК КП України та Спілки письменників України, що починається словами «За статистичними підрахунками», ознайомлення з цим листом Дзюби Івана та

Сверстюка Євгена, передача одного примірника цього листа Світличному, стверджується показами підсудного Стуса про те, що він є автором згаданого листа, з чернеткою якого знайомив Дзюбу, а також про те, що листа надрукував на своїй машинці; показами свідка Дзюби про те, що Стус давав йому для ознайомлення чернетку вищезгаданого листа, в якій він — Дзюба, своєю рукою зробив виправлення і чернетку повернув Стусу; показами свідка Світличного про те, що машинописний текст названого листа він одержав від Стуса; речовими доказами — вилученими у Стуса рукописом і частиною машинописного тексту згаданого листа та друкарською машинкою «Еріка» № 4525453; висновками криміналістичної експертизи про те, що рукописний текст названого листа написаний Стусом, виправлення та дописки на цьому тексті зроблені Дзюбою і Сверстюком; що машинописний текст, вилучений у Світличного, надрукований на машинці «Еріка» № 4525453.

Передача цього листа для ознайомлення Селезненку Л. В., зберігання його Світличною Надією, Дзюбою і Плющем стверджується показами свідка Селезненка про те, що Стус давав йому читати цього листа, протоколами обшуків у Світличної Н., Дзюби і Плюща, з яких видно, що текст згаданого листа вилучено у цих осіб (т. 4, а. с. 164, 168, 211).

Зберігання тексту цього листа Стусом до 12 січня 1972 р,. а також того, що цей антирадянський документ потрапив за кордон, про що 14 березня 1972 року зроблено повідомлення антирадянською радіостанцією «Свобода», на суді стверджено показами Стуса про те, що він є автором і виконавцем рукописного тексту цього документу, протоколом обшуку у Стуса (том 1, а.с. 18, 38), висновком криміналістичної експертизи про те, що згаданий рукопис виконано Стусом (том 2, а. с. 196), повідомленням Українського комітету по радіомовленню про те, що текст листа В. Стуса 14 березня 1972 р. передавався ворожою радіостанцією «Свобода» (т. 3, а. с. 112).

Згода Стуса, дана Чорноволу в грудні 1971 року прийняти участь в так званому «Громадському комітеті захисту Ніни Строкатової», стверджується показами підсудного Стуса про те, що він мав розмову з Чорноволом про створення «комітету», показами свідка Калинець, допитаної на попередньому слідстві про те, що вона дала Стусу примірник заяви «комітету на захист Н. Строкатової, щоб він підписав заяву і надіслав її до офіційних установ (т. 2, а. с. 26, т. III а. с. 225—226, 230);

матеріалами обшуку у Плахотнюка, під час якого була відучена ця заява «комітету» (т. 3, а. с. 207, 203, 209—213).

Одержання та зберігання Стусом двох примірників антирадянського твору Дзюби І. «Інтернаціоналізм чи русифікація?» стверджується показами підсудного Стуса про одержання ним від когось із знайомих двох примірників названого твору; протоколом обшуку і огляду цих документів та речовими доказами — двома примірниками названого документа (т. І, а. с. 268—269, 317, 20—21, 52, 61, додаток № 2, № 3 до справи).

Одержання Стусом саморобної антирадянської збірки віршів М. Холодного під назвою «Крик з могили» і зберігання її до дня вилучення доведено показами підсудного Стуса про наявність у нього цієї збірки, протоколами обшуку і огляду (т. І а. с. 18, 41), із яких видно, що у Стуса знайдена, вилучена та прикладена до справи названа збірка віршів Холодного.

Придбання та зберігання Стусом антирадянської новели «Дзвінок» Василя Захарченка стверджується показами Захарченка про те, що він є автором цієї новели, протоколом обшуку (т. 1 а. с. 61), з якого видно, що цей документ вилучено у Стуса.

Висловлювання антирадянських та наклепницьких суджень на адресу засновника Радянської держави, вихвалення способу життя в капіталістичних країнах та наклеп на умовне життя в Радянській країні підсудний Стус не визнав, пояснивши, що він таких розмов не проводив, а свідки Мацкевич, Кислинський та Сидоров його оговорюють.

Однак судова колегія цим поясненням підсудного Стуса віри не надає, а вважає правдивими покази свідків, оскільки вони перебувають з Стусом у нормальних взаємовідношеннях та у його зговорі не зацікавлені і на суді ствердили: свідок Мацкевич про те, що, перебуваючи в грудні 1971 — січні 1972 р. в санаторії «Світанок» міста Моршин, Стус вихваляв бандерівців, цинічно висловлювався про засновника Радянської держави, вихваляв життя в капіталістичних країнах та наводив наклеп на умови життя в Радянській країні.

Свідок Сидоров ствердив, що Стус в розмовах з ним вихваляв буржуазну пресу та наводив наклеп на радянську пресу, радіомовлення і телебачення.

Свідок Кислинський ствердив, що Стус у його присутності розказав анекдот, в якому висміював засновника Радянської держави.

Пояснення підсудного Стуса про те, що деякі його найбільш різкі антирадянські вірші складені під впливом короткочасного настрою та не опреділяють його антирадянських переконань, а також про те, що, виготовляючи, зберігаючи та розповсюджуючи вищезазначені вірші, листи та дослідження, він не мав мети підриву та послаблення Радянської влади, оскільки ці документи антирадянськими та наклепницькими не вважає, судова колегія відхиляє як такі, що не відповідають дійсності, з таких підстав:

1. Складені Стусом найбільш різкі антирадянські вірші, за його твердженням, під впливом короткочасних настроїв, він не знищував, а зберігав протягом багатьох років, аж до їх вилучення під час обшуку. Потім значна частина їх була вміщена в саморобні нелегальні збірки «Зимові дерева» та «Веселий цвинтар», які Стус розповсюджував серед своїх знайомих, а «Зимові дерева» потрапили за кордон та використані ворожими антирадянськими колами.
2. Різко антирадянський напрямок складених та розповсюджених Стусом документів, в яких наводиться злочинний наклеп на Радянський державний і суспільний лад, на політику КПРС і Радянської держави в галузі культури, національної політики, побуту і роботи та матеріальних умов існування радянського народу виявляється очевидним, а зберігання, виготовлення та розповсюдження Стусом цих антирадянських документів на протязі біля 10 років і його виступи аналогічного змісту, при тому, що він має вищу освіту та склав іспит по філософському мінімуму, свідчать про те, що Стус усвідомлював суспільну небезпеку своїх дій та діяв з прямим умислом на підрив і послаблення Радянської влади.

Як пом'якшуючу обставину судова колегія враховує те, що в останньому слові Стус заявив про своє щире розкаяння у скоєних ним діях та завірив суд, що прикладе усі зусилля до чесного служіння Радянській соціалістичній батьківщині, в зв'язку з чим судова колегія вважає можливим обрати йому пом'якшену міру покарання.

Оскільки Стус вчинив особливо небезпечний державний злочин, за що судиться вперше, в силу ст. 25 КК УРСР він повинен відбувати покарання в ВТК суворого режиму.

На підставі вищенаведеного, з врахуванням отягчаючих та пом'якшуючих обставин, судова колегія, керуючись ст. ст. 323, 324 КПК УРСР,

ПРИГОВОРИЛА:

СТУСА Василя Семеновича —

- на підставі ст. 62 ч. I КК УРСР позбавити волі у виправно-трудовій колонії суворого режиму строком на 5 (п'ять) років з засланням на три роки.

Термін відбуття покарання Стусу рахувати з 13 січня 1972 року, залишивши йому запобіжний захід тримання під вартою в слідчому ізоляторі КДБ при РМ УРСР м. Києва.

Речові докази — антирадянські вірші, збірки, листи — залишити при справі.

Судові витрати на проведення експертизи в сумі 110 крб, оплату проїзду свідків, викликаних до слідчого в сумі 104 крб 60 коп. та за проїзд свідків на суд в сумі 68 крб 35 коп., а всього 282 крб 95 коп. стягнути з засудженого Стуса.

Вирок може бути оскарженим в касаційному порядку до Верховного Суду Української РСР через Київський обласний суд на протязі семи діб з часу вручення засудженому копії вироку.

о. п. Головуючий — Дишель
народні засідателі — (підписи)

Згідно: Головуючий /Дишель/
лм-10
13.IX-72 г.

З оригіналом звірено:
Старший слідчий Слідвідділу КДБ при РМ Української РСР
майор Селюк
11 червня 1980 р.

КОПІЯ

Справа № 38к72
Вирок ухвалено за головуванням тов. Дишеля Г. А.
Доповідач тов. Коломійчук І. Г.

УХВАЛА
ІМ'ЯМ УКРАЇНСЬКОЇ РАДЯНСЬКОЇ СОЦІАЛІСТИЧНОЇ РЕСПУБЛІКИ

Судова колегія в кримінальних справах Верховного суду Української Радянської Соціалістичної Республіки в складі:
головуючого тов. Погребняка Ф. Т.
членів суду тт. Кузьмічової Л. Ф. і Коломійчук І. Г.
за участю пом. прокурора УРСР тов. Макаренка В. І.
та адвоката тов. Кржепицького С. М.
розглянула в судовому засіданні 16 листопада 1972 року кримінальну справу за кас. скаргами адвоката Кржепицького С. М. і засудженого Стуса В. С. на вирок судової колегії в кримінальних справах Київського обласного суду від 7 вересня 1972 року, яким:

СТУС Василь Семенович, 8.1.1938 р. народження, уродженець с. Рахнівка Гайсинського району, Вінницької області, українець, громадянин СРСР, безпартійний, з вищою освітою, одружений, на утриманні має сина 1966 року народження, старший інженер відділу технічної інформації республіканського об'єднання «Укрорґтехбудматеріали», раніше не судимий, мешканець м. Києва, засуджений за ст. 62 ч. І КК УРСР на 5 років позбавлення волі у виправно-трудовій колонії суворого режиму з засланням на 3 роки.

Заслухавши доповідь члена суду, пояснення адвоката, який підтримав доводи касаційних скарг, висновок прокурора про залишення вироку суду без змін, а касаційних скарг — без задоволення, судова колегія в кримінальних справах Верховного Суду УРСР, розглянувши матеріали справи, —

Встановила:
<u>Стус С. В. визнаний винним</u> в тому, що він на ґрунті антирадянських переконань та невдоволення існуючим в СРСР державним та суспільним ладом, з метою підриву і ослаблення Радянської влади, починаючи з 1963 р. і до дня арешту — січня 1972 р.,

систематично виготовляв, оберігав та розповсюджував антирадянські і наклепницькі документи, що порочать радянський державний та суспільний лад, а також займався антирадянською агітацією в усній формі.

Так, в період 1963—1972 років написав і зберігав у себе на квартирі, до дня арешту 14 віршів, а саме: «Доволі! Ситий вже…», «Безпашпортний, закріпачений в селі…», «Опускаюсь — ніби підіймаюсь…», «Розмова з другом…», «Коли багряніла українська революція…», «Комуністи — вперед…», «Режисер із людожерів…», «Кубло бандитів…», «Три С — неначе жарт», «Наша нація — найпередовіша», «На історичному етапі…», «Між божевіллям і самогубством…», «Від радості у степ», «Ви ходили до Петлюри»…, в яких порочить радянський державний та суспільний лад, зводить наклеп на умови життя радянського народу, на КПРС і Конституцію СРСР.

В 1965—1972 роках написав 10 документів антирадянського наклепницького змісту, в тому числі: два листи, що починаються словами «Шановний Петре Юхимовичу…», рукописи — «Привід бродить по Європі..», «Ми живемо в дуже цікаву епоху…», «Ми живемо в час парадоксів…», «Франція — це я…», «Відвідини. Лекція на заводі», «Це існування є злочином…», «Існує тільки дві формі…», «Якийсь киянин…».

В цих наклепницьких документах порочаться соціалістичні завоювання в нашій країні, наводиться злісний наклеп на радянську демократію і гарантовану конституцією недоторканність особи, на національну політику нашої держави, робляться спроби «довести» неможливість побудови комуністичного суспільства в Радянському Союзі.

Зазначені документи засуджений зберігав у себе до дня їх вилучення під час обшуків 12 січня і 4 лютого 1972 року.

28 липня 1970 р. Стус написав листа ворожого змісту, використавши раніше складений ним текст «Привід бродить по Європі…», адресувавши його ЦК КПУ і КДБ УРСР. Цей лист потім був надрукований у нелегальному антирадянському журналі «Український вісник» № 3 за 1970 рік, що був розповсюджений на території УРСР та за кордоном. Текст вказаного листа було вилучено у притягнутого до кримінальної відповідальності за антирадянську діяльність Дзюби І. М. під час обшуку 13 січня 1972 року.

В згаданому листі зводяться наклепницькі вигадки на радянську дійсність, зокрема на матеріальне і духовне життя нашого народу, робиться спроба обілити В. Мороза, засудженого за антирадянську діяльність, і вміщується звернення виступити за його звільнення від кримінальної відповідальності.

В середині 1970 р. написав листа, що починається словами: «Кожне нормально організоване суспільство…», адресованого до голови Спілки письменників України, секретаря ЦК КП України та Голови Президії Верховної Ради УРСР, використавши в ньому вищезгаданий текст написаного ним документа «Франція — це я». Цей наклепницький документ у вигляді листа також був вміщений до нелегального журналу «Український вісник» № 3 за 1970 рік. В ньому зводяться наклепницькі вигадки на національну політику КПРС, робиться спроба захищати осіб, що займаються ворожою діяльністю, та висловлюється обурення мірами, спрямованими на припинення антирадянської діяльності цих осіб.

В період після 1965 р. Стус написав документи наклепницького змісту у вигляді листа, адресованого Президії Спілки письменників України і в копіях секретареві ЦК КП України та редакції журналу «Всесвіт». В цьому листі, виступаючи на захист засудженого за антирадянську діяльність Караванського С. Й. та інших осіб, засуджений зводить наклеп на політику Радянського уряду по відношенню до інтелігенції і науковців, а також на радянську демократію.

В 1968 р. ознайомив з цим документом Сслезненка Л., а в січні 1972 р. машинописний текст цього листа було вилучено у Світличної Н., що мешкає у Києві, та у Гулик С., що мешкає у Львові.

Цей наклепницький документ, потрапивши за кордон до видавництв українських буржуазних націоналістів, широко використовувався в пропагандистських заходах, спрямованих проти Радянського Союзу. Так, у квітні 1969 р. він був надрукований в журналі «Сучасність» у Мюнхені, в травні 1969 р. — у газеті «Українське слово» в Парижі, в травні 1969 р. і грудні 1970 р. — в газеті «Шлях перемоги» у Мюнхені під тенденційним заголовками «Боягузтво — друге наймення підлості» та «Літературу здано на поталу полторацьким».

В 1969 р. написав листа на адресу редактора журналу «Вітчизна» та в копії до редакції газети «Літературна Україна» під заголовком «Місце в бою чи в розправі», в якому з антирадянських позицій наводить наклеп на політику радянської влади по відношенню до творчих працівників. В 1969 р. ознайомив з цим листом Селезненка Л.

Цей документ був розповсюджений і використовувався ворожими елементами як на Україні, так і за кордоном. Так, в січні 1970 р. він був надрукований в нелегальному журналі «Український вісник», № 1, який видавався ворожими елементами на Україні, і в 1971 р. — передрукований у Парижі. В червні 1971 р. цей лист Стуса «Місце в бою чи в розправі» передавався зарубіжною радіостанцією «Свобода», а в серпні 1971 р. — надрукований в газеті «Шлях перемоги» у Мюнхені. Крім того, текст цього документу в січні 1972 р. вилучено у Мешко О. Я., що мешкає у Києві.

В 1970 р. упорядкував нелегальну збірку своїх віршів під назвою «Зимові дерева», в якій вмістив вірші, написані ним в 1963—1970 роках. В неї увійшли такі вірші наклепницького змісту: «Не можу я без посмішки Івана...», «Звіром вити, горілку, пити...», «Отак живу як мавпа», «Даждь нам...». «Розмова..», «Балухаті мистецтвознавці!», «Який це час...», «Ідуть три циганки...», «У Мар''їнці стоять кукурудзи». В цих віршах наводиться наклеп на роботу і життя в колгоспах, на радянську демократію і радянський лад. У тому ж 1970 р. ця збірка Стусом передрукована на друкарській машинці і розповсюджена серед своїх знайомих. Два примірники засуджений передав Селезненкові Леоніду, по одному примірнику — Дзюбі Івану, Світличному Івану, що мешкають у Києві, та Калинець Ірині, що мешкає у Львові. В свою чергу Селезненко Леонід один примірник передав громадянці Чехословаччини Коцуровій Ганні, а та вивезла за кордон і передала збірку «Зимові дерева» мешканцю Англії — Левицькому. В 1970 р. збірка з передмовою автора була видана брюссельським видавництвом і віддрукована у Англії. Вірш з цієї збірки «Не можу я без посмішки Івана...», крім того, друкувався окремо за кордоном в антирадянському націоналістичному журналі «Сучасність» — № 12 за 1971 р.

При обшуку у Стуса 12 січня 1972 р. вилучено два написаних ним рукописних тексти вірша «У Мар''їнці стоять кукурудзи», який входить у збірку «Зимові дерева».

В 1970 р. виготовив саморобну нелегальну збірку під назвою «Веселий цвинтар», куди увійшли разом з іншими віршами написані ним антирадянські націоналістичні вірші «Ось вам сонце...», «Колеса глухо стукотять...», «Рятуючись од сумнівів...», «Марко безсмертний...», «Їх було двоє...», «Напередодні свята», «Сьогодні свято», «В період розгорнутого...». В цих віршах робиться спроба довести читачеві перекручене уявлення про радянське соціалістичне суспільство, зводиться наклеп на заходи КПРС і Радянського уряду, спрямовані на святкування 100-річчя з дня народження засновника Радянської держави, на умови життя радянських людей і радянську соціалістичну демократію. Розмноживши цю збірку, розповсюдив її, а також окремі вірші, що увійшли до збірки, серед своїх знайомих. В 1970 р. передав по одному примірнику збірки Світличному Івану і Шабатурі Стефанії. У тому ж році у себе на квартирі ознайомив Селезненка Леоніда і Калиниченка Івана з віршем «Колеса глухо стукотять…» із збірки «Веселий цвинтар» і на їх прохання дав переписати цей вірш у двох примірниках для їх власного користування.

Крім того, у себе на квартирі зберігав один примірник збірки «Веселий цвинтар», машинописний та рукописний тексти віршів: «Колеса глухо стукотять» і «Марко Безсмертний», які були вилучені у нього під час обшуку 12 січня 1972 р.

На протязі 1970—1971 років написав дві ворожого змісту статті під назвами «Феномен доби» і «Зникоме розцвітання».

В статті «Феномен доби», під виглядом дослідження творчості поета П. Тичини, намагався нав'язати читачеві антирадянські, націоналістичні погляди і уявлення щодо оцінки творчості радянського українського поета, намагався довести «шкідливість» принципу партійності в літературі. Разом з тим намагався нав'язати спотворені ворожі погляди на колективізацію сільського господарства в Радянському Союзі та наводив наклеп на політику Радянської влади в галузі розвитку культури.

В статті «Зникоме розцвітання», при дослідженні творчості В. Свідзінського, Стус робить оцінку спадщини поета з буржуазних позицій, наводить наклепницькі вигадки на досягнення радянського народу в соціалістичному і культурному будівництві, порочить радянський державний та суспільний лад.

В 1971 р. статтю «Феномен доби» розповсюдив, ознайомивши з нею Зиновію Франко, Світличного Івана, Селезненка Леоніда, Тельнюка Станіслава, і передав один примірник Калинець Ірині, яка мешкає у Львові, один примірник цієї статті був вилучений у Сверстюка Є. під час обшуку 12 січня 1972 року. Чернетки і новий машинописний текст статті «Феномен доби» Стус зберігав у себе до вилучення під час обшуку 12 січня 1972 р.

Статтю «Зникоме розцвітання» наприкінці 1970 р. чи на початку 1971 року передав для ознайомлення Селезненку, яка зберігалась у нього до 12 січня 1972 р. і була вилучена під час обшуку.

21 листопада 1971 р. Стус написав листа до ЦК КП України та Президії Спілки письменників України, що починається словами: «За статистичними підрахунками…», в якому наклепницьки змальовує становище

в сучасній українській літературі, при цьому всіляко вихваляючи деяких літераторів, які проявили ворожість до радянського суспільства; одночасно наводить наклепи на заходи радянської влади, спрямовані на розвиток радянської літератури та на радянське правосуддя.

При написанні цього листа в другій половині 1971 р. ознайомив з його змістом Івана Дзюбу та Євгена Сверстюка. Після передрукування на своїй друкарській машинці один примірник листа передав Івану Світличному, у якого він і був вилучений 12 січня 1972 р. Тоді ж згаданий лист давав для ознайомлення Селезненку. Три інші примірники цього документа були вилучені під час обшуків у січні 1972 р. у Світличної Надії, Дзюби Івана і Плюща Леоніда. Рукописний текст листа Стус зберігав у себе до 12 січня 1972 р.

Крім того, цей наклепницький документ («За статистичними підрахунками») потрапив за кордон, про що 14 березня 1972 р. було зроблене повідомлення антирадянською радіостанцією «Свобода».

В грудні 1971 р. на пропозицію Чорновола дав згоду прийняти участь у діяльності так званого «Громадського комітету захисту Ніни Строкатової», заарештованої за антирадянську діяльність. Членами цього «комітету» була складена заява та довідка про особу Строкатової, із яких вміщено наклепницькі твердження відносно правосуддя в СРСР.

В період після 1966 р. придбав у когось із своїх знайомих і зберігав до 12 січня 1972 р. 2 примірники антирадянського документа Івана Дзюби «Інтернаціоналізм чи русифікація?» у вигляді машинописного тексту та фоторепродукції, який є пасквілем на радянську дійсність, національну політику КПРС і практику комуністичного будівництва в Радянському Союзі.

В період після 1966 р. придбав і зберігав до січня 1972 р. машинописний текст так званої новели В. Захарченка «Дзвінок». Цей документ має антирадянське спрямування, вміщує наклеп на радянську дійсність, на органи управління та державні установи і спосіб життя радянських людей.

В 1968—1969 роках у когось із своїх знайомих придбав і зберігав до 12 січня 1972 р. саморобну збірку віршів М. Холодного, під назвою «Крик з могили», в якій у віршах «Собака», «Дядько має заводи і фабрики...» та багатьох інших з антирадянській позицій змальовує радянський лад, життя та побут нашого народу, зводить наклеп на політику КПРС і Радянського уряду.

В грудні 1971 р. та січні 1972 р., перебуваючи на лікуванні санаторії «Світанок» у м. Моршині Львівської області, в розмовах з відпочиваючими Мацкевичем П. М., Кислинським В. В. і Сидоровим В. Г. висловлював антирадянські судження. Викладаючи свої ворожі погляди, в образливій формі висловлювався на адресу засновника радянської держави, наводив наклеп на радянську демократію, в той же час вихваляв буржуазну демократію капіталістичних країн, українських буржуазних націоналістів, які вели збройну боротьбу проти Радянської влади на Україні, та наводив наклепи на матеріальне становище трудящих нашої країни.

В касаційній скарзі адвокат Кржепицький, не заперечуючи фактичних обставин справи, вважає, що у суду були підстави, особливо після звернення Стуса з останнім словом до суду, прийти до висновку про те, що вчинені ним дії були без мети підриву чи ослаблення Радянської влади. Тому просить про зміну вироку, кваліфікацію злочинних дій засудженого за ст. 187-І КК УРСР і визначення покарання в межах санкції цієї статті.

Та обставина, що збірка віршів «Зимові дерева» і деякі статті Стуса попали за кордон і були надруковані в антирадянських виданнях, що принесло шкоду Радянській владі, на думку адвоката, не може свідчити про умисел засудженого на підрив чи ослаблення радянської влади, виходячи з того, що в справі відсутні докази того, що ці твори антирадянського змісту за кордон передавав сам Стус чи інші особи за його згодою.

Сам засуджений вирок суду вважає несправедливим і жорстоким і просить про його зміну з таких підстав.

Вилучені у нього під час обшуку рукописи і вірші — це забраковані ним чернеткові записи, що містять ряд помилкових і хибних тверджень, не можуть розцінюватись як такі, що порочать радянський державний і суспільний лад, оскільки це «невикінчені думки», пошуки до істини, написані в стані розпачу. Тому вважає, що він не може нести за це відповідальність як за контрреволюційний злочин.

Зазначає, що ладен відмовитись від багатьох своїх хибних думок, що він ніколи не стояв на антирадянських позиціях і що йому дуже прикро, що деякі його твори вороги почали брати на озброєння. Просить при вирішенні питання про показання зважити, що в нього старі батьки, хворі дружина і син, що він сам хворіє на виразку шлунку, усвідомив свої помилки і в майбутньому не буде допускати їх.

Касаційні скарги не підлягають до задоволення з таких підстав.

Сам засуджений Стус не заперечує тієї обставини, що він є автором 14 віршів, які починаються словами «Доволі! Ситий вже…» Безпашпортний, закріпачений в селі…», «Опускаюсь — ніби підіймаюсь…», «Розмова з другом…», «Коли багряніла українська революція…», «Комуністи — вперед…», «Режисер із людожерів…», «Кубло бандитів…», «Три С — неначе жарт…», «Наша нація — найпередовіша…», «На історичному етапі…», Між божевіллям і самогубством…», «Від радості у степ…», «Ви ходили до Петлюри».

З протоколу обшуку вбачається, що тексти вказаних віршів були написані засудженим в зошитах, записних книжках і на аркушах паперу, які вилучені у нього 12 січня і 4 лютого 1972 р. (т. І, а. с. 16—22, 24—27).

Висновком криміналістичної експертизи стверджено, що згадані вірші написані власноручно засудженим Стусом (т. ІІ, а. с. 196, 206).

У цих віршах, як це вбачається з їх змісту, містяться наклепницькі вигади, що порочать радянський державний і суспільний лад, в них зводиться наклеп на умови життя радянського народу, на КПРС і Конституцію СРСР.

Вина Стуса в написанні і зберіганні у себе 10 документів антирадянського наклепницького характеру, що починаються словами: «Шановний Петре Юхимовичу», «Привід бродить по Європі», «Ми живемо в час парадоксів» і інших, стверджена показаннями самого засудженого, що він є автором цих документів; фактом вилучення у нього їх під час обшуку; висновком криміналістичної експертизи про те, що зазначені рукописи виконані Стусом (а. с. 196, 206 ч. ІІ).

Показаннями засудженого стверджено, що він 28 липня 1970 р. написав ворожого листа до ЦК КПУ і КДБ УРСР, використавши для цього раніше складений рукопис «Привід бродить по Європі». Розповсюдження вказаного листа стверджено фактом вилучення його тексту 13 січня 1972 р. у Дзюби.

Визнав Стус і факт написання ним наклепницького листа, адресованого Голові Спілки письменників України, Секретареві і Голові Президії Верховної Ради УРСР, що починається словами: «Кожне нормально організовано суспільство..», в якому використано раніше складений рукопис «Франція — це Я».

Протоколом огляду антирадянського журналу «Український вісник» № 3 за 1970 р. стверджено, що зазначені вище листи вміщені в цей журнал (т. ІІ, а. с. 126—137).

Свідок Селезненко Л. ствердив, що засуджений знайомив його з листом наклепницького змісту, який був спрямований на захист осудженого за антирадянську діяльність Караванського і адресований Президії Спілки письменників України, секретареві ЦК КП України та редакції журналу «Всесвіт».

Засуджений Стус визнав, що він є автором цього листа. Долученими до справи речовими доказами стверджено, що цей документ був надрукований за кордоном у видавництвах українських буржуазних націоналістів та зберігався у Світличної і Гулик.

Написання Стусом у 1969 р. листа під заголовком «Місце в бою чи розправі», адресованого редакції журналу «Вітчизна» і в копії — редакції газети «Літературна Україна», де зводиться наклеп на відношення Радянського Уряду до працівників літератури; ознайомлення з цим листом Селезненка; друкування його за кордоном у видавництвах українських буржуазних націоналістів; зберігання копії листа Мешко О. Я. стверджено показаннями засудженого, що він автор цього листа, свідка Сєлезненка Л., що Стус знайомив його з текстом листа, фактом вилучення названого документа у Мешко О. Я.

З протоколів огляду літератури, виданої за кордоном, видно, що лист під назвою «Місце в бою чи в розправі» друкувався там у 1971 р. Повідомленням українського радіокомітету стверджено, що ворожою радіостанцією передавався текст статті Стуса «Місце в бою чи в розправі?» в червні 1971 року (т. III, а. с. 96—100).

Вина Стуса у виготовленні у 1970 р. саморобної нелегальної збірки віршів «Зимові дерева», куди вміщені написані ним у 1968—1970 роках антирадянські наклепницькі вірші «Не можу я без посмішки Івана», «Отак живу як мавпа», «Який це час» і інші і розповсюдження її серед своїх знайомих, стверджена показаннями самого засудженого, що він автор віршів, вміщених у цю збірку, ще він зробив і розмножив що збірку та передав Селезненкові, Дзюбі, Світличному і Калинець. Свідки Селезненко, Дзюба, Світличний і Калинець визнали, що вони одержали від засудженого саморобну збірку його віршів «Зимові дерева». Органами слідства у Дзюби і Селезненка вилучено по одному примірнику цієї збірки (т. IV, а. с. 129, т. V, а. с. 3—4).

З показань свідка Селезненка вбачається, що він один примірник збірки «Зимові дерева» передав громадянці Чехословаччини Коцуровій Ганні. Коцурова, як це видно з показань на попередньому слідстві, вивезла збірку «Зимові дерева» за кордон і передала мешканцю Англії Левицькому. Пізніше збірка віршів «Зимові дерева» з передмовою автора була видана брюссельським видавництвом і видрукована у Англії.

Протоколом огляду літератури виданої за кордоном, стверджено, що вірш «Не можу я без посмішки Івана» із збірки «Зимові дерева» друкувався окремо в антирадянському націоналістичному журналі «Сучасність» № 12 за 1971 рік (т. 3, а. с. 2, 26—27).

Виготовлення Стусом саморобної збірки віршів під назвою «Веселий цвинтар», куди увійшли такі вірші антирадянського змісту, як «Ось вам сонце», «Сьогодні свято», «В період розгорнутого» і інші, розмноження цієї збірки на друкарській машинці і передача по одному примірнику збірки Шабатурі Стефанії і Світличному Івану, стверджено показаннями засудженого, що він є автор згаданої збірки віршів, свідків Шабатури і Світличного, що вони одержали від Стуса по одному примірнику цієї збірки віршів, а також висновком криміналістичної експертизи, що текст збірки «Веселий цвинтар» надрукований на належній засудженому друкарській машинці (т. 2, а. с. 226).

Показаннями свідків Селезненка і Калиниченка стверджено, що Стус читав їм вірша «Колеса глухо стукотять» і дав можливість переписати цього вірша у двох примірниках; під час обшуку у Селезненка вилучено один примірник вірша (т. 4, а. с. 138).

Про те, що Стус у себе на квартирі зберігав один примірник збірки «Веселий цвинтар», та окремо вірші «Колеса глухо стукотять» і «Марко Безсмертний» стверджено фактом вилучення таких під час обшуку 12 січня 1972 р. і висновками криміналістичних експертиз про те, що збірка віршів надрукована на машинці засудженого, а вірш «Колеса глухо стукотять» написаний його рукою.

Вина засудженого в написанні і розповсюдженні наклепницького документа під назвою «Феномен доби», крім його показань, стверджена показаннями свідків Зиновії Франко, Світличного І., Селезненка Л. і Тельнюка С. про те, що Стус є автор зазначеної статті і що він цю статтю давав їм для ознайомлення. З приводу цієї статті свідок Тельнюк мав переписку з засудженим, що стверджено долученими до справи листами. Під час обшуку по одному примірнику статті «Феномен доби» вилучено у Сверстюка і Світличного (т. IV, а. с. 166, т. V, а. с. 69, додаток до справи № 4 а. с. 1—15).

Свідок Калинець Ірина на попередньому слідстві ствердила, що, перебуваючи у Львові в січні 1972 р., Стус передав їй один примірник статті «Феномен доби».

Всі ці обставини визнані засудженим Стусом як на попередньому слідстві, так і в судовому засіданні.

Показаннями свідка Селезненка і фактом вилучення у нього написаної Стусом статті антирадянського змісту «Зникоме розцвітання» стверджено, що автором цієї статті був засуджений Стус і що він займався розповсюдженням такої (IV, а. с. 136).

Вина Стуса в написанні 21.XI.1971 р. листа антирадянського змісту до ЦК КПУ і Спілки письменників України, що починається словами: «За статистичними підрахунками» і розповсюдження його стверджується такими доказами.

Сам Стус не заперечує того, що вказаного листа склав він і з чернеткою цього листа ознайомив Дзюбу І., показаннями свідка Дзюби, що він дійсно одержав від Стуса цей документ, своєю рукою зробив там деякі виправлення і чернетку листа повернув Стусу; висновками криміналістичної експертизи про те, що рукописний текст листа виконано Стусом, а виправлення і дописки зроблені рукою Дзюби і Свєрстюка;. показаннями свідка Селезненка Л., що Стус дав йому читати цього листа, а також протоколами обшуків у Світличної Н., Дзюби І. і Плюща, у яких було вилучено текст вказаного листа.

Повідомленням Українського комітету по радіомовленню стверджено, що текст листа, що починається словами: «За статистичними даними» 14 березня 1972 р. передавався ворожою радіостанцією «Свобода» (т. 8, а. с. 112).

Згода Стуса на участь в так званому «Громадському комітеті захисту Ніни Строкатової» стверджена показаннями засудженого про те, що він мав розмову з Чорноволом про створення «комітету», показаннями свідка Калинець про те, що вона дала засудженому примірник заяви «Комітету на захист Ніни Строкатової», щоб він підписав і надіслав її до офіційних установ; фактом вилучення заяви «Комітету» у Плахотнюка (а. с. 207—215, т. 3., а. с. 26, т. 2, а. с. 223—226, 230, т. 8).

Одержання і зберігання засудженим двох примірників антирадянського твору Дзюби «Інтернаціоналізм чи русифікація?» стверджено показаннями Стуса, що він одержав у когось із знайомих цей твір, а також протоколом вилучення у засудженого двох примірників названого документа (т. І, а. с. 263, 269, 317, 20, 21 додаток до справи № 2 і 3).

Придбання і зберігання Стусом антирадянської збірки віршів М. Холодного «Крик з могили» і новели Васили Захарченка «Дзвінок» стверджується показаннями самого засудженого про те, що він мав ці твори у себе, і протоколами обшуку і вилучення у нього цих творів (т. І, а. с. 18, 41, 61).

Висловлювання антирадянських та наклепницьких суджень на адресу засновника Радянської держави, вихвалення способу життя в капіталістичних країнах, наклеп на умови життя в Радянській країні стверджується показаннями свідків Сидорова, Мацкевича і Кислинського.

Зазначені свідки, які перебували разом з засудженим в грудні 1971 р. — січні 1972 р. в санаторії «Світанок» у м. Моршин, чули від нього, як він вихваляв бандерівське підпілля, цинічно висловлювався в адресу засновника Радянської держави, вихваляв життя в капіталістичних країнах, наводив наклеп на радянську пресу, радіомовлення і телебачення.

Ніяких даних, які б свідчили про те, що свідки обмовили засудженого, в матеріалах справи немає.

Посилання в касаційній скарзі засудженого на те, що написані ним статті і вірші антирадянського змісту не містять кінцевих думок автора, є роздумами, за які він не може нести відповідальність як за антирадянський злочин, не грунтується на матеріалах справи.

З долучених до справи речових доказів видно, що це вірші і статті антирадянського змісту з цілком викінченими літературно оформленими думками.

Складені у найбільш різкій формі вірші антирадянського змісту засуджений зберігав протягом багатьох років, вміщував їх у саморобні нелегальні збірки під назвою «Зимові дерева» і «Веселий цвинтар» і передавав своїм знайомим.

Не відповідає матеріалам справи покликання в касаційних скаргах і на те, що вчинені засудженим дії були без мети підриву чи послаблення Радянської влади.

Різко антирадянський напрямок складених та розповсюджених Стусом документів, в яких наводиться злісний наклеп на Радянський державний і суспільний лад, на КПРС і Радянську державу в галузі національної політики, культури, побуту, роботи і матеріальних умов життя радянського народу, сталість цих антирадянських позицій засудженого свідчать про спрямованість умислу на підрив і послаблення Радянської влади.

При таких обставинах злочинні дії засудженого вірно кваліфіковані за ст. 62 ч. І КК УРСР.

При визначенні міри покарання суд врахував як особливу небезпечність вчиненого злочину, так і особу винного, який розкаявся у вчиненому. Тому колегія не вбачає підстав до пом'якшення покарання.

На підставі наведеного і керуючись ст. ст. 363, 364, КПК УРСР Судова колегія,—

Ухвалила:

Касаційні скарги адвоката Кржепицького С. М. і засудженого Стуса В. С. залишити без задоволення, а вирок судової колегії в кримінальних справах Київського обласного суду від 7 вересня 1972 року відносно Стуса Василя Семеновича — без змін.

Головуючий — Погребняк
Члени суду — Коломійчук, Кузьмічова
Згідно: член Верховного УРСР Коломійчук

З оригіналом згідно: Старший слідчий
Слідвідділу КДБ при РМ Української РСР майор Селюк
11 червня 1980 р.

КОПІЯ

ПРОИЗВОДСТВЕННАЯ ХАРАКТЕРИСТИКА
на старшего инженера отдела научно-технической информации объединения «Укроргтехстройматериалы» МПСМ УССР
СТУСА Василия Семеновича

Стус В. С. 1938 года рождения, украинец, беспартийный, закончил педагогический институт филологический факультет.

Работал в отделе научно-технической информации объединения «Укроргтехстройматериалы» МПСМ УССР с сентября 1966 года по январь 1972 года в должности старшего инженера.

В отделе занимался вопросами редактирования информационных материалов, также сбором и обработкой материалов по передовому производственному опыту работы предприятий и новаторов производства.

С этой целью неоднократно выезжал на предприятия Министерства. Не имея специального образования и не будучи достаточно знаком с производством строительных материалов, Стус В. С. не проявлял особой активности и интереса по знанию производства строительных материалов и не повышал своего технического уровня.

К исполнению своих обязанностей относился без особой активности. В общественной жизни отдела и объединения участия не принимал.

При организации субботника по оказанию помощи совхозам в уборке овощей Стус В. С. высказывал недовольство тем, что это мероприятие проводится в субботу, а не в рабочее время.

Характеристика выдана по требованию следователя КГБ УССР.

Начальник объединения
«Укроргтехстройматериалы» П. МЕЛЬНИЧУК
Секретарь п/б В. ЛИШЕНКО
Председатель МК Н. ШИЯН
20.03.72 г. г. Киев
З оригіналом згідно:
Старший слідчий Слідвідділу КДБ
при РМ Української РСР майор Селюк
11 червня 1980 р.

Копія

ХАРАКТЕРИСТИКА

СТУС Василь Семенович, 1938 року народження, українець, безпартійний (з 1952 р. — член ВЛКСМ), освіта — вища, в 1959 р. закінчив українське відділення історико-філологічного факультету Донецького державного педагогічного Інституту, в 1959—1961 рр. перебував у Радянській армії, в 1961—1963 рр. був учителем у Горлівці і з березня 1963 р. — літературним редактором газети «Соціалістичний Донбас».

У 1963 р. Стус В. С. був зарахований в аспірантуру Інституту літератури ім. Т. Г. Шевченка АН УРСР по спеціальності «теорія літератури».

Тема дисертації — «Джерела емоційності художнього твору (на матеріалі сучасної прози)».

За час перебування в аспірантурі Стус В. С. неодноразово грубо порушував норми поведінки працівника наукової установи. Стус В. С. не побажав стати на комсомольський облік, відмовився виконувати громадське доручення — ввійти до складу народної дружини.

У 1964 р., як повідомив відділ міліції Жовтневого райвиконкому м. Києва, Стус В. С. непристойно поводив себе в клубі заводу «Більшовик», ображав чергового міліціонера, за що був оштрафований.

На початку 1964 р. Стус В. С. порушив існуючі правила пересилання рукописів за кордон. У березні 1965 р. Стус В. С. самочинно намагався організувати літературний вечір на Київському верстатобудівельному заводі ім. О. М. Горького, а коли члени партійного комітету заводу попросили через відсутність приміщення перенести зустріч з молодими письменниками на інший час, Стус В. С. ображав їх і демонстративно влаштував «вечір» на вулиці, де виступали невідомі «письменники», про творчість яких сам Стус В. С. нічого не міг повідомити.

Неодноразові розмови й попередження не дали бажаних наслідків. Стус В. С. відкидав будь-які зауваження і не виправляв своєї поведінки. 4 вересня 1965 р. в кінотеатрі «Україна» під час прем'єри кінофільму «Тіні забутих предків» Стус В. С. знову порушив правила поведінки в громадських установах, виступив з провокаційним закликом стати «на захист» української інтелігенції. У письмовому поясненні Стус В. С. продовжував наполягати на своєму «праві» поширювати свої невірні погляди засудженими засобами.

За систематичне порушення норм поведінки аспірантів і працівників наукового закладу Стус В. С. наказом по Інституту літератури ім. Т. Г. Шевченка АН УРСР № 180 від 15 вересня 1965 р. був відчислений з аспірантури.

Директор Інституту літератури
ім. Т. Г. Шевченка АН УРСР
/академик АН УРСР М. З. ШАМОТА/
15 лютого 1972 р.
З оригіналом згідно:
старший слідчий Слідвідділу КДБ при
РМ Української РСР майор Селюк
11 червня 1980 р.

КОПІЯ

Запрещается выдавать на руки
и снимать копии
(Приказ по Министерству
здравоохранения СССР
от 20.03. 1950 г. № 128)

АКТ № 643
СТАЦИОНАРНОЙ СУДЕБНО-ПСИХИАТРИЧЕСКОЙ ЭКСПЕРТИЗЫ
СТУС ВАСИЛИЯ СЕМЕНОВИЧА

23 мая 1972 года судебно-психиатрическая экспертная комиссия Киевской городской клинической больницы № 21 им. акад. Павлова (психоневрологической) освидетельствовала СТУСА ВАСИЛИЯ СЕМЕНОВИЧА, 1938 года рождения, обвиняемого по ст. 187-І УК УССР.

На экспертизу направлен по постановлению следователя следотделения УКГБ при СМ УССР по Киевской области, в связи с возникшим сомнением в психическом состоянии обвиняемого.

В отделении судебной экспертизы больницы СТУС находится с 6 мая 1972 года.

СВЕДЕНИЯ СО СЛОВ ИСПЫТУЕМОГО. Из рабочей семьи, младший из 4 детей. Случаев душевных заболеваний в семье не было. Рос, развивался обычно. Не болел. В школу пошел своевременно, учился хорошо. Окончил 10 классов, затем Донецкий педагогический институт в 1959 году. Работал по специальности. В 1959 году был призван в армию, служил до 1961 года. После демобилизации год работал в школе, затем в газете. В 1963—1965 году был в аспирантуре в Институте литературы АН УССР, но был отчислен.

В дальнейшем работал на разных работах, последних пять лет — в отделе технической информации МПСМ УССР. Женат, имеет ребенка.

Со времени службы в армии страдает язвенной болезнью 12-перстной кишки, лечился. Туберкулез, венерические заболевания, болезнь Боткина, дизентерию — отрицает. Травм головы не было. Алкоголь не употребляет. К ответственности привлекается впервые.

В настоящее время жалуется на боли в области желудка, других жалоб нет. Душевнобольным себя не считает.

По существу обвинения рассказал, что ему инкриминируется его статья политического характера «Місце в бою чи в розправі», которая «якобы опубликована за границей», и «открытое письмо» в Президиум Союза писателей Украины, в котором «касался вопросов облегчения положения молодых писателей, вносил свои пропозиции по этому вопросу». Кроме того, за границей издан сборник его стихов «Зимові дерева», «наверное, и его вменяют, если по поводу его содержания — есть какие-то претензии».

Полагает, что вышеуказанные работы не должны рассматриваться как преступление, что он мог в чем-то и ошибиться, возможно, допустил некоторую резкость стиля, но писал, преследуя «цели добра, а не зла». Его критика — «чисто этическая». В связи с этим — виновным себя ни в чем не считает.

Из представленных экспертам материалов дела известно, что Стус во время учебы в институте считался одним из самых способных студентов, который много работал, любил музыку, на 4—5-м курсах начал писать стихи. Нарушений дисциплины у него не было, хотя характерологически он «прямолинейный и резкий» (св. Лазаренко).

Свидетель КЛОЧЧЯ-ЛЕВИТСКИЙ, который сталкивался со Стусом в последующие годы в основном по литературным вопросам, отмечает, что большинство стихов Стуса не соответствовали «идейно-художественному уровню советской поэзии, ... не отражали конкретной действительности Донбасса ... были искусственными, осложненными по форме, слишком символистичны, абстрактны, порой идейно двузначны». По этому поводу у свидетеля со Стусом якобы были творческие споры, во время которых Стус отстаивал «модернистические концепции».

Контакты свидетеля со Стусом относятся к 1965—1968 годам.

Свидетель ЛЕТЮК характеризует Стуса человеком, который «держался с апломбом», заявлял, что в редакции «сидят люди, которые не понимают настоящей поэзии, на Донбассе нет настоящих литераторов».

В 1963 году Стус поступил в аспирантуру при Институте литературы им. Шевченко АН УССР.

Как видно из характеристики указанного института, Стус нарушал нормы поведения работников научного учреждения, не захотел стать на комсомольский учет, отказывался от общественных поручений. В 1964 году был оштрафован за непристойное поведение в клубе з-да «Большевик». В 1965 году — самовольно пытался организовать литературный вечер на одном из заводов г. Киева.

В том же году Стус в кинотеатре «Украина» выступал с провокационными заявлениями стать «на защиту украинской интеллигенции». За все эти поступки Стус в сентябре 1965 года был отчислен из аспирантуры.

Жена Стуса — ПОПЕЛЮХ в своих показаниях отмечала, что он страдал по поводу того, что его не печатают, переживал, что его сборник стихов издан за границей, а не на родине.

И жена, и тесть Стуса отмечают, что он хорошо относился к семье, помогал по хозяйству. Никаких странностей в его поведении не отмечают.

Свидетель ДОВГАЛЬ [Довгань], с которым Стус сотрудничал в газете «Друг читача», характеризует его человеком, добросовестно относящимся к своим обязанностям, старательным. Он не отказывался ни от каких видов работы, его техническая информация хорошо оценивалась.

Согласно же производственной характеристике из объединения «Укрооргтехстройматериалы» (последнего места работы Стуса) — Стус по работе особой активности не проявлял, не повышал свой технический уровень, не принимал участия в общественной жизни учреждения.

В материалах дела имеется медицинская справка поликлинического отделения 5-й больницы Жовтневого р-на г. Киева, из которой видно, что Стус наблюдался в указанной больнице с 1966 года по поводу хронического нормоцидного гастрита, хронического холецистоангиохолита. В 1968 году он обращался в поликлинику по поводу варикозного расширения вен левой голени и острого двустороннего гайморита. В мае 1969 года был на стационарном лечении по поводу обострения язвенной болезни 12-перстной кишки, хронического холецистоангиохолита, хронического колита.

В 1971 году обращался в поликлинику для заполнения санаторно-курортной карточки.

15 января 1972 года Стус был арестован и ему предъявили обвинение в том, что он на протяжении 1968—1971 годов составлял, размножал и распространял письма и стихи, в которых возводил клевету, порочащую советский государственный и общественный строй, искаженно изображая жизнь советских людей. Часть документов такого содержания была нелегально переправлена за границу и использовалась буржуазной пропагандой в антисоветских целях.

В частности, так было использовано письмо Стуса «Місце в бою чи в розправі» и письмо, адресованное Президиуму Союза писателей Украины и партийным органам.

В процессе следствия СТУС понимал суть обвинения, виновным себя не признавал, заявляя, что вышеуказанные документы не являются клеветническими. На допросах Стус вел себя надменно, оскорблял свидетелей и других участников процесса, иногда отказывался от показаний, порой высказывал необоснованные подозрения, что и явилось поводом для назначения настоящей экспертизы.

При обследовании обнаружено следующее.

ФИЗИЧЕСКОЕ СОСТОЯНИЕ. Астенического телосложения, высокого роста. Контрактура сустава I фаланги III пальца левой кисти. Отсутствие первых фаланг IV пальца левой кисти. Тоны сердца чистые, пульсация ритмичная. В легких везикулярное дыхание. Живот мягкий, болезнен при пальпации в области правого подреберья. Кишечник спазмирован в левой подвздошной области.

НЕРВНАЯ СИСТЕМА. Зрачки круглые, равномерные, реагируют на свет. Акт конвергенции, аккомодации не нарушен. Язык высовывает по средней линии. Перкуторные рефлексы с конечностей живые, равномерные. В позе Ромберга устойчив.

ЛАБОРАТОРНЫЕ ИССЛЕДОВАНИЯ КРОВИ, МОЧИ. Патологии не обнаружили.

ПСИХИЧЕСКОЕ СОСТОЯНИЕ. Все виды ориентировки сохранены. Держится естественно. Вежлив. На вопросы отвечает по существу. Речь не нарушена, хороший словарный запас. Внимание устойчивое. Понимает цели экспертизы, возмущен направлением в психиатрическую больницу, так как душевнобольным себя не считает. Заявляет обоснованные жалобы соматического характера. По поводу подозрений, высказанных в процессе следствия, рассказал, что однажды, когда он был очень уставшим после допроса, врач дала ему слабительное, но после него он очень долго спал. Тогда появилась мысль, что ему дали снотворное, не сообщив об этом. Сделали это с целью «возможно, как-то повлиять на мою волю».

В процессе беседы соглашается, что, возможно, и ошибался, возможно, спал потому, что устал. На своих подозрениях не настаивает.

Память объективно не ослаблена. Темп сенсомоторных реакций не замедлен, равномерен. Уровень обобщения и отвлечения не снижен, соответствует образованию и жизненному опыту. Процессы эти не искажены. Мышление логичное, последовательное, целенаправленное.

При экспериментально-патопсихологическом обследовании, в частности исследовании личностных особенностей по Айзенку, отмечается преобладание интроверсии.

В отделении поведение упорядоченное, режима не нарушает, рассудительно относится к поведению душевнобольных, читает, в меру надобности общается с окружающими.

В беседах настойчиво отстаивает свою точку зрения по тому или иному вопросу, делая ссылки на литературу, общественные и социальные события и факты. Признает, что повышенно раздражителен, чувствителен. Считает, что это последствия «ненормальных условий существования». Достаточно ест и спит.

Таким образом, Стус В. С. в прошлом душевными заболеваниями не страдал, к психиатрам не обращался, никаких странностей поведения не обнаруживал, учился, служил в армии, работал.

Свойственные Стусу раздражительность, излишняя прямолинейность и резкость, склонность к подозрительности, интровертированность являются проявлениями психопатических черт его характера, а не какого-либо психического заболевания и не лишают Стуса возможности понимать смысл и значение своих действий и руководить ими.

В период, к которому относятся инкриминируемые ему действия, Стус болезненных проявлений психического характера не обнаруживал, работал, содержал семью, общался с широким кругом знакомых, никаких странностей поведения не обнаруживал.

Исходя из вышеизложенного комиссия пришла к ЗАКЛЮЧЕНИЮ, что СТУС ВАСИЛИЙ СЕМЕНОВИЧ обнаруживает психопатические черты характера, но душевным заболеванием он не страдает и не страдал таковым в период, к которому относятся инкриминируемые ему действия. Следовательно, СТУС В. С. под признаки ст. 12 УК УССР не подпадает и его следует считать ВМЕНЯЕМЫМ,

По ст. ст. 178 и 179 УК УССР эксперты предупреждены.

ПРЕДСЕДАТЕЛЬ КОМИССИИ
Доктор. мед. наук (В. М. БЛЕЙХЕР)
ЧЛЕНЫ КОМИССИИ ЭКСПЕРТЫ:
Зав. судебно-экспертным отделением
врач-психиатр высшей категории (Н. М. ВИНАРСКАЯ)
Врач-психиатр І-й категории (Г. А. КРАВЧУК)

З оригіналом звірено:
Старший слідчий Слідвідділу КДБ
при РМ Української РСР

майор Селюк
11 червня 1980 р.

ОСТАННЄ СЛОВО

Я перебуваю в незбагненній для себе ситуації. Ніколи мені не спадало навіть на думку, що проти мене можна виставити такі тяжкі звинувачення.

Усе своє життя я був певен того, що стояв, стою і скільки жити — стоятиму за радянську владу, за єдино справедливу комуністичну форму взаємин межи людьми, за соціалізм як найвищий суспільний ідеал, який витворило людство — від Кампанелли і Томаса Мора починаючи і закінчуючи Марксом, Енгельсом, Леніним.

Увесь смисл свого існування я вбачаю в тому, щоб жити і творити для народу, щоб бути його чесним, добрим, справедливим і незрадливим сином.

Я не націоналіст. Я ніколи ним не був і ніколи ним не буду. Більше того — усякий націоналізм мені гидкий, бо кожен народ, сущий на землі, для мене дорогий і любий. Чуття єдиної родини радянських народів — це і моє святе чуття.

Проте ви звинувачуєте мене від імені моїх ідеалів, від імені мого народу, від імені моєї радянської України, від імені моїх світоглядних позицій.

І в цьому весь незбагненний для мене смисл поставлених мені звинувачень.

Вони тяжкі, ці звинувачення. Нестерпно тяжкі. Але сьогодні, не вважаючи їх за зовсім справедливі, я не вважаю їх і за зовсім несправедливі. Більше того, я визнаю, що вони багато в чому слушні.

Бо, озираючись назад, я бачу, що непомітно для самого себе став лити воду на млин наших ворогів, ворогів моєї соціалістичної Вітчизни. Отже, совість зобов'язує мене повторити те, що я казав і до цієї незбагненної для мене історії з обшуком, слідством і теперішнім судом, про що я і писав у останньому листі до Уряду.

Мені дуже прикро, що ті чи інші мої твори використовує ворожа пропаганда, оскільки в націоналістичній пресі були надруковані, хай і без мого на те дозволу, кілька моїх листовних запитань до радянських офіційних інстанцій з приводу тих чи інших явищ нашого життя, що турбували мене як громадянина, як людину і як літератора. Це саме повторилося і з збіркою моїх віршів: бандерівська преса визнала мене за свого спільника, а люди, на чиїх руках ще не обсохла кров радянських людей, визнали мене за одновірця. Мушу на це сказати: з панами із жовтоблакитних куренів мені не по дорозі, із недобитками бандерівських охвість — мені не по дорозі. Вони мої вороги, бо це вороги українського радянського народу, бо це повзучі рептилії іноземних контррозвідок, бо це змії з отруйними жалами антирадянських оббріхувачів, що користуються кожною слушною нагодою, аби тільки розпалити ватра антирадянських історій, аби тільки вилити на нашу країну свою задавненілу злобу.

Мені дуже прикро, що окремі вірші із упорядкованої мною збірки «Зимові дерева», як виявляється, можуть бути витлумачені в вигідному для націоналістів дусі. Мені дуже прикро, що, втративши пильність радянської людини, я міг дозволити собі цілий ряд недоречних, зарізких, ідейно-шкідливих віршів, віршів, які, будучи позбавлені потрібної конкретизації, можуть бути віднесені до іншого часу, а відтак трактуватися в антирадянському дусі.

Нарешті, я помилково зберіг сліди молодечого зухвальства, фрондерства і бравади, не підрізав окремі зойки, не проконтрольовані світоглядом.

Мене підвів мій характер, де вразливість і гарячкуватість, помножені на впертість і певну нехіть до самопереглядань, створили ґрунт для проникнення тих віршів, які згадано у звинуваченні. Важило, звичайно, і підупадання під сторонні впливи, що зрозуміло для поета, і задерикувате бажання не видатися боягузом. Важило, нарешті, і нарікання на особисту долю і долю інших молодих літераторів, і нарікання на ті чи інші труднощі, які ще є в нашому житті.

Але цього для пояснення мало.

Важила і втрата точних політичних орієнтирів, втрата потрібного контролю за своїм світоглядом, який непомітно для мене стала отруювати бацила націоналізму і деяких хибних ідейних збочень, що йшли від неправильного розуміння тих чи інших історичних ситуацій, від переоцінки значення окремих фактів, від підміни цілого частковим, від позаісторичного, позверхчасового погляду на речі.

Але признати за собою людину, що стала на антирадянський націоналістичний шлях, я не можу, бо це було б великою неправдою, бо це було б величезним перебільшенням.

Усе це стосується і збірки «Веселий цвинтар», і двох критичних статей, і письмових листів-запитів, підписаних моїм прізвищем. Потрібен був якийсь струс. Не раз і не два я відчував потребу якось зняти із себе ті чи інші загадки од незбагненних для мене ситуацій і тоді йшов на розмову до тих чи інших інстанцій та офіційних осіб — до ЦК КПУ, ЦК ЛКСМУ, до СП України. На жаль, жодна із таких розмов не вийшла. І припускаю, що не тільки з моєї вини. Хоч я хотів щирої розмови, хотів перед кимось викласти свою душу, як на духу.

Такий струс стався за ці вісім місяців вимушеної ізоляції.

І час собі сказати: схаменись! Тебе починає хвалити ворог!

Весь жах у тому, що хоч я не передавав своєї книжки віршів за кордон, але я міг це зробити мимохіть — так, як я певен того, зробив це Л. Селезненко. Весь жах у тому, що я не бачив у «Зимових деревах» нічого недозволеного, нічого шкідливого, а тому не вважав її за «нелегальну», як сказано в звинуваченні. Я не кажу про решту — статті про П. Тичину чи В. Свідзінського чи збірку «Веселий цвинтар», які я для себе особисто вважав неостаточними і ще мав працювати над ними. «Розповсюдження» цих моїх творів я назвав би інакше: мені треба було усправедливити свою позицію, вислухати критичні зауваження і зважити на них. Тієї ж мети, яку закидає мені звинувачення, я не тільки не ставив, а навіть не міг би подумати, що хтось може так розцінити мої дії.

Думаю, що на моїй вині, як і на вині таких, як я, відбилося й те, що чимало літераторів мого чи молодшого віку не мають змоги інакше контактувати поміж собою, як тільки ось таким способом, те, що в значної частини молодих літераторів виникла певна недовіра до тих форм роботи з молодими, які застосовує кабінет молодого автора при СПУ, відбилося те, що немає літературних об'єднань, немає справжніх чи більш дійових контактів старших письменників і молодих, окрім контактів само ініціативних, особистих, тобто випадкових, те, нарешті, що до творчої молоді нерідко ставляться з незрозумілою підозрою.

Ось так і сталося, що, потрапивши в умови складної літературної ситуації, я наламав чимало дров, а тепер розмовляю на літературні теми із суддями.

Але я здаю собі звіт у тому, що мене було поранено ворожим осколком, бо тільки так я дивлюсь на кількаразові факти видань своїх творів за кордоном.

Цим «друзям» із закордону я обов'язково відповім. І як слід відповім. Тільки не з-за грат, бо це образило б мою Вітчизну, перед якою я завинив, хоч і завинив мимоволі, бо це викликало б небажані паралелі. А як Вітчизна не матиме це за образу — то таку заяву я згоден зробити і в цих умовах. Бо вороги Вітчизни — то і мої вороги, де б я не був. Але твердо знаю, що цей струс не мине безслідно. Я твердо знаю, що знайду в собі сили, щоб зняти з душі іржу певних націоналістичних нерадянських настроїв, зможу переглянути свої позиції і стати в один ряд з тими, що в строю. Я знайду в собі сили повністю засудити свої вчинки як політично сліпі, як соціально хибні, як об'єктивно шкідливі, я їх засуджую сьогодні. Тут, у цьому залі.

Засуджую — раз і назавжди. Повернення до них — не буде. Бо Україна моя — тільки радянська. І так воно було. І так воно є. І так воно завжди буде. І народ мій радянський. І так воно буде навік. Я обіцяю більше так не робити. А Стус коли обіцяє, то не підводить і не зламає слова.

Долучені до справи сирові чернетки віршів і статей ніякою мірою не виявляють моїх старих позицій. Неупереджено ставлячись, їх можна зрозуміти як чернетки літератора, як шлак сторонніх впливів, як миттєве попадання поетичного приймача на ворожу хвилю. І мені сором, що це мої чернетки, хоч мені водночас і боляче, що чернетки із записничка ви долучаєте до цієї справи. Тобто за те, що, викривлено тлумачачи мене, віднаходите для підтвердження своєї думки не зовсім переконливі докази, які мене, признаюся, просто по-людськи ображають. Але мені прикро, що вони, ці чернетки, є, прикро, що це написано таки моєю рукою і що я міг таке писати.

Тут чи не найбільше було говорено про вірш «Колеса глухо стукотять», присвячений пам'яті М. К. Зерова. Ви не повірили, здається, моїм поясненням не повірили, коли так само пояснювали зміст вірша деякі зі свідків, — і все тому, що ви хочете побачити в мені злочинця. Я не злочинець. Ні. Я таки думав і писав про те, що було засуджено партією, що стало предметом гірких дум для кожної радянської людини. І все ж ви, здається, маєте рацію — в цьому вірші є щось від несвідомої провокації, але ні Маркса, ні марксистів я не міг ображати, а тільки засвідчив історичну ситуацію, хоч і давно засуджену. І я чую свою вину, хай і не кримінальну, що не подумав про таке, відірване від конкретних історичних умов, тлумачення, при якому вірш набирає одверто провокаційного, політично шкідливого змісту. І кожного разу це та тема, яка не дає користі, а більше шкодить, бо поет має, як казав О. С. Пушкін, «чувства добрые лирой пробуждать». А в наш час такими віршами може скористатися всіляка антирадянська потороч.

Мені прикро, що часом я бував гнівним. Але гнівним я ніколи не хотів бути, бо завжди прагнув бути добрим, справедливим, ніжним, світлим.

Є люди, що чинять помилки зі зла. Є люди, що чинять їх з добра. Є помилки від неврівноваженості характеру, а поет беззахисний перед емоціями, він іде за ними і тому пише не завжди те, що думає, але завжди те, що переживає, передчуває, чує.

І все ж я не вважаю себе таким злочинцем, як твердить звинувачення. Я чую себе тільки «преступником», людиною, що переступила межі, прагнучи безмежно прислужитися літературі, людям, народові. Я переступав такі межі ще й тому, що про існування деяких із них просто не знав, а довідався тільки після арешту. Хоч, думаю, мене могли б просто по-дружньому чи й суворо застерегти від повторного заступання заборонених меж, чого ні разу не було зроблено. Не приховаю, що, крім цього, мав і зухвалу звичку заступати межу — так, як це робить дитина, так, як це звикла робити людина, живучи в світі, так, як це робили поети до мене і робитимуть після мене.

Література для мене — це все. Це моє покликання. Це моє життя. Я хочу працювати для радянської культури і був би щасливий, аби мав змогу працювати для неї в поті свого чола, працювати денно і нощно, працювати навіть без винагороди — як поет, як критик, як перекладач, як майбутній прозаїк. Коли ж мене позбавляють такої змоги — тоді мені немилий і білий світ.

Дайте мені змогу працювати для літератури!

Дайте мені таку змогу — віддати своє життя і свої сили українській радянській культурі! Мені моторошно відчувати себе залишеним напризволяще, відчувати себе пропащою силою, коли чую, що міг би перевернути гори — і тільки для добра, і тільки для ніжності, і тільки для краси — нашої! соціалістичної! радянської!

Якби мене запрягли моєю роботою як слід, якби я мав змогу писати і друкувати — навіщо б мені здалися саморобні збірки, чи листовні запити, чи випадкові виступи, чи «громадські комітети»? Мені не було б у цьому ні потреби, ні бажання, ні часу.

І заради них я ладен вийняти з себе душу — аби тільки не вкорочувати їм віка. Заради них я згоден до смерті ходити по одній стежці, не ступаючи на траву і на квіти.

Нащо ж ви кидаєте мене у прірву?

Дайте мені змогу жити — і я обіцяю вам, твердо обіцяю, на все життя, що ви не матимете зі мною жодного клопоту. Віднині і довіку.

Прошу — не губіть мого хисту. Дайте мені змогу зробити для мого народу, для моєї Вітчизни те добре, що я вже зробив, що я хочу зробити, що я обіцяю зробити.

Бо живу я тільки для тебе, бо щасливий тільки тобою, мій радянський народе, моя кохана Вітчизно.

Бо без тебе, Вітчизно, мені немає життя. Бо живий я тільки тобою і тільки в тобі.

Але ви звинувачуєте мене — іменем моєї Вітчизни. І це для мене страшніше смерті. Я волів би вмерти, аби тільки не чути цих звинувачень. Мене втішає тільки одне: коли я часом гнівався на Вітчизну, то тільки тому, що хотів бачити її святою, просив і вимагав од неї такої святості.

Я чекаю вашої ухвали.

Я чекаю, що ви зрозумієте мене.

Я чекаю од вас справедливості, а не милосердя.

Василь Стус 7.9.72 р.

З оригіналом згідно:
Старший слідчий Слідвідділу КДБ
при РМ Української РСР майор Селюк
11 червня 1980 р.

ДО ПРЕЗИДІЇ СПІЛКИ ПИСЬМЕННИКІВ УКРАЇНИ
Копія: СЕКРЕТАРЕВІ ЦК КПУ Ф. Д. ОВЧАРЕНКОВІ
Копія: РЕДАКЦІЇ ЖУРНАЛУ «ВСЕСВІТ»

КОПІЯ

Нещодавно в «Літературній Україні» було надруковано статтю О. Полторацького «Ким опікуються деякі гуманісти».

Стаття викликає цілий ряд істотних заперечень і спонукає до глибших роздумів.

I. Як відомо, чорна сотня культовиків відновила свої погроми ще з середини 1965 року. Упродовж наступного часу були засуджені з політичних мотивів десятки людей — художників, науковців, інженерів, педагогів, студентів; обшукано сотні квартир представників творчої інтелігенції, — звільнено з посади багато вчених, кваліфікованих редакторів: виключено з вузів чимало студентів; зарізано не одну талановиту книгу — М. Осадчого, М. Данька, М. Холодного, В. Кордуна, М. Воробйова, Л. Костенко: травмовано тисячі душ. Про багато з цих погромів ішлося в листі В. М. Чорновола до уряду (проскрипційний список після того збільшився не на одну сторінку). Репресії не припиняються й подосі. Зовсім недавно було звільнено з роботи відомих учених — історика М. Ю. Брайчевського та літературознавця М. Х. Коцюбинську; палеонтолога Г. Бачинського, фізика І. Заславську, спеціаліста з кібернетики Боднарчука; виключено зі Спілки художників А. Горську, Л. Семикіну, Г. Севрук та ін.; зацьковано і віддано в солдати одного з найбільш обдарованих сучасних українських поетів В. Голобородька.

О. Полторацький, спростовуючи «ворожі наклепи», згадує тільки про С. Караванського і В. Чорновола.

Запитую, чого Полторацький і К° не писали памфлетів, коли провадились масові арешти, коли багато людей зверталося з запитами до уряду? Чи дали Полторацькі цим людям яку-небудь переконливу відповідь? Чого Полторацький озброївся своїм талановитим пером тільки тоді, коли про варфоломіївські ночі минулих літ заговорили на Заході?

Певно ж, полторацьким зовсім байдуже, як ставляться до подій у країні їхні співвітчизники, і дуже незручно, коли про це довідуються їхні вороги. Припускаю, що компанії полторацьких не так страшні їхні зарубіжні подруги, як свої ж співвітчизники. Хіба не дивно, що перші публічні згадки про минулі суди з'явилися у «Вістях з України» (газеті, що видається для закордону), а в тутешній пресі про них до цього часу не було ані згадки, коли не брати до уваги гидкий фейлетон домашнього римороба на І. Дзюбу.

II. Як відомо, майже півтораста киян у своєму листі обставали за конституційними правами й демократичними свободами радянських народів. Цей головний зміст листа Полторацький свідомо обходить, оскільки він майже не надається до «нищівної критики». Автор статті спиняється тільки на окремих фактах, але й при цьому дійсний літературний флібустьєр дуже безталанно бреше.

Вся стаття тримається на екскурсах у далеке минуле Караванського (при цьому Полторацький не бентежиться, що цього прізвища в листі немає зовсім). Що й казати, минуле Караванського, коли вірити написаному Полторацьким, великих симпатій не викликає. Але чи можна вірити Полторацькому? Непохвальне минуле засудженого автор статті згадує підозріливо докладно. Чи ж не для того, щоб нічого не сказати про сучасне? Може, Караванського запроторили до Володимирської в'язниці не за минулі, а за якісь недавні вчинки, про які Полторацький воліє не згадувати? І, може, вони так не надаються до нищівної критики? Міг же автор статті бодай словом обмовитись про «антирадянське» звернення Караванського до комуністичних партій світу з приводу репресій на Україні в 1965 р.! Неважко зрозуміти, чому Полторацький вирішив не розшифровувати злочинницької діяльності Караванського 1964—65 рр.

III. Талановито бреше Полторацький і тоді, коли «викриває» В. М. Чорновола.

1) «Колишній інспектор» по рекламі», В. Чорновіл перед лихоліттям працював редактором Львівської телестудії, був секретарем комітету комсомолу Київської ГЕС — всесоюзної молодіжної показової комсомольської будови. Той же «інспектор» Чорновіл завідував відділом молодіжної газети «Молода гвардія», надрукував кілька десятків рецензій і літературознавчих статей, склав кандидатський мінімум, блискуче витримав вступні іспити до аспірантури Київського педінституту. А відразу ж після початку погромів йому довелося стати інспектором...

Звичайно, всі ці факти з біографії Чорновола для Полторацького досить невигідні, і тому він їх або замовчує (тобто бреше) або ж перекручує (тобто безсоромно бреше).

2) Полторацький пише, що В. Чорновіл «був спійманий на гарячому, коли писав, розмножував і розповсюджував на Україні та пересилав нелегально за кордон наклепницькі листи». Тут уже що не слово, то брехня. Факта ширення Чорноволом матеріалів судів (...)

не були доведені навіть судом. Тим більше немає жодних підстав підстав звинувачувати Вячеслава в тому, що впорядковані матеріали він нелегально пересилав за кордон. Давайте розважимо. Хіба винен, скажімо, О. І. Солженіцин у тому, що його «Раковий корпус» опинився за рубежем замість з'явитися на батьківщині? Хіба не винна в цьому наша жорстока цензура, що призвела до такого попиття на літературу «самвидаву»?

3) Зовсім непереконлива оцінка листів як наклепницьких.

Як відомо, у першому листі В. М. Чорновола йшлося про численні факти репресій над молодою українською творчою інтелігенцією, про арешти, звинувачення, слідства і самий перебіг судових процесів. Лист містив у собі тільки матеріали судочинства і свідчення окремих очевидців. Аналізуючи всі ці документи, В. Чорновіл цілком логічно доходив висновку, що всі судові процеси 1965—1966 рр. були незаконними і протиконституційними. Припускаю, що в листі могли бути окремі неточності, оскільки звірити свої матеріали за стенограмами закритих судових процесів В. Чорновіл не міг. От би Полторацькому і розповісти істину, спокійно аргументуючи кожну таку неточність! Але він цього не робить, а натомість упадає в мало переконливу пасію: все це наклеп!

Що ж стосується другого листа, «Лиха з розуму», то тут містилися тільки короткі біографічні довідки про кожного з засуджених, давався перелік їхнього творчого доробку, цитувались апеляції в'язнів до уряду, листи з Мордовських політичних таборів. Що ж у цьому всьому було наклепницького? Звичайно, коли, скажімо, талановитому художникові П. Заливасі суворо заборонено «писать и рисовать», а про це довідуються поза Мордовією, то полторацьких бере лють. От вони й зганяють її на тих, хто розповідає про ці бенкендорфівські методи «перевиховання».

Сьогодні вже багатьом людям стає зрозуміло, що всі минулі арешти, обшуки, слідства, закриті процеси, драконівські вироки непомильних, як боги, законників — все це було кричущим знущанням з соціалістичної законності, правосуддя, демократичних свобод і, зрештою, ідеалів Маркса, Енгельса, Леніна.

Підлість Полторацького сягає апогею, коли він пропонує В. М. Чорноволові страхітливу фразу про комсомол. Будучи товаришем В'ячеслава, я не маю ні найменшого сумніву, хто є справжнім автором цієї фрази. Зрештою, не треба бути доктором Шаховським чи Бабішкіним, щоб відчути в ній типовий стиль полторацькомовних[1].

А те, що Полторацький вдасться до такої нечуваної брехні, тільки додає впевненості, що він безсилий знайти будь-які аргументи на виправдання погромів.

IV. Автор надрукованої в «Літературній Україні» статті не розуміє, як, викриваючи «злочинців», він викриває самого себе. Спинюсь тільки на одному моменті. Із садистською насолодою Полторацький відзначає, що згадані ним «людці» зовсім безталанні, бо про цих письменників у нас ніхто й не чув. Безсилий гнів полторацьких спричиняється до грубих помилок, навіть прорахунків. По-перше, що читається досить недвозначно: цим ми таки не дали ходу, знищили на цвіту. По-друге, який це має стосунок до суті звинувачень? Хіба «талановитий член спілки» і «безталанний інструктор товариства» не підлягають одній і тій же моралі, хіба вони мають не однакові права й обов'язки? Полторацький і не туди, що його ж логіка його ж таки й побиває: бачте, «ніякий не письменник» В. Чорновіл ошукав (!) П. Ю. Шелеста, В. Касіяна і Нікітченка і за це був покараний в'язницею, а «талановитий літератор» Полторацький обдурює десятки тисяч читачів «Літературної України» і за це, певне ж, одержує ще й подяки!

Нарешті, історія показує, що полторацьким завше було байдуже до чужих талантів. Хіба ж вони в свій час не відмовляли в хисті О. Вишні, М. Зерову, Л. Курбасові, Ю. Яновському, М. Рильському та багатьом іншим?[2]

---

1 Не зайвим буде нагадати один історичний факт. Ось як «писалось» Г. Епікові в 1935 році під владою шефа тодішнього КДБ Балицького: «Підготовляючи терористичні акти, ми з безневинним виглядом запевняли партію у своїй відданості і чесності і протягом багатьох років грали такі ролі, у порівнянні з якими дії розбійника з великого шляху є зразком чесності і гуманності. Я розумів, що наймилостивіший вирок пролетарського суду — зробити зі мною так, як роблять з оскаженілою собакою, знищити, як сапного коня, вийняти з тіла суспільства. Комуністична партія великодушно повірила моєму каяттю. Партія подарувала мені життя, давши мені цим найбільшу з усіх можливих нагород на землі — право на життя, на радість праці».

2 Ще одна паралель. В 1934 р., поспішаючи закріпити за собою право першого, Полторацький інформував громадськість, що ще чотири роки перед тим «основного мені пощастило досягти — визначити вперше в українській радянській критиці антипролетарськість, бездарність і куркульську ідеологію "творчости" цього суб'єкта» [О. Вишні — В. С.]. Патент йому справді було затверджено: «цього суб'єкта» було кинено на 10 років у концтабори надуральської тундри. Тож як не радіти людині, що так прислужилася українському красному письменству: «Тепер я щасливий відзначити, що подібне уже сталося й що моя стаття стає епітафією на смітникові, де похована творчість О. Вишні».

Виступаючи на другому обласному з'їзді Рад Київщини в 1935 році, І. Ле сказав: «Контрреволюціонерам — Косинкам, Фальківським та іншим їх прихильникам важко, неможливо здобути ім'я українських письменників. Будьмо щирі і одверті. Яке значення Косинок, Фальківських, Досвітніх, Пилипенків, Підмогильних і ін. у нашому літературному процесі? Чи були вони відомі широким масам, чи взагалі були письменниками? Не були вони письменниками. Це були халтурники». Дозволю собі ще одну цитату. Горезвісний І. Стебун (той, чиїми стараннями було звільнено з Донецького університету В. Голобородька), виступаючи на зборах письменників Києва 17 жовтня 1947 р., заявив: «На пленумі була піднесена гостра критика творів М. Рильського, Ю. Яновського та І. Сенченка не тому, що ці письменники займають визначне місце в українській літературі. Їхні антихудожні, ідейно ворожі твори не мають будь-якого значення в українській літературі». Щоправда, тоді українські письменники були, за словами того ж Стебуна, оточені постійною увагою особисто тов. Л. М. Кагановича. Чиєю ж постійною увагою оточений Полторацький, коли він, зле справляючись як із своїми письменницькими, так і з поліцейськими обов'язками, ось уже сорок літ міцно сидить у своєму яничарському сідлі?

V. Дуже гірко відчувати, що Полторацький завше має рацію: і коли вбиває, і коли займається реанімацією вчорашніх жертв. А таких, як він, чимало. Ті, що займаються літературним вандалізмом, майже ніколи не помиляються. Досить згадати всіх цих санових, стебунів, шамот, моргаєнків, хінкулових, пронів, щупаків, гансів, агуфів...

Двадцять літ тому Шамота, розглядаючи «Весняні води» М. Т. Рильського, заявив: «Лікар Іван Іванович закінчує своє життя героїчно. Що йому дало силу на подвиг? Все той же такий абстрактний гуманізм, «любов до ближнього», а не світла ідея комунізму, не пристрасть радянського патріота. «Філософія», перед якою схиляється М. Рильський, не така вже невинна, як може здатися на перший погляд. Вона вже не раз служила ворогам трудящого народу».

Як бачите, «гуманісти» Рильські служили ворогам народу. А шамоти, полторацькі, санови, стебуни, моргаєнки (гуманісти без лапок!) — всі вони чесно і самовіддано служать народові. Воістину, як у одній з мудрих поетичних візій Василя Голобородька:

Все переплутане
голуби зліталися на побоїще
і скльовували очі вмерлим воякам

круків відгодовували на площах
малювали як вони цілуються дзьобами
і співали про них пісень

хіба перелякаємося тільки здивуємося
і кишнемо голубів із мерців
бо жаліємо круків.

Чи не соромно українським письменникам, ЦК КПУ за те, що вони віддають на поталу полторацьким нашу літературу? І доки, нарешті, сили Справедливості і добра будуть відчувати на своїх сполосованих спинах одвічну правоту слуг Вельзевула?

В кінці 40-х років С. Скляренко публічно говорив про Стебуна: «Де тільки не нашкодив цей материй недруг нашого народу? Він — і в Спілці письменників, він, цей неук, — і в Інституті літератури Академії Наук, і у видавництві «Радянський письменник», у «Дитвидаві», у видавництві «Молодь», у радіокомітеті, кіностудіях, учбових закладах — всюди, усі місця посів — штатні й нештатні». Коли ж ці слова будуть повторені знову?

VI. Чи не соромно редакції «Літературної України» за те, що вона надала Полторацькому свої сторінки для лжі?

Чи, може, ця редакція служить народові разом із полторацькими?

За проклятих старих часів таких, як Полторацький, викликали на дуель. Сьогодні Полторацькому це не загрожує, оскільки ми живемо за прекрасних часів. Крім того, свідомі наклепники завше уникали чесного двобою: боягузтво — друге наймення підлості.

Отож залишається єдине — платити Полторацькому презирством.

Василь СТУС
Домашня адреса: Київ-115, вул. Львівська, буд. 2, кв. 1.

З оригіналом згідно:
Старший слідчий Слідвідділу КДБ
при РМ Української РСР майор Селюк

11 червня 1980 р.

ПРОТОКОЛ ОГЛЯДУ
особистої справи засудженого

Місто Київ 30 липня 1980 року

Старший слідчий Слідчого відділу КДБ Української РСР майор Селюк, в присутності понятих: Покотило Марії Іванівни, що мешкає в місті Києві, вул. Вишгородська, буд. 90а, кв. 185, та Черв'якової Міри Дмитрівни, що проживає за адресою: місто Київ, вул. Курнатовського, буд. 22, кв. 55, керуючись ст.ст. 85, 190, 191 та 195 Кримінально-процесуального кодексу УРСР, провів огляд архівної особистої справи № 80029 на засудженого Стуса Василя Семеновича, яка зберігається в УВД Мордовской АРСР.

У відповідності зі ст. 127 КПК УРСР понятим роз'яснено їх право бути присутніми при всіх діях слідчого під час огляду, робити зауваження з приводу тих чи інших його дій, а також їх обов'язок засвідчити своїми підписами відповідність записів у протоколі виконаним діям.

[підпис] Покотило [підпис] Черв'якова

ОГЛЯДОМ ВСТАНОВЛЕНО:

Архівна особиста справа № 80029 на засудженого Стуса Василя Семеновича, 1938 року народження, почата 13 січня 1972 року слідчим ізолятором КДБ Української РСР і складається із двох томів.

В першому томі знаходяться копії процесуальних документів по кримінальній справі Стуса, згідно яких йому обрана міра запобіжного заходу — тримання під вартою, копія вироку Київського обласного суду від 7 вересня 1972 року, копія ухвали Судової колегії в кримінальних справах Верховного Суду УРСР від 16 листопада 1972 року, копія довідки про те, що Стус відбував міру покарання в місцях позбавлення волі з 13 січня 1972 року до 13 січня 1977 року, а також документи, які характеризують Стуса за час його перебування в місцях позбавлення волі.

З цих документів видно, що Стус був затриманий 13 січня 1972 року КДБ Української РСР, а 15 січня 1972 року йому була обрана міра запобіжного заходу — тримання під вартою. 7 вересня 1972 року

Судова колегія в кримінальних справах Київського обласного суду приговорила Стуса на підставі ст. 62 ч. І КК УРСР позбавити волі в виправно-трудовій колонії суворого режиму строком на 5 (пять) років з засланням на три роки. Ухвалою Судової колегії в кримінальних справах Верховного Суду Української РСР від 16 листопада 1972 року касаційна скарга засудженого Стуса залишена без задоволення, а вирок Судової колегії в кримінальних справах Київського обласного суду від 7 вересня 1972 року відносно Стуса — без змін.

В слідчому ізоляторі КДБ УРСР Стус знаходився до листопада 1972 року, а потім відбував міру покарання в виправно-трудових колоніях Дубравного управління ИТУ Мордовської АРСР.

Перебуваючи в слідчому ізоляторі КДБ УРСР, Стус неодноразово попереджувався адміністрацією ізолятора за порушення встановленого режиму; поводив себе бундючно, ображав контролерів, грубіянив, вступав у суперечки, про що свідчать рапорти, які є в особистій справі.

Поряд з цим неодноразово писав заяви, щоб йому дали можливість користуватись книгами з домашньої бібліотеки.

Бажаючи сповістити про своє перебування в слідізоляторі інших арештованих, з якими він був пов'язаний злочинною діяльністю до арешту, Стус намагався співати пісні в камері, учиняв надписи свого прізвища на стінах ізолятора, а коли йому було об'явлено постанову про призначення судово-психіатричної експертизи, в коридорі режимного корпусу кричав: «Василь Стус божевільний, їде в лікарню Павлова».

Крім того, вчиняв провокаційні написи в заявах на закупку продуктів харчування та бланках передач.

Так, при отриманні 9 червня 1972 року передачі від дружини замість підпису вчинив напис: «Враг народа В. Стус».

За порушення вимог режиму слідізолятора 14 червня 1972 року він був позбавлений права протягом одного місяця закупити продукти харчування і одержувати передачу чи посилку (ксерокопія наказу додається до протоколу огляду).

Відбуваючи міру покарання в виправно-трудових колоніях Дубравного Управління ВТУ, Стус на шлях виправлення не став, постійно порушував внутрішній розпорядок, неодноразово був ініціатором голодовок, підбурював засуджених до масових безпорядків, на заходи виховного характеру не реагував, за період перебування в місцях позбавлення волі на нього були накладені такі стягнення:

- 15 травня 1973 року за відмову носити нагрудний знак об'явлено догану;
- 17 травня 1973 року за відмову носити нагрудний знак і навмисне невиконання норми виробітку позбавлений права на закупку продуктів харчування на один місяць;
- 21 травня 1973 року за відмову з'явитися на ранкову перевірку — позбавлений чергового побачення;
- 24 травня 1973 року за відмову носити нагрудний знак, куріння в строю і невиконання вимог контролера переведений в штрафний ізолятор на 7 діб;
- 22 серпня 1973 року за невиконання норм виробітку, нетактичне поводження проведена бесіда;
- 27 грудня 1973 року за відмову виконати вимогу чергового контролера і неявку на виклик об'явлено догану;
- 8 січня 1974 року за невиконання вимог адміністрації, постійне порушення внутрішнього розпорядку і самовільний виступ перед строєм засуджених на перевірці переведений на утримання в приміщенні камерного типу на 6 місяців;
- 13 січня 1974 року за порушення розпорядку позбавлений права закупки продуктів харчування на один місяць;
- 25 березня 1974 року за відмову вийти на работу позбавлений права закупити продукти харчування протягом одного місяця;
- 6 серпня 1974 року за відмову від роботи проведена бесіда;
- 11 лютого 1975 року за порушення внутрішнього розпорядку об'явлена догана;
- 14 квітня 1975 року за невихід на ранкову перевірку об'явлена догана;
- 30 квітня 1975 року за відмову від роботи позбавлений чергового побачення;
- 4 липня 1975 року за порушення форми одежі проведена бесіда;
- 22 липня 1975 року за відмову вийти на вечірню перекличку об'явлена догана;
- 4 червня 1976 року за порушення розпорядку позбавлений закупки продуктів харчування на один місяць і права отримати чергову посилку;
- 14 червня 1976 року за систематичне написання скарг, в яких допускав наклепи та ображання адміністрації ВТК, переведений в штрафний ізолятор на 14 діб без виводу на роботу;

- 19 червня 1976 року за ображання адміністрації ВТК нецензурними словами при етапуванні в штрафний ізолятор позбавлений права на чергове побачення;
- 20 серпня 1976 року за ображання чергових контролерів під час проведення обшуку позбавлений чергового побачення;
- 25 серпня 1976 року за ображання адміністрації ВТК і невиконання вимог контролерів позбавлений права закупки і чергового побачення;
- 30 серпня 1976 року за відмову вийти на вечірню перекличку поміщений на 13 діб у штрафний ізолятор без виводу на роботу;
- 10 листопада 1976 року за порушення внутрішнього режиму поміщений на 13 діб у штрафний ізолятор з виводом на роботу.

(Електрографічні копії постанов про накладення на Стуса перелічених стягнень додаються до протоколу огляду).

У другому томі серед матеріалів справи є копія протоколу про об'явлення Стусу 19 жовтня 1975 року, згідно Указу Президії Верховної Ради СРСР від 25 грудня 1972 року, офіційного застереження. В зазначеному протоколі вказується, що Стус, «отбывая наказание в ИТК-3 Дубравного ИТУ, не изменил своих прежних националистических убеждений, проводит обработку в националистическом духе других осужденных, выискивает единомышленников для проведения антисоветской деятельности, занимается сбором тенденциозной информации с последующей передачей ее своим единомышленникам на свободу, игнорирует проводимые администрацией колонии политико-воспитательные мероприятия…»

В цьому ж томі знаходяться заяви Стуса в різні адміністративні інстанції, в яких він описує про нібито маючі місця порушення його прав з боку адміністрації місць позбавлення волі та відповіді на ці заяви.

Серед матеріалів справи є також два примірники заяви Стуса від 15 липня 1976 року до Президії Верховної Ради Союзу РСР, в якій він твердить, що судили його нібито безпідставно, тенденційно описує своє перебування в місцях позбавлення волі і просить позбавити його громадянства СРСР та видворити за межі країни.

(Ксерокопії обох примірників цієї заяви додаються до протоколу огляду.)

До справи приєднані характеристики на Стуса від 30 грудня 1973 року, 14 лютого, 28 серпня та 13 листопада 1974 року, 23 березня

1976 року і 13 січня 1977 року, в яких він характеризується за час перебування в місцях позбавлення волі негативно; постійно порушував встановлений режим, підтримував антирадянськи настроєних засуджених і сіоністів, підбурював їх до масових безпорядків, неодноразово приймав участь у необгрунтованих голодовках, на заходи виховного характеру не реагував, на шлях виправлення не став.

(Електрографічні копії характеристик приєднуються до протоколу огляду.)

Із записів у медицинській книжці Стуса, що також знаходиться в матеріалах справи, вбачається, що при огляді його лікарями 19 січня 1972 року в нього була виявлена виразка 12-перстної кишки, в зв'язку з чим йому видавалось дієтичне харчування і необхідні медицинські препарати.

10 грудня 1975 року Стусу проведена операція шлунка. Після виходу з лікарні йому до 1 вересня 1976 року була встановлена інвалідність другої групи, а 13 грудня 1976 року він знову був обстежений лікарями і визнаний інвалідом III групи.

Огляд проводився з 9 годин 30 хвилин до 18 годин 00 хвилин з перервою на обід з 13 до 14 години.

Зауважень щодо огляду та змісту протоколу від понятих не надійшло.

Протокол нами прочитаний, записано правильно.

Поняті [підпис] Покотило
[підпис] Черв'якова

Старший слідчий Слідчого відділу КДБ УРСР майор Селюк

КОПІЯ

Личное дело № 08775 Форма Б-ИЛ
Серия БФ
Копия справки № 08775

Выдана гражданину(ке) СТУС
ВАСИЛИЮ СЕМЕНОВИЧУ

Дата рождения 8 января 1938 года
уроженцу(ке) с. Рахнивка, Гайсинского района, Винницкой обл.
национальность УКРАИНЕЦ
семейное положение — брак зарегистрирован с гражданкой Попелюх Валентиной Васильевной, 1938 г. р. в Печерском ЗАГСе гор. Киева в 1965 году
отношение к военной службе — военнообязанный
осужденному(ой) 7 сентября 1972 года Киевским облсудом по ст. 62, ч. I, на 5 лет, со ссылкой на 3 года
имеющему(ей) в прошлом судимости в том, что он(она) отбывал(а) наказание в местах лишения свободы с 13 января 1972 г. по 13 января 1977 г., откуда освобожден(а) — по отбытии наказания.
Следует к месту жительства: в распоряжение УВД Краснодарского крайисполкома

Начальник спецотдела (спецчасти)
(ПОДПИСЬ)
Справку получил(а)

«13» января 1976 г.
(подпись)

ХАРАКТЕРИСТИКА

на осужденного СТУС Василия Семеновича,
1938 года рождения, осужденного по ст. 62
ч. I УК УССР на 5 лет,
начало срока 13 января 1972 года

Осужденный Стус В. С. с 16 декабря 1972 года по настоящее время находится в Учреждении ЖХ-385. С прибытием в ИТУ ЖХ-385/3 определен работать мотористом на пошиве рукавиц. Данную специальность освоил быстро и с января 1973 года стал ежемесячно выполнять нормы выработки на 102—111% до июля месяца 1973 года. С августа 1973 года ухудшил свое отношение к труду и ежемесячно до января 1974 года умышленно нормы выработки не выполнял. Выработка составляла

50—85 %. Ежедневно уходил из цеха и вместо 8 часов на рабочем объекте находился 3—5 часов. Участвовать в трудовом соревновании отказывается, производственные собрания часто не посещал. На Всесоюзный воскресник 22 апреля 1973 года не вышел. Трудовое соревнование считает никчемным делом.

Требования внутреннего распорядка и режима постоянно нарушал. В мае месяце 1973 года сорвал со всей одежды пришитые ранее ему нагрудные знаки и отказывался носить их до июля 1973 года. За данное нарушение подвергался наказаниям: объявлен выговор, лишался очередного свидания, запрещалось ему покупать продукты питания в ларьке на один месяц и водворялся в ШИЗО на 7 суток.

В обращении с работниками ИТУ, контролерами по надзору вел себя высокомерно, дерзко, не скрывая свою злость и ненависть к ним. Так, начальника санчасти и мед. сестру называл бандитами, садистами только за то, что они не давали ему освобождение от работы, и работников администрации называл садистами, якобы они его эксплуатируют, забирают деньги из его заработка для откорма работников КГБ и администрации. За неявку по вызову на беседу в комнату контролеров ему 28 декабря 1973 года объявлен выговор.

11 января 1974 года переведен на содержание в помещение камерного типа за самовольное выступление перед строем осужденных на вечерней проверке с клеветнической речью на исправительно-трудовую политику по поводу смерти в больнице осужденного Климанскиса [Клеманскиса] 1898 года рождения [Пранас Клеманскіс — литовець, мав 25-річний термін; за спогадами політв'язня Людаса Сімугіса, під час війни був начальником районної поліції, врятував багатьох євреїв і комуністів].

Проводимые политико-массовые мероприятия посещал нерегулярно, но когда на них присутствовал, то старался задавать провокационные вопросы, сопровождая их личными комментариями, переходящими в попытку обосновать их своими антисоветскими взглядами.

В быту неряшлив. Вместо выданной одежды лагерного образца носил подобранную, выброшенную другими осужденными спецодежду. На замечания не реагировал.

Участвовал в трех голодовках.

20 мая 1973 года объявлял трехдневную голодовку по поводу недовольства содержанием осужденных в ИТУ и требованием исправительно-трудового кодекса РСФСР.

С 4 по 6 сентября 1973 года голодовал в связи с годовщиной его осуждения и в знак протеста против исправительно-трудовой политики СССР якобы по поводу репрессий над советской интеллигенцией.

С 5 по 10 декабря 1973 года голодовал в связи с годовщиной «Декларации прав человека» и якобы попрание этих прав в СССР.

В личных беседах ведет себя высокомерно, дерзко, вину свою не признает, пытается оправдаться методом клеветы на КПСС, Советское государство и исправительно-трудовую политику СССР.

НАЧАЛЬНИК УЧРЕЖДЕНИЯ ЖХ-358/3 [подпись] /БОЙКОВ/

НАЧАЛЬНИК УЧАСТКА
УЧРЕЖДЕНИЯ ЖХ-358/3 [подпись] /АЛЕКСАНДРОВ/
14 февраля 1974 года

З оригіналом згідно:
Старший слідчий слідвідділу КДБ при РМ Української РСР
майор [підпис] Селюк
10 липня 1980 р.

ГОДОВАЯ ХАРАКТЕРИСТИКА НА ОСУЖДЕННОГО
Стуса Василия Семеновича, 1938 года рождения,
отбывающего срок наказания в отряде № 6,
учреждения ЖХ-358—3 за период
«16» декабря 1972 года по «30» декабря 1973 года

Осужденный Стус В. С. работал мотористом на пошиве рукавиц. Быстро освоил данную специальность и на следующий месяц стал выполнять нормы выработки I — 108%; II — 102,3%; III — 111,8; IV — 104,8%. С мая месяца стал плохо относиться к труду и в результате не выполнил нормы выработки. Так V — 81,8%, VIII — 76,2; IX — 56,7; X — 82,9%. Невыполнение норм старается оправдать заболеванием желудка, однако это не так.

Требования внутреннего распорядка выполняет не полностью. С мая 1973 года отказался носить нагрудный знак. За что ему объявлено 4 взыскания. Только после водворения в ШИЗО пришил нагрудный знак и стал его носить. В быту неряшлив, а носит одежду, кинутую другими осужденными. В обращении постоянно допускал грубости, постоянно выказывает недовольство, старается вести себя высокомерно. Полон злобы в адрес администрации, судебных органов и по отношению политической КПСС. В адрес этих органов высказывает клеветнические измышления: его эксплуатируют. А деньги забирают для откорма работников КГБ и ИТК-3 и т. д.

Поддерживает антисоветски настроенных осужденных и сионистов. Сам объявлял несколько голодовок по разным причинам от 1 до 5 суток.

Авторитетом среди осужденных не пользуется из-за того, что он грубиян и высокомерен.

В индивидуальном трудовом соревновании участвовать отказывается.

Начальник отряда (подпись)

30 декабря 1973 г.

Копія

ГОДОВАЯ ХАРАКТЕРИСТИКА НА ОСУЖДЕННОГО

Стуса Василия Семеновича, 1938 года рождения,
отбывающего срок наказания в отряде № 6,
учреждения ЖХ-358—3 за период
«1» января 1974 года по «28» августа 1974 года

Осужденный Стус В. С. работал в ИТК 19 на зачистке футляров. А с июля 1974 года в ИТК 3 на пошиве рукавиц. Норму выработки выполнял, но допускал невыходы на работу в составе 8 человек других осужденных, а 21 августа первым отказался принять пищу, за ним приняли в этом участие 4 человека.

Требования внутреннего распорядка выполняет не полностью, не посещает проводимые лекции и доклады, в рабочее время в составе группы 3—4 на улице пьют чай и решают какие-то проблемы. Разъяснения в индивидуальном порядке, что распитие чая и групповые сборы не разрешаются, обещает прекратить, однако такие сборы продолжаются. На требования разойтись отвечает колкостями и нежеланием выполнять данные требования. В работе самодеятельных организаций участвовать отказывается. К членам совета относится презрительно.

В обращении допускает грубости. Постоянно высказывает недовольство исправительно-трудовой политикой в СССР. ИТУ называет лагерями смерти, концентрационными лагерями. Пишет жалобы, в которых высказывает недовольство питанием и условиями содержанием в ИТК.

За выступление перед строем осужденных по поводу смерти осужденного Климанскиса [Клеманскіса] был переведен в ПКТ на 6 месяцев. В августе месяце трижды допустил отказ от работы в составе группы осужденных и стал организатором групповой голодовки 21/VIII-74 г.

Состав своего преступления не признает, считает, что он содержится необоснованно, это результат якобы расправы над литераторами и научной интеллигенцией.

На путь исправления не встал.

Начальник отряда участка [подпись] Александров

«28» августа 1974 г.

С характеристикой ознакомился осужденный ________________

«__» ________ 197_ года

З оригіналом згідно:
Старший слідчий слідвідділу КДБ
при РМ Української РСР майор [підпис] Селюк

10 липня 1980 р.

Копія

ХАРАКТЕРИСТИКА

на осужденного СТУСА ВАСИЛИЯ СЕМЕНОВИЧА,
1938 года рождения,
осужденного по ст. 62 ч. I УК УССР,
срок лишения свободы 5 лет, ссылки 3 года

За время содержания в местах лишения свободы осужденный Стус В. С. характеризуется только с отрицательной стороны. Систематически нарушал режим отбывания наказания, за что неоднократно наказывался к дисциплинарном порядке. Так, 14 июля 1972 года за нарушение режима в СИЗО лишался права покупки продуктов питания на 1 месяц. За нарушение внутреннего распорядка в ИТК 15 марта 1973 года объявлен выговор, 17 мая 1973 года лишен права покупок продуктов питания на 1 месяц; 1 июня 1973 г. водворялся в ШИЗО на 7 суток; 21 мая 1973 года лишался очередного свидания; 27 декабря 1973 года объявлен выговор; 11 января 1974 года за систематические и злостные нарушения режима водворялся в ПКТ на 6 месяцев. Однако и после таких строгих мер дисциплинарного воздействия осужденный Стус поведение свое не изменил и продолжал нарушать режим отбывания наказания, отказывался от работы, нарушал внутренний распорядок колонии, проявил действия, оскорбляющие представителей администрации мест лишения свободы (систематически писал жалобы клеветнического содержания), за что 25 марта 1974 года запрещались покупки продуктов питания на 1 месяц; 14 апреля 1975 года объявлен выговор, 30 апреля 1975 года лишен очередного свидания; 21 июля 1975 года объявлен выговор, 8 июля 1976 года лишен права покупок продуктов питания на 1 месяц, 14 июля 1976 года водворялся в ШИЗО на 14 суток; 19 июля 1976 года лишен очередного свидания, 28 августа 1976 года лишен очередного свидания, 23 августа 1976 года лишен права покупок продуктов питания на 1 месяц, 30 августа 1976 года водворялся в ШИЗО на 13 суток, 10 ноября 1976 года водворялся в ШИЗО на 13 суток.

Политико-воспитательные мероприятия посещает нерегулярно, положительно на них не реагирует.

Систематически пишет жалобы в различные инстанции, в которых излагает клеветнические измышления в адрес политики партии и Правительства СССР, не скрывает своей злости и ненависти к советской действительности.

В беседах ведет себя высокомерно. Свое преступное прошлое не осуждает. Постоянно общается с осужденными, враждебно относящимися к советской действительности, неоднократно участвовал в необоснованных голодовках.

Осужденный Стус Василий Семенович на путь исправления не встал.

НАЧАЛЬНИК УЧРЕЖДЕНИЯ ЖХ-385/19 [подпись] Н. С. ПИКУЛИН.
НАЧАЛЬНИК ОТРЯДА [подпись] М. Н. ХЛЕВИН.
13.01.77

З оригіналом згідно:
Старший слідчий Слідвідділу КДБ при РМ Української РСР
майор Селюк

30 липня 1980 р.

В Президиум Верховного Совета Союза ССР
Стуса Василия Степановича,
осужденного по ст. 62, ч. I УК УССР
к 5 годам лишения свободы и 3 годам ссылки
(начало срока — 13.1.1972 г.)

Я украинский литератор, репрессированный по политическим причинам в январе 1972 г.

Фактически меня осудили за стремление к социалистической справедливости, ибо нашлись силы, которые вначале отнеслись к моему стремлению резко враждебно, а впоследствии назвали его преступной склонностью, ведущей к антигосударственной деятельности. Ратовал за демократизацию — это было расценено как попытка оклеветать советский строй; моя любовь к родному народу, моя озабоченность кризисным состоянием украинской культуры были квалифицированы как национализм; мое неприятие практики, на почве которой вырос сталинизм, бериевщина и другие подобные явления, приняли как особо злостную клевету. Фактами пропаганды были приняты мои статьи, литературно-критические статьи, официальные обращения в ЦК КП Украины, Союз писателей Украины и другие органы.

Следствие и суд по сути перечеркнули все мои надежды на какое-либо участие в литературном процессе, надолго лишили меня человеческих прав. Почти все мои произведения — поэта, критика, переводчика, прозаика — были поставлены вне закона, весь мой 15-летний труд был конфискован и, может быть, в значительной мере уничтожен.

В условиях неволи я испытал на себе еще бóльшие унижения, больно ранящие мое чувство человеческого достоинства.

Скрепя сердце я долго удерживался от рокового, но вполне логичного шага — отказа от гражданства (я считаю себя несправедливо осужденным). Я надеюсь, что в ближайшее время мое правовое положение, как и моих товарищей, будет восстановлено, а курс на ожесточение внутриполитического климата будет пересмотрен — хотя бы ввиду его очевидной бесперспективности.

Оказалось, что я ошибался.

Репрессии 1972 г. показали, что в дискуссии с украинскими диссидентами власти не нашли более убедительных аргументов, чем применение силы. А лагерные условия убедили в том, что пространство применения этой силы не знает пределов. Год назад из-за этого я уже находился на грани смерти.

Совсем недавно, 14.V.1976 г., из-за моего отказа ехать в больницу без книг на меня надели наручники, осыпая при этом площадной бранью и награждая пинками. Рука болит вот уже два месяца, но нанесенные мне моральные оскорбления куда ощутимее. Подал на обидчиков в суд — в отместку меня осыпали градом новых наказаний, продемонстрировав тем самым мою полную незащищенность здешним законом. Не остановились даже перед тем, чтобы человека, недавно перенесшего тяжелую операцию (резекция желудка), бросить на 2 недели в штрафной изолятор — якобы за клевету, содержащуюся в жалобах. Это выходило из ряда обычной практики лагерных наказаний, что вызвало двухнедельную голодовку восьми заключенных зоны. Голодовку, которую администрация фактически спровоцировала своими действиями.

Добавлю к этому нещадную конфискацию моих писем и писем ко мне. Систематические аресты стихотворений, которые я переписываю в письмах к родным, реальную угрозу потерять рукописи своих лагерных стихотворений при освобождении, фактическое нелечение, полное отсутствие статуса политзаключенного и т. д. и т. п.

Нечего и говорить, насколько эти факты резко контрастируют с декларируемыми в СССР принципами гуманности и правопорядка, насколько они противоречат духу и положениям хельсинкских решений.

Сегодня я пришел к выводу, что меня сознательно низвели до положения неодушевленной вещи. Оприходованной по ведомству КГБ имущества КГБ.

Анализируя реакцию местных властей на мое обращение к Вам от 15.VI.1976 г., я убедился, что репрессивные органы в лице КГБ при Совете Министров Украинской ССР прямо подталкивают меня к решению об отказе от советского гражданства. Их можно понять: ведь я украинский патриот, а с такой атрибуцией мне гарантирована пожизненная опека сыскных служб.

Итак, я заявляю: оставаться подданным СССР больше не считаю возможным, а поэтому прошу выдворить меня за пределы страны, в которой мои человеческие права попираются столь бесцеремонным образом.

Решиться на подобный шаг — слишком тяжело, но удержаться от него в создавшихся условиях, оказывается, еще тяжелее.

Василь Стус
15 июля 1976 года

З оригіналом згідно:
Старший слідчий Слідвідділу КДБ при РМ Української РСР
майор Селюк
30 липня 1980 р.

ПРОТОКОЛ ОГЛЯДУ

Місто Київ 29 травня 1980 року

Старший слідчий слідчого відділу КДБ УРСР майор Пастухов, в зв'язку з розслідуванням кримінальної справи № 5, в приміщенні КДБ УРСР, у відповідності зі ст. ст. 85, 190, 191 и 195 КПК УРСР, в присутності понятих:

Стависької Олександри Яківни, що мешкає в м. Києві, вул. Лейпцизька, буд. № 2/37, кв. 41,

Закревської Надії Іванівни, що мешкає в м. Києві, вул. маршала Жукова, буд. № 41/28, кв. 29,

провів огляд архівної особистої справи № 49961 на засланця Стуса Василя Семеновича яка зберігається в архіві ІЦ УВС Магаданського облвиконкому.

У відповідності зі ст. 127 КПК УРСР понятим роз'яснено їх право бути присутніми при всіх діях слідчого під час огляду, робити зауваження з приводу тих чи інших його дій, які підлягають обов'язковому занесенню до протоколу, а також їх обов'язок засвідчити своїми підписами відповідність записів у протоколі виконаним діям.

(підпис) (підпис)

<u>ОГЛЯДОМ ВСТАНОВЛЕНО</u>:

Особиста справа на засланця
Стуса Василя Семеновича, 1938 року народження,
уродженця с. Рахнівка Гайсинського р-ну
Вінницької області, засудженого 7 вересня 1972 року
Київським обласним судом
за статтею 62 ч. 2 КК УРСР на 5 років позбавлення волі
з послідуючим засланням на 3 роки,
була розпочата 1 березня 1977 року і закінчена 11 серпня 1979 року
Тенькінським районним відділом внутрішніх справ Магаданської області.

Із справи вбачається, що Стус В. С. на підставі розпорядження Міністерства внутрішніх справ СРСР № 4су-973 від 24 грудня 1976 року був етапірований із установи ЖХ-385/19, де відбував основну міру покарання, в Тенькінський район Магаданської області на рудник імені Матросова для відбуття додаткової міри покарання — заслання строком на 3 роки.

В справі знаходяться службова переписка та інші документи відносно засланого Стуса, зокрема:

1. Характеристика на Стуса В. С, видана установою ЖХ-385/19, в якій він характеризується тільки з негативного боку, зокрема вказано, що Стус за час відбуття основної міри покарання на шлях виправлення не став (а. с. 14—15).
2. Фінансова довідка № 1 від 6 січня 1977 року, з якої видно, що на вказаний час у Стуса знаходилось на особистому рахунку 220 крб 12 коп., зароблені ним у виправно-трудовій установі (а. с. 18).
3. Копія довідки № 087754 від 13 січня 1977 року, виданої установою ЖХ-385/19, в якій вказується, що Стус основну міру покарання відбував і 13 січня 1972 року до 13 січня 1977 року (а. с. 22).
4. Копія довідки про бесіду начальника Тенькінського РВВС із Стусом, як прибулим на заслання. В цій бесіді Стус заявив, що засуджено його у 1972 році нібито безпідставно, в той же час пообіцяв добре працювати і не порушувати встановленого режиму заслання (а. с. 25—34).
5. Виробнича характеристика на машиніста скреперної лебідки гірничої дільниці рудника імені Матросова Стуса В. С. від 3 січня 1978 року, в якій, зокрема, вказується, що Стус не користується авторитетом колективу бригади, не виконує свої технічні норми (а. с. 41).

6. Маршрутний лист від 3 червня 1978 року, виданий Тенькінським РВВС Стусу В. С., з якого вбачається, що в зв'язку з хворобою батька Стус у червні 1978 року їздив до нього в м. Донецьк строком на 10 діб (а. с. 49).
7. Акт № 185 від 19 квітня 1978 року, складений працівником міліції, з якого видно, що Стуса В. С. було оштрафовано на 10 крб за появу в гуртожитку рудника імені Матросова в нетверезому стані та негативне поводження (а. с. 53).
8. Виробнича характеристика на Стуса В. С. за травень 1978 року. З неї вбачається, що Стус погано відносився до своїх трудових обов'язків, робив прогули, своєю негативною поведінкою розкладав трудову дисципліну колективу (а. с. 61).
9. Наказ директора рудника імені Матросова № 293 від 31 травня 1978 року про переведення машиніста скрепера Стуса гірником на 3 місяці за скоєний ним невихід на роботу 26 травня 1978 року (а. с. 62).
10. Матеріали приводу Стуса В. С. в органи міліції офіційного застереження його про недопустимість антисуспільної поведінки та обов'язкову реєстрацію в органах міліції 3 рази на місяць (а. с. 64—66).
11. Три вирізки із газети «Ленинское знамя» (орган Тенькінського районного комітету КПРС і районної Ради народних депутатів) за 8, 11 і 13 липня І978 року із статтею «Друзья и враги Василя Стуса», в якій викладається про антирадянську діяльність Стуса, за що його було засуджено у 1972 році, та його антисуспільну поведінку під час перебування на засланні (а. с. 78—80).
12. Лист Стуса В. С. до Президії Верховної Ради СРСР від 5 грудня 1978 року, в якому він скаржиться, що його у 1972 році нібито було репресовано за «неугодную властям литературно-общественную деятельность», що начебто в місцях позбавлення волі над ним чинять «психологический террор» і т. п. З цього приводу він просить позбавити його радянського громадянства, а по закінченні заслання надати йому і його сім'ї змогу покинути нашу країну (а. с. 88).
13. Документ Тенькінського РВВС Магаданської області від 2 липня 1973 року про те, що строк заслання Стуса В. С. рахується з 13 січня 1977 року до 11 серпня 1979 року (а. с. 90).
14. Розписка Стуса В. С. від 11 серпня 1979 року про те, що в цей день в Омчанському селищному відділку міліції ним одержана довідка

з маршрутом слідування із Магаданської області до місця постійного проживання після відбуття заслання та що ні до кого ніяких претензій він не має (а. с. 91).

Під час огляду із документів, зазначених в п. п. 1, 5, 8, 11 і 12, виготовлено їх ксерокопії, які додаються до цього протоколу.

Огляд проводився з 9 до 11 години.

Протокол нами прочитано Записано правильно. Зауважень і доповнень до протоколу огляду не маємо.

Поняті: [підпис] /Стависька/
[підпис] /Закревська/

Огляд провів і протокол склав
Ст. слідчий Слідчого відділу КДБ УРСР майор Пастухов

КОПІЯ

ПРОИЗВОДСТВЕННАЯ ХАРАКТЕРИСТИКА

на машиниста лебедки горного участка
рудника имени Матросова

тов. СТУСА Василия Семеновича, 1938 года рождения,
украинца, беспартийного, образование высшее,
в 1959 году закончил Донецкий пединститут,
ранее судим по ст. 62, часть 1 УК РСФСР срок 5 лет

Тов. СТУС В. С. на руднике имени Матросова работает с 6 марта 1977 года, вначале работал учеником проходчика, а с 15 июня 1977 года работает машинистом скреперной лебедки по 3 разряду.

Среди коллектива бригады достаточным авторитетом не пользуется. Высказываний против советского строя жизни открыто не высказывает. Однако в июне 1977 года при уплате членских профсоюзных взносов заявил, что он не желает быть членом профсоюза, и демонстративно в присутствии рабочих порвал учетную профсоюзную карточку,

В августе 1977 года поучил бытовую травму при попытке проникнуть через окно в свою комнату на 2-м этаже общежития. В результате падения со 2-го этажа получил перелом обеих пяточных костей. Длительное время находился на лечении, с 6 сентября I977 г. по 17 декабря 1977 г.

В настоящее время, со слов членов бригады, свои технические нормы не выполняет.

Характеристика составлена для представления в Омчакское ПОМ.

ДИРЕКТОР РУДНИКА [подпись] В. С. ВОЙТОВИЧ
СЕКРЕТАРЬ ПАРТКОМА [подпись] В. Т. ВЕЧКАНОВ
ПРЕДСЕДАТЕЛЬ РУДКОМА [подпись] Е. П. ФЕСЕНКО

3/11—78 г.

пос. им. Матросова

ПРОИЗВОДСТВЕННАЯ ХАРАКТЕРИСТИКА
на СТУСА Василия Семеновича за май месяц 1978 года.

В первую очередь необходимо отметить, что в мае месяце гр. Стус В. С. работал ниже своих возможностей.

Так, при неоднократном посещении начальником участка тов. Емельяновым блока № 76 ему указывалось, что необходимо подпускать руду из лучек рейкой-шестом, а не ждать взрывника. На это замечание он реагировал неправильно и доказывал, что прав. 20 мая гр. Стус В. С. не явился на сменный наряд перед 2-й сменой с 8 часов до 14 часов, а около 10 часов утра позвонил на участок и сообщил, что не вышел на работу по причине отсутствия в ламповой рудника средств защиты от пыли. У начальника участка в сейфе хранились респираторы «лепесток» и по необходимости выдавались рабочим, т. е. 26 мая 1978 года гр. Стус В. С. совершил прогул. Приказом по руднику за совершенный прогул он был переведен на ниже оплачиваемую работу. 28 мая гр. Стус В. С. объявил политическую голодовку, повесил об этом объявление на двери своей комнаты в общежитии и 29, 30 мая не выходил на работу. 31 мая он вышел на работу, объявил среди рабочих участка о своей политической голодовке. 2 июня 1978 года перед сменой 2 с 8 часов он подошел к начальнику участка тов. Емельянову В. И., при всей смене заявил, что начальник участка проявляет хамство со своей стороны тем, что в рабочей обстановке обращается к нему и к рабочим на «ты», а не на «вы». При разговоре милиционеров называет «мордоворотами», а себя политическим ссыльным.

Руководство участка намерено обратиться к руководству рудника о переводе с участка гр. Стуса В. С. в связи с тем, что его демагогические высказывания разлагают трудовую дисциплину коллектива.

Председатель участкового комитета профсоюза Гразион И. С.
Зам. начальника участка Максимов О. Д.

З оригіналом згідно:
Старший слідчий Слідвідділу КДБ при РМ Української РСР
майор Селюк
29 травня 1980 р.

ПРОЛЕТАРИИ ВСЕХ СТРАН; СОЕДИНЯЙТЕСЬ!
ЛЕНИНСКОЕ ЗНАМЯ
ОРГАН ТЕНЬКИНСКОГО РАЙОННОГО КОМИТЕТА КПСС

ДРУЗЬЯ И ВРАГИ ВАСИЛИЯ СТУСА

1. Нежданные встречи

Еще час назад, заходя в этот уютный дом, я не предполагала, что неожиданно изменю маршрут командировки и поеду на рудник им. Матросова. А началось все так...

Неторопливо течет наша беседа. В квартире ничего лишнего. Солнечные блики причудливо играют на огромном ковре, высвечивают книжную полку. Едва слышно гудит холодильник. В соседней комнате смотрят телевизионный фильм три дочери Нины Кирилловны. Старшей дома нет, гуляет с сынишкой на улице.

Нина Кирилловна рассказывает:

— Несколько лет работали на прииске им. XXI съезда КПСС, сейчас вот в поселок имени Гастелло перебрались. Муж — машинист бульдозера, а я в больнице работаю. Сестрой-хозяйкой. Живем хорошо, дружно. В достатке. Мужу как передовику производства предлагали вне очереди легковую автомашину. Подумали да отказались. На «материк» не собираемся. Нравится нам на Колыме. Народ здесь хороший, сердечный. Правда, очень редко, но встречаются и такие, что всем недовольны, все им не по сердцу. Лежал такой и в нашей больнице. Так, поверьте, ему у нас, в Советском Союзе, ничего не нравится. Начнет говорить — хоть уши затыкай, честное слово. Все о правах толкует. Что, мол, за жизнь у советских людей? Даже право на свободу и то ограничено. Вроде бы и сам не советский, а турист какой заграничный. Что он глупый — не скажешь. В институте, кажется, учился. А все равно мысли набекрень. Возмущались у нас им все — и больные, и медики. А как-то «доверил» мне отправить телеграмму в Москву. Жаловался на что-то. Думаю, специально меня попросил. Мол, телеграмму на почте не примут — сама убедишься, что права у тебя ограничены. Взяла, хоть, честно признаюсь, не по душе был тот человек. Какой-то настороженный, мрачный. Когда отдавала квитанцию, он поначалу даже растерялся: не поверил, что приняли. «Спасибо» сказал, а в глазах злоба. Больше полугода прошло с того дня, а взгляда его забыть не могу…

И лицо женщины, оживленное, открытое, с теплым взглядом живых глаз, вдруг посуровело. Резкими стали морщинки у губ.

— Я ведь сиротой росла. Отец погиб во время войны. А мать…

Нина Кирилловна Никифоренко вдруг заплакала. Рана, нанесенная ей в детстве, продолжает кровоточить.

— Вы извините, — постаралась она взять себя в руки. — Хочу, чтобы знали об этом и никогда не забывали те, кто сегодня совсем молод… Война застала мою мать в деревне под г. Калининым. На руках двое детей. Я была еще маленькой, а братишке — всего шесть месяцев. Решила мать идти с нами дальше, вглубь России. С собой взяла самое дорогое — комсомольский билет да единственное письмо от папы с фронта. Была зима. Спустилась к реке. Прошла середину и вдруг окрик, как удар хлыста:

— Хенде хох!

Подошли три фашиста, посиневших от холода.

— О, русс мадам! — залопотал один из них. — Пашли бальница, малмал лечить будем!..

На тонких губах улыбка, а в глазах — злоба. Как у того, что в больнице у нас лежал. От взгляда того леденящего я дико закричала. Мать подтолкнули автоматами, и она медленно побрела, едва переставляя ноги. В деревне нас вырвали из рук мамы, а ее втолкнули в сарай, где сидела 70-летняя крестьянка. Четверо ее сыновей были в Красной армии. Согнали фашисты людей, объявили, что бандиток казнить будут. Зажгли солому, и вспыхнул сарай, будто факел.

— Так не стало у меня мамы. А вскоре умер братишка. Я осталась одна. Люди меня от смерти уберегли. Трудно даже представить, что стало бы со мной, если б не Советская власть. Училась в школе, техникуме... Десятки лет прошло, а забыть не могу. И когда поглядел на меня в тот день наш больной, будто кипятком обдало...

— Потом неловко как-то стало, — продолжает Нина Кирилловна, — советского человека вдруг с врагом сравнила. Но вспомнила, с какой ненавистью хаял он Советскую власть, хулил правительство, наши законы, и уверилась, что чужой это для нас человек. И я не одна так думаю. Поговорите с врачами, медсестрами, и они то же самое скажут...

Потом было у меня несколько бесед с работниками Транспортнинской больницы. И они почти слово в слово повторили то, что рассказала Нина Кирилловна о бывшем пациенте.

Кто же он, этот человек, вызвавший своим поведением такое презрение у простых советских людей?

Просто невежда? Демагог-краснобай, спекулирующий на наших недостатках? Или действительно... Нет, об этом даже страшно подумать! Он ходит по нашей земле, ест наш советский хлеб. Люди здороваются с ним... Я должна его разыскать.

Четко вывожу в блокноте фамилию и место работы: «Василь Стус. Рудник им. Матросова».

...Горняцкий поселок встретил меня ярким теплым солнцем. Крутые склоны сопок покрылись нежной зеленью. Лето властно вступало в свои права.

Мимо тяжело проехал автобус. Промелькнули лица шахтеров. Через несколько минут они сменят своих товарищей в забое. И пойдут на-гора вагонетки, груженные рудой. Родине нужен драгоценный металл. Чувство сопричастности с жизнью страны, с ее заботами и делами заставляет каждого из них в третьем году пятилетки работать с особым напряжением.

Меня постигла неудача — Василя Стуса в поселке не было. Ему разрешили выехать на несколько дней на «материк» проведать тяжелобольного отца.

Разыскиваю людей, с которыми Стус работает и среди которых живет. И они мне многое рассказывают.

— Василь Стус? — удивился шахтер Е. Сонников. — Так он у нас на руднике вместо клоуна. Что-нибудь да выкинет. Историю с рукавицами не слышали? Не то потерял он их, не то истрепал раньше срока. В позу встал: «Аванс буду получать только в рукавицах!» Это вместо того, чтобы к мастеру обратиться либо к бригадиру. Любую мелочь в степень возводит. Все недовольство свое высказывает.

— У меня как-то ангина случилась. Простыл. Узнал Стус об этом, забегал: «Земляк, я тебя вылечу! Есть у меня кубики бульонные. Выпьешь — куда болезнь денется». Принес он эти самые заграничные кубики из ФРГ. Подумал я: может, действительно помогут? А больше любопытство разбирало. С трудом проглотил бульон — такая дрянь. Ленинградские куда вкуснее. А с ангиной врачи помогли справиться, — рассказывает бригадир Михаил Дмитришин.

О Василе Стусе рассказывали и В. Парников, который, проживая вместе с ним в одной комнате, не вынес повседневного общения, сбежал, и Н. Карлова, и многие другие. Одни отзывались о нем с насмешкой, другие — с презрением, третьи — с возмущением.

Вот лишь некоторые выдержки из бесед:

— Фанатик. До какой степени набит враждебной идеологией, что диву даешься.

— Какие-то знакомства у него с заграницей. Посылки получает. Из ФРГ, Канады. Было бы в них что путное, а то овсянку, рис, чай, сухое молоко, супы-концентраты шлют в пакетиках. А однажды сорочку получил. Спрашиваю: кто это тебя все радует? А он: «В Англии мой сборник стихов вышел, почитатели моего таланта прислали». Ишь, какие почитатели заботливые — даже размер воротника знают…

— Идет однажды с почты. Довольный такой. Посылку тащит. Спрашиваю: «Что это тебе все шлют?» А он с гордостью такой отвечает: «Это то, за что я продаюсь!» Уж продавался бы, так подороже. А то за овсянку…

— Друзей у него на руднике нет. Живет в общежитии, а всех жильцов пьяницами называет. Мол, «кубло», а не общежитие. А «кубло» в переводе с украинского значит притон…

— Националист Стус. За «самостийную Украину» борется. Говорит, правда, что он не из тех националистов, которые после войны советских людей убивали. А я думаю так: все националисты одним миром мазаны…

— Профсоюзную карточку порвал. Месяца три проработал, потребовал путевку в профилакторий или в санаторий «Талая». Ему, конечно, отказали, так как ни на работе, ни в общественной жизни себя не проявил. Тогда встал в позу обиженного. Мол, вашим профсоюзом только пол подметать. А когда несчастный случай с ним произошел — упал по собственной вине со второго этажа да узнал, что ему, как нечлену профсоюза, за время болезни будет лишь половина зарплаты выплачена, так куда все принципы делись. Умолял восстановить в профсоюзе. Мол, погорячился, простите. Деньги оказались для него дороже убеждений. Восстановили, оплатили больничный полностью. Больше 1200 рублей получил...

— Объявил голодовку. А через два дня на работу в забой пришел с торбой, набитой всякой снедью. Шахтеры его салом угостили — облизывался: какое, мол, вкусное! А до того все объяснял, что жирное ему есть нельзя. Что-то у него с желудком. Да и эти два дня вряд ли голодал. Все смеялись над ним: галеты, мол, заграничные потихоньку жует да заграничным бульоном запивает.

— В канун Дня Победы встреча наша произошла. Я говорю: с праздником, Василий Семенович! За победу нашу и выпить не грех. А он с вызовом: «Если и выпью в этот день, то не за вашу победу, а за свои поражения». Вот гусь!

— При первой же встрече с людьми объявляет: «Я — политический ссыльный. За права человека борюсь и страдаю за свои убеждения». А какие нам еще права нужны? Разве хоть в одной капиталистической стране даны такие широкие права трудящемуся человеку, как в нашей?..

— Все о правах толкует. Мол, нет их у нас. А вот об обязанностях — ни слова. Видно, тяготят они его...

— «Ваша Конституция!» А я ему: «Не ваша Конституция, Василий Семенович, а наша! Вы ведь в нашей стране живете, всеми правами с младенчества пользуетесь». Но ему разве втолкуешь... Нет, не наш он человек, не советский...

— «Я — поэт. В европейском пенклубе состою...»

— «Я — литератор...» «Я — журналист...» «Я — учитель...» Так кто же он в действительности?

— А работник из него никудышный. Больше говорит, чем работает. Все возмущается, что труд машиниста скрепера тяжелый. А у нас туда чаще всего пенсионеров ставят. Нажимай на кнопки да следи, чтобы трос не запутался, — и вся работа. За полтора года, что Стус у нас, настоящим проходчиком можно стать. А ему все одно — выполнит бригада план или нет. Напился однажды. Оштрафовали его. Кричит: «Несправедливо наказали!»

— Бьет себя в грудь: «Пострадал за народ, за рабочих!» И смех, и грех…

Ни одного теплого или хотя бы сочувственного слова не услышала я в адрес Стуса. Не встретила никого, кто одобрительно отозвался бы о поведении «борца за справедливость», «борца за демократию», «борца за права человека».

Так передо мной во всей полноте вырисовывался образ человека, которому ненавистно все советское — люди, порядки, законы. Но об этом — в следующей статье.

А. СУПРЯГА

2. Чужой среди своих

Василь Семенович Стус появился на руднике им. Матросова полтора года назад. Отнеслись к нему, как и к каждому новому рабочему, внимательно. Выдали аванс, спецодежду. Дали возможность выбрать общежитие. Их на руднике не одно. После долгих придирчивых осмотров комнат Стус облюбовал наконец ту, которая понравилась больше.

Определили на работу. Учеником на проходке восстающих выработок. Месяца три поработал, показалось тяжело. Потребовал:

— Дайте что-нибудь полегче.

Стусу сорок лет. Как правило, в эти годы человек достигает вершин в профессиональном мастерстве, им дорожат на производстве, его ценят и уважают. Трудовой же стаж В. Стуса исчисляется одиннадцатью годами. Он «опробовал» немало профессий, но ни в одной не достиг совершенства: не хватало времени. Только два года учил он ребятишек украинскому языку, десять дней «проверял свои силы» на шахте «Октябрьская» Куйбышевской области, две недели — в строительстве, в течение семи месяцев подвизался в качестве журналиста, полтора месяца кочегарил, четыре с половиной месяца сотрудничал в Государственном архиве УССР. Словно перекати-поле, выкатывался он из ворот организаций и учреждений «по собственному желанию». Исключение составило одно из проектно-конструкторских бюро, где он проработал четыре года. Как литератор известен лишь жалкой кучке подобных себе отщепенцев, не желающих трудиться во имя блага Страны Советов. Именно на таких вот случайных людей и делают свою ставку антикоммунисты.

На руднике им. Матросова просьбу Стуса найти ему работу полегче учли. Направили на участок № 1 машинистом скрепера. Работа эта, как известно, несложная. Зарплата до 400 рублей в месяц.

Через некоторое время Стус зашел в кабинет директора рудника им. Матросова В. Войтовича.

— Жена приезжает в гости. Помогите с жильем.

Внимательно отнеслись и к этой его просьбе.

— У нас есть гостиница. Выбирайте любую комнату и живите.

— Так ведь дорого это будет.

Стоимость проживания в гостинице — 70 копеек в сутки. За месяц — 21 рубль. Вроде бы и недорого, но администрация вновь пошла навстречу.

— Заплатите как за проживание в общежитии, по 5 рублей в месяц.

Рабочая смена у горняков — шесть часов. В остальное время люди отдыхают. И хотя поселок невелик, но есть в нем и клуб, где работает несколько кружков художественной самодеятельности, регулярно демонстрируются кинофильмы, устраиваются вечера отдыха, есть и библиотека, где немало художественной и общественно-политической литературы. В общежитии телевизор.

Но Василя Семеновича в клубе никто никогда не видел. Одной из первых книг, взятых в библиотеке, была «Диверсия без динамита». И телевизор смотрит редко, предпочитает регулярно слушать «Голос Америки».

С открытой душой встретили горняки своего нового товарища по труду. Семейные приглашали в гости. На вареники, на чашку чая. Приглашения эти Стус принимал. Однажды ездил даже на рыбалку. Своих убеждений поначалу не высказывал. Присматривался. Прощупывал, так оказать, настроение новых знакомых. А потом осмелел.

— Я политический ссыльный. Диссидент. Пострадал за свои убеждения, — объявлял он очередному собеседнику, зорко следя за реакцией человека.

Люди не лезли ему в душу, но со временем все больше стали понимать, что представляют собой «политические» убеждения Стуса. Он радовался любым просчетам руководителей, недостаткам в снабжении и использовал это, чтобы подчеркнуть: дескать, советского человека ущемляют в правах, своей Конституцией он пользуется не в полной мере.

Но по-иному оценивают те же факты горняки.

— Мы ведь пока не при коммунизме живем, мы его только строим. Бывает, что и не всего еще в достатке. Кто должен для нас изобилие создавать, дядя из-за океана? — возмущается по поводу действий Василя Семеновича проходчик Храмов. — Сам Стус, к примеру, желанием таким не горит. Даже прогул как-то совершил. Респираторов, видишь ли, не было! Есть у каждого из нас они. Резиновые, рассчитанные на длительное пользование. Правда, предпочитаем мы респираторы типа «лепесток». Их нам выдают каждый день. А тут случилось — не завезли вовремя на рудник. Стус не знал, что в сейфе у начальника участка всегда «НЗ» лежит на целую смену. Ну и не вышел на работу. Рассчитывал, что вся бригада последует его примеру. Да просчитался. Клоун, одним словом…

Да, не думал Василь Семенович Стус, что именно так воспримут горняки его «героический» поступок, начало его «борьбы» на руднике за «справедливость», за то, чтобы «людям жилось лучше». А за прогул, за нарушение трудовой дисциплины, как известно, всегда следует наказание. Перевели Стуса на ниже оплачиваемую должность.

— Это насилие над личностью! — кричит сегодня Василь Семенович.

А однажды вывесил на дверях своей комнаты объявление: «Прошу не мешать. 29 мая с 13 часов В. Стус объявляет голодовку…»

Тоже рассчитывал вызвать сочувствие: мол, до чего довели. Не признают на руднике прав человека, и точка! А горняки расценили эту выходку как хулиганство.

Так постепенно выявлялись «политические» взгляды Стуса, мысли, убеждения. Советским людям они чужды. Но Василь Семенович понять этого не хочет. Он кричит, что «его окружают враги», «за ним следят», что «за каждым его шагом шпионят».

Нет, непонятны Стусу все эти люди. Они живут своей полнокровной жизнью, уверенно смотрят в завтрашний день. И чувствует он себя среди них чужаком.

Как-то Василь Семенович забыл в своей комнате ключ. Дверь оказалась заперта, а надо было идти на смену. Но Стус и мысли не допускал обратиться к техничке за запасным ключом либо попросить соседей по

енко неодноразо-
міліцією за релі-
Його обвинува-
сином і родиною
ру **Георгія Вінса,**
цо він читає для
духовних потреб
ру. З ним прово-
і особи, які дома-
щоб він прилюд-
ність баптистів,
и церков» та від-
Якщо він не ви-
умови, йому по-
енням з академії.
оівають, що КҐБ
провокатора се-
рганізування ко-
і січні 1977 року.

ли й допитували в КҐБ.

Василь Стус був важко поранений

Після кількамісячних побоювань за життя українського поета Василя Стуса, який по відбутті свого ув'язнення перебував на засланні в Маґаданській області, до Києва дійшла вістка, що 20 серпня 1977 року на нього був влаштований напад. Втікаючи перед бандитами, В. Стус впав на ноги з вікна другого поверху гуртожитку. В обидвох ногах йому трісли п'яткові кості. Два місяці він пролежав загіпсований в лічниці. 18 жовтня 1977 р. його мали перевезти назад до гуртожитку засланців, де він мав би перебувати без жадної опіки.

Публікація про Василя Стуса у бандерівському офіціозі «Шлях перемоги» (Мюнхен)

общежитию помочь открыть дверь. Постоял с минуту, размышляя, что делать. И вышел на улицу.

Здравомыслящему человеку не придет в голову лезть через форточку в комнату на втором этаже, откуда легко упасть. Стус же полез. И, конечно же, сорвался. Треснули обе пяточные кости. Два месяца заботливо ухаживали за ним врачи, медицинские сестры, санитарки Транспортнинской больницы. Делали все возможное, чтобы поставить человека на ноги. Стус же, видимо, «друзьям» жаловался, что плохо относятся к нему в больнице. Иначе чем объяснить, что в адрес врачей издалека стали поступать письма с угрозами? Мол, не забывайте, вы лечите «великого поэта Украины». Ответите за все издевательства над ним.

Через два месяца Стус заявил лечащему врачу:

— Я здоров. Выписывайте.

Состояние здоровья Василя Семеновича было вполне удовлетворительным, и Стус вскоре был выписан.

— Если почувствуете, что больны, что нуждаетесь в стационарном лечении, — сообщите, — сказали ему на прощание.

Администрация рудника временно перевела Стуса на легкий труд с сохранением заработка. По страховке Василь Семенович получил еще 200 рублей. Пользовался своими правами, так сказать, взахлеб.

Василь Стус на похороні мисткині Алли Горської тримає її портрет

Даже в рудкоме справочник профсоюзного работника попросил, проверить, не ущемили ли его в чем-то.

В амбулатории проходил Стус дальнейшее лечение. Но клеветник остается клеветником. Заметка «Василий Стус тяжело ранен», появившаяся в мюнхенской газете «Шлях перемоги» — органе украинских буржуазных националистов, — так преподносит этот факт:

«...До Киева дошло сообщение, что 20 сентября 1977 года на него [Василя Стуса. — Прим. автора] было организовано нападение. Убегая от бандитов, Стус упал на ноги из окна второго этажа общежития.

...18 октября 1977 года его должны были перевести назад в общежитие ссыльных».

Ложь, клевета, таким образом, выдается этой газетенкой за правду. Вот ведь до чего доходит желание выглядеть перед всем светом «великомучеником», «страдальцем за дело народное».

В объяснительной же по поводу несчастного случая Стус уже не лжет, поскольку есть очевидцы случившегося.

В общежитии «ссыльных», как именует его бандеровская газета, вместе со Стусом проживает 110 человек разных национальностей. Среди них 50 русских, 41 украинец, шестеро татар, два хакаса, три белоруса. Высшее образование имеют 18 человек, среднетехническое — 67. Двадцать три человека — коммунисты, 27 — члены ВЛКСМ. Живут в общежитии народные депутаты, народные контролеры, дружинники. Люди, пользующиеся большим уважением не только на руднике, но и в районе, области. Но для Стуса все они «кубло», пьяницы. Как уже было сказано, Стус открещивается от тех украинских националистов, что активно действовали во время войны и в послевоенные годы. Знает: всему миру известны их кровавые злодеяния. Сегодня он говорит о своей принадлежности к другой когорте «борцов». «Мы боремся только за права человека», — объясняет он. У многих на руднике эти заявления вызывают недоумение.

— Каких прав он добивается? — говорит Георгий Ковалев, а с ним и сотни украинцев, работающих на руднике. — На труд, образование, медицинское обслуживание, отдых? Так мы и без него пользуемся ими сполна. Право на свободу мыслить? Оно у нас также не ограничено. Только знай, ради чего ты творишь, кому адресуешь, что ты хочешь сказать людям. Стус многим читал свои вирши. Они пронизаны не нашим духом, потому за океаном отдельные из них охотно печатают. Нам же нужны стихи такие, чтобы сердце пело, чтобы руки сами к работе тянулись. Чтобы жизнь в них кипела…

Словом, не нашел Стус единомышленников в горняцком коллективе. Кого же считает Василь Стус, получивший в Советском Союзе образование, продолжающий пользоваться всеми народными благами, своими друзьями? Стус, который не так давно цинично заявил: «Для меня Советской власти не существует!» Об этом разговор в последней статье.

А. СУПРЯГА

3. Пусть люди знают…

…Вечер. Склонившись над листком бумаги, Василь Семенович Стус строчит послания своим зарубежным попечителям. И чуть ли не каждый день получает от них ценные письма, бандероли, посылки. В том числе и от семьи Горбач из ФРГ. Кто же такие Горбачи, так «тонко» чувствующие душу Василя Семеновича, разделяющие все его сомнения, переживания, чуть ли не рыдающие над горькой участью своего друга-«страдальца», подкармливающие его рисом, бульонными брикетами, сахаром, сухим молоком, чаем, овсянкой и другими продуктами?

Из официальной прессы известно, что пани Анна-Галя Горбач — уроженка Украины. В годы войны попала в Германию. Вышла замуж да так и осталась в ФРГ. Стала одной из самых ярых националисток.

Ее муж — Алексей Горбач — выпускник Львовского университета, изменил во время войны присяге, боевому содружеству и стал служить фашистскому рейху. Подвизался переводчиком в лагере военнопленных. В 43-м после специальной подготовки вошел в состав дивизии СС «Галиция». Вторично принял военную присягу, только на этот раз Гитлеру.

Почуяв крах фашистского рейха, стал искать новых хозяев. Временное прибежище нашел в американской зоне Берлина. Занимался «обработкой» перемещенных лиц. Вскоре стал гражданином ФРГ. Он преподает в высших учебных заведениях, откуда, кстати, грубо попирая права и Конституцию ФРГ, изгоняют прогрессивно настроенных преподавателей. Главное направление «научной» деятельности Горбача — антисоветчина.

В таком же духе воспитан и сын Горбачей. Не так давно сей юный «борец» за права советских украинцев совершил вояж в СССР в качестве туриста и был выдворен за недозволенную деятельность.

Вот кто подкармливает сухарями, супами-концентратами своего идейного друга, кто не дает Стусу пропасть «с голоду» на Колыме.

Но не только семью Горбачей причисляет Василь Семенович к когорте своих друзей. В числе его меценатов и духовных наставников — некий Чинченко, настоящее имя которого Боян Иван Никитович. Украинец по национальности, националист по убеждениям. Живет в Канаде. В годы Отечественной войны, когда весь советский народ встал на борьбу с фашизмом, активно сотрудничал с оккупантами. Член ОУН (организация украинских националистов). Был корреспондентом фашистских оккупационных националистических газет. Он и сегодня продолжает публиковать антисоветские пасквили. Поддерживает тесную связь с националистами самых разных мастей, оказывает помощь Стусу и другим отщепенцам.

Не буду перечислять всех «друзей» Василя Стуса. Полагаю, что характеристики Горбачей и Чинченко достаточно для того, чтобы понять, кто он такой. Не случайно народная мудрость гласит: «Скажи, кто твой друг, и я скажу, кто ты».

Под стать своим идейным наставникам и сам Василь Стус. Живя в Киеве, изготовлял, хранил и распространял клеветнические документы, порочившие советский строй — как государственный, так и общественный. Именно за это народный суд и определил ему меру наказания — заключение с последующей ссылкой, которую он сейчас и отбывает на руднике им. Матросова.

Стихи Стуса того периода полны грязи, лжи, ненависти ко всему советскому. Об этом говорят уже названия их: «Кубло бандитов», «Беспаспортный, закрепощен в селе», «Наша нация — самая передовая». Любым поводом пользуется он для того, чтобы опорочить, оболгать социалистические завоевания нашего народа, возвести злостную клевету на советскую демократию, на гарантированную Конституцией СССР неприкосновенность личности, извратить национальную политику нашего государства. Но советские люди не просто осуждают его действия, они дают отпор, когда дело касается убеждений, достоинства, чести Родины.

...Легкий акцент выдает в молодом проходчике Георгии Ковалеве уроженца Украины.

— А мы и есть украинцы, — улыбается Георгий. — Работали на руднике несколько лет назад. И вот снова вернулись. Приворожила нас Колыма.

— У Гоши и на Украине работа была неплохая, зарабатывал хорошо. Но затосковали по Северу — сил нет, — подхватывает говорливая Светлана.

— Значит, со Стусом вы земляки?

Георгий вдруг вспыхивает.

— Черт ему земляк, а не я! Я бы такого земляка век не видел. Как его земля носит!

— У него со Стусом конфликт вышел, — поясняет Светлана, успокаивающе дотрагиваясь до плеча мужа.

— У него не со мной конфликт вышел, а со всем нашим народом, с нашей страной, с нашей демократией! — Георгий возбужденно шагает по комнате. — Я ему прямо сказал: «Наш советский хлеб жуешь и на нас же возводишь клевету. Постыдился бы!»

...Встреча их произошла в день проводов русской зимы. Решили Ковалевы навестить знакомых в общежитии да попали на застолье. В комнате за праздничным столом сидело несколько человек.

— На руднике много разговоров о Стусе, и я его сразу узнала. Высокий такой, черный. Взгляд тяжелый, нелюдимый, — включается в разговор Светлана. — У меня даже мурашки по спине побежали.

Мужчины, как водится, вели разговор о работе, о проходке, о руде.

— Бригада наша опять впереди, — с гордостью произнес бригадир Михаил Дмитришин, продолжая прерванный новыми гостями разговор. — Не ребята — орлы!

— Да-а, это люди! — как всегда, медленно роняя фразы, произнес Стус. Он заметно захмелел. — Понимать э-э-э… надо. В твоей бригаде почти все с Западной Украины.. Не то что восточные — москалям э-э-э… продались. Это — люди! — повторил он с нажимом. — А вы здесь все э-э-э… дерьмо.

— Он употребил другое, более гадкое слово, — возмущается Светлана, вспоминая тот неприятный вечер. — Я так понимаю: что у трезвого в голове, то у пьяного на языке.

Нечто большее, чем оскорбление собравшихся за столом горняков рудника, всего их трудового коллектива, увидел Георгий в этих словах. И еще более осознанно почувствовал, что он — гражданин Советского Союза, что при нем оскорбляют самое святое — советский народ, Родину. Бледнея от гнева, спросил:

— А ты кто такой?

— Я? Политический ссыльный! — Стус глядел с наглым вызовом. — Я за свои убеждения страдаю. За «самостийную» Украину! Разве здесь, в вашей стране, человек может иметь свои э-э-э… суждения? Нет у него таких прав! За это его в тюрьму, э-э-э… в ссылку. Но мы освободим украинский народ от э-э-э… угнетения москалей.

Долго сдерживаемый яд наконец-то вырвался наружу.

— Знаю я вас, националистов! Это вы… такие, как ты, убили моего дядю в сорок шестом. Ему только двадцать четыре года было… Нашелся «борец за справедливость, за счастье народное»! А ты спросил меня, вот их, — показал Ковалев на сидевших за столом людей, — украинский народ, хотят ли они, чтобы ты за их права боролся? Хотят ли они твою «самостийную» Украину? Жену свою спроси, сына!..

И хотя праздник был безнадежно испорчен, в этом разговоре «по душам» простые советские люди дали Стусу и его идейным друзьям настоящий бой.

При встрече я задала Стусу несколько вопросов, в том числе и такой: «Каких прав, Василь Семенович, на ваш взгляд, еще не хватает советскому человеку, прав, за которые вы так упорно боретесь?»

Василь Семенович ответил не сразу. Взвешивал, собирался с мыслями. Потом, растягивая фразы, медленно процедил:

— Я считаю ваши вопросы э-э-э... провокационными. Отвечать на них не буду.

Такой ответ меня не удивил. Стусу нечего сказать советскому журналисту. В публикациях же зарубежных изданий он довольно четко определил свое политическое и жизненное кредо. «Лакомым кусочком» оказался Василь Стус для наших идейных противников, для тех, кому поперек горла успехи первой в мире страны социализма, ее мощь, монолитное единство многонационального советского народа. Дело дошло до того, что в начале нынешнего года в одном из опубликованных за рубежом заявлений Стус высказал комплимент в адрес кровавого диктатора Пиночета, одобряя его антинародную политику.

Я бы не вспомнила столь неприглядное прошлое Василя Семеновича, если б не нежданные встречи с сестрой-хозяйкой Транспортнинской больницы Н. Никифоренко, горняками рудника. Всем им дорога судьба Родины и глубоко ненавистны враги. В Василе Стусе они увидели человека, которому не только глубоко безразличны их дела и мечты, но и который яро ненавидит советский строй.

— У нас к вам очень большая просьба, — говорили шахтеры. — Напишите о том, кто такой Стус. Пусть люди узнают о нем...

Да, пусть знают люди Василя Стуса...

Сурово покарал старый Тарас Бульба своего сына Андрия за отступничество, за вину перед Отечеством. Так испокон веков было и есть у любого народа. И Стус несет сегодня наказание за антисоветскую деятельность. И жаль, что Василь Семенович не понимает: он лишь игрушка в руках горстки жалких отщепенцев, буржуазных пропагандистов, которые используют его в своих целях. Предателей даже враги не уважают. Стус им нужен именно здесь, в СССР, чтобы кричать на весь мир: «Вот он — страдалец за права человека!»

В нашей Советской стране созданы все условия, чтобы человек мог счастливо жить и трудиться, в полной мере проявить свои способности, раскрыть свой талант. Не закрыты двери и перед Стусом. Никто не желает ему зла. И если Василь Семенович сумеет преодолеть свои заблуждения, понять, что настоящие друзья его здесь, в Советской стране, он сможет жить такой же полнокровной жизнью, как и каждый советский гражданин.

А. СУПРЯГА

В Президиум Верховного Совета СССР
несправедливо репрессированного украинского литератора,
члена ПЕН-клуба, отбывающего ссылку
в Магаданской обл. Тенькинского района,
ранее проживавшего по адресу: Киев-115, ул. Львовская, 62, кв. 1
Стуса Василия Семеновича

в связи с тем, что

- в 1972 г. я был репрессирован за неугодную властям литературно-общественную деятельность и приговорен к 5 годам лишения свободы и 3 г. ссылки;
- в условиях пребывания под стражей тюремные служители всячески унижали мое человеческое достоинство, морили меня холодом и голодом, не раз отказывали в необходимом лечении;
- на протяжении последних 7 лет у меня были изъяты многие литературные рукописи, которые отказываются мне возвращать, зачастую даже не отвечая на мои многочисленные требования;
- в условиях ссылки, видимо, считая меня подопытным кроликом своего ведомства, кагебисты учинили надо мной настоящий психологический террор в виде грубой клеветы в прессе, нелечения, принудительного труда́, гласных и негласных обысков, постоянных угроз, досмотра всех почтовых получений, а в ряде случаев — и их прямого воровства;
- мое чувство украинского патриотизма фактически возводится в ранг государственного преступления;
- я стал жертвой негласного запрета на профессию с 1965 года;
- я поставлен в условия, грозящие разорвать мои родственные связи (запрещение выезда в отпуск; чтобы похоронить отца, я был вынужден, исчерпав все другие возможности выезда в г. Донецк, прибегнуть к политической голодовке);
- местные стражи закона, вопреки существующему законодательству, отказываются защищать самые элементарные человеческие права, грубо попирая многими службами,

я отказываюсь от советского гражданства. Ввиду этого прошу лишить меня гражданства СССР, а по окончании ссылки (октябрь 1979 г.) дать возможность мне и моей семье покинуть страну.

Василь Стус

ТОМ 2

Взяття під варту Стуса Василя Семеновича
САНКЦІОНУЮ
Прокурор Української РСР
Державний радник юстиції 1-го класу
Ф. К. Глух

13 травня 1980 р.

ПОСТАНОВА
про обрання запобіжного заходу
м. Київ 13 травня 1980 року

Старший слідчий слідчого відділу КДБ УРСР майор Селюк, розглянувши матеріали кримінальної справи № 5, порушеної за ст. 62 ч. 2 КК УРСР та ст. 70 ч. 2 КК РРФСР проти Стуса Василя Семеновича, —

ВСТАНОВИВ:
Стус В. С., будучи судимим 7 вересня 1972 року за проведення антирадянської агітації і пропаганди на 5 років позбавлення волі і 3 роки заслання, не став на шлях виправлення. З березня 1977 року, знаходячись в засланні в сел. Матросово Тенькінського району Магаданської області, а з серпня 1979 року мешкаючи в м. Києві, з метою підриву та ослаблення Радянської влади проводив агітацію і пропаганду шляхом систематичного поширення наклепницьких вигадок, що порочать радянський державний і суспільний лад, виготовлення та розповсюдження літератури антирадянського та наклепницького змісту.

Беручи до уваги, що в діях Стуса В. С. є ознаки злочину, передбаченого ст. 62 ч. 2 КК УРСР та ст. 70 ч. 2 КК РРФСР, і що він, залишаючись на волі, може ухилитись від слідства і суду та перешкодити встановленню істини в кримінальній справі, керуючись ст.ст. 148—150 і 155 КПК УРСР, —
ПОСТАНОВИВ:

I. Обрати відносно Стуса Василя Семеновича, 1938 року народження, уродженця села Рахнівка Гайсинського району Вінницької області, українця, громадянина СРСР, безпартійного, з вищою освітою, працюючого робітником Київського взуттєвого об'єднання «Спорт» і проживаючого в м. Києві, вул. Чорнобильська, 13«а», кв. 94, запобіжний захід — взяття під варту з триманням у слідчому ізоляторі КДБ УРСР.

Старший слідчий слідчого
відділу КДБ УРСР майор А. В. Селюк

ЗГОДНІ
Заступник Голови Комітету
державної безпеки УРСР
генерал-лейтенант С. Н. Муха

Начальник слідчого відділу
КДБ УРСР полковник В. П. Туркін

Постанова мені об'явлена 15 травня 1980 року. Стус

З постановою підозрюваний Стус ознайомився особисто 15 травня 1980 року, підписувати безпідставно відмовився.

Старший слідчий Слідвідділу КДБ УРСР майор Селюк

Приложение 25

ПРОТОКОЛ

обыска Стуса Василия Семеновича

1938 года рождения, прибывшего в следственный изолятор КГБ УССР __ мая 1980 г.

При обыске осмотрены все личные вещи и предметы.

При обыске изъято:

Деньги советскими знаками в сумме 40 (сорок) рублей.

Чек магазина «Универсам» от 13 мая на сумму 48 коп.

Книги: И. Кант, том 4 ч. I и II, 1965 г. издания — 2 книги, 1964 г. издания — 1 книга. Папка для бумаг — 1 шт. Бумага писчая — 89 листов.

Карандаши простые — 3 шт. Резинка ученическая — 2 шт. Зубная щетка — 1 шт. Шнурок — 1 шт. Скрепка металлическая — 1 шт. Рюкзак брезентовый — 1 шт. Мешок — 1 шт. Сумка пляжная — 1 шт. Рубашка черная — 1 шт. Плавки — 1 шт. Белье нательное — 1 пара. Брюки нательные теплые — 1 шт. Рубашка нательная — 1 шт. Носки — 1 пара. Платки носовые — 3 шт. Кульки целлофановые — 2 шт.

Паспорт ІФК № 732141 выдан 11 августа ___ года Омчакским отделом милиции ОВД Тенькинского райисполкома Магаданской области.

Изъятое при обыске в протокол внесено полностью,
подлинность записи подтверждаю В. Стус

Обыск производили: ст. контролер (подпись)
контролер (подпись)

15 мая 1980 г.

Комитет государственной
безопасности УССР
Следственный изолятор

Приложение 59
Заполняется со слов арестованного, правильность заполнения проверяется по документам.
Передавать анкету для заполнения арестованному запрещается.

АНКЕТА АРЕСТОВАННОГО

ВОПРОСЫ	ОТВЕТЫ
1. Фамилия, имя, отчество	Стус Василий Семенович
2. Если изменял фамилию, имя, отчество, указать, когда, где и по какой причине	Не изменял

3. Число, месяц и место рождения	8 января 1938 г. Винницкая обл. Гайсинский р-н с. Рахновка
4. Гражданство	СССР
5. Национальность	Украинец
6. Постоянное место жительства (точный адрес)	г. Киев, ул. Чернобыльская 13-а кв. 94
7. Партийность (с какого времени)	б/партийный
8. Образование общее и специальное	Высшее
Указать, какое учебное заведение и когда окончил)	Донецкий пединститут
9. Профессия, специальность	
10. Семейное положение	Женат
11. Место работы или род занятий перед арестом. Если не работал, когда и откуда уволен	Киевское обувное объединение «Спорт» Рабочий
12. Имеет ли правительственные награды (какие и когда награжден)	Не имеет
13. Отношение к военной службе, воинское звание	Военнообязаный
14. Привлекался ли к уголовной ответственности (кем, когда и за что был осужден)	7.IX.72 г. по ст. 62 ч. I УК УССР на 5 лет лишения свободы и 3 года поселения.

Сведения о близких родственниках

Степень родства	**Фамилия, имя, отчество, год и место рождения**	**Место жительства**	**Место работы и должность**
	Стус Елена Яковлевна 1901 г. Винницкая обл. Гайсинский р-н с. Рахновка	Донецк ул. Чувашская, 19	Пенсионер

Жена (муж)	Попелюх Валентина Васильевна 1938 г. г. Черкассы	г. Киев ул. Чернобыльская, 13-а, кв. 94	Киевский механический завод
Сын	Стус Дмитрий Васильев. 1966 г.	г. Киев ул. Чернобыльская, 13-а, кв. 94	
Сестра	Стус Мария Семеновна 1935 г. Винницкая обл. Гайсинский р-н с. Рахновка	Донецк ул. Чувашская, 19	г. Донецк Средняя школа Преподаватель

От подписи отказался

_______________________ Контролер Тяжкороб

16. Приметы (подчеркнуть)

    РОСТ: высокий (свыше 171 см), средний (165—170 см), низкий (ниже 165 см).

    ЦВЕТ ВОЛОС: белокурые, светло-русые, русые, темно-русые, черные, рыжие, с проседью.

    ЦВЕТ ГЛАЗ: голубые, серые, зеленоватые, светло-карие, карие, черные.

    УШИ: малые, большие-овальные, треугольные, квадратные, оттопыренность ушей: верхняя; мочка уха: сросшаяся, отдельная.

    Другие приметы (татуировки, увечья, рубцы, шрамы, плешивость, бородавки, картавость, заикание и т. д.).

    Отсутствует безымянный палец на левой руке.
17. Когда арестован 15 мая 1980 г.
18. Основание ареста (указать наименование органа, название и дату документа): Постановление об избрании меры пресечения содержание под стражей от 13.V.80 г.
19. За кем зачислен (указать лицо или орган, в производстве которого находится дело) Следственный отдел КГБ УССР

Анкета заполнена Следственный изолятор

Кем заполнена Контролер, прапорщик

Подпись сотрудника, заполнявшего анкету

15 мая 1980 г.

Копія

Прим. № 2

Попелюх Валентині Васильовні
Київ-179, вул. Чорнобильська, 13-а,
квартира № 94

У відповідності зі ст. 161 Кримінально-процесуального Кодексу Української РСР повідомляю, що Ваш чоловік Стус Василь Семенович заарештований і утримується під вартою в слідчому ізоляторі КДБ УРСР (Київ-3, вул. Володимирська, 33).

Старший слідчий Слідчого відділу КДБ
Української РСР майор А. В. Селюк

16 травня 1980 року

Копія

Примірник № 2

Директору Київського виробничого об'єднання взуттєвих підприємств «Спорт»
16 травня 1980 р.
6/312
М. Київ, вул. Сім'ї Сосніних, 3

У відповідності зі ст. 161 Кримінально-процесуального Кодексу Української РСР повідомляю, що робітник Київського виробничого об'єднання взуттєвих підприємств «Спорт» Стус Василь Семенович заарештований і утримується під вартою в слідчому ізоляторі КДБ УРСР.

Старший слідчий Слідчого відділу КДБ
Української РСР майор А. В. Селюк

ПРОИЗВОДСТВЕННАЯ ХАРАКТЕРИСТИКА
на бывшего машиниста скреперной лебедки рудника им. Матросова объединения «Северовостокзолото» — СТУСА Василия Семеновича, 1938 г. рождения, украинца, беспартийного, образование высшее, в 1959 году окончил Донецкий пединститут, ранее судимого по ст. 62 ч. I УК УССР сроком на 5 лет, направленного в ссылку сроком на 3 года в Магаданскую область.

СТУС В. С. на руднике им. Матросова работал с 6 марта 1977 года по 11 августа 1979 года. С 11 августа ему был предоставлен отпуск с последующим (с 16 октября 1979 г.) увольнением по согласию сторон. Вначале СТУС В. С. был трудоустроен учеником проходчика в передовую бригаду, где бригадир тов. АНДРЕЕВЕЦ М. А. является кавалером орденов Ленина, Трудового Красного Знамени. Но из-за сложности и напряженности в работе, а также требовательности членов бригады к труду СТУС В. С. отказался работать в этой бригаде и был переведен 25 мая 1977 года на горный участок № 1 учеником машиниста скреперной лебедки. После сдачи экзаменов с 15 июня 1977 года он стал работать машинистом скреперной лебедки по 3-му разряду.

В работе особого усердия не проявлял.

26 мая 1978 года СТУС В. С. не явился на работу, якобы из-за отсутствия респираторов «Лепесток» в ламповой, но к начальнику участка за респиратором не обратился. Таким образом, 26 мая 1978 года СТУС совершил прогул без уважительной причины, за что приказом по руднику был переведен на нижеоплачиваемую работу сроком на 3 месяца.

Среди коллектива бригады уважением не пользовался. В июне 1977 года при уплате членских профсоюзных взносов заявил, что не желает быть членом профсоюза, и порвал свою профсоюзную карточку.

В июне 1977 года совместно с рабочими рудника участвовал в тушении пожара в лесной зоне, за что поощрен администрацией рудника — объявлением благодарности.

С августа 1977 года после бытовой травмы находился на лечении 2 месяца и 1 месяц на легком труде. По просьбе СТУСА его восстановили членом профсоюза и ему было выплачено в полном размере пособие по временной нетрудоспособности.

В июле 1978 года в местной районной газете «Ленинское знамя» опубликована серия статей под общим заголовком «Друзья и враги Василия Стуса».

В августе 1978 года на расширенном заседании рудкома профсоюза рудника им. Матросова в присутствии 127 работников и ИТР состоялось обсуждение названных публикаций о СТУСЕ. В принятом решении рудком одобрил и признал правильной публикацию статьи о СТУСЕ, призвал его выполнять обязанности члена профсоюза.

В период пребывания СТУСА на руднике с ним систематически проводились беседы воспитательного характера руководящим составом рудника и представителями общественности. Однако проведенный в отношении его комплекс воспитательных мероприятий положительных результатов не дал.

Зам. директора рудника им. Матросова Б. И. РАЗОВСКИЙ

Председатель рудкома А. С. ШЕСТАКОВ

8 июля 1980 г.
пос. им. Матросова
Магаданской обл.

ПРОИЗВОДСТВЕННАЯ ХАРАКТЕРИСТИКА
СТУС ВАСИЛИЯ СЕМЕНОВИЧА

1938 года рождения, украинца, образование высшее, б/п, женат

Тов. СТУС В. С. работал на заводе им. Парижской коммуны с 22 октября 1979 года по 11 января 1980 года формовщиком литейного цеха.

За время работы показал себя как трудолюбивый, исполнительный рабочий.

Товарищей по работе не имел. В общественной жизни цеха и завода участия не принимал. Уволен с завода по собственному желанию, ст. 38 КЗОТ УССР.

Характеристика выдана для предьявления в комитет Государственной безопасности УССР.

Директор завода Б. М. Воронец
Секретарь партбюро А. В. Гончаров
Председатель профсоюза Н. А. Тутушкин

ПРОИЗВОДСТВЕННАЯ ХАРАКТЕРИСТИКА
на рабочего Киевского производственного обувного объединения «СПОРТ» цеха № 5 СТУСА Василия Семеновича 1938 года рождения, украинца, беспартийного, образование высшее.

Тов. СТУС Василий Семенович поступил на объединения в цех № 5 01.02.80 года по направлению исполкома Ленинградского районного Совета народных депутатов г. Киева, учеником намазчика. С 24.04.1980 года по окончании срока обучения переведен в рабочие по 2-му разряду.

Работу на процессе он успешно освоил, с работой справлялся, выполнял норму выработки. За время работы проявил себя с положительной стороны, как дисциплинированный, добросовестный, исполнительный работник.

Нарушений трудовой дисциплины не имел. Общественных поручений не имел. Участие в общественной жизни цеха не принимал. Распоряжения начальника цеха и мастера выполнял беспрекословно.

Характеристика выдана для предьявления согласно запроса № 3 от 05.05.1980 г.

ДИРЕКТОР ОБЪЕДИНЕНИЯ Г. П. КОРОТЧЕНКО
СЕКРЕТАРЬ ПАРТБЮРО А. Н. РЕЗНИК
ПРЕДСЕДАТЕЛЬ ПРОФКОМА Г. Ф. ГРАБАР

Проведення обшуку
САНКЦІОНУЮ
Прокурор Української РСР
Державний радник юстиції І класу
_______________ (Ф. К. Глух)
13 травня 1980 року
м. Київ

ПОСТАНОВА
про проведення обшуку

13 травня 1980 р.

Старший слідчий Слідчого відділу КДБ Української РСР майор Селюк, розглянувши матеріали кримінальної справи № 5 та беручи до уваги, що за даними попереднього слідства маються достатні підстави вважати, що в квартирі та підсобних приміщеннях Стуса Василя Семеновича, 1938 року народження, який мешкає за адресою: місто Київ, вул. Чорнобильська, буд. 13-а, кв. 94, можуть знаходитись документи і предмети, що мають значення по справі, керуючись ст. 177 КПК УРСР,

ПОСТАНОВИВ:
Провести обшук у квартирі та підсобних приміщеннях Стуса Василя Семеновича за адресою: місто Київ, вул. Чорнобильська, буд. 13-а, кв. 94 для відшукання та вилучення зазначених у постанові документів та предметів.

Старший слідчий
Слідвідділу КДБ УРСР майор Селюк

Згоден:
Начальник Слідчого відділу
КДБ УРСР полковник Туркін

Постанову мені оголошено 14 травня 1980 р.
Підписати постанову Стус Василь Семенович відмовився.
Ст. слідчий слідвідділу КДБ УРСР — капітан Бойцов

Протокол обшуку

місто Київ 14 травня 1980 р.

Ст. слідчий Слідвідділу КДБ УРСР капітан Бойцов та співпрацівники КДБ УРСР Линовицький, Добринський, Логинов за дорученням ст. слідчого Слідвідділу КДБ УРСР майора Селюка.

З участю понятих:

1. Прищепа Володимир Федорович, мешк. в м. Києві, вул. Фучика, 8, кв. 119
2. Олексієнко Людмила Борисівна, мешк. в м. Києві, вул. Дубініна, 12/12 кв. 9

в присутності Стуса Василя Семеновича

З додержанням вимог ст.ст. 180, 181, 183, 186, 186, 188 і 189 КПК УРСР провів обшук в м. Києві по вул. Чорнобільській, буд. 13а, кв. 94 у Стуса Василя Семеновича з метою відшукання предметів та документів, які мають значення по справі.

Зазначеним особам роз'яснено їх право бути присутніми при всіх діях слідчого і робити заяви з приводу тих чи інших його дій. Понятим, крім того, на підставі ст. 127 КПК УРСР роз'яснено їх обов'язок засвідчити факт, зміст і наслідки обшуку.

Обшук почато о 9 год. 15 хв.

Закінчено о 00 год. 10 хв. 15 травня 1980 р.

Перед початком обшуку слідчим було пред'явлено постанову про це від 13 травня 1980 р., після чого Стусу Василю Семеновичу було запропоновано видати документи наклепницького та антирадянського змісту.

Гр. Стус В. С. заявив, що постанову він підписувати не буде, так як з «представниками кривавої організації» ніяких розмов вести не хоче.

Після цього був проведений обшук у ванній, туалетній, кухні, на двох балконах, коридорі та двох кімнатах, під час якого знайдено і вилучено:

1. Записник з абеткою розміром 10,5 × 6,5 см в обкладинці зеленого кольору на 48 аркушах білого нелінованого паперу, в якому є записи, виконані від руки барвниками зеленого, червоного, синього кольорів та простим олівцем. Записник знаходився у торбинці, яку мав при собі Стус В. С.
2. Записник з абеткою в обкладинці чорного кольору з написом «Алфавит», на форзацному аркуші зображення пам'ятника Мініну і Пожарському, на 48 аркушах паперу в лінійку, з записами різних

кольорів та простим олівцем. Окремі записи зроблено іноземною мовою. Записник знаходився на постійній тумбі, що стоїть у другій кімнаті біля ліжка-дивана.

3. В зазначеному в п. 2 записнику знаходився поштовий конверт, верхня частина якого була розірвана, з індексом «117333», адресою отримувача: «Москва. Д. Ульянова, 4 корп. 2, кв. 228 Лисовской Нине Петровне» та адресою відправника: «252179 Киев-179 Чернобыльская, 13а — 94 Стус В. С.». В цьому ж конверті знаходився аркуш паперу з рукописним текстом, що починається зі слів: «Письмо № 2 25.1.80 г. Дорогая Нина Петровна...» та закінчується: «...Приветствуя — Василь Стус». Текст виконано російською мовою.
4. Саморобний записник в поліетиленовій обкладинці, розміром 10,5 × 10,5 см.; аркуші в клітинку з записами простим олівцем та барвником синього кольору. На 35-му аркуші є запис, що починається словами: «А. п-в — Агапов...» та закінчується: «...Я написал о положении п/з в хронике I соб.». Зазначений записник знаходився в ящику письмового столу, що стоїть біля вікна у другій кімнаті.
5. Записник у обкладинці світло-сірого кольору з відбитком «Красноярский ЦБК ОСТ-81—48—72» на 53 аркушах в клітинку, що містять у собі віршовані тексти та записи простим олівцем та барвниками зеленого, синього кольору. Вказаний записник лежав на швейній машинці, що стоїть в правому куткові від входу у другу кімнату.
6. Загальний зошит у обкладинці світло-коричневого кольору з приміткою на форзацному аркуші «№ 3», виконаною барвником червоного кольору, з записом на 2; 3; 4 і останньому аркушах, зробленими простим олівцем та барвником синього кольору. Цей зошит знаходився на швейній машинці, що стоїть в правому кутку у другій кімнаті.
7. Загальний зошит у обкладинці чорного кольору з віршованими текстами, виконаними простим олівцем та барвниками чорного і синього кольору. На форзацному аркуші є помітка «№ 3 вірші», зроблена синім чорнилом. На цьому ж аркуші вірш віддрукований типографським способом, що починається словами «Лучи к ним в душу не сходили...». Тексти є на 3—12 сторінках. Зазначений зошит знаходився на швейній машинці, що стоїть у другій кімнаті.
8. Загальний зошит у обкладинці коричньового кольору з аркушами в клітинку, з рукописним текстом, виконаним барвником синього кольору. На форзацному аркуші барвником червоного кольору

зроблено примітку «№ 6». Сторінки зошита пронумеровані червоним барвником від 1 до 50, далі чисті. В кінці зошита є текст, виконаний стовпчиком зліва кожного аркуша. Проти окремих речень стоять цифрові примітки, а також значок «О». Вказаний зошит знаходився також на швейній машинці, що стоїть у другій кімнаті.

9. Зброшуровані аркуші нелінованого паперу, на обкладинці є типографський відбиток «Книга для черновой записи шариковой ручкой». На аркушах є віршований текст, виконаний простим олівцем, на останніх аркушах адреси з примітками «Засланці», «звільнені», виконані барвниками синього та чорного кольорів і простим олівцем. Ця «Книга» знаходилась на швейній машинці, що стоїть у другій кімнаті у правому кутку.
10. Саморобний блокнот з аркушами в клітинку, обкладинка зроблена з кольорової репродукції картини, на якій зображена група чоловіків з записами віршованих текстів, виконаних барвником синього кольору та простим олівцем. На окремих аркушах цього блокноту є цифрові записи та записи адрес.
11. Загальний зошит в обкладинці коричньового кольору з аркушами в клітинку, на окремих аркушах є віршований текст, виконаний барвниками синього та зеленого кольорів, а також прозовий, виконаний кульковою ручкою з пастою фіолетового кольору. Цей зошит знаходився на письмовому столі, що стоїть біля вікна у другій кімнаті.
12. Стандартний аркуш паперу з віршованим текстом, виконаним скорописом барвником синього кольору. Текст починається словами: «З … циклу колеса глухо стукотять…» та закінчується: «…на крові і кістках». Цей аркуш знаходився серед сторінок загального зошита, зазначеного в п. 11.
13. Подвійний нелінований аркуш паперу з рукописним текстом, що починається словами «В. Стус — Євгенові С. Гріх мені…» та закінчується: «…листа 17.8.77». Лист знаходився у чамайдані, що стоїть за швейною машинкою у другій кімнаті.
14. Блокнот у чорній обкладинці з відбитком «Еженедельник» з записами, виконаними простим олівцем та різними барвниками. Блокнот знаходився на машинці, що стоїть у другій кімнаті.
15. Записник з абеткою у пом'ятій обкладинці синього кольору, на форзацному аркуші. Приклеєно календар за 1978 рік. На сторінках записника є записи, виконані різними барвниками, деякі з них

іноземною мовою. Записник знаходився на письмовому столі, що стоїть у другій кімнаті проти вікна.

16. Авіаконверт з адресою отримувача виконаного іноземною мовою: «Christine Bremer, Fultonstrase, 122800 Bremen Bundesrepublik Deutschland» та адресою відправника: «UdSSR 252179 Kyjiv-179 Chornobylska 13a ap. 94 Stus Wassyl Semenowesesen». В конверті знаходилась поштова листівка з зображенням зимового пейзажу, текст виконано іноземною мовою, датовано 24.1.80 р., та фотокартка В. Стуса також з текстом іноземною мовою на звороті. З тильного боку конверту приклеєно увідомлення про вручення. Конверт з листом знаходився у ящику письмового столу, що стоїть у другій кімнаті біля вікна.
17. Запрошення для поїздки в США на родину Стуса Василя Семеновича, його дружину та сина від Самокіш Ніни [у документах КДБ часто — Смокіш; відома пластова діячка, активно захищала українських дисидентів] із Нью-Йорка всього на шести повних і двох неповних аркушах паперу. Запрошення знаходилось у портфелі, що стояв під книжковим стелажем, у другій кімнаті.
18. Стандартний аркуш паперу з машинописним віршованим текстом (не перший примірник), що починається словами: «Я знав майже напевно…» та закінчується на звороті: «…на крові і кістках». Цей аркуш знаходився серед паперів під книжковим стелажем, що стоїть у другій кімнаті.
19. Обкладинка з альбома, в якій знаходились 36 повних і 4 половинки аркушів копіювального паперу з відбитками текстів. Копіювальний папір знаходився у чамайдані, що стоїть за машинкою у другій кімнаті.
20. Загальний зошит у обкладинці зеленого кольору, аркуші в клітинку, на яких містяться тексти, виконані різними барвниками та простим олівцем. Зошит знаходився на швейній машинці, що стоїть у другій кімнаті.
21. Поштовий конверт з листом в ньому. Адреса отримувача: «Львів-41 Спокійна, 13 Антонів Олені», та адреса відправника: «252179 Київ-179 Чорнобильська 13а — 94 Стус В. С.». Лист написано скорописом барвником зеленого кольору, починається текст листа словами: «25.1.80 р. Дорогі Олено, Зенку [Красівський], Тарасе [Чорновіл]! Дякую за…» та закінчується на звороті: «…Уклін друзям!» Конверт з листом знаходився у портфелі, що стояв у другій кімнаті під книжковим стелажем.

22. Загальний зошит з картонною обкладинкою, на якій типографським способом відбито: «Загальний зошит». На окремих сторінках є рукописні тексти, виконані барвниками різних кольорів. Зазначений зошит знаходився під книжковим стелажем, що розташований зліва при вході у другу кімнату.
23. 78 аркушів нелінованого паперу, зкріплених між собою трьома скрепками, на яких містяться записи, виконані олівцем (простим) та барвниками різного кольору. Текст на першій сторінці починається словами: «Пісні одного острова…» Зазначені аркуші знаходились під стелажем для книжок, що стоїть зліва при вході у другу кімнату.
24. Саморобна збірка віршів, автором яких вказано Ігоря Калинця. Тексти віршів надруковано на машинці (не перший примірник), обкладинка синього кольору. Збірка знаходилась під книжковим стелажем, зліва при вході у другу кімнату.
25. Обвинувальний висновок по кримінальній справі № 47, всього 34 аркуша, зшитих в лівому верхньому кутку ниткою. Зазначений документ знаходився серед паперів під книжковим стелажем у другій кімнаті і був вилучений в зв'язку з тим, що має дописи по тексту.
26. Поштовий конверт з адресою отримувача: «Київ-179, вул. Чорнобильська, 13а, кв. 94 Стусу Василю Семеновичу» та адресою відправника: «…м. Луцьк, вул. 50 років Жовтня, 3а Коц М. Г.». В конверті знаходиться поштова листівка, рукописний текст на якій починається словами: «Христос воскрес!» та закінчується: «…2.IV.1980 р. Луцьк».
27. Дві касети з плівками, одна з яких була перемотана з фотоапарата, друга знаходилась у чамайдані, що стоїть біля швейної машинки у другій кімнаті. Фотоапарат «Силует-електро» знаходився в серванті.
28. Військовий квиток БЯ № 017458 на ім'я Стуса Василя Семеновича виданий 27 грудня 1961 р. «Калининским райвоенкоматом».
29. Проявлена чорно-біла фотоплівка з 36 кадрами, на яких проглядається машинописний текст. Плівка знаходилась в книжковій шафі у першій кімнаті.
30. Два чорно-білих фотовідбитка, на одному зображена церква, на другому палаюче вогнище. Під кожним фото є текст, на одному він починається словами: «Скоро в Донбассе…», на другому: «Величезне вогнище в Горлівці…»
31. 79 аркушів паперу, 65 з яких стандартні, 14 з зошитів з рукописними та машинописними текстами. Вказані в цьому пункті аркуші упаковані

в окремий пакет, який опечатано печаткою № 15 КДБ УРСР, який додається до цього протоколу, з підписами понятих та слідчого.

Заяв та зауважень не поступило.
Протокол оголошено слідчим, записано правильно.

Поняті (підпис) Прищепа
(підпис) Олексієнко

Присутні
/Линовицький/ /Добринський/ /Логинов/

від підпису відмовився (Стус В. С.)

Ст. слідчий Слідвідділу КДБ УРСР капітан /Бойцов/

Копію протокола одержав 15 травня 1980 р.
_______________ /Попелюх В. В./

Гр-ка Попелюх В. В. — дружина Стуса В. С. — була присутня при обшуці з 20 год. 40 хв.

Ст. слідчий Слідвідділу

____

ПРОТОКОЛ ОГЛЯДУ

місто Київ 26, 28—29 травня 1980 року

Старший слідчий Слідчого відділу КДБ Української РСР майор Селюк в присутності понятих: Покотило Марії Іванівни, що мешкає в місті Києві, вул. Вишгородська, буд. 90-а, кв. 185 та Черв'якової Міри Дмитрівни, що проживає за адресою: місто Київ, вул. Курнатовського, буд. 22, кв. 55, керуючись ст.ст. 85, 190, 191 та 195 Кримінально-процесуального кодексу УРСР, провів огляд предметів та документів, вилучених під час обшуку 14 травня 1980 року в квартирі Стуса Василя Семеновича за адресою: місто Київ, вул. Чорнобильська, буд. 13-а, кв. 94.

У відповідності зі ст. 127 КПК УРСР понятим роз'яснено їх право бути присутніми при всіх діях слідчого під час огляду, робити зауваження з приводу тих чи інших його дій, а також їх обов'язок засвідчити своїми підписами відповідність записів у протоколі виконаним діям.

[підпис] Покотило [підпис] Черв'якова

ОГЛЯДОМ ВСТАНОВЛЕНО:

1. Записна книжка «Арт. 1528-У Ціна 45 к. ОСТ 81—48—72 Київ» з абеткою в поліетиленовій обкладинці синьо-зеленого кольору розміром 10,5 × 6,5 см на 48 аркушах білого нелінованого паперу з записами номерів телефонів, адрес окремих осіб та інших поміток, виконаних від руки, різнокольоровими барвниками, українською, російською та іноземною мовами. Записи починаються на аркуші, позначеному літерою «А» зі слів: «Ант-Дав-ич 24—51—95...» і закінчуються на останньому аркуші словами: «...за відмову взяти нового пашпорта, бо вважався гр-ном Зах. Нім.».

   В записнику відмічені номера телефонів Антоненка-Давидовича, Миколи Горбаля, Раїси Руденко та інших осіб, а також подано рецепт голодовки.

2. Записна книжка «Арт. 1030-р. Цена 70 коп.» з абеткою в чорній поліетиленовий обкладинці розміром 21 × 13,5 см з написом «Алфавит» та зображенням на форзаці пам'ятника Мініну і Пожарському. Книжка має 48 аркушів у лінійку, на яких від руки записані адреси та номера телефонів окремих осіб. Записи виконані різнокольоровими барвниками російською, українською та іноземною мовами, починаються зі слів: «Б-4—51—95 252030 К-30 Леніна 68—24 Б. Дм. Ант-Давид-ч...» і закінчуються словами: «...ул. Татари 3, кв. 6 Мати Кийренд».

   В книжні записані адреси Антоненка-Давидовича, Антонюка, Лісового, Сергієнка та інших осіб, серед яких є засуджені за антирадянську діяльність.

3. Відкритий поштовий художній конверт з зображенням Державного Історичного музею УРСР, на якому від руки написаний індекс підприємства зв'язку місця призначення: «1173334», адреса отримувача: «Москва, Д. Ульянова, 4 корп. 2, кв. 228 Лисовской Нине

Петровне» та адреса відправника: «252179 Киев-179 Чернобыльская, 13-а, кв. 94 Стус В. С.».

В конверті знаходиться рукописний лист, виконаний російською мовою на одному аркуші білого нелінованого паперу, текст якого починається зі слів: «Письмо № 2 25.1.80 г. Дорогая Нина Петровна...» і закінчується словами: «...Кланяюсь друзьям. Сердечно приветствуя — Василь Стус».

Автор листа просить адресата передати «друзьям-москвичам», що він дає «картбланш на любые инициативы, связанные с защитой честнейшего имени», уточнює деякі моменти кримінальної справи відносно Миколи Горбаля, суд над яким, за його словами, був «циничным», «дьявольским сценарием».

За змістом лист ідейно-шкідливий.

4. Саморобна записна книжка обгорнута поліетиленовою плівкою, розміром 10,5 × 10,5 см на 88 аркушах в клітинку з записами адрес, назв книг (словників) та інших поміток, виконаних простим олівцем і кульковою ручкою з фіолетовим та синім барвниками. Записи починаються зі слів: «Чел.-250 Курган-250...» і закінчуються словами: «...когось хоронять».

На 35-му аркуші є замітки, що починаються зі слів: «А. п-в-Агатав б. чл. СП ЛГ 2.2.77. повість...», в яких згадуються Н. Горбань [М. Горбаль], Ю. Орлов. О. Тихий, М. Руденко, О. Бердник, суджені за антирадянську діяльність.

В записнику поміщено також витяг із промови Картера при вступі його на посаду Президента США, де він торкається прав людини. В цілому за змістом записи ідейно-шкідливі.

5. Записна книжка в поліетиленовій обкладинці світло-сірого кольору з відбитком «Красноярский ЦБК ОСТ-81—48—72, Арт. 1541 Р. Цена 65 коп» на 53 аркушах у клітинку з записами віршованих текстів, виконаних простим олівцем та зеленим і синім барвниками. Записи починаються зі слів: «нач. кадрів Дребус...» і закінчуються словами: «...м-н Расковой — 8, 20 к. 6,00».

В записнику поміщені вірші під назвами «Палімпсести», «Весни Колим. парость», «І паростків душа не попустила...», «Гей наповнім чаші...», «Ми в-ки и нас...» та інші, більшість яких за своїм змістом песимістичні, а вірш «Мы волки...» написаний на тюремну тематику, за змістом — ідейно-шкідливий.

6. Загальний зошит «Артикул 1159. I сорт. Цена 42 коп.» в дерматиновій обкладинці червоно-коричневого кольору з поміткою на форзаці «№ 3» на 96 аркушах білого паперу в клітинку. Записи в зошиті виконані тільки на 2—4 та останьому аркушах і починаються зі слів: «Блез Паскаль Мысли...», а закінчуються словами: «...Берегите здоровья. Целую».

   Записи являють собою уривки висловів та замітки автора про те, кому він направив телеграми-повідомлення про його госпіталізування з переломом ступні. Приводяться тексти телеграм, в яких сповіщається, що його «переписку» нібито «блокировали», а кореспонденцію начебто «воруют». За змістом тексти ідейно-шкідливі.
7. Загальний зошит «Гост 13309—67 I сорт Арт. 1162 Цена 40 коп» в поліетиленовій обкладинці чорного кольору на 96 аркушах у клітинку, на яких міститься віршований текст, виконаний простим олівцем та кульковою ручкою з чорним і синім барвниками. На форзаці є помітка «№ 3 вірші», зроблена синім барвником, а нижче приклеєно типографський текст вірша, що починається словами: «Лучи к ним в душу не сходили...» Записи в зошиті містяться тільки на 3—12 аркушах і являють собою окремі вірші під назвами: «Потухле листя опадає з віт...», «Немов нурець, що цілив просто...», «Неначе поплавець на плесі часу...», «Як тихо на землі...» та інші. В цілому за своїм змістом вірші песимістичного характеру.
8. Загальний зошит «Арт. 6344 р. I сорт. Цена 44 коп.» в дерматиновій обкладинці коричньового кольору на 96 аркушах білого паперу в клітинку з рукописним текстом, виконаним барвником синього кольору. На форзаці червоним барвником написано «№ 6» і таким же барвником пронумеровані сторінки зошита від 1 до 50. Текст починається зі слів: «Приспішає наче битий...» та закінчується словами: «...Я ще не знав, що є двійня» і являє собою вірші, написані в строчку.

   Більшість віршів беззмістовні, позбавлені часової перспективи і суспільної конкретності.

   Вірші під назвами: «На Схід, на Схід...» (с. 31), «Немає Господа на цій землі...» (с. 32), «Прощайте ви чотири мури...» (с. 33) за своїм змістом ідейно-шкідливі.

   Так, у вірші «На Схід, на Схід...» автор пише, що Україна начебто «уся в антоновім огні», «страшна до неї путь — на котрій сам падеш і друзі — теж падуть».

9. Книжка для чорнових записів кульковою ручкою «Артикул ЛГ-087—01—515 ТУ-29—03—225—78. Цена 70 коп» на 260 аркушах сірого нелінованого паперу з записами віршів та адрес окремих осіб, виконаних простим олівцем та кульковою ручкою з барвником синього і чорного кольорів. Записи починаються зі слів: «Научи меня, Господи…» і закінчуються словами: «…но ты носись не для меня. Я. в».

   На останніх аркушах під заголовками: «Перм», «Володимир», «Звільнені», «Морд-Перм», «Засланці», «Львів — І. Фр.», «Київ», «Москва» містяться адреси цілого ряду осіб, засуджених за антирадянську діяльність, зокрема: Антонюка, Бадзьо, Світличного, Сверстюка, Чорновола та інших.

   Поміщені в книжці вірші в більшості абстрактні.

   Вірші «Отак і жив: любив як жив…», «Довколо мене смертна смуга…», «Кричіть, волайте, галасуйте…» за своїм змістом ідейно-шкідливі.

   Так, у вірші «Отак і жив: любив як жив…» автор тенденційно описує своє перебування в засланні і, зокрема, пише:

   > Довколо сопки і хрести
   > людські кістки біліють щедро
   > від божевілля й самоти
   > малесенький рятує бедрик…

10. Саморобний блокнот розміром 10 × 15 см на 108 аркушах у клітинку з записами віршованих текстів та адрес окремих осіб, виконаних простим олівцем та кульковою ручкою з червоним і синім барвниками. Записи починаються зі слів: «Войтович Всеволод Степанович…» і закінчуються словами: «…Галина Разов Алекс-на. Евгения Алекс-на».

    В окремих віршах, поміщених у блокноті, автор тенденційно описує своє перебування в засланні і, зокрема, в вірші під назвою «10 сніжнів, зо два брудні…» пише:

    > …розтриклята К-ма
    > Сон, робота, пиятика
    > пиятика, праця, сон
    > вслід за мною — шпига пика
    > кряче: кара і закон
    > За стодолями — вітчизна —
    > перестрашене пташа…

В цілому за своїм змістом вірші ідейно-шкідливі.

11. Загальний зошит «Арт. 1158 Ціна 44 коп.» в дерматиновій обкладинці темно-коричньового кольору на 94 аркушах білого паперу в клітинку. Записи в зошиті виконані різнокольоровими барвниками і починаються зі слів: «Випад меча в першому світлі...» та закінчуються словами: «...як він забув інших і це сталося». На початку та в кінці зошита містяться вірші: «Випад меча...», «Bobrowski», «Пауль Целян», «Камінночубий час...», «Фуга смерті», «Відвал» та інші, більшість з яких позбавлені часової й суспільної конкретності.

В цілому за своїм змістом вірші песимістичного характеру.

На 12—17 аркушах є рукописний текст, виконаний російською мовою, що починається зі слів: «Бердяев. В типе рус. ч-ка всегда...» і закінчується словами: «...подчинило судьбу его Богу».

В зазначеному тексті містяться злісні наклепницькі вигадки, що порочать радянський державний і суспільний лад. В ньому автор намагається ревізувати марксистсько-ленінське вчення про соціалістичну революцію, опорочити ленінізм, засновника Радянської держави та історичний досвід нашого народу в будівництві соціалізму.

Так, щодо Великої Жовтневої соціалістичної революції автор з ворожих нашому суспільству позицій наклепницьки твердить, що нібито «Ком-ст. революція в России совершилась во имя тотолитарного марксизма, ле-зма как религии пр-та, но в противоположность всему, что Маркс говорил о развитии человеч. об-ства». За твердженням автора, «коммунистическая» революція в одній країні начебто «неизбежно ведет к национализму и националистической политике», а «коммунистический строй переходного периода есть строй крепостнический».

В той же час у документі паплюжиться засновник ленінізму, вождь Великої Жовтневої соціалістичної революції, якого автор цинічно називає «империалистом», «антигуманистом» и «антидемократом».

Поряд з цим автор намагається довести, що в Радянському Союзі начебто «понятие свободы относится исключительно к коллективному, а не личному сознанию. Личность не имеет свободы по отношению к социальному коллективу, она не имеет личной совести и личного сознания», і при цьому наклепницьки твердить, що нібито «СРСР — единств. сейчас в мире тип тоталитарного гос-ва, основаного на диктатуре миросозерцания».

12. Рукописний текст вірша «Колеса глухо стукотять...» виконаний кульковою ручкою з синім барвником на одному аркуші білого нелінованого паперу стандартного формату, перегорнутому вдвоє. Текст починається зі слів: «З ... циклу Колеса глухо стукотять...» і закінчується словами: «...споруджує нову добу на крові і кістках».

    В зазначеному вірші автор зводить наклепницькі вигадки, що порочать радянський державний і суспільний лад, нашу країну зображає, як «Рад-соц-концтаборів союз» і при цьому, зокрема, пише:

    ...Рад-соц-концтаборів союз,
    котрий Господь забув.
    Диявол теж забув. Тепер
    тут править інший бог:
    марксист, расист і людожер —
    один за трьох.
    Москва — Чиб'ю. Москва — Чиб'ю
    Печорський концентрак
    споруджує нову добу
    на крові і кістках.

13. Рукописний текст, виконаний кульковою ручкою з фіолетовим барвником на одному аркуші білого нелінованого паперу стандартного формату, перегорнутому вдвоє. Текст являє собою витяги із листів В. Стуса до Є. Сверстюка і починається зі слів: «В. Стус — Євгенові С. Гріх мені...» та закінчується словами: «...З привітом Василь. Дописував листа 17.8.77».

    Автор, зокрема, пише: «Нам замало нашого правдивого життя і нашої правдивої істоти — нам треба творити в уявленні інших людей (свій) уявний образ» і висловлює своє кредо: «Можна існувати — лише на полюсах...», треба йти своїм шляхом «наперекір усім перекорам».

    За змістом текст ідейно-шкідливий.
14. Блокнот-щотижневик «Арт. 1600 Цена 91 коп.» у чорній поліетиленовій обкладинці розміром 12,5 × 20; 5 см на 72 аркушах з записами, що починаються зі слів: «По 1/3 шклянці...» і закінчуються словами: «...Здав: 17.4 — тепле (1,2), сор., труси, рушник».

    У блокноті помічено, коли і до кого їх автором були направлені листи, телеграми, пакунки, а також записані адреси осіб, засуджених за антирадянську діяльність: Світличного, Чорновола, Сверстюка,

Антонюка та інших. На аркуші, позначеному літерою «О» відмічені «засланці» та їх адреси.

В цілому записи носять тенденційний характер.

15. Записник з абеткою «Арт. 1536 р. І с. ц. 65 к.» в поліетиленовій обкладинці синього кольору розміром 9 × 12,5 см на 64 аркушах у клітинку з рукописними записами адрес окремих осіб, та різними помітками. Записи починаються зі слів: «Середа 2—7 веч…» і закінчуються словами: «…Підручник з фізики Жданова, Лансберта для 10 класу». На форзаці приклеєно календар за 1978 рік.

В записнику тенденційно підібрані адреси та помітки відносно цілого ряда осіб, засуджених за антирадянську діяльність, зокрема Антонюка, Лук'яненка, Сверстюка, Світличного та інших.

16. Відкритий поштовий авіаконверт з адресами відправника: Christine Bremer, Fultonstrasse, 122800 Bremen Bundesrepublik Deutschland та отримувача UdSSR 252179 Kyjiv-179 Chornobylska 13a, ap. 94 Stus Wassyl Semenowitsch.

У конверті знаходиться фотокарта Стуса В. С. розміром 6 × 9 см і поштова листівка з рукописним текстом, виконаним іноземною мовою, що починається зі слів: «24.1.80 р. Kyjiv Mein liebe Schwester».

17. Запрошення-виклик родини Стуса Василя Семеновича на поїздку в гості в Сполучені Штати Америки до мешканки міста Нью-Йорка Ніни Самокіш, терміном на шість місяців. Виклик оформлено 21 грудня 1979 року на офіційних бланках російською та іноземною мовами, всього на 8 аркушах.

18. Аркуш білого нелінованого паперу стандартного формату, на якому під копіювальний папір надруковано вірші під назвами: «Так явно світ тобі належать став…», «В мені уже народжується бог…», «Колеса глухо стукотять…», «Я знав майже напевно…» і «Ось вам сонце, сказав чоловік з кокардою на кашкеті…».

Вірш «Колеса глухо стукотять…», аналогічний за змістом віршу, описаному в п. 12 цього протоколу, в ньому містяться наклепницькі вигадки, що порочать радянський державний і суспільний лад.

У вірші під назвою «Ось вам сонце, сказав чоловік з кокардою на кашкеті…», який входить до антирадянської збірки поезій «Веселий цвинтар», зводиться наклеп на радянський державний і суспільний лад, паплюжиться життя радянських людей, яке уявляється автору як регламентоване «чоловіком з кокардою». В нашому суспільстві, за словами автора, щоб «не хотілось їсти і пити», нібито слухають лекції, дивляться кінофільми, як житимуть щасливо в майбутньому. Тут співають пісень, тексти яких проштемпельовані цензурою, а замість відпочинку — грають у війну (стріляють, кидаються на амбразури танків).

19. 36 аркушів копіювального паперу чорного кольору стандартного формату та чотири половинчастих аркуші розміром 14,5 × 20 см, що знаходяться в картонній обкладинці синьовато-зеленого кольору з відтиском «Альбом для черчения». На 26 аркушах, в тому числі і половинчастих, є відбитки машинописного тексту (окремих слів), що починається зі слів: «9. Хутірець. Слова О. Кольцова. Український текст В. Стуса…» і закінчується словами: «…Так любіть жайвір». На інших 14 аркушах є тільки сліди відбитків окремих цифр.
20. Загальний зошит «Арт. 1158 Ціна 44 коп.» в дерматиновій обкладинці синьовато-зеленого кольору на 94 аркушах білого паперу в клітинку з записами віршів, виконаних від руки, різнокольоровими барвниками. Текст починається зі слів: «О дождь нам днесь — не обіцяй на завтра» і закінчуються словами: «…В години творчості кінець: перерізане горло дарю».
Більшість віршів, поміщених у зошиті, песимістичного характеру. Вірш «Де сон, де сни, де тисячі синів…» за своїм змістом ідейно-шкідливий. В ньому автор, зокрема, пише:

Той сон і син не гойдані ніким
Хіба що рабством
Де не живи, їх образу не лиш!
Бо не почуєшся як збрешешся ти раптом
І станеш підспівайлом стягачів
Що над тщемяльством тщенародів в світі
Деруть удень, здирають уночі
І дух і шкіру й сльози не промиті.

21. Відкритий поштовий художній конверт без штемпелів, на якому синім барвником написана адреса отримувача: «Львів-41, Спокійна, 13. Антонів Олені» та адреса відправника: «252179 Київ-179, Чорнобильська, 13-а, 94 Стус В. С.»
В конверті знаходиться рукописний лист, виконаний зеленим барвником на одному аркуші білого нелінованого паперу стандартного формату. Текст листа починається зі слів: «25.1.80 р. Дорогі Олено,

Зенку, Тарасе! Дякую за привітання...» і закінчується словами «...Щиро ваш Василь. Уклін друзям!».

В листі автор, Василь Стус, тенденційно описує судовий процес над Миколою Горбалем, згадує «проводи» Павла Стокотельного, в чорних фарбах змальовує своє життя в Києві після повернення з заслання.

В цілому лист за своїм змістом ідейно-шкідливий.

22. Загальний зошит «Арт. 1110 Ціна 14 коп. III кв. 1964 р.» у картонній обкладинці голубого кольору з 40 аркушами білого паперу в клітинку. Записи в зошиті виконані зеленим і червоним барвниками та простим олівцем, починаються зі слів: «Левек: «Без великих доктрин не может быть...» і закінчуються словами: «...Де свободи чортма — там музи — бранки».

В зошиті поміщено всього шість рукописних віршів під назвами: «Ти знаєш, Земле, де лимон цвіте...», «Тихо тиша, стежка волохата...», «Не бог — а борг. Не голубінь — біла...»; «Брехня брехні і правда вся — брехня...»; «Село, колгоспна вітчина...» і «Безпашпортний і закріпачений...».

Вірші «Ти знаєш, Земле...», «Тихо тиша...», «Не бог — а борг...» ліричного змісту.

У віршах «Безпашпортний і закріпачений...» та «Село, колгоспна вітчина...» містяться наклепницькі вигадки, що порочать радянський державний і суспільний лад. Їх автор з ворожих нашому суспільству позицій зводить наклеп на радянську дійсність, політику КПРС щодо села, при цьому колгоспників називає «кріпаками», «рабами» «знедоленої України».

Так, у вірші «Безпашпортний і закріпачений...» наклепницьки твердиться:

Безпашпортний і закріпачений
Сліпий колгоспний мій народ!
Катований, але не страчений,
Рабований, але не втрачений,
Тебе знайшов я на добро...
І де ти стільки лих не мався,
Як ліз покірно під обух...

На зворотній стороні аркуша у продовжені названого вірша в тексті, що починається словами: «Село, колгоспна вітчина...» автор, зводячи злісні наклепи на радянський державний і суспільний лад, пише:

Село, колгоспна вітчина
Знедоленої України,
ще спить. Воно не йде до нас,
а тільки шле за сином сина
від золотих пшеничних піль
від труднощів і від кріпацтва…
…кріпак —
безпашпортний вже тридцять років
Солона слава як ропа
Карбує переможні кроки
З соціалізму в комунізм
(з старого рабства до нового)
нові раби — в країні скрізь
зате ж нові, і слава Богу.

Вказані віршовані тексти, що починаються зі слів: «Безпашпортний і закріпачений… » та «Село, колгоспна вітчина…» є варіантами одного вірша.

23. 78 аркушів жовтого нелінованого паперу з загального зошита розміром 21,5 × 29,4 см, скріплених трьома металевими скріпками. Більшість аркушів чисті, тільки на окремих містяться рукописні тексти, виконані різнокольоровими барвниками. Записи починаються зі слів: «Пісні одного острова…» і закінчуються словами: «La S.C.». На деяких аркушах видно сліди відриву.
В зошиті поміщені слідуючі записи:
   - помітки стосовно справи Миколи Горбаля, в яких згадується адвокат Васютина та відмічені адреси свідків;
   - чернетка листа, що починається зі слів: «Вельмишановна пані Пул-т. …». Як вбачається в тексту, лист призначався для зарубіжного адресата. В ньому автор дякує за вітальні телеграми та запроси навістити англійських колег, разом з цим тенденційно описує своє життя в Києві, повідомляє, що йому встановлено адміністративний нагляд, згадує Мешко О. Я., називаючи її учасницею «Українського правозахисного руху»;
   - замітки відносно Олеся Євгеновича Шевченка та Віталія Шевченка, зокрема відмічено про те, що в них дома були проведені обшуки, після чого їх заарештовано. Вказується, хто проводив обшуки та що було вилучено;

- помітки про те, в чому саме звинувачувався Юрій Бадзьо, засуджений за антирадянську діяльність та інше.

24. Саморобна збірка віршів у картонній палітурці голубого кольору, розміром 15,5 × 21 см. Збірка містить 35 аркушів білого нелінованого паперу з машинописним текстом (не перший примірник) віршів під загальним заголовком «Коронування опудала». Автором віршів значиться Ігор Калинець. Згідно «Змісту» в збірці поміщені вірші: «Коронування опудала», «Нинішня весна», «Осмислення порога», «Осмислення вечора», «Автопортрет», «Стихотвори про непевність», «Стихотвори про кріхітних людей», «Замок», «Приготовлення до осені», «Вигадана кохана», «Хроніка осмислень» і «Стихотвори про зречення».

    Більшість віршів абстрактні і позбавлені конкретності.

25. Електрографічна копія машинописного тексту обвинувального висновка по кримінальній справі № 47 по обвинуваченню Стуса Василя Семеновича за ст. 62 ч. І КК УРСР, всього — 34 аркуші, зшитих у лівому верхньому куту сірою ниткою.

    По тексту обвинувального висновка є багато поміток, виконаних простим олівцем.

26. Відкритий поштовий художній конверт з адресою отримувача: «м. Київ-179, вул. Чорнобильська, 13-а, кв. 94» та адресою відправника: «м. Луцьк, вул. 50 років Жовтня, 3-а Коц М. Г.» і поштовим штемпелем: «Киев ПЖДП Київ 050480—17».

    В конверті знаходиться поштова листівка з рукописним текстом, що починається зі слів: «Христос воскрес! Шановний Василю Семеновичу…» і закінчується словами: «…з повагою Микола. 2.IV.1980 р. Луцьк».

    В листівці автор поздоровляв Василя Семеновича і його дружину з «нагоди свята Великодня!» і повідомляє, що він найшов собі місце серед будівельників, поступив учнем в учбовий комбінат, де вивчає будівельний кран.

27. Дві касети з фотоплівками. Під час огляду плівки були проявлені, ніяких зображень на них не виявлено.

28. Військовий квиток офіцера запасу БЯ № 017458 на ім'я Стуса Василя Семеновича, виданий 27 грудня 1961 року Калінінським військовим комісаріатом міста Горлівка Донецької області. У військовому квитку вказано, що Стус у 1959 році закінчив Донецький державний

педагогічний інститут, з 12 жовтня 1959 року до 16 листопада 1961 року проходив службу в лавах Радянської армії. В 1961 році здав екзамени на офіцера запасу і звільнений в запас у посаді командира стрілецького взводу з званням молодшого лейтенанта.

29. Експонована фотоплівка з 36 кадрами, на яких зафотографовано машинописний текст статті Анджея Киевского «Карл Юнг. Архетип в символике сновидений», що починається зі слів: «Этот этюд является...» і закінчується словами: «...заслуживает внимания. Анджей Киевский».

    В статті йдеться про психологію формування сновидінь.

30. Дві чорно-білі фотокартки розміром 9 × 12 см, на одній з яких зображене запущене приміщення церкви, а нижче напис: «Скоро в Донбассе не будет церквей. В Донсоде закрытие церкви приурочили к октябрьским торжествам». На другій фотокартці зображено вогнище, а нижче запис: «Величезне вогнище в Горлівці. Робітники палять кілька тисяч ікон. Колись, в Середніх віках, «свята» інквізиція палила людей «во ім'я віри». Тепер робітники чистять землю від бруду релігії». — Пакет із паперу жовто-коричньового кольору, опечатаний в трьох місцях печаткою «КДБ УРСР № 15», на якому є напис: «До протоколу обшуку від 14—15 травня 1980 року», завірений підписами понятих і слідчого. Пакет і печатки без пошкоджень.

    При розкритті пакета в ньому знаходилось:

31. Шість аркушів зеленувато-світлоголубого кольору нелінованого паперу стандартного формату з рукописними замітками стосовно розвитку української радянської літератури. На трьох аркушах текст починається однаково: «Література Шевченка, Драгоманова, Франка завжди була...», на четвертому — зі слів: «Український літератор, як і всякий...», на п'ятому — словами: «Українська радянська література є такою...» і на шостому — «тури в своєрідному закуті...».

    Автор заміток намагається видати себе вболівальником за стан сучасної української літератури, яка начебто в «занепаді», і, зокрема, пише: «У нас немає літератури. В тому розумінні, в якому можна говорити про російську, французьку, англійську та іншу». За його словами, нібито постійно «збільшується прірва між літературою і народними інтересами». Зазначені замітки являють собою чернетки до якогось листа і за своїм змістом — ідейно-шкідливі.

32. Аркуш білого нелінованого паперу стандартного формату, на якому фіолетовим барвником виконано слідуючий запис: «Ліна Кост[енко]. Вор[обйов]. Корд[ун]. Голоб[ородько]. Калин[ець]. Рубан. Григорів. Кирич[енко]. Клочко, Сокульск[ий]. Чугай [Чубай]. Міщенко. Вас[?]. Осадч[ий]. Холодн[ий]. Череват[енко]. Дз[юба]. Сверст[юк]. Коц. Світл[ичний]. В. Мороз. І. Я. Бойчак».
33. Аркуш білого нелінованого паперу з слідами перегортання, на якому фіолетовим барвником виконано дев'ять рядків тексту, що починається зі слів: «Досить пригадати хоча б історію з С. Карим...» і закінчується словами: «...бюджет становить 80 крб».

Автор тексту виступає на захист С. Караванського, якому «загрожує ще 15 років» строку і називає його засудження «повільним вбивством». За змістом текст ідейно-шкідливий.
34. Три аркуші білого нелінованого паперу стандартного формату з рукописними текстами, виконаними кульковою ручкою з фіолетовим барвником, російською мовою. На всіх трьох аркушах тексти, в яких є багато правок, дописок, починаються зі слів: «Уважаемая редакция!» і на двох — закінчуються словами: «...Ю. В. Б., рабочий. Мой адрес: — 12 сент. 1977 г.» На третьому аркуші під текстом вказано прізвище автора та його адреса: «Ю. Бадзьо, рабочий. Киев-150, ул. Красноарм. 93/16».

В зазначених текстах автор викладає свої міркування щодо окремих статей проекта нової Конституції СРСР. Так, зокрема, він пропонує «узаконить политическую или, шире, идеологическую оппозицию в обществе», вилучити із ст. 69 положення про те, що «СССР олицетвор. государст. един. сов. народа» та інші. В цілому за своїм змістом тексти ідейно-шкідливі.
35. Три примірники заяви Василя Стуса від 3 жовтня 1979 року до «Председателя республиканского КГБ», кожен з яких виконаний російською мовою на окремому аркуші білого нелінованого паперу стандартного формату (всього три аркуші). Один примірник написаний червоним барвником, в його тексті багато правок, деякі слова закреслені. Два інші примірники — ідентичні, виготовлені з допомогою копіювального паперу.

В названій заяві Стус просить повернути йому вилучені в нього під час обшуків у 1972 і 1978 роках вірші, друкарську машинку, в той же час твердить, що його нібито постійно «опекають» і не дають начебто можливості проявити «индивидуальную инициативу в вопросе трудоустройства». В цілому за змістом текст заяви ідейно-шкідливий.

36. Аркуш білого нелінованого паперу розміром 20,5 × 26,5 см з рукописним текстом, виконаним кульковою ручкою з фіолетовим барвником, що починається зі слів: «Ізоляція І. [Івана] Д. [Дзюби] окажеться на укр. рад...» і закінчується словами: «...він закінчив самогубством».

    Текст являє собою замітку про поета Григорія Тименко, якого власті нібито довели «до відчаю» і він восени 1968 року «таємно зник». За змістом документ ідейно-шкідливий.

37. Аркуш білого паперу стандартного формату з рукописним текстом, виконаним світло-синім барвником, що починається зі слів: «Минулого року я звертався...» і закінчується словами: «...Хіба на арешт. На дибу». На зворотньому боці аркуша є машинописний текст, який починається зі слів: «Такі жінки — його ідеал».

    Текст являє собою чернетку частини листа, з яким автор звертається до партійних органів в зв'язку з тим, що нібито не одержав відповіді на свій попередній лист, в якому писав «з приводу масових арештів української інтелігенції». В цілому за змістом документ ідейно-шкідливий.

38. Три аркуші (один жовтий, два білих) нелінованого паперу стандартного формату з рукописними текстами, виконаними фіолетовим барвником та простим олівцем, які починаються зі слів: «Давно минув той час...», і закінчується словами: «...їм уже відмовлено в існуванні».

    На всіх трьох аркушах тексти являють собою замітки відносно молодих літераторів, зокрема в них твердиться, що Спілка письменників України нібито не дає можливості розвиватись молоді, а партійні та адміністративні органи «десятиліттями консервують їх літературний доробок». За своїм змістом зазначені тексти ідейно-шкідливі.

39. Аркуш жовтого нелінованого паперу стандартного формату з рукописним текстом, виконаним кульковою ручкою з фіолетовим барвником, що починається зі слів: «Нарешті важила звичайне...» і закінчується словами «...стати виразником народних».

    Текст являє собою чернетки статті про творчість П. Тичини, в яких автор намагається довести, що Тичина з часом «перестав бути виразником народу». За своїм змістом текст ідейно-невитриманий.

40. Аркуш білого нелінованого паперу стандартного формату з рукописним текстом, виконаним кульковою ручкою з червоним барв-

ником, що починається зі слів: «Сонячні кларнети…» і закінчується словами: «…Пізніше — теперішній стандарт». В тексті перелічуються твори П. Тичини, написані ним до 1950 року.

41. Аркуш зелено-жовтого нелінованого паперу стандартного формату з рукописним текстом, виконаним фіолетовим барвником, що починається зі слів: «Володимир Ілліч Ленін якось…» і закінчується словами: «…Але цього мало». Текст являє собою чернетку літературно-критичної статті про творчість М. П. Драгоманова.

42. Аркуш білого нелінованого паперу стандартного формату з рукописним текстом, виконаним простим олівцем, що починається зі слів: «1. Що нового за сл.? 2. Порадьтеся, обдумайте…» і закінчується словами: «…Ів-Фр., Кошового, 10 Заливаха Панас».

В тексті викладені поради для поїздки «на фінал», пропонується за гідів брати осіб, які раніше були судимі за антирадянську діяльність, — Панаса Заливаху, Романа Семенюка та інших. За змістом документ ідейно-шкідливий.

43. Аркуш білого нелінованого паперу стандартного формату перегорнутий вдвоє з рукописним текстом, виконаним простим олівцем, що починається зі слів: «Календар. 13.1. вручив звинувачення…» і закінчується словами: «…то зветься санітарна рубка».

Документ являє собою витяги із архівної кримінальної справи Стуса з поміткою днів, коли проводилась та чи інша слідча дія. Викладені також уривки з «Відкритого листа» З. Франко від 2.3.1972 року, надрукованого в газеті «Радянська Україна».

44. Аркуш білого нелінованого паперу стандартного формату, перегорнутого вчетверо, з рукописним текстом, виконаним кульковою ручкою з фіолетовим барвником, що починається зі слів: «Василю! Київ, Свердлова, 10…» і закінчується словами: «…Вітання твоїм чубатим братам. З привітом Василь».

Документ являє собою листа, в якому автор просить, щоб адресат написав «Шевченкові Анатолію» свою автобіографічну довідку, і сповіщає, що йому «вдалося в «Жовтні» № 1 зламати цензурні перепони і вискочити зі статтею без псевдо».

45. Аркуш білого нелінованого паперу розміром 14,7 × 21 см, з рукописним текстом, виконаним синім барвником, що починається зі слів: «Дорогі Олено, Зеноне! Дякую за здоровлення…» і закінчується словами: «…суд. медексперт виявив тяжкі».

Текст являє собою листа, в якому автор вибачається за мовчання і повідомляє про судовий процес по справі Миколи Горбаля, тенденційно описує події, які пов'язані з цим процесом.

46. Аркуш білого нелінованого паперу стандартного формату з рукописним текстом, виконаним синім барвником, що починається зі слів: «До Верховного суду УРСР. Копія: до Генерального Прокурора Союзу СРСР...» і закінчується словами: «...цинічної розправи над М. Горбалем».

Документ являє собою заяву, в якій автор намагається довести, що 23 жовтня 1979 року нібито безпідставно було заарештовано його товарища «члена укр. провоз. руху Миколу Горбаля» і начебто «цинічно звинувачено в опорі міліції й зґвалтуванні», разом з цим «вимагає» звільнити Горбаля «як абсолютно невинного». В цілому за змістом документ ідейно-шкідливий.

47. Аркуш білого нелінованого паперу розміром 13,5 × 19 см, перегорнутий вчетверо з рукописними записами, що починаються зі слів: «Забрали зі справи багато...» і закінчуються словами: «...побачив ґвалт і втрутився».

Записи являють собою замітки по кримінальній справі відносно М. Горбаля, в яких твердиться, що справа нібито «сфабрикована». За своїм змістом текст ідейно-шкідливий.

48. Аркуш білого нелінованого паперу стандартного формату з рукописним текстом, виконаним синім барвником, що починається зі слів: «Привіт, Євгене! Дістав твого листа...» і закінчується словами: «...Будь. І не задирайся до мене. Василь».

Документ являє собою чернетку листа, в якому автор (В. Стус) в чорних фарбах описує про своє життя в Києві, де в нього нібито «ганебна праця, злиденна платня» і жаліється, що листуватися йому «не так легко». В листі згадується цілий ряд осіб, засуджених за антирадянську діяльність, зокрема Іван Світличний, Зиновій Антонюк, Василь Лісовий та інші. В цілому за змістом текст листа ідейно-шкідливий.

49. Аркуш білого нелінованого паперу стандартного формату з рукописним текстом, виконаним російською мовою, що починається зі слів: «Дорогая Нина Петровна, пожалуйста, не серчайте...» і закінчується словами: «...И от этого настроение еще похуже».

Документ являє собою частину листа, в якому автор (В. Стус) змальовує своє життя в Києві, який у всіх відношеннях начебто «удручающе действует» на нього, повідомляє, що з 7 грудня 1979 року йому встановили «жесткий админнадзор» та про одержання запрошень на роботу в США. За змістом документ листа ідейно-шкідливий.

50. Аркуш білого нелінованого паперу стандартного формату з рукописним текстом, виконаним синім барвником, що починається зі слів: «Дорогий Славку, дякую за телеграму…» і закінчується словами: «…бо підставі були геть мізерні (сугестивні)».

    Текст являє собою частину листа, в якому автор (В. Стус) пише, що він «приголомшений Києвом», і сповіщає: «Ти, Стефа і я — оголошені члени неіснуючої цілком паралізованої групи. Контакти з Москвою, хіба телефонні». В цілому за змістом лист ідейно-шкідливий.

51. Аркуш білого нелінованого паперу розміром 13,5 × 18 см з рукописним текстом, виконаним синім барвником, що починається зі слів: «Дорогий Євгене, не май серця, що не пишу…» і закінчується словами: «…А на суд (17—21) не пустили нікого».

    Документ являє собою незакінчений лист до Євгена, в якому автор (В. Стус) описує своє враження про Київ, називає його «оригінальним місцем заслання», сповіщає про судовий процес по справі Миколи Горбаля, який, за його словами, став «жертвою сваволля». За змістом документ ідейно-шкідливий.

52. Аркуш білого нелінованого паперу стандартного формату з рукописним текстом, виконаним фіолетовим барвником, що починається зі слів: «Дозвольте, Іване Федоровичу, у ці великорадісні дні…» і закінчується словами: «…Березень 1976 р. Світлана Кириченко… заспокійливі в сто крат Катерина Шевченко».

    Документ являє собою лист-звернення до Івана Федоровича (Драча) з нагоди присвоєння йому лауреата Шевченковської премії. Автор (С. Кириченко) дорікає ювіляра за те, що він несе «вірну поетичну службу», коли один із його колишніх побратимів «нині надійно захищений майже сибірськими снігами». В цілому за змістом документ ідейно-шкідливий.

53. Рукописний лист, виконаний синім барвником на двох аркушах білого нелінованого паперу стандартного формату, що починається зі слів: «10.2.80 р. Дорогий Василю! Дістав твого чергового листа…» і закінчується словами: «…Бо все — непевне. Щиро. Василь».

    Автор листа (В. Стус) описує своє життя в Києві, де, за його словами, він «ще далі от України, ніж на Колимі», бо «Києва нема. Є пам'ять про в'язнів і засланців». В цілому лист ідейно-шкідливого змісту.

54. Чотири аркуші (подвійні) з учнівського зошита в лінійку, на яких міститься рукописний лист, що починається зі слів: «Дорога Михасю! Дорогі Світлано, Юрку!...» і закінчується словами: «...хоч то бувало не часто, на жаль». Текст виконано різними почерками. На перших двох аркушах — одним почерком, барвником фіолетового кольору, на 3—4 аркушах — іншим почерком, барвником синього кольору.

З тексту зазначеного листа вбачається, що його автором являється Стус Василь Семенович, який, перебуваючи на засланні в Магаданській області, з 20 серпня по 18 жовтня 1977 року знаходився на лікуванні в Транспортинській лікарні Тенькінського району. З листа також видно, що його було виготовлено після 18 жовтня 1977 року, під час перебування автора на «лікарняному бюлетені».

В листі автор з ворожих нашому суспільству позицій зводить наклепницькі вигадки, що порочать радянський державний і суспільний лад. Зокрема, твердить, що в українського народу начебто «катастрофічне духовне існування», влада нібито «душить» та проводить «репресії українців», а тих, «що виносять на собі найбільший тягар у всіх зачинаннях протестаційних», висилає «за крайокрай».

Поряд з цим в листі зводяться наклепницькі вигадки на національну політику КПРС та братню дружбу українського й російського народів. Так, автор пише: «Шовіністична лють проливається на нас — у першу чергу» і «взагалі в Росії антиукр. дух дуже високий».

Згадуючи свою колишню судимість, автор — Стус зазначає, що він залишився на тих же націоналістичних позиціях і тепер не буде сидіти, «склавши руки», зокрема вказує: «Проте скажу — аби ви знали: в разі арешту я відмовлятимусь вести будь-яку досудову розмову, хай і запихують в божевільню. В разі суду я вимагатиму відкритого судового процесу, представників міжнародних організацій, членів Наглядового комітету, Конгресу світових українців. А не доможуся — оголошу голодівку на весь час суду, не відповідаючи на питання. Моє слово — буде лише останнім. І в ньому я не дам завузити предмету судового обговорення, а називатиму проблему, яку страшно ховають і в суді: стан мого народу, репресії українців, суть т. зв. інтернаціоналізму по-російському і т. д.».

55. Два примірники машинописного тексту, кожен на одному аркуші стандартного формату, що починається зі слів: «Свідомість того...» і закінчується словами: «...Засуджений на довічне життя Василь

Стус». По тексту маються виправлення і дописки, виконані фіолетовим барвником. В тексті йдеться про те, що його автора нібито переслідують, не дають йому можливості працювати за фахом. В цілому текст ідейно-шкідливого змісту.

56. Шість аркушів білого паперу стандартного формату з машинописним текстом (не перший примірник), що починається зі слів: «Нещодавно в "Літературній Україні..." і закінчується словами: «...право на життя, на радість праці». Останній аркуш машинопису виконано в двох варіантах. Текст являє собою відповідь на статтю О. Полторацького «Ким опікуються деякі "гуманісти", надруковану в газеті «Літературна Україна».

    В цьому документі автор виступає на захист засудженого за проведення антирадянської агітації та пропаганди С. Караванського, намагається виправдати ворожу діяльність В. Чорновола, М. Осадчого та інших осіб. Поряд з цим зводить наклепницькі вигадки, що порочать радянський і суспільний лад; паплюжить радянську дійсність, стверджує, зокрема, що на Україні нібито переслідуються інтелігенція та науковці, начебто відсутні демократія і свобода, а далі пише: «Чорна сотня культовиків відновила свої погроми ще з середини 1965 р. Упродовж наступного часу були засуджені з політичних мотивів десятки людей — художників, науковців, інженерів, педагогів, студентів...» При цьому автор намагається переконати читача в тому, що в нашій країні нібито знущаються з «соціалістичної законності, правосуддя, демократичних свобод».

57. Три аркуші білого паперу стандартного формату з рукописними чорновими записами, аналогічними за змістом зазначеного вище наклепницького машинописного документа відносно статті О. Полторацького. Записи починаються зі слів: «В зарубіжній психології...» і закінчуються словами: «...на одне слово що лист».

58. Чотири аркуші білого паперу стандартного формату з машинописними текстами віршів без заголовків, що починаються зі слів: «Тагіл. Зима...», «Опівночі, о дванадцятій годині...», «Чого ти ждеш...», «Йде середня людина...», «Я йшов за труною...», «О краю мій...» і «У щастя, кажуть...». Перелічені вірші за своїм змістом ідейно-шкідливі. В них автор тенденційно описує життя радянських людей, в оточуючому його світі бачить лише чорні фарби.

59. Сімнадцять аркушів паперу, з яких сім стандартних і десять з учнівського зошита, з рукописними текстами віршів, виконаних різно-

кольоровими барвниками та простим олівцем. Вірші без заголовків, починаються зі слів: «Сьогодні — ти...», «Лиш прориваючись крізь грати заборон...», «Потоки», «Немає правди на Землі...», «Перед твоїми очима...», «Идут не образумясь...», «Рубікон як мета...», «Сумнів», «О, як тебе збавляє гріх!...», «Отак і жив...», «І що ти скажеш?...», «Загнав коня свого...», «Дякую Господу — чверть перейшла...», «І знов повзуть вози московські...», «І вже коли набридло ждати...», «Все душите, душителі кохані?...», «Але п'яний сміх Котляревського...».

Більшість віршів за своїм змістом ідейно-шкідливі. В них автор викривлено зображує минуле та сьогодення України, тенденційно описує своє перебування в місцях позбавлення волі. Зокрема, у вірші «Немає правди на Землі...» він пише:

Немає правди на Землі.
Ані у нас, ні на чужині.
І ходить лихо не по лісі —
по Україні...

60. Аркуш білого нелінованого паперу стандартного формату, перегорнутий вдвоє, з рукописним текстом, виконаним зеленим барвником російською та іноземною мовами. Текст являє собою чернетку листа до закордонного кореспондента, якого автор називає «моя любима сестра», і починається зі слів: «М-а Прок-ра СССР 23 окт. у Киев...» та закінчується словами: «...tausend Verzeiheng».

   В зазначеному листі автор в чорних фарбах змальовує своє життя після повернення до Києва, згадує про Миколу Горбаля, який нібито «цинично обвинен в изнасиловании». В цілому за своїм змістом документ ідейно-шкідливий.

61. Подвійний аркуш білого нелінованого паперу розміром 30 × 42 см з рукописним текстом, винонаним барвником фіолетового кольору, що починається зі слів: «Існує тільки дві форми контактування народу з урядом...» і закінчується словами: «...субстанційну народність не зникає».

   В зазначеному документі автор з антирадянських позицій зводить злісні наклепницькі вигадки на радянський державний і суспільний лад, паплюжить демократичні основи нашої країни, намагається посіяти недовір'я в народі до Радянської влади та Уряду.

Так, в документі твердиться, що нібито «Існує тільки дві форми контактування народу з урядом: відверта боротьба (в усіх можливих її проявах) і відкрита полеміка». Кожна людина, за словами автора, «неминуче стоїть перед цією дилемою, бо третього не дано». Автор документа намагається довести, що «сила урядової влади» начебто «прямо пропорційна обезвладнюванню кожної людини», а право є «цензуровані державою біологічні людські здатності й спроможності» та «різноманітні форми її життевиявлення».

Поряд з цим наклепницьки стверджується, що в нашій країні нібито «той, хто не згоден з урядом, є ворогом … свого народу», а Радянська влада начебто «стала фетішем, молохом, поганським богом, будь-яка данина для якого не є завеликою».

62. Аркуш білого паперу стандартного формату з рукописним текстом, виконаним фіолетовим барвником, що починається зі слів: «Існує тільки дві форми…» і закінчується словами: «…земної місії Людини». Текст являє собою частину ворожого документа, описаного в попередньому пункті цього протоколу.
63. Аркуш білого нелінованого паперу стандартного формату з рукописним текстом, виконаним барвником синього кольору, що починається зі слів: «До Прокуратури УРСР. 23 жовтня ц. р. за таємничих…» і закінчується словами: «…Василь Стус, учасник Українського правозахисного руху. Київ-179, вул. Чорнобильська, 13-а, кв. 94, 18.11.79 р.».

Документ являє собою заяву Василя Стуса до Прокуратури УРСР від 18 листопада 1979 року, в якій він виступає на захист Миколи Горбаля, притягнутого до кримінальної відповідальності за замах на зґвалтування і разом з цим з ворожих нашому суспільству позицій зводить наклепницькі вигадки, що порочать радянський державний і суспільний лад. Зокрема, наклепницьки твердить, що радянські «репресивні органи» нібито «вдаються до брутальних способів розправи і дискредитації людей», а влада начебто «може заарештувати будь-яку людину, за будь-яким звинуваченням, якщо тільки громадська позиція людини чимось недогідна владі». Автор заяви намагається довести, що в нашій країні нібито існує «сваволя» і «беззаконня», зневажаються права людини, проводиться «практика репресій» і «масової деморалізації людей», а «будь-який захист людської недоторканності з боку закону уже відсутній».

64. Аркуш білого нелінованого паперу стандартного формату з рукописним текстом, виконаним російською мовою барвником синього кольору. Текст починається зі слів: «Уважаемый Андрей Дмитриевич [Сахаров], я тяжело переживаю...» та закінчується словами: «...Василь Стус, участник Украинского правозащитного движения. Киев-179, ул. Чернобыльская, 13-а, кв. 94. 18.11.79 г.» і являє собою лист Стуса до Андрея Дмитриевича.

В листі автор сповіщає, що «на Украине, кроме М. Горбаля, арестованы Василь Стрильцив и Петр Розумный» і наводить повний текст у перекладі на російську мову своєї заяви від 18 листопада 1979 року до Прокуратури УРСР, в якій зводяться наклепницькі вигадки, що порочать радянський державний та суспільний лад. Названа заява детально описана в попередньому пункті цього протоколу.

65. Три аркуші жовтого нелінованого паперу з загального зошита розміром 21,5 × 29,4 см з рукописним текстом, виконаним барвником синього кольору російською та українською мовами, що починається на першому аркуші зі слів: «Памятка украинского борца за волю...» та закінчується словами: «...кожного села, містечка, району». На другому аркуші текст являє собою перероблений варіант початку тексту, виконаного на першому аркуші, і починається зі слів: «Пам'ятка для укр. борця за справедливість...» та закінчується словами: «...заздалегідь продубльовано створені багатоешеловані». На третьому аркуші написано тільки один пункт до документа «Пам'ятка украинского борца за волю», зокрема: «на випадок арешту подбай про своїх рідних, які залиш-ся у матер. скруті, подбай про те, щоб тебе міг заступити твій товариш, який продовжить твою роботу». На зворотньому боці цього аркуша простим олівцем виписані окремі дні з календаря за «квітень-травень», які співпадають з числами квітня-травня 1980 року.

Зазначений документ «Памятка украинского борца за волю» за своїм змістом є відверто ворожим. В ньому автор з антирадянських позицій зводить злісні наклепницькі вигадки, що порочать радянський державний і суспільний лад, викладає конкретну програму боротьби з існуючим в нашій країні ладом, обстоює необхідність створення так званої «незалежної України», дає рекомендації по проведенню антирадянської діяльності та радить, як повинен діяти і поводити при цьому себе «український борець за справедливість».

Зокрема, в документі наклепницьки твердиться, що Україну нібито тримають «в колон. ярмі шляхом страшного терору, геноциду, нищення найкр. синів України», і при цьому автор закликає до боротьби з Радянською владою шляхом створення «широкої мережі правозахисних об'єднань» на платформі забезпечення незалежної України; «організації випуску періодичних журналів типу "Укр. вісника" і т. д.».

«Така програма» боротьби, за словами автора, «розрахована на довгі роки», але передусім «необхідно добре зміцніти, створити численні місцеві правові осередки, інформац.-пропаганд. групи на місцях, аби перейти до випуску Укр. політ. хроніки».

Виправдовуючи антирадянську, антинародну діяльність бандитів ОУН-УПА, автор цього документа називає її «національно-визвольним рухом» і пропонує: «На зах.-укр. землях у кожному селі треба складати картотеки тих, що загинули в роки нац.-визв. повс., — учасників ОУН і УПА, потрібна політ. історія кожного села, містечка, району».

Разом з цим в документі даються конкретні поради щодо конспірації при проведенні ворожої діяльності і на випадок арешту. Так, автор наказує: «Коли ти став на шлях опору, знай, що карні сили тебе вже помітили. Тому будь обачний у словах, учинках, стосунках і з людьми. Отож, кажи іншим тільки те, що потрібне, продумуй кожен свій крок, перевір друзів, особливо тих, з ким ти маєш найбл. справи. Завжди будь готовий до арешту. Тому всі папери, книжки і т. д. постійно ховай… Усе непотрібне тобі на ближчий період тримай у більш надійному сховку, про який мусить знати мінімум 1—2 твоїх друзів». Відносно поводження на попередньому слідстві автор документа перш за все радить: «Під час слідства думай про справу, а не про себе. Коли ти не нашкодиш їй, тобі буде легше перенести тягар ізоляції. На всі питання слідства можна відповідати так: а) всі необх. пояснення в справі я волію дати лише у відкр. політ. процесі з участю представників укр. і міжнар. правоз. орг-цій. До цього часу відповідати не волію; б) відповідати не бажаю».

В цілому за своїм змістом документ під назвою «Памятка украинского борца за волю» антирадянський, програмного характеру, спрямований на боротьбу з існуючим в нашій країні державним і суспільним ладом.

Огляд проводився в кабінеті слідчого 26, 28—29 травня 1980 року кожний день з 9 год. 30 хв. до 18 год. 00 хв. с перервою на обід з 13 до 14 години.

Заяв та зауважень від понятих з приводу огляду не надійшло. Протокол нами прочитаний, записано правильно, поправок та доповнень до протоколу немає.

Поняті (підпис) Покотило
(підпис) Черв'якова

Старший слідчий Слідвідділу
КДБ УРСР — майор (підпис) Селюк

ПРОТОКОЛ
додаткового огляду документів

місто Київ 19 травня 1980 року

Старший слідчий Слідчого відділу КДБ Української РСР майор Селюк у присутності понятих: Покотило Марії Іванівни, що мешкає в місті Києві, вул. Вишгородська, буд. 90-а, кв. 185, та Черв'якової Міри Дмитрівни, що проживає за адресою: місто Київ, вул. Курнатовського, буд. 22, кв. 55, керуючись ст.ст. 85, 190, 191 та 195 кримінально-процесуального кодексу УРСР, в зв'язку з розслідуванням кримінальної справи відносно Стуса Василя Семеновича провів додатковий огляд документів, виділених із кримінальної справи Лук'яненка Левка Григоровича, які 13 травня 1980 року надійшли в розпорядження слідства із оперативного підрозділу КДБ УРСР.

У відповідності зі ст. 127 КПК УРСР понятим роз'яснено їх право бути присутніми при всіх діях слідчого під час огляду, робити зауваження з приводу тих чи інших його дій, а також їх обов'язок засвідчити своїми підписами відповідність записів у протоколі виконаним діям.

(підпис) Покотило (підпис) Черв'якова

ОГЛЯДОМ ВСТАНОВЛЕНО:
Під час обшуку 10 лютого 1978 року в кімнаті Стуса Василя Семеновича, в гуртожитку селища Матросова Магаданської області, були вилучені документі, які оглянуті 13—18 березня 1978 року.

Вказані в пунктах 7 і 13 зазначеного протоколу огляду документи, як вбачається зі змісту, є єдиним документом — листом Стуса до «Петра Григоровича» [Григоренка].

Документ, описаний в п. 7 названого протоколу огляду, що починається словами «преступников против человечности...», є продовженням документа, описаного в п. 13, який починається зі слів: «Уважаемый Петр Григорьевич! Ваше имя...» та закінчується словами: «...социализма, врагов гуманизма и...»

В зазначеному документі містяться наклепницькі вигадки, що порочать радянський державний і суспільний лад. В ньому твердиться, що в 70-х роках на Україні проводились нібито безпідставні «репрессии творческой интеллигенции», під час яких автора документа було арештовано начебто «по сфабрикованному делу», і засуджено виключно за «литературную деятельность» та «обычную литературную работу». Поряд з цим автор документа намагається довести, що він був нібито «репрессированный во внесудебном порядке».

В документі також паплюжаться органи радянського правосуддя, які автор наклепницьки називає ворогами народу, ворогами соціалізму і «преступниками против человечности».

Огляд проводився в приміщенні Слідвідділу КДБ УРСР з 9 год. 00 хв. до 9 год. 30 хв.

Заяв та зауважень від понятих з приводу огляду не надійшло. Протокол нами прочитано, записано правильно, поправок та доповнень до протоколу немає.

(підпис) Покотило — (підпис) Черв'якова

Старший слідчий Слідвідділу КДБ УРСР — майор Селюк

ПРОТОКОЛ

додаткового огляду і співставлення текстів

місто Київ — 10 липня 1980 року

Старший слідчий Слідчого відділу КДБ Української РСР майор Селюк, в присутності понятих: Покотило Марії Іванівни, що мешкає в місті

Києві, вул. Вишгородська, буд. 90-а, кв. 185, та Черв'якової Міри Дмитрівни, що проживає за адресою: місто Київ, вул. Курнатовського, буд. 22, кв. 55, керуючись ст.ст. 85, 190, 191 та 195 Кримінально-процесуального кодексу УРСР, провів додатковий огляд і співставлення текстів віршів: «Колеса глухо стукотять...», «Ось вам сонце, сказав чоловік з кокардою на кашкеті...», «Безпашпортний і закріпачений...», «Село, колгоспна вітчина...» та документів: «Нещодавно в «Літературній Україні...» і «Існує тільки дві форми контактування народу з урядом...», які були вилучені в квартирі Стуса Василя Семеновича під час обшуку 14—15 травня 1980 року з віршами та документами під такими ж назвами, що знаходяться в його архівно-кримінальної справі № 67320.

У відповідності зі ст. 127 КПК УРСР понятим роз'яснено їх право бути присутніми при всіх діях слідчого під час огляду, робити зауваження з приводу тих чи інших його дій, а також їх обов'язок засвідчити своїми підписами відповідність записів у протоколі виконаним діям.

(підпис) Покотило (підпис) Черв'якова

Оглядом та співставленням текстів зазначених віршів та документів ВСТАНОВЛЕНО:

1. Тексти віршів «Колеса глухо стукотять, мов хвиля об паром...» та «Ось вам сонце, сказав чоловік з кокардою на кашкеті...», які були вилучені в Стуса В. С. під час обшуку 14—15 травня 1980 року, повністю співпадають з текстами віршів «Колеса глухо стукотять, мов хвиля об паром...» та «Ось вам сонце, сказав чоловік з кокардою на кашкеті...», що поміщені на 9, 10 і 14 сторінках саморобної поетичної збірки під назвою «Веселий цвинтар», яка знаходиться в архівній кримінальній справі № 67320 відносно Стуса за 1972 р.
2. Рукописний текст вірша «Безпашпортний, закріпачений...», що знаходиться в архівній кримінальній справі № 67320, починаючи з четвертого рядка, співпадає з текстом вірша «Село, колгоспна вітчина...», що був вилучений в Стуса під час обшуку 14—15 травня цього року, за винятком рядків:

   Несе у місто. Бо в містах,
   Паспортизований і вільний
   Є мозоляста грішми ставка
   Є позолота, як від цвілі...

І комунізму виглядай
З важкої заводської брами
І, вдячний, парость доглядай…,

яких немає у вірші «Село, колгоспна вітчина…».

В той же час вірш «Село, колгоспна вітчина…» за обсягом більший, ніж вірш «Безпашпортний, закріпачений…». Останій складає тільки частину вірша «Село, колгоспна вітчина…». Разом з тим це є єдиний вірш в двох варіантах.

3. Машинописний документ на шести аркушах, що починається зі слів: «Нещодавно в «Літературній Україні…», який було вилучено в Стуса В. С. під час обшуку 14—15 травня 1980 року, за змістом співпадає з машинописним текстом листа Стуса на 8 аркушах, адресованого «До Президії Спілки письменників України копія: Секретареві ЦК КПУ…», що знаходиться в його архівній кримінальній справі № 67320, за винятком того, що в документі «Нещодавно в "Літературній Україні…" відсутні остані три аркуші тексту, які є в листі, адресованому «До Президії Спілки письменників…». Тексти зазначених документів збігаються майже дослівно і викладені в однаковій послідовності.

Разом з цим в текстах є розбіжності:

- документ «Нещодавно в "Літературній Україні"…» не має заголовку, а в листі — перед текстом вказані установи, яким він призначався;
- друге речення зазначеного документа закінчується словами: «…істотних заперечень», а лист: «…істотних заперечень і спонукає до глибших роздумів».
- в другому абзаці на першому аркуші документа, що на шести аркушах, пропущені слова: «фізика І. Заславську, спеціаліста з кібернетики Бондарчука; виключено зі Спілки художників А. Горську, Л. Семикіну, Г. Севрук та ін.», які є в листі.

Інших розбіжностей в текстах, які б вплинули на зміст документів, не виявлено.

4. Документ «Існує тільки дві форми контактування народу з урядом…», який знаходиться в архівній кримінальній справі № 67320, є частиною рукописного документа, що починається такими ж словами, який був вилучений в квартирі Стуса під час обшуку 14—15 травня 1980 року.

Перші абзаци цих документів повністю співпадають. Другий абзац документа, що знаходиться в архівно-кримінальній справі, складає частину третього абзаца документа, вилученого 14—15 травня цього року в Стуса. Цей документ за своїм обсягом набагато більший.

Співставлений та огляд документів проводився в приміщенні Слідчого відділу КДБ УРСР з 9 год. 30 хв. до 11 год. 00 хв.

Протокол нами прочитаний, записано правильно. Зауважень та поправок до протоколу немає.

(підпис) Покотило (підпис) Черв'якова

Старший слідчий Слідвідділу КДБ УРСР майор Селюк

ПРОТОКОЛ ОГЛЯДУ

місто Київ 18 липня 1980 року

Старший слідчий Слідчого відділу КДБ Української РСР майор Селюк в присутності понятих: Покотило Марії Іванівни, що мешкає в місті Києві, вул. Вишгородська, буд. 90-а, кв. 185, та Черв'якової Міри Дмитрівни, що проживає за адресою: місто Київ, вул. Курнатовського, буд. 22, кв. 55, у відповідності зі ст.ст. 85, 190, 191 та 195 Кримінально-процесуального кодексу УРСР, в зв'язку з розслідуванням кримінальної справи відносно Стуса Василя Семеновича, провів огляд документів, що надійшли 13 травня 1980 року з оперативного підрозділу КДБ УРСР та заяву Стуса В. С. від 19 листопада 1979 року, що надійшла в розпорядження слідства з Прокуратури УРСР 16 липня 1980 року.

У відповідності зі ст. 127 КПК УРСР понятим роз'яснено їх право бути присутніми при всіх діях слідчого під час огляду, робити зауваження з приводу тих чи інших його дій, а також їх обов'язок засвідчити своїми підписами відповідність записів у протоколі виконаним діям.

(підпис) Покотило (підпис) Черв'якова

ОГЛЯДОМ ВСТАНОВЛЕНО

1. Поштовий конверт, на якому синім барвником написана адреса одержувача: «г. Москва Прокуратура Союза ССР» та адреса відправника: «431170, Мордов. АССР ст. Потьма, п/о Лесной ЖХ 385/19 Стус В. С». В правому верхньому куті міститься відбиток поштового штемпеля: «Лесной Мордов. АССР 11.12.76».

   В конверті знаходяться:

- Аркуш білого паперу з учнівського зошита в лінійку з рукописним текстом, виконаним барвником синього кольору російською мовою: «В Прокуратуру Союза ССР п/з Стуса В. С. Настоящим прошу вас довести текст прилагаемого заявления до адресата. В. Стус. I0.XII.76 г.». Під текстом є відтиск штампа: «Москва. Прокуратура СССР. 16.12.1976».
- Аркуш білого паперу стандартного формату, на якому міститься рукописний текст, виконаний російською мовою, що починається зі слів: «В Президиум Верховного Совета СССР безвинно репрессированного Стуса В. С. ...» і закінчується словами: «...напомнить вам об этом. Василь Стус 10.XII.76 г.».

Текст являв собою заяву Стуса до Президії Верховної Ради СРСР, в якій він, захищаючи осіб, засуджених за антирадянську діяльність, та оправдовуючи свою ворожу діяльність, зводить наклепницькі вигадки, що порочать радянський державний і суспільний лад.

В цій заяві Стус намагається довести, що його разом з іншими особами було репресовано нібито за «недозволенное в условиях здешнего режима чувство собственного достоинства и деятельное стремление следовать этому чувству». Наклепницьки твердить, що в нашій країні начебто відсутня демократія, що в свою чергу призводить до «беззакония» по відношенню до так званих «участников украинского национального демократического движения».

Разом з цим зводить наклеп на демократичні основи нашого суспільства, заявляючи, що нібито «пространство человеческих прав, очерченное текстом Декларации, в СССР очень урезано».

З ворожих радянському суспільству позицій заявляє: «Пять лет, проведенные мной в лагере, только утвердили меня в справедливости избранного пути: необходимость демократизации общественной жизни в СССР, обеспечения свободного развития для каждого народа и каждого человека становится все очевиднее. Это значит, что число отважных, добровольно взявших на себя нелегкую ответственность за дальнейшее развитие своего народа, будет расти все быстрее», і далі твердить: «Но час справедливости близок. Он уже стучится во все двери. Своей сегодняшней политической голодовкой я хочу еще раз напомнить вам об этом».

2. 49 аркушів з рукописним віршованим текстом, виконаним різнокольоровими барвниками, що починається зі слів: «Цей став повиселений…» і закінчується словами: «…не воскресне всемолода біда». Перші 12 аркушів мають розмір 10 × 21 см, чотири з яких з учнівського зошита в клітинку, а вісім із нелінованого паперу. Решта 87 аркушів в клітинку і однакові за розміром — 10 × 17 см.

   Тексти, що містяться на зазначених аркушах, являють собою окремі вірші під назвами: «Вертеп», «Про згадку для С. Ш.», «За Р. Крейтом», «Автопортрет зі свічкою», «Компанелла», «Слово», а інші — без заголовків.

   Більшість віршів позбавлені часової перспективи і суспільної конкретності, здебільшого розпливчасті, абстракційні та занепадницького характеру.

3. Аркуш білого нелінованого паперу розміром 14 × 27,5 см з машинописним віршованим текстом, що починається зі слів «Громадяни, дотримуйтесь тиші…» і закінчується словами: «…що світ ще не збожеволів. 18.8.70 р».

   Текст вірша абстрактний, позбавлений конкретності.

4. Аркуш білого нелінованого паперу стандартного формату з рукописним текстом, виконаним барвником зеленого кольору, що починається зі слів: «До Прокуратури УРСР. 23 жовтня ц. р. …» і закінчується словами: «…Василь Стус, учасник Українського правозахисного руху. 19.XI.79 р. Київ-179, Чорнобильська, 13-а, кв. 94».

Текст являє собою заяву Стуса до Прокуратури Української РСР, в якій він, виступаючи на захист Миколи Горбаля, притягнутого до кримінальної відповідальності за замах на зґвалтування, зводить наклепницькі вигадки, що порочать радянський державний і суспільний лад. Зокрема, наклепницьки твердить, що радянські «репресивні органи» нібито «вдаються до брутальних способів розправи над інакодумцями», а влада начебто «може заарештувати будь-яку людину за будь-яким звинуваченням, якщо тільки громадська позиція людини чимось недогідна владі». Поряд з цим намагається довести, що в нашій країні нібито існує «свавілля», яке тягне за собою масову «деморалізацію суспільства».

Текст цього документа аналогічний за змістом тексту заяви Стуса, датованої 18 листопада 1979 року, яка була вилучена в його квартирі під час обшуку 14—15 травня цього року і детально описана в протоколі огляду від 26, 28—29 травня 1980 року.

Огляд проводився в кабінеті слідчого з 9 години 15 хвилин до 13 години 00 хвилин.

Заяв та зауважень від понятих в приводу огляду не надійшло. Протокол нами прочитаний, записано правильно, поправок та доповнень до протоколу немає.

(підпис) Покотило (підпис) Черв'якова

Старший слідчий Слідвідділу КДБ УРСР майор Селюк

ПРОТОКОЛ ОГЛЯДУ

місто Київ 28 липня 1980 року

Старший слідчий Слідчого відділу КДБ Української РСР майор Селюк в присутності понятих: Покотило Марії Іванівни, що мешкає в місті Києві, вул. Вишгородська, буд. 90-а, кв. 185, та Черв'якової Міри Дмитрівни, що проживає за адресою: місто Київ, вул. Курнатовського, буд. 22, кв. 55, у відповідності зі ст.ст. 85, 190, 191 та 195 Кримінально-процесуального кодексу УРСР, провів огляд поштової кореспонденції, що надійшла в адресу Стуса Василя Семеновича і була вилучена під час виїмок 22 травня, 9 червня і 21 липня 1980 року.

У відповідності зі ст. 127 КПК УРСР понятим роз'яснено їх право бути присутніми при всіх діях слідчого під час огляду, робити зауваження з приводу тих чи інших його дій, а також їх обов'язок засвідчити своїми підписами відповідність записів у протоколі виконаним діям.

(підпис) Покотило (підпис) Черв'якова

ОГЛЯДОМ ВСТАНОВЛЕНО

1. Художній поштовий авіаконверт з адресою отримувача: «Киев-179, Чернобыльская, 13-а, кв. 94. Стусу Василю Семеновичу» та адресою відправника: «Бурятская АССР, Заиграевский р-н, поселок Новая Брянь, Лисовый В. С.»

В конверті знаходиться рукописний лист, виконаний українською мовою на 4 аркушах з учнівського зошита в клітинку, текст якого починається зі слів: «Дорогий друже! 24.IV.80. Оце вичунюю від чергового…» і закінчується словами: «…Вітання Валі, сину, рідним, друзям. Лісовий».

Автор листа (В. С. Лісовий) коротко описує про себе, сповіщає, що багатьох його «рукописів віршів, нотаток філософського та літературно-критичного характеру» не повернули досі, і викладає тексти двох своїх віршів: «Роздуми в передсвітання» та «Крізь біль», які були написані ним під час етапу на заслання.

Вірші на табірну тематику, занепадницького характеру.

Поштовий авіаконверт № 246 з адресою отримувача: «USSR Ukrajinska SSR 252179 g. Kiew 179 ul. Tschornobil 13-а, кв. 94 Stus Wassyl та адресою відправника: «Christa Bremer Fulton str. 12 2800 Bremen 33 тел. 0421/270465», в якому знаходиться рукописний лист, виконаний іноземною мовою на двох аркушах тонкого паперу стандартного формату. Текст листа починається зі слів: № 4 22.4.1980 Mein lieben Wassyl…» і закінчується словами: «…In Liebe und Sreud».

В листі автор сповіщає Стуса, що його листа від 25.1.1980 року вона отримала, і запитує, чи отримав він її «поздоровлення з Пасхою» та коштовну посилку, яку через неї послав адресату «Пенклуб».

Поштовий конверт № 478 з адресою відправника: «Dr. Anna-Halja Horbatsch Beerfurth Michelbacher str. 18 D-610/Reichelsheim» та адресою отримувача: «UdSSR Ukr. SSR Kiew-179 в. Чорнобильська 13-а, кв. 94 Стус Василь».

В конверті знаходиться рукописний лист, виконаний українською мовою на одному аркуші білого паперу стандартного формату, текст якого починається зі слів: «22.4.80. Дорогий пане Василю. Хоч трохи пізно…» і закінчується словами: «…що дістанете листа! Щиро Ваша Горбач Г.». В листі до Стуса Горбач описує про свою сім'ю та роботу, зокрема про те, що працює над історією літератури.

4. Художній поштовий авіаконверт з адресою отримувача: «Киев 179, ул. Чернобыльская, 13-а, кв. 94, Стус Василь» та адресою відправника: «671510 Бурят. Богдарин. Ждан. 63 Сверстюку Євг.».

В конверті знаходиться поштова листівка і аркуш білого паперу розміром 9 × 13 см з рукописним текстом листа, що починається зі слів: «15.V.80 Дорогий...» і закінчується словами: «...є живі номери».

В листі Сверстюк пише, що в Києві зараз він не хоче бути навіть у гостях, бо, за його словами, Магадан «легший» за Київ. Далі твердить: «...боюсь, що на нашому віку не буде тієї форми режиму, яка підтримуватиме той мир».

5. Поштова листівка з зображенням міста Франкфурта-на-Майні, на зворотньому боці якої іноземною та українською мовами написана адреса отримувача: «Стусові Василеві, Київ-179, вул. Чорнобильська, 13-а, кв. 94, Укр. РСР» і рукописний текст, що починається зі слів: «Дорогий пане Василю. Варшава, 16.V.1980...» та закінчуються словами: «Ще раз щирі вітання». Під текстом нерозбірливий підпис.

В тексті сповіщається, що його автор на кілька днів приїхав до Варшави «поробити записи лексики», а «Галя перекладає» на німецьку «історію літератури Возняка III том, щоб хоть якось трішки популяризувати нашу культуру в світі».

6. Поштовий авіаконверт № 941 з адресою отримувача: «USSR 252179 Ukrajinska SSR g. Kiew-179 ul. Tschornobil, 13-а, кв. 94 Stus Wassyl» та адресою відправника «Christa Bremer Fulton str. 12 2800 Bremen 33 т. 0421/270465».

В конверті знаходиться дві поштові відкритки і рукописний лист, виконаний на двох аркушах тонкого паперу стандартного формату, що починається зі слів: «№ 3 30.3.1980 Mein lieben Pobratym» і закінчується словами: «...Peiner Posestra Kpuctuhka».

Автор листа цікавиться здоров'ям і роботою Стуса, сповіщає, що 25.2 направила йому листа, а сьогодні висилає дві поштові відкритки.

7. Поштовий конверт № 330452 (376), на якому віддруковано адресу отримувача: «Mr. Vasyl S. Stus Kiev 179 252179 Chornobylska Street 13a, 94 U.S.S.R» та адресу відправника «JOSEPH H. PREVITY MEMBER BOARD OF EDUCATION PARKWAY AT TWENTY-FIRST STREET PHILADELPHIA, PA».

В конверті знаходиться аркуш білого паперу з машинописним текстом, що починається зі слів: «THE SCHOOL DISTRICT…» і закінчується словами: «Joseph H. Previty 299—7420 JHD/mls CC: dr. DiMarco».

В тексті доктор Доменіко ДіМарко висловлює надію зустрітись зі Стусом у Філадельфії.

Огляд проводився в приміщенні Слідвідділу КДБ УРСР від 9 год. 30 хв. до 12 год. 30 хв.

Заяв та зауважень від понятих з приводу огляду не надійшло. Протокол нами прочитано, записано правильно, поправок та доповнень до протоколу немає.

(підпис) Покотило (підпис) Черв'якова

Старший слідчий Слідвідділу КДБ УРСР майор А. В. Селюк

ПРОТОКОЛ ОГЛЯДУ ДОКУМЕНТІВ

місто Київ 5 серпня 1980 року

Старший слідчий Слідчого відділу КДБ Української РСР майор Селюк у присутності понятих: Покотило Марії Іванівни, що мешкає в місті Києві, вул. Вишгородська, буд. 90-а, кв. 185, та Черв'якової Міри Дмитрівни, що проживає за адресою: місто Київ, вул. Курнатовського, буд. 22, кв. 55, керуючись ст.ст. 85, 190, 191 та 195 Кримінально-процесуального кодексу УРСР, в зв'язку з розслідуванням кримінальної справи відносно Стуса Василя Семеновича провів огляд «Відкритого листа В. Стуса до І. Дзюби», надрукованого в зарубіжному журналі українських націоналістів «Визвольний шлях», «Заяву Василя Стуса в обороні Миколи Горбаля», яка поміщена в газеті «Українське слово», що видається у Франції, та текст передачі зарубіжної радіостанції «Радіо Свобода» від 27 лютого 1980 року, які надійшли в розпорядження слідства 29 липня 1980 року, відповідно, з Центральної Наукової бібліотеки АН Української РСР та Державного комітету Української РСР по телебаченню і радіомовленню.

У відповідності зі ст. 127 КПК УРСР понятим роз'яснено їх право бути присутніми при всіх діях слідчого під час огляду, робити зауваження з приводу тих чи інших його дій, а також їх обов'язок засвідчити своїми підписами відповідність записів у протоколі виконаним діям.

(підпис) Покотило (підпис) Черв'якова

ОГЛЯДОМ ВСТАНОВЛЕНО:

1. Антирадянський журнал-місячник організації українських націоналістів за рубежем «Визвольний шлях», книга 12/345/ за грудень 1976 року, виданий у Лондоні видавництвом «Українська видавнича спілка». В ньому, в рубриці «Документи з поневоленої України», на сторінках 1367—1369 вміщено «Відкритий лист В. Стуса до І. Дзюби». Текст так званого «листа» починається зі слів: «Уже давно я чув потребу...» і закінчується словами: «...і в очах мені стоять сльози. Василь Стус».

   В листі містяться наклепницькі вигадки, що порочать національну політику нашої держави, радянський державний і суспільний лад.

   Так, в ньому наклепницьки стверджується, що на Україні в 1972—1973 роках нібито відбувся «антиукраїнський погром», де «нас розпинали на хресті не за якусь радикальну громадську позицію, а за самі наші бажання мати почуття самоповаги, людської і національної гідності». Нападаючи на Дзюбу за те, що він відмовився від своїх антирадянських, націоналістичних поглядів, Стус вороже твердить, що начебто наша країна — це «гетто». Він пише про це так: «...тепер ти дійшов до того, що почав книти з того гетто, в яке тебе було вкинено від народження. Цього гетто не може не відчувати жодна чесна людина, що живе в цій країні...»

   Далі йдеться про те, що в Радянському Союзі кожен український літератор нібито «поневолений до пожиттевої самотности, як народ — до вікового безголосся», що український народ «існує ніби в якомусь вакуумі, наче переставши бути живою реальністю», а духовне існування українського народу «сьогодні поставлено під загрозу». (До протоколу додаються ксерокопії лицевої обкладинки та сторінка зі змістом вгаданого журналу, а також текст т. зв. «Відкритого листа В. Стуса до І. Дзюби», надрукований в ньому).
2. Щотижнева газета «Українське слово» № 2002—2003 від 6 квітня 1980 року, яку видала «Перша українська друкарня у Франції». На другій сторінці названої газети під рубрикою «Провокація КГБ»

поміщена стаття під заголовком «Заява Василя Стуса в обороні Миколи Горбаля», що починається зі слів: «Нью-Йорк (Пресова Служба ЗП УГВР) Василь Стус, який...» і закінчується словами: «Василь Стус учасник Українського правозахисного руху. Київ-179 Чорнобильська 13-а, кв. 94. 19 листопада 1979».

На початку статті повідомляється, що «Василь Стус, який останньо закінчив свій строк 5-річного ув'язнення і 3-річного заслання, 19 листопада 1979 року вислав листа до прокурора УРСР».

Нижче подається повний текст наклепницької заяви Стуса до Прокуратури УРСР, яка починається зі слів: «23 жовтня ц. р. (1979) за таємничих обставин...» і закінчується домашньою адресою Стуса: «Київ-179, Чорнобильська 13-а, кв. 94. 19 листопада 1979».

Текст вказаної заяви дослівно співпадає з рукописним текстом заяви Стуса В. С. «До Прокуратури УРСР» від 19 листопада 1979 року, яка надійшла в розпорядження слідства із Прокуратури Української РСР 16 липня 1980 року і детально описана в протоколі огляду від 18 липня 1980 року.

В зазначеному тексті заяви Стуса містяться наклепницькі вигадки на радянський державний і суспільний лад.

(До протоколу огляду додається ксерокопія зазначеної статті, т. зв. «Заяви Василя Стуса в обороні Миколи Горбаля».)

3. Текст передачі зарубіжної радіостанції «Радіо Свобода» від 27 лютого 1980 року, що починається зі слів: «Відомий український поет...» і закінчується словами: «...українська пресова служба УГВР в Нью-Йорку».

На початку передачі дається коротка біографічна довідка відносно Стуса В. С. і повідомляється, що після «повернення до Києва Василь Стус вислав 19 листопада минулого року листа до прокурора Української РСР», а нижче дослівно подається перша частина тексту його наклепницької заяви до Прокуратури УРСР від 19 листопада 1979 року, яка описана в попередньому пункті цього протоколу.

В кінці тексту вказується, що «Лист Василя Стуса є документом українського «самвидаву». Його поширила на Заході українська пресова служба УГВР у Нью-Йорку».

В цілому зміст передачі наклепницький.

Огляд проводився в приміщенні Слідвідділу КДБ УРСР від 9 год. 00 хв. до 12 год. 30 хв.

Заяв та зауважень від понятих з приводу огляду не надійшло. Протокол нами прочитано, записано правильно, поправок та доповнень до протоколу немає.

(підпис) Покотило (підпис) Черв'якова

Старший слідчий Слідвідділу КДБ УРСР майор Селюк

ПРОТОКОЛ ДОПИТУ ПІДОЗРЮВАНОГО

місто Київ 15 травня 1980 р.

Старший слідчий Слідчого відділу КДБ Української РСР майор Селюк та старший помічник прокурора УРСР старший радник юстиції Лісний в приміщенні Слідчого відділу КДБ УРСР каб. № 20, допитав як підозрюваного, з дотриманням вимог ст. ст. 107, 145 і 146 КПК УРСР.

Допит почато о 11 год. 05 хв., закінчено о 12 год. 45 хв.

1. Прізвище, ім'я та по батькові — Стус Василь Семенович.
2. Рік та місце народження — село Рахнівка Гайсинського району Вінницької області, 1938 року народження.
3. Національність і громадянство — українець, громадянин СРСР.
4. Партійність — безпартійний.
5. Освіта — вища.
6. Родинний стан — одружений.
7. Місце роботи — Київське взуттєве об'єднання «Спорт».
8. Посада або рід заняття — робітник.
9. Походження — із селян.
10. Місце проживання — Київ, вул. Чорнобильська, 13-а, кв. 94.
11. Судимість — 7.9.1972 року по ст. 62 ч. I КК УРСР на 5 років позбавлення волі і 3 роки заслання.
13. Паспорт I-ФК № 732141 виданий 11.8.1979 р. Омчакським відділенням міліції Магаданської області.

У відповідності з частиною 3 ст. 107 КПК УРСР Стусу В. С. оголошено, що він підозрюється в проведенні антирадянської агітації та пропаганди, тобто в скоєнні злочинів, передбачених ст. 62 ч. 2 КК Української РСР і ст. 70 ч. 2 КК Російської РФСР.

Разом з цим Стусу В. С. роз'ясненні права підозрюваного, передбачені ст.ст. 60, 73, 106 і 115 Кримінально-процесуального Кодексу Української РСР, а саме: давати пояснення, заявляти клопотання, оскаржувати дії слідчого і заявляти йому відвід, особисто знайомитись з протоколом допиту, вимагати доповнення протоколу і внесення до нього поправок, які піддягають обов'язковому занесенню в протокол, написати свої показання власноручно.

Після роз'яснення цих статей підозрюваний Стус Василь Семенович заявив: участі в слідстві брати не бажаю, волію давати пояснення у відкритому судовому засіданні.

ЗАПИТАННЯ. Згідно зі ст. 19 КПК УРСР судочинство ведеться українською мовою. Особам, які беруть участь у справі, забезпечується право робити заяви, давати показання, виступати в суді і заявляти клопотання рідною мовою, а також користуватись послугами перекладача в порядку, встановленому законом. Стаття 19 КПК УРСР вам оголошується, і надається змога особисто ознайомитись зі змістом названої статті.

Поясніть, чи зрозумілий вам зміст ст. 19 КПК УРСР, яка мова для вас є рідною та на якій мові ви будете давати показання.

ВІДПОВІДЬ. Відповіді на запитання не надійшло.

ЗАПИТАННЯ. Вам пред'являється для ознайомлення постанова начальника Слідчого відділу КДБ УРСР від 14 травня 1980 року про те, що для попереднього розслідування кримінальної справи, порушеної проти вас, згідно ст.ст. 114—1 і 119 КПК УРСР створено слідчу групу. Особи, яким доручено провадження попереднього слідства по вашій справі, перелічені в названій постанові.

Чи зрозумілий вам зміст цієї постанови?

ВІДПОВІДЬ. Підозрюваний Стус відмовився знайомитись з пред'явленою йому постановою. Відповіді на запитання не дав.

ЗАПИТАННЯ. Ви підозрюєтесь в проведенні антирадянської агітації і пропаганди, тобто в скоєнні злочинів, передбачених ст. 62 ч. 2 КК УРСР і ст. 70 ч. 2 КК РРФСР.

Чи зрозуміло вам, у скоєнні яких злочинів ви підозрюєтесь, і що можете пояснити по суті вищенаведеного підозріння?

ВІДПОВІДЬ. Відповіді на запитання не поступило.

ЗАПИТАННЯ. Вам пред'являється для огляду рукописний лист, виконаний на двох подвійних аркушах, який знаходиться в розпорядженні слідства. Текст листа починається зі слів: «21.1.80 г. Дорогая Нина Петровна, пожалуйста...» і закінчується словами: «...друзья не обиделись на меня?»

Хто є автором цього листа?

ВІДПОВІДЬ. Підозрюваний Стус відмовився знайомитись з пред'явленим йому рукописним листом і відповіді на поставлене запитання не дав.

ЗАПИТАННЯ. Під текстом пред'явленого вам листа значиться підпис: «Василь Стус», крім того, з його змісту вбачається, що його автором є ви.

Покажіть, коли, де і в зв'язку з чим ви виготовили цей лист?!

ВІДПОВІДЬ. Відповіді на поставлене запитання не надійшло.

ЗАПИТАННЯ. Як вказано на конверті, цей лист надсилався мешканці міста Москви — Лісовській Ніні Петрівні.

Покажіть, хто така Лісовська?

ВІДПОВІДЬ. Відповіді на запитання не надійшло.

ЗАПИТАННЯ. Коли, де, при яких обставинах ви познайомились з Лісовською Ніною Петрівною та які між вами стосунки?

ВІДПОВІДЬ. Підозрюваний Стус відмовився відповідати на це запитання.

ЗАПИТАННЯ. В зазначеному листі приводиться текст вашої заяви в прокуратуру Української РСР.

В зв'язку з чим ви подали текст названої заяви в своєму листі до Лісовської?

ВІДПОВІДЬ. Відповіді не надійшло.

ЗАПИТАННЯ. В листі до Лісовської Ніни Петрівни ви вказали, що названу заяву 19 жовтня 1979 року ви направили в прокуратуру Української РСР.

Чи дійсно ви надсилали цю заяву в органи прокуратури, якщо надсилали, то коли і з якою метою?

ВІДПОВІДЬ. Відповіді на поставлене запитання не надійшло.

ЗАПИТАННЯ. Покажіть, чому ви не бажаєте давати показання по суті поставлених вам запитань?

ВІДПОВІДЬ. Участі в слідстві я не волію брати. Всі необхідні пояснення зможу дати лише у відкритому судовому засіданні за участю представників радянських і міжнародних Хельсінських груп і Світового Конгресу вільних українців.

Більше доповнень до протоколу не маю. З протоколом ознайомився особисто.

Єдина відповідь протоколу від 15.5.80 р. — моя. Вона починається словами «участі в слідстві я не волію брати» і закінчується: «Світового Конгресу вільних українців». Тільки цю відповідь стверджую — Василь Стус.

1—3 аркуші протоколу підписати безпідставно відмовився.

Допитали:
Старший слідчий Слідвідділу КДБ УРСР майор Селюк

Старший помічник прокурора УРСР
старший радник юстиції Лісний

ПРОТОКОЛ
додаткового допиту підозрюваного

місто Київ 16 травня 1980 р.

Старший слідчий Слідчого відділу КДБ Української РСР майор Селюк в приміщенні Слідчого відділу КДБ УРСР, кабінет № 20, з додержанням вимог ст. ст. 107, 145 і 146 КПК УРСР допитав підозрюваного Стуса Василя Семеновича, 1938 року народження.

Допит почато в 15 год. 00. хв.
Закінчено в 16. год. 45. хв.

ЗАПИТАННЯ. Під час обшуку 10 лютого 1978 року в нашій квартирі, за місцем вашого колишнього проживання в селищі імені Матросова Тенькінського району Магаданської області, поряд з іншими документами, був вилучений рукописний лист, виконаний російською мовою на двох аркушах білого нелінованого паперу, який починається зі слів: «Члену Президиума Верховного Совета СССР Расулу Гамзатову...» і закінчується словами: «...сотни лет молодых человеческих жизней».

Покажіть, кому належить цей лист, хто його автор та виконавець?

ВІДПОВІДЬ. Після оголошення запитання підозрюваний Стус заявив, що участі в попередньому слідстві по своїй справі брати не буде, і на поставлене запитання відповіді не дав.

ЗАПИТАННЯ. З тексту зазначеного листа вбачається, що він виготовлений вами під час вашого перебування в засланні.

Де, коли і з якою метою ви його виготовили?

ВІДПОВІДЬ. Відповіді на поставлене запитання не надійшло.

Підписувати цю сторінку Протоколу підозрюваний Стус безпідставно відмовився.

Ст. слідчий слідвідділу КДБ УРСР Селюк

ЗАПИТАННЯ. Про те, що лист до члена Президії Верховної Ради Союзу РСР Расула Гамзатова виготовлений саме вами, свідчить запис у листі, що написав його «ссыльный Стус Василь Семенович». Цей лист пред'являється вам для огляду й ознайомлення.

Що ви можете показати з цього приводу?

ВІДПОВІДЬ. Підозрюваний Стус не побажав знайомитись з пред'явленим йому листом і відповіді на поставлене запитання не дав.

ЗАПИТАННЯ. В скількох примірниках був виготовлений вами названий вище лист та чи були у вас співавтори при його виготовленні?

ВІДПОВІДЬ. Відповіді на поставлене запитання не надійшло.

ЗАПИТАННЯ. Чи надсилали ви текст цього листа ще якимось особам, крім письменника Расула Гамзатова?

ВІДПОВІДЬ. Відповіді на запитання не надійшло.

ЗАПИТАННЯ. Кого ви знайомили з текстом (зі змістом) листа, який призначався члену Президії Верховної Ради Союзу РСР Расулу Гамзатову?

ВІДПОВІДЬ. Відповіді на поставлене запитання не надійшло.

ЗАПИТАННЯ. З якою метою ви зберігали в себе вдома названий вище лист до Расула Гамзатова?

ВІДПОВІДЬ. Відповіді на запитання не надійшло.

ЗАПИТАННЯ. Чому ви не хочете відповідати по суті поставлених вам запитань?

ВІДПОВІДЬ. Підозрюваний Стус побажав відповідь на це запитання викласти власноручно, і йому така можливість надана.

Протокол мені оголошено.

Відповідати на попередньому слідстві відмовляюсь. Всі необхідні пояснення зможу дати лише у відкритому судовому засіданні за участі представників союзних: міжнародних Хельсінських злук, СКВУ, Міжнародної амністії та ПЕН-клубу, до якого я маю честь належати.

(підпис) В. Стус

Допитав: Старший слідчий Слідвідділу КДБ УРСР майор Селюк

Начальнику следственного отдела
КГБ УССР полковнику
тов. Туркину В. П.

В связи с тем, что 16 мая 1980 года арестованный СТУС Василий Семенович отказался явиться по вызову следователя на допрос, был доставлен в следственный отдел в соответствии с Инструкцией «Об организации службы в следственных изоляторах органов КГБ», в принудительном порядке.

Начальник следственного изолятора КГБ УССР
Полковник С. У. Швец

16 мая 1980 года

ПРОТОКОЛ
додаткового допиту підозрюваного

місто Київ 19 травня 1980 р.

Старший слідчий Слідчого відділу КДБ Української РСР майор Селюк в приміщенні Слідчого відділу КПБ УРСР, кабінет № 20, з додержанням вимог ст.ст. 107, 145 і 146 КПК УРСР допитав підозрюваного Стуса Василя Семеновича, 1938 року народження.

Допит почато в 14 год. 55 хв.
Закінчено в 16 год. 20 хв.

ЗАПИТАННЯ. В розпорядженні органів слідства по вашій справі є рукописний документ, виконаний російською мовою на подвійному аркуші білого нелінованого паперу, що починається зі слів: «В Президиум Верховного Совета СССР безвинно репрессированного…» і закінчується словами: «…еще раз напомнить вам об этом, Василь Стус 10.XII.76 г.». Названий документ вам пред'являється для огляду й ознайомлення.

Хто є автором та виконавцем цього документа?

ВІДПОВІДЬ. Підозрюваний Стус не побажав знайомитись з пред'явленим йому документом і заявив, що на це запитання, а також і на послідуючі, які йому будуть ставитись під час попереднього слідства по його справі, він відповідати не буде.

ЗАПИТАННЯ. Як вбачається з тексту документа, адресованого в Президію Верховної Ради Союзу РСР, та підпису під ним, його автором являється Василь Стус, тобто ви.

Покажіть, коли, в зв'язку з чим та при яких обставинах ви виготовили цей документ?

ВІДПОВІДЬ. Відповіді на запитання не надійшло.

ЗАПИТАННЯ. В скількох примірниках був виготовлений вами названий документ та чи були у вас співавтори при його виготовлені?

ВІДПОВІДЬ. Відповіді на поставлене запитання не надійшло.

ЗАПИТАННЯ. Згаданий документ, як видно із адреси на конверті, в якому він знаходився, був направлений вами в Прокуратуру Союзу РСР разом з листом, де ви написали: «Настоящим прошу Вас довести текст прилагаемого заявления до адресата».

Чому ви направили цей документ у Прокуратуру СРСР, а не безпосередньо до Президії Верховної Ради Союзу РСР, куди він призначався?

ВІДПОВІДЬ. Після того як запитання було оголошено, ніякої відповіді від підозрюваного Стуса не надійшло.

ЗАПИТАННЯ. В згаданому документі перелічується цілий ряд осіб, засуджених за антирадянську діяльність, зокрема: Шухевич, Шумук, Світличний та інші.

Чи приймав хто-небудь із названих у документі осіб участь у його виготовлені?

ВІДПОВІДЬ. Відповіді на запитання не надійшло.

ЗАПИТАННЯ. В які установи, крім Прокуратури СРСР і Президії Верховної Ради Союзу РСР, ви надсилали названий документ?

ВІДПОВІДЬ. Ніякої відповіді на запитання не надійшло.

ЗАПИТАННЯ. Чи надсилали ви згаданий документ приватним особам, якщо надсилали, то кому саме і з якою метою?

ВІДПОВІДЬ. Відповіді на поставлене запитання не надійшло.

ЗАПИТАННЯ. Кого із свого оточення ви знайомили з текстом або змістом названого документа?

ВІДПОВІДЬ. Відповіді на поставлене запитання від підозрюваного Стуса не надійшло.

ЗАПИТАННЯ. Чи є у вас доповнення або поправки до протоколу?

ВІДПОВІДЬ. На це запитання підозрюваний Стус побажав написати відповідь власноручно, і йому така можливість надається.

На доповнення до своїх заяв у протоколах від 15 і 16 травня заявляю: я не хочу брати участі в слідстві за умов, коли КГБ, грубо порушуючи загальну декларацію прав людини, документи Хельсінських угод, піддає правозахисний рух країни, до якого я маю честь належати, нещадним репресіям.

19.5.80 р. В. Стус

Після того як протокол допиту було оголошено слідчим, підозрюваний Стус побажав ознайомитись з ним особисто. Ознайомившись з протоколом, заявив, що інших доповнень, крім того, яке він написав власноручно, в нього немає.
Підписувати протокол безпідставно відмовився.

Старший слідчий Слідвідділу КДБ УРСР майор Селюк

ПРОТОКОЛ
допиту обвинуваченого

місто Київ 21 травня 1980 р.

Допит почато в 15 год. 55 хв.
Закінчено в 18 год. 10 хв.

Старший слідчий Слідчого відділу КДБ УРСР майор Селюк та помічник Прокурора Української РСР Аржанов в приміщенні Слідвідділу КДБ УРСР, кабінет № 20, з додержанням вимог ст. ст. 143, 145 і 146 КПК УРСР допитав як обвинуваченого:

1. Прізвище, ім'я та по батькові: СТУС Василь Семенович.
2. Дата народження: 8 січня 1938 року народження.
3. Місце народження: с. Рахнівка Гайсинського району Винницької області.
4. Національність і громадянство: українець, громадянин СРСР.
5. Партійність: безпартійний.
6. Освіта: вища.
7. Сімейний стан: одружений, має сина 1966 року народження.
8. Походження: із селян.
9. Рід занять або посада: робітник.
10. Місце роботи: Київське виробниче об'єднання взуттєвих підприємств «Спорт».
11. Відношення до військового обов'язку: військовозобов'язаний.
12. Постійне місце проживання: місто Київ, вулиця Чорнобильська, 13-а, квартира 94.
13. Судимість: 7.9.1972 р. по ст. 62 ч. 1 КК УРСР на 5 років позбавлення волі і 3 роки заслання.
14. Паспорт: І-ФК № 732141 виданий 11 серпня 1979 року Омчакським відділенням міліції відділу внутрішніх справ Тенькінського райвиконкому Магаданської області.

ЗАПИТАННЯ. Вам пред'являється обвинувачення за вчинення вами злочину, передбаченого статтею 62 ч. 2 Кримінального кодексу Української РСР і статтею 70 ч. 2 Кримінального кодексу Російської РФСР, яке викладено в постанові від 21 травня 1980 року. Вказана постанова вам пред'являється для ознайомлення та прочитання. Статті 62 Кримінального кодексу Української РСР і 70 Кримінального кодексу Російської РФСР вам оголошуються повністю і роз'яснюються. Поряд з цим вам також роз'яснюються ваші права обвинуваченого, передбачені статею 142 Кримінально-процесуального кодексу Української РСР.

Покажіть, ви зрозуміли, за вчинення якого саме злочину вам пред'явлено обвинувачення, чи зрозумілі вам зміст статей 62 Кримінального кодексу УРСР і 70 Кримінального кодексу РРФСР та ваші права обвинуваченого, передбачені статею 142 Кримінально-процесуального кодексу Української РСР.

ВІДПОВІДЬ. Обвинувачений Стус знайомитись з постановою про притягнення його по справі як обвинуваченого відмовився. Текст постанови йому було оголошено слідчим. Разом з цим йому були роз'яснені права обвинуваченого, передбачені ст. 142 Кримінального кодексу Української РСР, і запропоновано дати відповідь по суті поставленого запитання. Відповідь по суті поставленого запитання обвинувачений Стус відмовився давати і заявив, що участі в слідстві не воліє брати, всі необхідні пояснення буде давати лише у відкритому судовому засіданні з участю представників радянських і міжнародних Хельсінських груп, Світового Конгресу вільних українців, Міжнародної амністії та ПЕН-клубу.

ЗАПИТАННЯ. Згідно постанови від 21 травня 1980 року про притягнення вас як обвинуваченого, ви звинувачуєтесь у тому, що, будучи судимим 7 вересня 1972 року за проведення антирадянської агітації і пропаганди, не стали на шлях виправлення і, відбуваючи додаткову міру покарання в 1977—1979 роках у селищі імені Матросова Магаданської області та мешкаючи в місті Києві, з метою підриву й ослаблення Радянської влади систематично займались поширенням наклепницьких вигадок, що порочать радянський державний і суспільний лад, виготовленням, збереженням та розповсюдженням літератури такого ж змісту.

Чи визнаєте ви себе винним у скоєнні вами злочину, передбаченого статею 62 ч. 2 Кримінального кодексу Української РСР і статей 70 ч. 2 Кримінального кодексу Російської РФСР, суть якого викладено в зазначеній постанові про притягнення вас як обвинуваченого?

ВІДПОВІДЬ. Відповідати на поставлене запитання відмовляюсь.

ЗАПИТАННЯ. Покажіть, при яких обставинах ви виготовили названі в постанові про притягнення вас як обвинуваченого документи: лист, адресований члену Президії Верховної Ради Союзу РСР та т. зв. заяву в Прокуратуру Української РСР?

ВІДПОВІДЬ. Відповідати на запитання відмовляюсь.

ЗАПИТАННЯ. Кого ви знайомили з названими вище документами?

ВІДПОВІДЬ. Відповідати на запитання відмовляюсь.

ЗАПИТАННЯ. З якою метою ви виготовили лист, адресований члену Президії Верховної Ради Союзу РСР та т. зв. заяву в Прокуратуру Української РСР?

ВІДПОВІДЬ. Відповідати на запитання відмовляюсь.

ЗАПИТАННЯ. В названому документі, адресованому одному із членів Президіума Верховної Ради Союзу РСР, ви паплюжите демократичні основи радянського суспільства, наклепницьки стверджуєте, що в нашій країні нібито порушуються закони з боку офіційних державних органів, чиниться беззаконня й насильство.

Що ви можете показати відносно цих наклепницьких тверджень?

ВІДПОВІДЬ. Відповідати на поставлене запитання відмовляюсь.

ЗАПИТАННЯ. На допиті сьогодні, як і на попередніх допитах, ви ухиляєтесь від відповіді на поставлені вам конкретні запитання, заявляючи, що неволієте брати участь у попередньому слідстві по своїй кримінальній справі. Вам роз'яснюється стаття 40 Кримінального кодексу Української РСР, у відповідності з якою чистосердечне покаяння в своєму злочині, а також сприяння органам слідства в розслідуванні злочину є пом'якшувальними обставинами кримінальної відповідальності.

Що ви можете показати з цього приводу?

ВІДПОВІДЬ. На це запитання обвинувачений Стус побажав викласти відповідь власноручно, і йому така можливість надається.

Мені пред'явлено звинувачення в скоєнні державного злочину. Я літератор, учасник правозахисного і демократичного руху. Я не вбивав мільйони людей, як берїівські посіпаки, не судив людей за діяльність, елементарно гарантовану Декларацією прав людини і Хельсінськими документами, не садив здорових людей до божевільні, як це робить КДБ на протязі останніх років. Отож усякі розмови про скоєння мною злочину є смішні.

21.V.80 р. В. Стус

Протокол прочитав, мої відповіді
на питання наведено точно. В. Стус

Підписувати 1—3 сторінки протоколу допиту обвинувачений Стус безпідставно відмовився.

Старший слідчий Слідвідділу КДБ УРСР майор Селюк

Помічник Прокурора Української РСР Аржанов

ПРОТОКОЛ
додаткового допиту обвинуваченого

місто Київ 23 травня 1980 р.

Старший слідчий Слідчого відділу КДБ Української РСР майор Селюк в приміщенні Слідчого відділу КДБ УРСР, кабінет № 20, з додержанням вимог ст. ст. 143, 145 і 146 КПК УРСР допитав обвинуваченого: Стус Василя Семеновича, 1938 року народження.

Допит почато в 14 год. 45 хв.
Закінчено в 16 год. 35 хв.

ЗАПИТАННЯ. Під час обшуку 10 лютого 1978 року в вашій квартирі за адресою: Магаданська область, Тенькінський район, селище імені Матросова, вулиця Центральна, будинок № 37, кімната 3 серед інших документів був вилучений рукописний лист, виконаний російською мовою на двох аркушах білого нелінованого паперу, текст якого починається зі слів: «Уважаемый Петр Григорьевич! Ваше имя мне хорошо известно — ...» і закінчується словами: «...Но основное бремя ложится все же на нас». Цей лист пред'являється вам для огляду й ознайомлення.

Покажіть, хто являється автором та виконавцем цього листа?

ВІДПОВІДЬ. Ознайомившись з пред'явленим йому листом, обвинувачений Стус заявив, що відповідати на поставлене запитання відмовляється.

ЗАПИТАННЯ. З тексту названого листа, зокрема з того, що в ньому від першої особи списується ваш арешт у січні 1972 року та інші події з вашого життя, вбачається, що його автором являєтесь ви. Що ви можете показати відносно цього?

ВІДПОВІДЬ. Відповідати на поставлене запитання відмовляюсь.

ЗАПИТАННЯ. Поясніть, що спонукало вас до написання зазначеного листа, де, коли, при яких інших обставинах та в скількох примірниках ви його виготовили?

ВІДПОВІДЬ. Відповідати на запитання відмовляюсь.

ЗАПИТАННЯ. В тексті зазначеного листа до Петра Григоровича ви вказуєте, що 13 січня 1977 року вас вивезли «из мордовских спецлагерей» на «Колыму», де ви знаходитесь вже девять місяців. Цим самим ви стверджуєте, що названий вище лист був написаний вами в місцях вашого заслання восени 1977 року і зберігався в вас до його вилучення під час обшуку 10 лютого 1978 року.

З якою метою протягом декількох місяців ви зберігали цей лист у себе вдома?

ВІДПОВІДЬ. Відповідати на поставлене запитання відмовляюсь.

ЗАПИТАННЯ. Хто такий «Петр Григорьевич», якому ви адресували свій лист, та які в вас з ним стосунки?

ВІДПОВІДЬ. Відповідати на запитання відмовляюсь.

ЗАПИТАННЯ. Чи знайомили ви кого-небудь з свого оточення з текстом або змістом зазначеного листа?

ВІДПОВІДЬ. Відповідати на поставлене мені запитання відмовляюсь.

ЗАПИТАННЯ. Тоді ж, 10 лютого 1978 року, під час обшуку в вашій квартирі був вилучений ще один рукописний лист на ім'я Петра Григоровича, виконаний російською мовою на одному аркуші білого нелінованого паперу, текст якого починається зі слів: «Уважаемый Петр Григорьевич, обращается к Вам бывший...» і закінчується словами: «...В магазинах не найдешь ни одной украинской книги, журнала, газеты». Цей лист пред'являється вам для огляду й ознайомлення.

Покажіть, хто є автор та виконавець цього листа?

ВІДПОВІДЬ. Обвинувачений Стус прочитав пред'явлений йому лист і заявив, що відповідати на поставлене запитання відмовляється.

ЗАПИТАННЯ. В пред'явленому вам зараз для ознайомлення листі від першої особи описується ваше перебування в засланні, тобто з його тексту вбачається, що його автором також являєтесь ви.

Покажіть, коли, в зв'язку з чим та при яких обставинах ви виготовили цей лист?

ВІДПОВІДЬ. Відповідати на поставлене запитання відмовляюсь.

ЗАПИТАННЯ. В скількох примірниках був виготовлений вами названий лист та з якою метою ви зберігали його в себе вдома?

ВІДПОВІДЬ. Відповідати на поставлене мені запитання відмовляюсь.

ЗАПИТАННЯ. Чи надсилали ви цей лист ще якимось приватним особам, крім Петра Григоровича?

ВІДПОВІДЬ. Відповідати на запитання відмовляюсь.

ЗАПИТАННЯ. Кого із свого оточення ви знайомили з текстом зазначеного листа?

ВІДПОВІДЬ. Відповідати на поставлене запитання відмовляюсь.

ЗАПИТАННЯ. Поясніть, протокол вашого допиту ви будете читати самі чи вам його зачитати вголос?

ВІДПОВІДЬ. З протоколом я бажаю ознайомитись особисто.

Протокол прочитав. Мої відповіді записано правильно. Додатком до протоколу заявляю: 16.V.80 р. я відмовився іти до слідчого, оскільки в слідстві, провадженому КДБ, участі брати не волію. Тоді на мене накинулися 8 наглядачів, наклали наручники і, застосувавши грубу фізичну силу, припровадили до слідства. З огляду на те, що слідчий не дав мені докінчити, закінчення додатку зроблю на окремому аркуші.

23.V.80 р. В. Стус

Додаток на одному аркуші — 27.V. В. Стус

Підписувати 1—2 аркуші протоколу допиту обвинувачений Стус безпідставно відмовився.

Ст. слідчий Слідвідділу КДБ УРСР м-р Селюк

ДОДАТОК ДО ПРОТОКОЛУ ВІД 23 ТРАВНЯ

Я вже неодноразово заявляв, що участі в слідстві брати не волію, оскільки простір 62 ст. КК УРСР явно суперечить міжнародним зобов'язанням, які Уряд СРСР на себе взяв. Цих угод уряд ССР, як відомо, не денонсував.

Тим часом, коли 16.V. я відмовився іти до слідчого, на мене накинулося кілька наглядачів, які, застосувавши до мене грубу фізичну силу, наклали наручники (з мого боку не було жодного опору, або ж інцидент мав вигляд грубого тюремного свавілля) і силоміць припровадили до слідчого Селюка. В ряду тюремних збиткувань — новий факт: 16.V. мене помістили до камери, де сусід по камері 24.V. накинувся на мене з кулаками і гидкою нецензурною лайкою. Я неодноразово — 24, 25, 26, 27 травня вимагав од адміністрації, аби нас розселили. Але мої вимоги виявились марні. Вважаю це ще одним свідченням грубого натиску КГБ на мене — по всіх параметрах утримання, де слідство, прокуратура, тюремні служителі виступають спільним фронтом.

Питання, які ставлять мені на слідстві, здебільшого безглузді. Навіть коли я скажу, що той чи інший рукопис є мій, суд оформить: «Стус зізнався, що він є автором документа» і т. д. І все набирає іншого забарвлення, тобто стає неправдою.

Нарешті — слідча тяганина є лише димовою завісою. Бо судитимуть мене за правозахисну діяльність, про яку, гадаю, тут не питатимуть; за літературну діяльність, яку кваліфікують як антирадянську. Коли людині дати повен термін покарання за вірші, літерат. статті, то що залишається у суддів у резерві — на випадок справжньої антирадянської діяльності — з друкарнями, листівками, журналами, книгами, газетами, тиражу 1000 чи 10 000?

Отож, слідство в КГБ — смішне. Тим більше що КГБ має приватну злість на мене. Про яку ж безсторонність із їхнього боку може йти мова?

Волів би, аби вже тепер, під час моїх примусових допроваджень до слідства, був присутній юрист або від Міжнародної амністії, або від ПЕН-клубу, або від інших організацій Заходу. Тільки тоді моя розмова зі слідчим мала б сенс.

А я певен, що, може, вже тепер такий адвокат від прогресивної громадськості Заходу є. Уточнити це питання я міг би на ближчому побаченні з рідними.

27 травня 1980 р. В. Стус

ПРОТОКОЛ

додаткового допиту обвинуваченого

місто Київ 27 травня 1980 р.

Старший слідчий Слідчого відділу КДБ Української РСР майор Селюк в приміщенні Слідчого відділу КДБ УРСР, кабінет № 20, з додержанням вимог ст. ст. 143, 145 і 146 КПК УРСР допитав обвинуваченого: Стус Василь Семенович, 1938 року народження.

Допит почато в 14 год. 50 хв.
Закінчено в 18 год. 10 хв.

ЗАПИТАННЯ. Вам пред'являється для огляду і ознайомлення саморобний зошит на 54 аркушах білого нелінованого паперу, прошитий білими нитками, який був вилучений в вашій кімнаті в селищі імені Матросова Тенькінського району Магаданської області під час обшуку 10 лютого 1978 року. Записи в зошиті виконані простим олівцем і починаються зі слів: «Заперечення процедурного порядку: 1. Обшук на моїй квартирі...» і закінчуються на зворотному боці останнього аркуша словами: «...на д2 и нападение на слона е1».

Покажіть, кому належить цей зошит, хто є автор та виконавець записів, зроблених у ньому?

ВІДПОВІДЬ. Обвинувачений Стус особисто ознайомився з пред'явленим йому зошитом і заявив, що відповідати на поставлене йому запитання він відмовляється.

ЗАПИТАННЯ. В записах, з якими ви щойно ознайомились, від першої особи описується ваш арешт у січні 1972 року, наводяться «заперечення» щодо попереднього слідства по вашій кримінальній справі, тобто з їх змісту вбачається, що їх автором являєтесь ви. Коли, де, при яких обставинах ви виготовили ці записи та з якою метою зберігали їх у себе?

ВІДПОВІДЬ. Відповідати на поставлене мені запитання відмовляюсь.

ЗАПИТАННЯ. Тоді ж, під час обшуку 10 лютого 1978 року, за місцем вашого проживання в селищі імені Матросова Магаданської області був вилучений ще один саморобний зошит на 56 аркушах білого нелінованого паперу з подібними за змістом записами, що починаються зі слів: «Почему? Зачем? Недоуменье...» і закінчуються словами: «...знайомитися з речами вилученими». Цей зошит пред'являється вам для огляду й ознайомлення з поміщеним у ньому текстом.

Поясніть, хто автор та виконавець записів, зроблених у цьому зошиті?

ВІДПОВІДЬ. Обвинувачений Стус ознайомився з пред'явленим йому зошитом, переглянув поміщені в ньому записи і заявив, що відповідати на поставлене йому запитання відмовляється.

ЗАПИТАННЯ. Зі змісту записів, виконаних у цьому зошиті, зокрема з того, що в них наводяться витяги з окремих документів із вашої кримінальної справи, вбачається, що їх автором являєтесь ви.

Де, коли та з якою метою ви виготовили ці записи, для чого зберігали їх у себе?

ВІДПОВІДЬ. Відповідати на це запитання відмовляюсь.

ЗАПИТАННЯ. Вам пред'являється для огляду вилучений в вашій кімнаті під час обшуку 10 лютого 1978 року учнівський зошит на 12 аркушах з рукописним текстом, виконаним російською мовою, який починається зі слів: «Отсюда та благонамеренная позиция...» і закінчується на другому аркуші словами: «...разделили участников укр. дем. патр. дв-я на смирившихся и обреченных на изоляцию».

Що ви можете показати з приводу пред'явленого вам для ознайомлення зошита та записів, вчинених у ньому?

ВІДПОВІДЬ. Я особисто ознайомився з записами в пред'явленому мені для огляду зошиті, відповідати на поставлене слідчим запитання відмовляюсь.

ЗАПИТАННЯ. Кому належить учнівський зошит, з яким ви щойно ознайомились, та хто є автор і виконавець вчинених у ньому записів?

ВІДПОВІДЬ. Відповідати на це запитання відмовляюсь.

ЗАПИТАННЯ. Як вбачається з тексту, вчиненому в зазначеному вище зошиті, з яким ви особисто ознайомились, це є чернетки вашого листа до якоїсь особи, де описуються події 60-х років та ваша причетність до них.

Покажіть, хто ця особа та навіщо ви описували їй згадані вище події?

ВІДПОВІДЬ. Відповідати на поставлене запитання відмовляюсь.

ЗАПИТАННЯ. Під час обшуку 10 лютого 1978 року в вашій кімнаті був вилучений також учнівський зошит на 6 аркушах з записами, що починаються зі слів: «Нотатки до...» і закінчуються на 4-й сторінці обкладинки словами: «...віддані на офіру за віддаємось офірі». Цей зошит пред'являється вам для огляду й ознайомлення.

Кому належить пред'явлений вам зошит, хто автор та виконавець поміщених у ньому записів?

ВІДПОВІДЬ. З пред'явленим мені для огляду зошитом та вміщеними в ньому записами я особисто ознайомився, відповідати на поставлене відносно цього зошита запитання відмовляюсь.

ЗАПИТАННЯ. Тоді ж, під час обшуку 10 лютого 1978 року, в вашій кімнаті був вилучений загальний зошит на 48 аркушах з віршованим текстом, що починається зі слів: «Палімпсести I. Ти тут, ти тут...» і закінчується словами: «...підноc-ся пісня — і віща й земна». Названий зошит пред'являється вам для ознайомлення.

Що ви покажете відносно цього зошита та віршів, написаних у ньому?

ВІДПОВІДЬ. Я особисто ознайомився з пред'явленим мені зошитом і хочу, щоб мені була надана можливість більш детально ознайомитись з вчиненими в ньому записами на послідуючому допиті.

По суті поставленого запитання відносно цього зошита та вчинених у ньому записів дам наступного разу.

Протокол читав. Мої відповіді наведено правильно. Василь Стус
27.V.80 р.

1—3 стор. не підписую — В. Стус.

Підписувати 1—3 аркуші протоколу обвинувачений Стус безпідставно відмовився.

Старший слідчий Слідвідділу КДБ УРСР майор Селюк

ПРОТОКОЛ
додаткового допиту обвинуваченого

місто Київ 30 травня 1980 р.

Старший слідчий Слідчого відділу КДБ Української РСР майор Селюк в приміщенні Слідчого відділу КДБ УРСР, кабінет № 20 з додержанням вимог ст. ст. 143, 145 і 146 КПК УРСР, допитав обвинуваченого: Стус Василь Семенович, 1938 року народження.

Допит почато в 14 год. 40 хв.
Закінчено в 17 год. 05 хв.

ЗАПИТАННЯ. На допиті 27 травня 1980 року вам пред'являвся для ознайомлення вилучений під час обшуку 10 лютого 1978 року в вашій кімнаті загальний зошит на 48 аркушах з віршованим текстом, що починається зі слів: «Палімпсести І. Ти тут, ти тут...» і було запропоновано дати пояснення відносно поміщених у ньому віршів. Ви побажали більш детально ознайомитись з записами в зазначеному зошиті і після цього дати відповідь по суті поставленого запитання. Вам надається можливість ще раз ознайомитись з записами, виконаними в вказаному зошиті.

Покажіть, кому належить цей зошит, хто автор та виконавець написаних у ньому віршів?

ВІДПОВІДЬ. Я ознайомився з пред'явленим мені загальним зошитом та поміщеними в ньому віршами. Відповідати по суті поставленого запитання відмовляюсь.

ЗАПИТАННЯ. Під час обшуку 10 лютого 1978 року, який був проведений в зв'язку з розслідуванням кримінальної справи відносно Лук'яненка Левка Григоровича, в вашій кімнаті в селищі імені Матросова Тенькінського району Магаданської області поряд з іншими документами були виявлені та вилучені два рукописних листи, один з яких починається зі слів: «Пустомити, 30 вересня 1976 Добрий день, друже Василю!...» і закінчується словами: «...До скорої зустрічі на Волі. Ваш Іван К. 290053, Львів-53, Наукова, 110/33 І. Кандиба» — на одному аркуші білого паперу стандартного формату, а другий починається зі слів: «22 грудня 1977 р. Добрий день, друже Василю!...» і закінчується словами: «...Ваш Іван. Додаток: 1) Новорічна поштівка. 2) П'ять чистих поштівок». Електрографічні копії цих листів пред'являються вам для ознайомлення.

Кому належать вказані листи, хто такий Іван Кандиба, який значиться їх автором, та які між вами стосунки?

ВІДПОВІДЬ. Обвинувачений Стус ознайомився з пред'явленими йому листами і заявив: «Відповідати на поставлене запитання відмовляюсь».

ЗАПИТАННЯ. Тоді ж, під час обшуку 10 лютого 1978 року в вашій кімнаті був вилучений також рукописний лист на двох аркушах у клітинку, що починається зі слів: «Шановний п. Іване! 7.1.77 р. 2 січня дістав...» і закінчується словами: «...22 грудня — скриплюю її. В. С.». Як вбачається з тексту, це є ваш лист-відповідь Івану Кандибі на його листа від 22 грудня 1977 р., з яким ви щойно ознайомились. Зазначений вище лист пред'являється вам для огляду.

Дайте пояснення відносно цього листа?

ВІДПОВІДЬ. Обвинувачений Стус особисто ознайомився з пред'явленим йому листом і заявив: «Відповідати відмовляюсь».

ЗАПИТАННЯ. Чи направляли ви Івану Кандибі ще якісь листи або документи, якщо направляли, то коли і які саме?

ВІДПОВІДЬ. Відповідати відмовляюсь.

ЗАПИТАННЯ. У згаданому вище листі до Івана Кандиби ви пишете: «Коли б були якісь громадські ініціативи з приводу Л. і Б., я згоден — бодай і номінально взяти в них участь… Отож, я даю свою цілковиту згоду на такий випадок (громадських нових ініціатив)».

Про які «громадські ініціативі» ви пишете в своєму листі та на що саме ви даєте «свою цілковиту згоду»?

ВІДПОВІДЬ. Після того як запитання було оголошене, обвинувачений Стус заявив: «Відповідати відмовляюсь».

ЗАПИТАННЯ. Вам пред'являються для огляду вилучені в вас під час обшуку 10 лютого 1978 року:

- рукописний лист, виконаний українською мовою на двох аркушах із учнівського зошита в клітинку, текст якого починається зі слів: «Валю, дістав сьогодні…» і закінчується словами: «…я зробив величезні успіхи: тепер майже не кульгаю»;
- рукописний лист, виконаний українською мовою на двох аркушах поштового паперу, що починається зі слів: «Дорога Любомиро! Дякую Вам…» і закінчується словами: «…тьма-тьмуща тарганів, з якими я сусідував чотири доби»;
- рукописний лист, виконаний російською мовою на одному аркуші в лінійку, текст якого починається зі слів: «Багдарин 25.12.77 Дорогой Василь! Поздравление твое…» і закінчується словами: «…А тут ты вряд ли поможешь»;
- рукописний лист, виконаний українською мовою на двох аркушах білого паперу стандартного формату, текст якого починається зі слів: «13.XI. Дорогий Василю! Пишу у безвість…» і закінчується словами: «…Спробую все вислати цінним листом, може дійде»;
- відкритий поштовий конверт з листом, написаним від руки на одному аркуші білого паперу стандартного формату, текст якого починається зі слів: «Шановний Василю! Пише до Вас Мирослав Маринович…» і закінчується словами: «Мариновичу Мирославові Франковичу. На все добре! Мирослав».

Що ви можете показати відносно пред'явлених вам для огляду листів, вилучених у вас під час обшуку 10 лютого 1978 року?

ВІДПОВІДЬ. Обвинувачений Стус особисто ознайомився з пред'явленими йому для огляду листами і заявив: «Відповідати відмовляюсь».

Текст протоколу читав. Додам, що порпатися в чужих листах — це підло. Більше того — то є злочин. Мої відповіді на всі питання лише такі: «Відповідати відмовляюсь».
30.V.80 р. В. Стус

Підписувати 1—3 аркуші протоколу обвинувачений Стус безпідставно відмовився.

Старший слідчий Слідвідділу КДБ УРСР майор Селюк

ПРОТОКОЛ
додаткового допиту обвинуваченого

місто Київ 5 червня 1980 р.

Старший слідчий Слідчого відділу КДБ Української РСР майор Селюк в приміщенні Слідвідділу КДБ УРСР, кабінет № 20 з додержанням вимог ст. ст. 143, 145 і 146 КПК УРСР, допитав обвинуваченого: Стус Василь Семенович, 1938 року народження.

Допит почато в 14 год. 10 хв.
Закінчено в 16 год. 15 хв.

ЗАПИТАННЯ. Під час обшуку 10 лютого 1978 року в вашій квартирі, за місцем вашого колишнього проживання в селищі імені Матросова Тенькінського району Магаданської області, поряд з іншими документами була вилучена фотокопія рукописного тексту, що починається зі слів: «Шановні земляки — краяни? Ми неодноразово…» і закінчується словами: «…про діяння «генія» можуть розповісти вам п. Мих. та п. Ол.», на трьох аркушах фотопаперу. Фотокопія вказаного тексту пред'являється вам для огляду.

Що ви можете показати з приводу цього документа?

ВІДПОВІДЬ. Обвинувачений Стус ознайомився з пред'явленою йому фотокопією документа «Шановні земляки — краяни!» і заявив: «Відповідати відмовляюсь».

ЗАПИТАННЯ. В названому вище документі описуються стосунки, які склалися в таборі між Валентином Морозом та іншими особами, засудженими за антирадянську діяльність, пропонується «землякам-краянам» не брати його під «захист», бо він виявився «великим негідником», зрадив «загальній справі», тобто з тексту цього документа вбачається, що він написаний особами, які відбувають міру покарання.

Покажіть, хто автор документа, з яким ви щойно ознайомились, коли, від кого та при яких інших обставинах він потрапив до вас?

ВІДПОВІДЬ. Після того як запитання було оголошене слідчим, обвинувачений Стус заявив: «Відповідати відмовляюсь».

ЗАПИТАННЯ. З якою метою ви зберігали в себе вдома названу вище фотокопію документа «Шановні земляки — краяни!».

ВІДПОВІДЬ. Відповідати відмовляюсь.

ЗАПИТАННЯ. Вам пред'являється для огляду рукописний текст, виконаний синім барвником на одному аркуші білого нелінованого паперу, що починається зі слів: «будуть (програма — максимум мого оптимізму)...» і закінчується словами: «...Проте не подобає нам рюмсати», який також був вилучений в вашій кімнаті під час обшуку 10 лютого 1978 року.

Поясніть, що це за рукопис, хто його автор та виконавець?

ВІДПОВІДЬ. Обвинувачений Стус особисто ознайомився з пред'явленим йому рукописним текстом і заявив: «Відповідати відмовляюсь».

ЗАПИТАННЯ. Як вбачається з тексту зазначеного рукописа, це є частина вашого листа до Стефи, в якому ви, зокрема, пишете: «Мені якась біда переслала з Москви фотокопію листа соснівчан про В. Мороза. Він і справді тримається не кращим чином... Я всіх прошу, аби не робили з того фарсу трагічного».

Хто така Стефа, до якої ви звертаєтесь у своєму листі, та в зв'язку з чим ви повідомляєте її про одержаного вами з Москви «листа соснівчан»?

ВІДПОВІДЬ. Після того як запитання було оголошене слідчим, обвинувачений Стус заявив: «Відповідати відмовляюсь».

ЗАПИТАННЯ. Покажіть, фотокопія документа «Шановні земляки-краяни!», з яким ви сьогодні ознайомились, це і є той самий «лист соснівчан», який ви отримали з Москви, як про це вказуєте в названому вище листі до Стефи?

ВІДПОВІДЬ. Відповідати відмовляюсь.

ЗАПИТАННЯ. Тоді ж, під час обшуку 10 лютого 1978 року, в вашій кімнаті було вилучено машинописний текст «Заключного акту наради з питань безпеки і співробітництва в Європі...», надрукований під копіювальний папір на 16 аркушах білого нелінованого паперу стандартного формату. В тексті є рукописні правки, дописки. Цей документ пред'являється вам для огляду.

Ким та з якою метою виконані правки і дописки в зазначеному документі?

ВІДПОВІДЬ. Обвинувачений Стус особисто ознайомився з пред'явленим йому документом і заявив: «Відповідати відмовляюсь».

ЗАПИТАННЯ. Чи є в вас доповнення або поправки до протоколу?

ВІДПОВІДЬ. Протокол читав. Мої відповіді наведено правильно. З машинописним текстом «Заключного акту...» ознайомитися не встиг, тому волію це зробити під час наступного виклику до слідчого. Додам, що для дальшого переведення т. зв. слідства потребую тексти Загальної декларації прав людини і Гельсінських домовленостей.

5.VI.80 р. В. Стус

Підписувати 1—2 сторінки протоколу обвинувачений Стус безпідставно відмовився.

Старший слідчий Слідвідділу КДБ УРСР майор Селюк

ПРОТОКОЛ

додаткового допиту обвинуваченого

місто Київ 10 червня 1980 р.

Старший слідчий Слідчого відділу КДБ Української РСР майор Селюк в приміщенні Слідвідділу КДБ УРСР, кабінет № 20, з додержанням вимог ст. ст. 143, 145 і 146 КПК УРСР допитав обвинуваченого: Стус Василь Семенович, 1938 року народження.

Допит почато в 15 год. 00 хв.
Закінчено в 17 год. 05 хв.

ЗАПИТАННЯ. На допиті 5 червня 1980 року ви заявили, що не встигли ознайомитись з текстом «Заключного акту наради з питань безпеки і співробітництва в Європі...», який був вилучений у вас під час обшуку 10 лютого 1978 року і пред'являвся вам для огляду. Зараз вам надається можливість ще раз ознайомитись з зазначеним документом.

Покажіть, коли, ким та з якою метою виконані правки і дописки в названому документі?

ВІДПОВІДЬ. Обвинувачений Стус детально ознайомився з пред'явленим йому машинописом документа «Заключний акт наради з питань безпеки і співробітництва в Європі...», від відповіді на поставлене запитання ухилився, — заявив: «Відповідати відмовляюсь».

ЗАПИТАННЯ. Чи знаєте ви колишнього жителя міста Чернігова Лук'яненка Левка Григоровича, якщо знаєте, то з якого часу, в яких стосунках з ним находитесь?

ВІДПОВІДЬ. Після того як запитання було оголошене слідчим, обвинувачений Стус заявив: «Відповідати відмовляюсь».

ЗАПИТАННЯ. Вам пред'являється для огляду авіаконверт з адресою отримувача: «250019 Чернигов-19, Рокоссовского, 41-б, кв. 41 Лукьяненко Льву Григорьевичу» та адресою відправника: «686071 с. Матросово Тенькінського р-ну Магадан. обл. до вимоги. В. Стус», в якому знаходиться рукописний лист, що починається зі слів: «17.VI. 77 р. Сервус, Левку!..» і закінчується словами: «...на 19 зоні 100-денний піст. Василь Стус». Цей лист був вилучений під час обшуку 12 грудня 1977 року в місті Чернігові в квартирі Лук'яненка Левка Григоровича, притягнутого до кримінальної відповідальності за антирадянську діяльність.

Що ви можете показати відносно пред'явленого вам листа?

ВІДПОВІДЬ. Обвинувачений Стус особисто ознайомився з пред'явленим йому листом і заявив: «Відповідати відмовляюсь».

ЗАПИТАННЯ. Як вбачається з тексту названого листа, зокрема з того, що під ним значиться ваш підпис, його автором являєтесь ви.

Покажіть, в зв'язку з чим ви написали Лук'яненку цього листа.

ВІДПОВІДЬ. Відповідати відмовляюсь.

ЗАПИТАННЯ. В зазначеному листі ви просите Лук'яненка Левка Григоровича, щоб він написав вам «за Укр. Гром. групу сприяння».

Про яку саме «групу» ви просили Лук'яненка написати вам?

ВІДПОВІДЬ. Відповідати відмовляюсь.

ЗАПИТАННЯ. Чи надсилали ви на адресу Лук'яненка Левка Григоровича з місця вашого заслання ще якісь листи, якщо надсилали, то коли та якого змісту були ваші листи?

ВІДПОВІДЬ. Відповідати відмовляюсь.

ЗАПИТАННЯ. Тоді ж, 12 грудня 1977 року, під час обшуку в квартирі Лук'яненка Левка Григоровича був вилучений машинописний текст листа на 5 аркушах цигаркового паперу, що починається зі слів: «с. Матросово, 9.11.77 р. Шановний пане Левку! На превелику силу...» і закінчується словами: «...перед народом, нащадками. Дай Боже! Василь Стус». Електрографічна копія цього листа пред'являється вам для огляду.

Поясніть, що це за лист, хто його автор?

ВІДПОВІДЬ. Обвинувачений Стус особисто ознайомився з електрографічною копією машинописного листа, який був вилучений під час обшуку в квартирі Лук'яненка, і заявив: «Відповідати відмовляюсь».

ЗАПИТАННЯ. На початку зазначеного листа вказано, що він виготовлений в селищі Матросово 9 листопада 1977 року, а в кінці тексту значиться ваше ім'я та прізвище: «Василь Стус», що свідчить про те, що його автором являєтесь ви.

При яких обставинах та в зв'язку з чим ви виготовили цей лист і яким чином він потрапив до квартирі Лук'яненка Левка Григоровича?

ВІДПОВІДЬ. Відповідати відмовляюсь.

ЗАПИТАННЯ. В скількох примірниках був виготовлений вами лист до Лук'яненка, датований 9 листопада 1977 року?

ВІДПОВІДЬ. Відповідати відмовляюсь.

ЗАПИТАННЯ. Кому ще, крім Лук'яненка, ви надсилали цього листа?

ВІДПОВІДЬ. Відповідати відмовляюсь.

ЗАПИТАННЯ. Чи знайомили ви кого-небудь з свого оточення з текстом зазначеного листа?

ВІДПОВІДЬ. Відповідати відмовляюсь.

ЗАПИТАННЯ. В названому листі до Лук'яненка ви відмічаєте, що прочитали «Заключний акт Хельсінської наради», обережно правили його, але «без оригіналу податися в широку (конче потрібну) правку» вважаєте занадто «ризиковано» і пишете: «Коли є нагальна потреба, то я спробую написати дружині, аби переслала мені сюди рос.-укр. словник, а ви вдруге перешлете Закл. акт».

Покажіть, коли саме і в зв'язку з чим Лук'яненко пересилав вам «Заключний акт Хельсінської наради»?

ВІДПОВІДЬ. Відповідати відмовляюсь.

ЗАПИТАННЯ. Чи є у вас доповнення до протоколу по суті поставлених запитань?

Порядком репліки: ув очах КГБ — я звинувачений, із мого погляду — все навпаки: я — звинувачую ГБ.

Мої відповіді надруковано правильно. Протокол читав. Пропоную копію цього протоколу переслати до Комісії ООН по правах людини або запросити представника цієї комісії: хай визначить сам, хто — звинувачений.

10.6.80 р. В. Стус

Підписувати 1—3 сторінки протоколу обвинувачений Стус безпідставно відмовився.

Старший слідчий Слідвідділу КДБ УРСР майор Селюк

ПРОТОКОЛ
додаткового допиту обвинуваченого

місто Київ 14 червня 1980 р.

Старший слідчий Слідчого відділу КДБ Української РСР майор Селюк в приміщенні Слідвідділу КДБ УРСР, кабінет № 20, з додержанням вимог ст. ст. 143, 145 і 146 КПК УРСР допитав обвинуваченого: Стус Василь Семенович, 1938 року народження.

Допит почато в 10 год. 25 хв.
Закінчено в 12 год. 10 хв.

ЗАПИТАННЯ. Вам пред'являється для огляду й ознайомлення електрографічна копія поштового конверта з адресою відправника: «686071 с. Матросова, Тенькін. р-ну, Магаданської обл. Стус В. С.»

і адресою отримувача: «250019 Чернигов-19, Рокоссовского, 41-Б, кв. 41 Лукьяненко Льву Григорьевичу», який був вилучений 12 грудня 1977 року під час обшуку в квартирі Лук'яненка Левка Григоровича в місті Чернігові.

Що ви можете показати відносно пред'явленого вам конверта?

ВІДПОВІДЬ. Обвинувачений Стус оглянув пред'явлений йому поштовий конверт і заявив: «Відповідати відмовляюсь».

ЗАПИТАННЯ. Які документи ви надсилали в зазначеному конверті до Лук'яненка Левка Григоровича?

ВІДПОВІДЬ. Відповідати відмовляюсь.

ЗАПИТАННЯ. На лицевій стороні названого конверта є відбиток поштового штемпеля: «с. Матросова Магаданской обл. 10117711», з якого вбачається, що він був відправлений вами із селища імені Матросова Магаданської області 10 листопада 1977 року.

Що ви покажете з цього приводу?

ВІДПОВІДЬ. Після того як запитання було оголошене слідчим, обвинувачений Стус заявив: «Відповідати відмовляюсь».

ЗАПИТАННЯ. З матеріалів кримінальної справи вбачається, що саме в названому конверті ви надіслали в місто Чернігів Лук'яненку Левку Григоровичу свого листа, датованого 9 листопада 1977 року, який пред'являвся вам для огляду на минулому допиті 10 червня цього року.

Дайте показання про обставини виготовлення та розповсюдження вами зазначеного листа.

ВІДПОВІДЬ. Відповідати відмовляюсь.

ЗАПИТАННЯ. Під час обшуку 12 грудня 1977 року в квартирі брата Лук'яненка Левка Григоровича — Лук'яненка Олександра Григоровича був вилучений машинописний текст листа на двох аркушах, що починається зі слів: «с. Матросово, 31.10.77 р. Дорогий Левку, дістав два ваших листи...» і закінчується словами: «...Чолом, брате. Ваш Василь Стус». Електрографічна копія вказаного листа пред'являється вам для огляду.

Покажіть, що це за лист та хто його автор.

ВІДПОВІДЬ. Обвинувачений Стус особисто прочитав пред'явлений йому машинописний текст листа, датованого 31 жовтня 1977 року, і заявив: «Відповідати відмовляюсь».

ЗАПИТАННЯ. Зі змісту названого листа вбачається, що його автором є ви. Про це, зокрема, свідчить наявність вашого прізвища:

«Василь Стус» під текстом листа та помітки: «с. Матросово, 31.10.77 р.», де ви на той час проживали.

В зв'язку з чим був написаний вами цей лист до Лук'яненка?

ВІДПОВІДЬ. Обвинувачений Стус вислухав оголошене йому запитання і заявив: «Відповідати відмовляюсь».

ЗАПИТАННЯ. Чи давали ви доручення Лук'яненку Левку Григоровичу розмножувати та розповсюджувати ваші листи?

ВІДПОВІДЬ. Відповідати відмовляюсь.

ЗАПИТАННЯ. Вам пред'являється для огляду електрографічна копія листа Лук'яненка Левка Григоровича від 27 листопада 1977 року на ваше ім'я, в якому він пише, що одержав від вас два листи, які «з огляду на зміст» були їм розмножені та поширені.

Дайте показання з цього приводу, зокрема покажіть, про які саме ваші листи згадує Лук'яненко.

ВІДПОВІДЬ. Обвинувачений Стус особисто ознайомився з пред'явленим йому листом і заявив: «Відповідати відмовляюсь».

ЗАПИТАННЯ. Під час обшуку 12 грудня 1977 року в квартирі Лук'яненка Левка Григоровича було вилучено один рукописний і пять машинописних примірників вірша «У темінь сну закурюється шлях…», автором якого значиться «Василь Стус». Вказані примірники з текстом названого вірша пред'являються вам для огляду.

Що це за вірш та яким чином він потрапив до Лук'яненка?

ВІДПОВІДЬ. Відповідати відмовляюсь.

Обвинувачений Стус безпідставно відмовився знайомитись з протоколом та підписувати його. Протокол оголошено слідчим.

Старший слідчий Слідвідділу КДБ УРСР майор Селюк

ПРОТОКОЛ

додаткового допиту обвинуваченого

місто Київ 18 червня 1980 р.

Старший слідчий Слідчого відділу КДБ Української РСР майор Селюк в приміщенні Слідчого відділу КДБ УРСР, кабінет № 20, з додержанням вимог ст. ст. 143, 145 і 146 КПК УРСР допитав обвинуваченого: Стус Василь Семенович, 1938 року народження.

Допит почато в 14 год. 20 хв.
Закінчено в 16 год. 50 хв.

ЗАПИТАННЯ. Під час обшуку 14—15 травня 1980 року в вашій квартирі в місті Києві поряд з іншими документами був вилучений аркуш білого паперу стандартного формату з рукописним текстом, що починається зі слів: «До Прокуратури УРСР. 23 жовтня ц. р. за таємничих обставин…» і закінчується словами: «…вул. Чорнобильська, 13-а, кв. 94. 18.11.79 р.». Названий аркуш з текстом пред'являється вам для ознайомлення.

Що ви можете показати відносно пред'явленого вам документа, зокрема хто його автор та виконавець?

ВІДПОВІДЬ. Обвинувачений Стус відмовився знайомитись з пред'явленим йому для огляду рукописним текстом, що починається зі слів: «До Прокуратури УРСР. 23 жовтня ц. р. …» і відповідати на поставлене запитання відмовився.

ЗАПИТАННЯ. Як вбачається з тексту зазначеного документа, це є ваша заява до Прокуратури Української РСР від 18 листопада 1979 року, в якій ви виступаєте на захист Миколи Горбаля, притягнутого до кримінальної відповідальності за замах на зґвалтування. Про те, що автором цього документа являєтесь ви, свідчить також наявність під його текстом вашого прізвища: «Василь Стус, учасник Українського правозахисного руху» та вашої домашньої адреси: «Київ-179, вул. Чорнобильська, 13-а, кв. 94».

Покажіть, де, коли, в скількох примірниках та за яких інших обставин був виготовлений вами названий документ.

ВІДПОВІДЬ. Після того як запитання було оголошене слідчим, від обвинуваченого Стуса ніякої відповіді не надійшло.

ЗАПИТАННЯ. Чи надсилали ви зазначений документ вказаному адресату, тобто до Прокуратури Української РСР?

ВІДПОВІДЬ. Обвинувачений Стус відмовився відповідати на поставлене йому запитання.

ЗАПИТАННЯ. Кого із приватних осіб ви знайомили зі своєю заявою від 18 листопада 1979 року, адресованою до Прокуратури УРСР?

ВІДПОВІДЬ. Відповідь не поступила.

ЗАПИТАННЯ. В зв'язку з чим ви виготовили названу вище заяву та з якою метою зберігали її в себе вдома?

ВІДПОВІДЬ. Вислухавши запитання, обвинувачений Стус ніякої відповіді не дав, мовчав.

ЗАПИТАННЯ. Тоді ж, під час обшуку 14—15 травня 1980 року, в вашій квартирі був вилучений також рукописний текст листа, виконаний російською мовою на одному аркуші білого паперу стандартного формату, що починається зі слів: «Уважаемый Андрей Дмитриевич, я тяжело переживаю...» і закінчується словами: «...Киев-179, ул. Чернобыльская, 13-а, кв. 94. 18.11.79 г.». Цей лист пред'являється вам для огляду.

Що це за лист, кому він адресувався, хто та в зв'язку з чим його написав?

ВІДПОВІДЬ. Обвинувачений Стус відмовився знайомитись з пред'явленим йому листом і ніякої відповіді по суті поставленого запитання не дав.

ЗАПИТАННЯ. Під текстом названого вище листа вказано, що його автором є «Василь Стус, участник Украинского правозащитного движения» і написаний він у місті Києві «18.11.79 г.».

Покажіть, в зв'язку з чим був виготовлений вами цей документ.

ВІДПОВІДЬ. Відповідь не надійшла.

ЗАПИТАННЯ. В зазначеному листі до «Андрея Дмитриевича» ви наводите повний текст своєї заяви від 18 листопада 1979 року до Прокуратури Української РСР.

Поясніть, хто такий «Андрей Дмитриевич» та з якою метою ви подаєте в листі до нього текст своєї заяви, яку адресували в Прокуратуру Української РСР.

ВІДПОВІДЬ. Відповідь не надійшла.

ЗАПИТАННЯ. В скількох примірниках був виготовлений вами лист до «Андрея Дмитриевича», датований вами 18 листопада 1979 року?

ВІДПОВІДЬ. Відповідь не надійшла.

ЗАПИТАННЯ. Чи надсилали ви названий лист до «Андрея Дмитриевича», якщо надсилали, то коли та яким шляхом?

ВІДПОВІДЬ. Відповідь не надійшла.

ЗАПИТАННЯ. З якою метою ви зберігали вказаний лист у себе вдома, кого та при яких обставинах знайомили з ним?

ВІДПОВІДЬ. Відповідь не надійшла.

ЗАПИТАННЯ. Текст заяви до Прокуратури УРСР від 18 листопада 1979 року ви також подали в своєму листі до мешканки міста Москви

Лісовської Ніни Петрівни, датованому 21 січня 1980 року. Цей лист пред'являвся вам для огляду на допиті 15 травня цього року, і тоді ж ви ознайомились з його текстом.

З якого метою ви поширювали серед приватних осіб виготовлену вами 18 листопада 1979 року заяву, призначену для Прокуратури УРСР?

ВІДПОВІДЬ. Вислухавши запитання, обвинувачений Стус ніякої відповіді не дав.

ЗАПИТАННЯ. Вам пред'являється для огляду загальний зошит у дерматиновий обкладинці темно-коричневого кольору на 94 аркушах у клітинку, який також був вилучений в вашій квартирі під час обшуку 14—15 травня 1980 року. Записи в зошиті виконані від руки різнокольоровими барвниками і починаються зі слів: «Випад меча в першому світлі…» та закінчуються словами: «…як він забув інших і це сталося».

Покажіть, кому належить цей зошит, коли та ким виконані в ньому записи.

ВІДПОВІДЬ. Обвинувачений Стус особисто ознайомився з пред'явленим йому загальним зошитом і заявив: «Відповідати відмовляюсь».

ЗАПИТАННЯ. На 12—18 аркушах загального зошита, з яким ви щойно ознайомились, є рукописний текст, виконаний російською мовою, що починається зі слів: «Бердяев. В типе рус. ч-ка всегда…» і закінчується словами: «…подчинило судьбу его Богу».

Поясніть, хто автор та виконавець цього тексту.

ВІДПОВІДЬ. Ніякої відповіді по суті поставленого запитання обвинувачений Стус не дав.

ЗАПИТАННЯ. Чи є у вас доповнення або поправки до протоколу?

ВІДПОВІДЬ. Відповідь не надійшла.

В зв'язку з тим, що обвинувачений Стус відмовився знайомитись з протоколом допиту, протокол був оголошений слідчим. Після оголошення протоколу обвинувачений заявив, що в нього є доповнення, яке він воліє написати власноручно. Така можливість йому надається.

Відмовляюся відповідати на питання т. зв. слідства доти, поки мені не буде надано змогу займатися в камері в'язниці англ. мовою. Жодних англ. книжок (словника, художнього тексту, підручника) немає в бібліотеці в'язниці. У спец. заяві від 18.6. на ім'я нач. слід. відділу я виклав всі можливі варіанти (або книжки принесе дружина, або кагебісти їх куплять за мої гроші і т. д.). Коли такі книжки я дістану, тоді на питання відповідатиму, з записами, які гебісти ставлять мені на карб, знайомитимусь, читатиму протокол і т. ін.

18.6.80 р. В. Стус

Старший слідчий Слідчого відділу КДБ Української РСР майор Селюк

Начальникові слідчого відділу КДБ
Стуса В. С.

ЗАЯВА

Перед арештом я займався вивченням англійської мови. У зв'язку з цим прошу надати мені змогу продовжити свої студії. Мені потрібен англо-рос. (укр.) словник, підручник англ. мови і будь-який художній текст англ. мовою. Усе це має моя дружина. Коли цей варіант гебістів не задовольняє, нехай такі книжки будуть у в'язничній бібліотеці. Ще варіант: згоден, аби такі книжки тюремні служки придбали моїм коштом.

До одержання цих книжок брати участі в слідстві не буду.

18.6.80 р. В. Стус

ПРОТОКОЛ
додаткового допиту обвинуваченого

місто Київ 21 червня 1980 р.

Старший слідчий Слідчого відділу КДБ Української РСР майор Селюк в приміщенні Слідчого відділу КДБ УРСР, кабінет № 20, з додержанням вимог ст. ст. 143, 145 і 146 КПК УРСР допитав обвинуваченого: Стус Василь Семенович, 1938 року народження (дані про особу обвинуваченого маються в справі).

Допит почато в 11 год. 15 хв.
Закінчено в 13 год. 30 хв.

ЗАПИТАННЯ. Вам пред'являється для огляду загальний зошит без обкладинки на 78 аркушах жовтого нелінованого паперу розміром 21,5 × 29,4 см, скріплених трьома металевими скріпками, з рукописними записами, шо починаються зі слів: «Пісні одного острова...» і закінчуються словами: «...La S.C.». Деякі аркуші в зошиті мають сліди відриву. Вказаний зошит був виявлений в вашій квартирі під стелажем для книжок і вилучений під час обшуку 14—15 травня 1980 року.

Покажіть, кому належить цей зошит, з якого часу він знаходився в вашій квартирі, коли та ким виконані в ньому записи.

ВІДПОВІДЬ. Обвинувачений Стус відмовився знайомитись з пред'явленим йому зошитом і ніякої відповіді на поставлене запитання не дав.

ЗАПИТАННЯ. Серед записів у названому зошиті є замітки по справі Миколи Горбаля, притягнутого до кримінальної відповідальності в 1979 році, а також про обшук, проведений 31 березня 1980 року в квартирі Шевченка Олеся Євгеновича та про арешт 14 квітня цього року Шевченка Віталія, з яких вбачається, шо зошитом користувались у 1979—1980 роках.

Що ви можете показати з цього приводу?

ВІДПОВІДЬ. Після того як запитання було оголошене слідчим, від обвинуваченого Стуса ніякої відповіді не надійшло.

ЗАПИТАННЯ. Крім записів стосовно обшуків у Шевченка Олеся і Шевченка Віталія та їх арешту в названому зошиті викладені також деякі пункти із звинувачення Юрія Бадзьо, засудженого в 1979 році за антирадянську діяльність.

Поясніть, як ви знаєте названих Шевченка Олеся, Шевченка Віталія та Бадзьо Юрія і з якою метою зроблені стосовно їх записи в зошиті?

ВІДПОВІДЬ. Відповідь не надійшла.

ЗАПИТАННЯ. На одному із аркушів вказаного зошита є чернетка листа, написаного від вашого імені до якогось зарубіжного кореспондента — «пані Пул-Т», яку ви дякуєте за «гречні вітальні телеграми», що одержали від неї з нагоди вашого повернення до Києва. В цьому ж листі ви пишете про встановлення за вами адміністративного нагляду, згадуєте Мешко Оксану Яківну, називаючи її учасницею «Українського правозахисного руху».

Покажіть, хто така «пані Пул-Т» та в звязку з чим ви описуєте їй про своє перебування в Києві?

ВІДПОВІДЬ. Відповідь не надійшла.

ЗАПИТАННЯ. Під час обшуку 14—15 травня 1980 року в вашій квартирі поряд з іншими документами було вилучено три аркуші жовтого нелінованого паперу розміром 21,5 × 29,4 см, вирваних з загального зошита, на яких міститься рукописний текст, що починається зі слів: «Памятка украинского борца за волю...» і закінчується словами: «...який продовжить твою роботу». Ці аркуші з зазначеним текстом пред'являються вам для огляду.

Покажіть, хто автор та виконавець тексту, що міститься на пред'явлених вам аркушах.

ВІДПОВІДЬ. Обвинувачений Стус відмовився знайомитись з пред'явленим йому документом «Памятка украинского борца за волю» і ніякої відповіді на поставлене запитання не дав.

ЗАПИТАННЯ. В пред'явленому вам документі під назвою «Памятка украинского борца за волю» в одному із пунктів зазначається: «На всі питання слідства можна відповідати так: "Всі необхідні пояснення в справі я волію дати лише у відк. політ. процесі з участю представників Укр. і міжнар. правоз. організацій. До цього часу відати не волію"». Це перегукується з тим, що ви писали в своїх листах від 31 жовтня та 9 листопада 1977 року до Лук'яненка Левка Григоровича, з якими ви ознайомились на попередніх допитах. Крім того, саме так ви заявили на допиті 15 травня 1980 року, а на допиті 16 травня цього року власноручно записали про це в протоколі допиту.

Що ви покажете з цього приводу, зокрема коли, ким, при яких обставинах та з якою метою був виготовлений названий документ?

ВІДПОВІДЬ. Відповідь не надійшла.

ЗАПИТАННЯ. Вам пред'являється для огляду рукописний текст, виконаний на 4 аркушах з учнівського зошита, що починається зі слів: «Дорога Михасю! Дорогі Світлано, Юрку!..» та закінчується словами: «...хоч бувало не часто, на жаль». Ці аркуші були вилучені в вашій квартирі під час обшуку 14—15 травня цього року.

Покажіть, кому належать названі аркуші, коли, ким виконаний на них текст та хто ті особи, яким він адресувався?

ВІДПОВІДЬ. Обвинувачений Стус відмовився знайомитись з пред'явленим йому текстом і ніякої відповіді на поставлене запитання не дав.

ЗАПИТАННЯ. Зі змісту пред'явленого вам рукописного тексту вбачається, що це ваш лист до групи осіб: Михасі, Світлани, Юрка,

Льолі, Надії, Павла, Рити, Бориса і Валерії, написаний під час вашого перебування в Тенькінському районі Магаданської області після виходу з лікарні, в якій, як вказується в листі, ви знаходились на лікуванні з 20 серпня до 18 жовтня 1977 року.

Коли, в скількох примірниках та в зв'язку з чим був виготовлений вами цей лист і кому конкретно із названих у ньому осіб ви його надсилали?

ВІДПОВІДЬ. Відповідь не надійшла.

ЗАПИТАННЯ. Чи надсилали ви цей лист ще кому-небудь крім зазначених у ньому осіб?

ВІДПОВІДЬ. Відповідь не надійшла.

ЗАПИТАННЯ. Кого із свого оточення ви знайомили з текстом цього листа?

ВІДПОВІДЬ. Відповідь не надійшла.

ЗАПИТАННЯ. Як вбачається з огляду зазначеного листа, два його аркуші написані одним почерком, а два — іншим, що свідчить про те, що в його розмноженні приймали участь різні особи.

Покажіть, хто крім вас причетний до розмноження цього листа?

ВІДПОВІДЬ. Відповідь не надійшла.

ЗАПИТАННЯ. В названому вище листі ви пишете: «В разі арешту я відмовлятимусь вести будь-яку досудову розмову, хай і запихують у божевільню. В разі суду я вимагатиму відкритого судового процесу, представників міжнар. організацій…», що також перегукується з тими положеннями, які викладені в названому вище документі під назвою «Памятка украинского борца за волю».

Що ви можете показати з цього приводу?

ВІДПОВІДЬ. Відповідь не надійшла.

ЗАПИТАННЯ. Ви будете особисто знайомитись з протоколом допиту чи зачитати вам його вслух?

ВІДПОВІДЬ. Відповідь не надійшла.

В зв'язку з тим, що обвинувачений Стус відмовився знайомитись з протоколом допиту, протокол був оголошений йому слідчим. Ніяких заяв та поправок до протоколу з боку обвинуваченого Стуса не поступило. Підписувати протокол допиту обвинувачений Стус безмотивно відмовився.

Старший слідчий Слідвідділу КДБ УРСР майор Селюк

ПРОТОКОЛ
додаткового допиту обвинуваченого

місто Київ 24 червня 1980 р.

Старший слідчий Слідчого відділу КДБ Української РСР майор Селюк в приміщенні Слідчого відділу КДБ УРСР, кабінет № 20, з додержанням вимог ст. ст. 143, 145 і 146 КПК УРСР допитав обвинуваченого: Стус Василь Семенович, 1938 року народження (дані про особу обвинуваченого маються в справі).

Допит почато в 11 год. 15 хв.
Закінчено в 13 год. 05 хв.

ЗАПИТАННЯ. Під час обшуку 14—15 травня 1980 року в вашій квартирі було вилучено стандартний аркуш білого нелінованого паперу з машинописним текстом віршів: «Так явно світ тобі належать став...», «В мені уже народжується бог...», «Колеса глухо стукотять, мов хвиля об паром...», «Я знав майже напевно...» та «Ось вам сонце, сказав чоловік з кокардою на кашкеті...». Цей аркуш з вказаними віршами пред'являється вам для огляду.

Що ви можете показати з приводу пред'явлених вам для огляду та ознайомлення віршів?

ВІДПОВІДЬ. Обвинувачений Стус відмовився знайомитись з пред'явленими йому віршами і заявив: «Відповідати на будь-які запитання по кримінальній справі відмовляюсь».

ЗАПИТАННЯ. Хто автор названих вище віршів, де, коли, за яких обставин вони були написані й віддруковані?

ВІДПОВІДЬ. Відповідати відмовляюсь.

ЗАПИТАННЯ. Ким, на якій машинці та в скількох примірниках були надруковані пред'явлені вам для ознайомлення вірші, де знаходяться інші примірники?

ВІДПОВІДЬ. Після того як запитання було оголошене слідчим, від обвинуваченого Стуса ніякої відповіді не надійшло.

ЗАПИТАННЯ. Вам пред'являється для огляду аркуш білого паперу стандартного формату, перегорнутий вдвоє, на якому міститься рукописний текст вірша «Колеса глухо стукотять, мов хвиля об паром...», ідентичний за своїм змістом тому, що надрукований на аркуші, який вам щойно пред'являвся для огляду. Цей вірш також був вилучений в вашій квартирі під час обшуку 14—15 травня цього року.

Поясніть, коли, ким та для чого був розмножений вірш «Колеса глухо стукотять, мов хвиля об паром...»?

ВІДПОВІДЬ. Обвинувачений Стус відмовився знайомитись з пред'явленим йому рукописним текстом вірша «Колеса глухо стукотять, мов хвиля об паром...» і ніякої відповіді на поставлене запитання не дав.

ЗАПИТАННЯ. Тоді ж, під час обшуку 14—15 травня цього року, в вашій квартирі був вилучений загальний зошит у картонній обкладинці голубого кольору з рукописними записами, що починаються зі слів: «Левек: "Без великих доктрин..."» і закінчуються словами: «...там музи-бранки». На останіх трьох аркушах цього зошита містяться вірші: «Безпашпортний і закріпачений...», «Село, колгоспна вітчина...» Названий зошит пред'являється вам для огляду.

Покажіть, кому належить цей зошит, хто автор та виконавець поміщених у ньому віршів: «Безпашпортний і закріпачений...» та «Село, колгоспна вітчина...»?

ВІДПОВІДЬ. Обвинувачений Стус відмовився знайомитись з пред'явленим йому загальним зошитом і ніякої відповіді на поставлене запитання не дав.

ЗАПИТАННЯ. Коли, де, в зв'язку з чим та за яких інших обставин були виготовлені вірші: «Безпашпортний і закріпачений...» та «Село, колгоспна вітчина...»?

ВІДПОВІДЬ. Обвинувачений Стус відмовився відповідати на поставлене йому запитання.

ЗАПИТАННЯ. З якого часу ви зберігали в своїй квартирі пред'явлені вам сьогодні для огляду вірші: «Колеса глухо стукотять, мов хвиля об паром...», «Ось вам сонце, сказав чоловік з кокардою на кашкеті...», «Безпашпортний і закріпачений...» та «Село, колгоспна вітчина...»?

ВІДПОВІДЬ. Відповідати відмовляюсь.

ЗАПИТАННЯ. Як вбачається з огляду вашої архівної кримінальної справи № 67320, по якій ви звинувачувались у 1972 році в проведенні антирадянської агітації і пропаганди, автором віршів: «Колеса глухо стукотять, мов хвиля об паром...», «Ось вам сонце, сказав чоловік з кокардою на кашкеті...», «Безпашпортний і закріпачений...» та «Село, колгоспна вітчина...» являєтесь ви. Вірші «Колеса глухо стукотять, мов хвиля об паром...» та «Ось вам сонце, сказав чоловік з кокардою на кашкеті...» поміщені вами в саморобну поетичну збірку під назвою «Веселий цвинтар», яка була вилучена в вас під час обшуку 12—13 січня 1972 року і прилучена як речовий доказ до зазначеної вище кримінальної справи. Тоді ж був вилучений в вас і рукописний текст вірша «Безпашпортний і закріпачений...», який за своїм змістом перегукується з віршами: «Село, колгоспна вітчина...» та «Безпашпортний і закріпачений...», написаними в загальному зошиті. На допитах у 1972 році ви визнали своє авторство названих віршів.

Що ви можете зараз пояснити з цього приводу?

ВІДПОВІДЬ. Обвинувачений Стус вислухав зачитане йому слідчим запитання і ніякої відповіді не дав.

ЗАПИТАННЯ. З якою метою ви зберігали в себе вдома до вилучення під час обшуку 14—15 травня цього року примірники названих вище віршів?

ВІДПОВІДЬ. Відповідь не надійшла.

ЗАПИТАННЯ. Вам пред'являється для огляду шість аркушів стандартного формату з машинописним текстом, що починається зі слів: «Нещодавно в «Літературній Україні» було надруковано статтю О. Полторацького...» і закінчується словами: «...на радість праці», та три аркуші з рукописним текстом чернеток до зазначеного машинопису, що починається зі слів: «В зарубіжній психології...» і закінчується словами: «...на одне слово, що лист». Ці аркуші були вилучені в вашій квартирі під час обшуку 14—15 травня 1980 року.

Покажіть, що це за документ, хто його автор, де, коли та при яких обставинах він був виготовлений?

ВІДПОВІДЬ. Обвинувачений Стус відмовився знайомитись з пред'явленим йому документом і ніякої відповіді по суті поставленого запитання не дав.

ЗАПИТАННЯ. Хто та в скількох примірниках віддрукував названий документ?

ВІДПОВІДЬ. Відповідати відмовляюсь.

ЗАПИТАННЯ. Де знаходяться інші примірники та друкарська машинка, на якій він був надрукований?

ВІДПОВІДЬ. Відповідь не надійшла.

ЗАПИТАННЯ. З якого часу та з якою метою ви зберігали названий документ у себе вдома?

ВІДПОВІДЬ. Відповідь не надійшла.

ЗАПИТАННЯ. Чи знайомили ви кого-небудь із свого оточення з названим документом?

ВІДПОВІДЬ. Відповідь не надійшла.

Запитання: Під час обшуку 14—15 травня 1980 року в вашій квартирі був вилучений подвійний аркуш нелінованого паперу з рукописним текстом, що починається зі слів: «Існує тільки дві форми контактування народу з урядом...» та закінчується словами: «...субстанційну народність не зникає», і стандартний аркуш паперу з рукописним текстом, який також починається зі слів: «Існує тільки дві форми контактування народу з урядом...» і являє собою частину документа, викладеного на подвійному аркуші. Ці аркуші з зазначеним текстом пред'являються вам для огляду.

Покажіть, хто автор та виконавець пред'явленого вам документа, де, коли і в звязку з чим він був написаний?

ВІДПОВІДЬ. Обвинувачений Стус відмовився знайомитись з пред'явленим йому документом і ніякої відповіді на поставлене запитання не дав.

ЗАПИТАННЯ. Чи знайомили ви кого-небудь з цим документом?

ВІДПОВІДЬ. Відповідати відмовляюсь.

ЗАПИТАННЯ. З якою метою ви зберігали зазначений вище документ у себе вдома?

ВІДПОВІДЬ. Відповідь не надійшла.

В зв'язку з тим, що обвинувачений Стус відмовився знайомитись з протоколом допиту, протокол був зачитаний йому слідчим.

Ніяких заяв та зауважень щодо протоколу з боку обвинуваченого Стуса не поступило. Підписувати протокол обвинувачений Стус безпідставно відмовився.

Старший слідчий Слідвідділу КДБ УРСР — майор Селюк

ПРОТОКОЛ

додаткового допиту обвинуваченого

місто Київ — 9 липня 1980 р.

Старший слідчий Слідчого відділу КДБ Української РСР майор Селюк в приміщенні Слідчого відділу КДБ УРСР, кабінет № 20, з додержанням вимог ст. ст. 143, 145 і 146 КПК УРСР допитав обвинуваченого: Стус Василь Семенович, 1938 року народження (дані про особу обвинуваченого маються в справі).

Допит почато в 14 год. 15 хв.
Закінчено в 15 год. 35 хв.

ЗАПИТАННЯ. Вам пред'являються для огляду и ознайомлення вилучені в вашій квартирі під час обшуку 14—15 травня 1980 року:

- записна книжка з абеткою в поліетиленовій обкладинці синьо-зеленого кольору на 48 аркушах білого нелінованого паперу з записами, що починаються зі слів: «Ант. Дав-ич 24—51—95...» і закінчуються словами: «...за відмову взяти нового пашпорта, бо вважався гр-ном Зах. Нім.»;
- записна книжка з абеткою в чорній поліетиленовій обкладинці з написом «Алфавит» на 48 аркушах у лінійку, на яких містяться записи адрес та номерів телефонів окремих осіб, що починаються словами: «Б-4—51—95 252030 К-30 Леніна, 68—24 Б. Дм. Ант. Давид-ч...».

Кому належать пред'явлені вам для огляду записники та ким виконані в них записи?

ВІДПОВІДЬ. Вислухавши запитання, обвинувачений Стус ніякої відповіді на нього не дав, мовчав. Знайомитись з пред'явленими записними книжками не забажав.

ЗАПИТАННЯ. В записній книжці, що в обкладинці синьо-зеленого кольору, відмічені номера телефонів Антоненка-Давидовича Бориса Дмитровича, Лілі Сверстюк, Сахарова Андрія Дмитровича, Раї Руденко та інших приватних осіб.

Покажіть, хто ці особи та в яких стосунках ви з ними знаходитесь?

ВІДПОВІДЬ. Після того як запитання було оголошене слідчим, ніякої відповіді від обвинуваченого Стуса не надійшло.

ЗАПИТАННЯ. Серед записів у зазначеному записнику є адреса та номер телефону мешканки Федеративної Республіки Німеччини — Ганни-Галини Горбач.

Як ви знаєте Горбач, чи знайомі з нею особисто, якщо знайомі, то де, коли та за яких обставин познайомились?

ВІДПОВІДЬ. Відповідь на запитання не надійшла.

ЗАПИТАННЯ. Під час виїмки 22 травня цього року поштової кореспонденції, яка надійшла на ваше ім'я від названої вище Ганни-Галини Горбач, було вилучено лист, що починається зі слів: «Дорогий пане Василю!...» і закінчується словами: «...щиро Ваша Горбач». Зі змісту цього листа вбачається, що ви знайомі з адресатом і обмінюєтесь з нею листами. Названий лист разом з конвертом пред'являється вам для огляду.

Покажіть, хто така Горбач та на чому ґрунтується ваше спілкування з нею?

ВІДПОВІДЬ. Обвинувачений Стус не побажав знайомитись з пред'явленим йому листом і відповіді по суті поставленого запитання не дав.

ЗАПИТАННЯ. В записній книжці, що в обкладинці чорного кольору з написом «Алфавит», яка вам також сьогодні пред'являлась для огляду, записані адреси цілого ряду осіб, засуджених за антирадянську діяльність, зокрема Антонюка З. П., Лісового В. С., Сергієнка О. Ф. та інших.

В яких стосунках ви перебуваєте з названими особами?

ВІДПОВІДЬ. Відповідати на поставлене запитання обвинувачений Стус відмовився.

ЗАПИТАННЯ. В названому записнику на аркуші, поміченому літерою «Б», записана адреса мешканки міста Бремена (ФРН) Крістіни Бремер.

Хто така Крістіна Бремер, звідки ви взяли її адресу, чи надсилали їй листи, якщо надсилали, то якого змісту?

ВІДПОВІДЬ. Відповідь на запитання не надійшла.

ЗАПИТАННЯ. Під час виїмки поштової кореспонденції 22 травня 1980 року був вилучений також лист, що надійшов на ваше імя від Лісового В. С. Текст листа виконано на 4 аркушах з учнівського зошита і починається зі слів: «24.IV.80 Дорогий друже!...» та закінчується словами: «...Вітання Валі, сину, рідним, друзям. Лісовий». Вказаний лист пред'являється вам для огляду.

Покажіть, з якого часу ви знаєте Лісового, які між вами стосунки та який характер носило ваше листування?

ВІДПОВІДЬ. Обвинувачений Стус відмовився знайомитись з пред'явленим йому листом і відповіді на запитання не дав.

ЗАПИТАННЯ. Вам пред'являється для огляду вилучений в вашій квартирі під час обшуку 14—15 травня цього року відкритий поштовий конверт з листом, написаним від вашого імені Лісовській Ніні Петрівні. Текст цього листа починається зі слів: «Письмо № 2 25.1.80 г. Дорогая

Нина Петровна…» і закінчується словами: «Кланяюсь друзьям. Сердечно приветствуя — Василь Стус».

Що ви покажете відносно пред'явленого вам листа, зокрема чому ви не відправили його адресату?

ВІДПОВІДЬ. Знайомитись з пред'явленим йому для огляду листом обвинувачений Стус відмовився і ніякої відповіді на поставлене запитання не дав.

ЗАПИТАННЯ. В названому листі ви просите Лісовську передати «друзьям-москвичам» ваш «карт-бланш на любые инициативы, связанные с защитой честнейшего имени».

Покажіть, кому саме і для чого ви просите передати необмеженні повноваження на виконання дій від вашого імені?

ВІДПОВІДЬ. Відповіді на запитання не надійшло.

ЗАПИТАННЯ. В зазначеному листі до Лісовської ви уточнюєте окремі моменти кримінальної справи по обвинуваченню Миколи Горбаля, тенденційно описуєте судовий процес по його справі.

З якою метою ви описуєте Лісовській про притягнення до кримінальної відповідальності Горбаля та про судовий процес по його справі?

ВІДПОВІДЬ. Відповіді на запитання не надійшло.

В зв'язку з тим, що обвинувачений відмовився знайомитись з протоколом допиту, протокол був оголошений йому слідчим. Ніяких заяв, доповнень та поправок до протоколу з боку обвинуваченого не надійшло. Підписувати протокол обвинувачений Стус безпідставно відмовився.

Старший слідчий Слідвідділу КДБ
Української РСР майор Селюк

ПРОТОКОЛ
додаткового допиту обвинуваченого

місто Київ 11 липня 1980 р.

Старший слідчий Слідчого відділу КДБ Української РСР майор Селюк в приміщенні Слідчого відділу КДБ УРСР, кабінет № 20, з додержанням вимог ст. ст. 143, 145 і 146 КПК УРСР допитав обвинуваченого: Стус Василь Семенович, 1938 року народження (дані про особу обвинуваченого маються в справі).

Допит почато в 15 год. 00 хв.
Закінчено в 17 год. 00 хв.

ЗАПИТАННЯ. Під час обшуку 14—15 травня цього року в вашій квартирі було знайдено й вилучено:

- саморобну записну книжку, обгорнуту поліетиленовою плівкою, на 88 аркушах у клітинку з записами, що починаються зі слів: «Чел. — 250 Курган — 250…» і закінчуються словами: «…когось хоронять»;
- записну книжку в поліетиленовій обкладинці світло-сірого кольору на 53 аркушах у клітинку з записами, що починаються зі слів: «нач. кадрів Дребус…» і закінчуються словами: «…м-н Расковой — 8,20 к. 6,00».

Вказані записники пред'являються вам для огляду і ознайомлення. Кому належать ці записні книжки, хто автор та виконавець поміщених у них текстів?

ВІДПОВІДЬ. Обвинувачений Стус не побажав знайомитись з пред'явленими йому для огляду записними книжками і ніякої відповіді на поставлене запитання не дав.

ЗАПИТАННЯ. У саморобній книжці, яка обгорнута поліетиленовою плівкою, поряд з іншими записами поміщено витяг із промови президента Сполучених Штатів Америки при вступі його на посаду. Ким та з якою метою вчинено названий запис?

ВІДПОВІДЬ. Обвинувачений Стус вислухав оголошене йому слідчим запитання і ніякої відповіді не дав.

ЗАПИТАННЯ. У записнику, що в поліетиленовій обкладинці світло-сірого кольору, поміщено ряд віршів, зокрема: «Палімпсести», «Весни Колим. парость…», «Ми в-ки і нас…» та інші.

Покажіть, хто автор названих віршів, де, коли та за яких обставин вони були виготовлені?

ВІДПОВІДЬ. Обвинувачений Стус відмовився відповідати на поставлене йому запитання.

ЗАПИТАННЯ. Тоді ж, під час обшуку 14—15 травня цього року, в вашій квартирі поряд з іншими документами було вилучено:

- загальний зошит у дерматиновій обкладинці червоно-коричневого кольору з поміткою на форзаці «№ 3» на 96 аркушах з записами, що починаються зі слів: «Блез Паскаль Мысли…» і закінчуються словами: «…Берегите здоровья. Целую»;
- загальний зошит у поліетиленовій обкладинці чорного кольору на 96 аркушах у клітинку, на форзаці якого є помітка «№ 3 вірші», а нижче приклеєно типографський текст вірша, що починається словами: «Лучи к ним в душу не сходили…»;
- загальний зошит у дерматиновій обкладинці коричневого кольору з поміткою на форзаці «№ 6» на 96 аркушах у клітинку з записами віршів, написаних у строчку, що починаються зі слів: «Приспішає наче битий…» і закінчуються словами: «…Я ще не знав, що є двійня».

Перелічені вище зошити пред'являються вам для огляду.

Що ви можете показати відносно пред'явлених вам зошитів, зокрема кому вони належать та ким виконані в них записи?

ВІДПОВІДЬ. Обвинувачений Стус виявив бажання ознайомитись тільки з одним зошитом, що в коричневій дерматиновій обкладинці з позначкою на форзаці «№ 6». Така можливість йому була надана. З іншими двома зошитами, які також пред'являлись для огляду, — знайомитись відмовився, не висунувши ніяких мотивів.

Оглянувши зазначений зошит, обвинувачений Стус повернув його слідчому і ніякої відповіді на поставлене йому запитання не дав.

ЗАПИТАННЯ. На 31-му аркуші зошита, з яким ви щойно ознайомились, поміщено вірш під назвою «На Схід, на Схід…», в якому йдеться про те, що Україна начебто «уся в антонівім огні», «страшна до неї путь — на котрій сам падеш і друзі теж падуть».

Хто автор цього вірша та що ви можете показати відносно змісту наведених у запитанні рядків з нього?

ВІДПОВІДЬ. Після того як запитання було оголошене слідчим, обвинувачений Стус заявив: «На будь-які запитання відповідати відмовляюсь».

ЗАПИТАННЯ. У пред'явленому вам для ознайомлення зошиті, що в дерматиновій обкладинці червоно-коричневого кольору з поміткою на форзаці «№ 3», на останньому аркуші олівцем написані тексти телеграм, в яких йдеться про те, що вашу переписку начебто «блокировали».

Для кого призначались написані тексти телеграм?

ВІДПОВІДЬ. Ніякої відповіді на запитання не надійшло.

ЗАПИТАННЯ. Вам пред'являються для ознайомлення вилучені під час обшуку 14—15 травня цього року в вашій квартирі:

- книжка для чорнових записів кульковою ручкою на 260 аркушах нелінованого паперу з записами, що починаються зі слів: «Научи меня, Господи...» і закінчуються словами: «...но ты носись не для меня. Я. в.»;
- саморобний блокнот на 108 аркушах у клітинку з записами, що починаються зі слів: «Войтович Всеволод Степанович...» і закінчуються словами: «...Галина Разов Алекс-на. Евгения Алекс-на»;
- блокнот-щотижневик у чорній поліетиленовій обкладинці на 72 аркушах з записами, що починаються зі слів: «1/3 шклянці...» і закінчуються словами: «...Здав: 17.4 — тепле (1,2), сор., труси, рушник»;
- записник з абеткою в поліетиленовій обкладинці синього кольору на 64 аркушах у клітинку з записами, що починаються зі слів: «Середа 2—7 веч...» і закінчуються словами: «...Підручник з фізики Жданова, Лансберта для 10 класу».

Кому належать пред'явлені вам для огляду книжка для чорнових записів, блокноти та записник, ким виконані в них записи?

ВІДПОВІДЬ. Обвинувачений Стус відмовився оглядати пред'явлені йому для ознайомлення книжку, два блокноти та записник і ніякої відповіді на поставлене запитання не дав.

ЗАПИТАННЯ. На останніх аркушах пред'явленої вам книжки для чорнових записів під заголовками: «Перм», «Володимир», «Звільнені», «Морд-Перм», «Засланці», «Львів — І. ФР.», «Київ», «Москва» записано ряд осіб засуджених за антирадянську діяльність.

Ким, коли та з якою метою вчинені ці записи?

ВІДПОВІДЬ. Відповіді на запитання не надійшло.

ЗАПИТАННЯ. Такі ж тенденційно підібрані записи відносно осіб, засуджених за антирадянську діяльність, містяться в блокноті-щотижневику та записнику з абеткою, які також пред'являлись вам для огляду.

Поясніть, кому та для чого були потрібні ці записи?

ВІДПОВІДЬ. Відповідати на поставлене запитання обвинувачений Стус відмовився.

ЗАПИТАННЯ. Вам пред'являється для огляду вилучений в вас під час обшуку 14—15 травня 1980 року аркуш білого нелінованого паперу з рукописним текстом, що починається зі слів: «В. Стус — Євгенові С.

Гріх мені...» та закінчується словами: «...З привітом Василь. Дописував листа 17.8.77».

Покажіть, що це за текст, хто його автор та виконавець?

ВІДПОВІДЬ. Знайомитись з пред'явленим йому рукописним текстом обвинувачений Стус не захотів і ніякої відповіді на запитання не дав.

ЗАПИТАННЯ. Як вбачається зі змісту пред'явленого вам тексту, він являє собою витяги із ваших листів до Євгена Сверстюка.

Ким та з якою метою зроблені ці витяги?

ВІДПОВІДЬ. Ніякої відповіді на запитання не надійшло.

Обвинувачений Стус відмовився знайомитись з протоколом допиту, не висунувши ніяких мотивів. Протокол оголошено слідчим. Заяв та зауважень щодо протоколу допиту з боку обвинуваченого не надійшло. Підписувати протокол обвинувачений Стус безпідставно відмовився.

Старший слідчий Слідчого відділу КДБ УРСР
майор Селюк

ПРОТОКОЛ
додаткового допиту обвинуваченого

місто Київ 15 липня 1980 р.

Старший слідчий Слідчого відділу КДБ Української РСР майор Селюк в приміщенні Слідчого відділу КДБ УРСР, кабінет № 20, з додержанням вимог ст. ст. 143, 145 і 146 КПК УРСР допитав обвинуваченого: Стус Василь Семенович, 1938 року народження (дані про особу обвинуваченого маються в справі).

Допит почато в 16 год. 30 хв.
Закінчено в 18 год. 00 хв.

ЗАПИТАННЯ. Вам пред'являється для огляду и ознайомлення вилучене в вас під час обшуку 14—15 травня цього року запрошення-виклик вашої родини на поїздку в Сполучені Штати Америки, яке надійшло на вашу адресу від мешканки міста Нью-Йорка Ніни Самокіш.

Покажіть, хто така Ніна Самокіш та в яких стосунках ви з нею знаходитесь?

ВІДПОВІДЬ. Обвинувачений Стус не побажав знайомитись з пред'явленим йому запрошенням-викликом і ніякої відповіді по суті поставленого запитання не дав.

ЗАПИТАННЯ. Як вбачається зі змісту пред'явленого вам запрошення-виклику, названа Ніна Самокіш викликала до себе, крім вас, вашу дружину — Попелюх Валентину Василівну.

Чи знайома ваша дружина з вказаною Ніною Самокіш?

ВІДПОВІДЬ. Відповіді на запитання не надійшло.

ЗАПИТАННЯ. З чиєї ініціативи — Ніни Самокіш чи вашої родини — було надіслане вам назване вище запрошення-виклик на поїздку до Сполучених Штатів Америки?

ВІДПОВІДЬ. Відповідь на запитання не надійшла.

ЗАПИТАННЯ. Під час обшуку 14—15 травня 1980 року в вашій квартирі було вилучено 40 аркушів чорного копіювального паперу, на частині яких є відбитки окремих слів машинописного тексту. Ці аркуші пред'являються вам для огляду.

Покажіть, який текст був віддрукований за допомогою зазначеного копіювального паперу та в яких роках ви користувались ним?

ВІДПОВІДЬ. Обвинувачений Стус відмовився знайомитись з аркушами копіювального паперу, що пред'являвся йому для огляду, і відповіді на поставлене запитання не дав.

ЗАПИТАННЯ. Тоді ж, під час обшуку 14—15 травня 1980 року, в вашій квартирі був вилучений, поряд з іншими документами, загальний зошит у дерматиновій обкладинці синьовато-зеленого кольору на 94 аркушах у клітинку з записами, що починаються зі слів: «О дождь нам днесь — не обіцяй на завтра...» і закінчуються словами: «...перерізане горло дарю». Названий зошит пред'являється вам для огляду.

Кому належить цей зошит та ким виконані записи в ньому?

ВІДПОВІДЬ. Обвинувачений Стус не побажав знайомитись з пред'явленим йому для ознайомлення загальним зошитом і ніякої відповіді на поставлене запитання не дав.

ЗАПИТАННЯ. Вам пред'являється для огляду вилучений в вас під час обшуку 14—15 травня цього року поштовий конверт без штемпелів з адресою отримувача: «Львів-41, Спокійна, 13 Антонів Олені» та адресою відправника: «252179 Київ-179 Чорнобильська 13-а, 94 Стус В. С.», в якому знаходиться рукописний лист, датований 25 січня 1980 року.

Покажіть, як ви знаєте Антонів Олену та які між вами стосунки?

ВІДПОВІДЬ. Обвинувачений Стус не побажав знайомитись з пред'явленим йому листом і відповіді на поставлене запитання не дав.

ЗАПИТАННЯ. В зазначеному листі, адресованому Антонів Олені, ви тенденційно описуєте судовий процес по кримінальній справі відносно Горбаля Миколи Андрійовича, в чорних фарбах змальовуєте своє життя після повернення до Києва, де вас нібито позбавлено роботи, піддано «всіляким обмеженням».

Поясніть, з якою метою ви з таким упередженням пишете про наведене в своєму листі до Антонів?

ВІДПОВІДЬ. Вислухавши запитання, обвинувачений Стус ніякої відповіді на нього не дав.

ЗАПИТАННЯ. Під час обшуку 14—15 травня 1980 року в вашій квартирі була вилучена саморобна збірка віршів на 35 аркушах білого нелінованого паперу під загальним заголовком «Коронування опудала», автором якої значиться Ігор Калинець. Вказана збірка віршів пред'являється вам для огляду.

Покажіть, коли, за яких обставин ця збірка потрапила до вашої квартири, з якою метою ви зберігали її в себе вдома та як ви знаєте її автора — Ігоря Калинця?

ВІДПОВІДЬ. Обвинувачений Стус не захотів знайомитись з пред'явленою йому збіркою віршів і ніякої відповіді на поставлене запитання не дав.

ЗАПИТАННЯ. Вам пред'являється для огляду вилучений в вас під час обшуку 14—15 травня 1980 року поштовий конверт з адресою отримувача: «Київ-179, вул. Чорнобильська, 13-а, кв. 94, Стусу Василю Семеновичу» та адресою відправника: «м. Луцьк, вул. 50 років Жовтня, 3-а, Коц М. Г.», в якому знаходиться поздоровча листівка, надіслана вам з нагоди свята «Великодня».

Коли, де, за яких обставин ви познайомились з автором пред'явленої вам для огляду листівки та які між вами стосунки?

ВІДПОВІДЬ. Обвинувачений Стус відмовився оглянути пред'явлену йому листівку з конвертом і відповіді по суті поставленого запитання не дав.

ЗАПИТАННЯ. Вам надається можливість оглянути вилучені в вас під час обшуку 14—15 травня цього року дві чорно-білі фотокартки, на одній з яких зображено запущене приміщення церкви, а нижче напис: «Скоро в Донбассе не будет церквей. В Донсоде закрытие церкви приурочили к октябрьским торжествам». На другій фотокартці зображено вогнище і напис: «Величезне вогнище в Горлівці. Робітники палять кілька тисяч ікон…»

Що ви можете показати відносно пред'явлених вам для огляду фотокарток, зокрема звідки вони потрапили до вашої квартири та для чого ви зберігали їх у себе вдома?

ВІДПОВІДЬ. Знайомитись з пред'явленими фотокартками обвинувачений Стус відмовився і ніякої відповіді на поставлене запитання не дав.

В зв'язку з тим, що обвинувачений Стус відмовився знайомитись з протоколом допиту, протокол був оголошений йому слідчим. Заяв, зауважень щодо протоколу з боку обвинуваченого не поступило. Підписувати протокол обвинувачений Стус безпідставно відмовився.

Старший слідчий Слідчого відділу КДБ УРСР
майор Селюк

ПРОТОКОЛ
додаткового допиту обвинуваченого

місто Київ 17 липня 1980 р.

Старший слідчий Слідчого відділу КДБ Української РСР майор Селюк в приміщенні Слідчого відділу КДБ УРСР, кабінет № 20, з додержанням вимог ст. ст. 143, 145 і 146 КПК УРСР допитав обвинуваченого: Стус Василь Семенович, 1938 року народження (дані про особу обвинуваченого маються в справі).

Допит почато в 15 год. 05 хв.
Закінчено в 17 год. 25 хв.

ЗАПИТАННЯ. Під час обшуку 14—15 травня 1980 року в вашій квартирі було знайдено та вилучено:

- шість аркішів зеленувато-світло-голубого кольору нелінованого паперу стандартного формату з записами, що починаються на трьох аркушах зі слів: «Література Шевченка, Драгоманова...», на четвертому — «Український літератор, як і всякий...», на п'ятому — «Українська радянська література є такою...» і на шостому — «тури в своєрідному закуті...»;
- аркуш білого нелінованого паперу стандартного формату з записами, що починаються зі слів: «Ліна Кост. Вор...» і закінчуються словами: «...І. Я. Бойчак»;
- аркуш білого нелінованого паперу з текстом, що починається зі слів: «Досить пригадати хоча б історію з...» і закінчується словами: «...бюджет становить 80 крб».

Названі аркуші з записами пред'являються вам для огляду.

Покажіть, кому належать пред'явлені вам аркуші, хто автор та виконавець записів, що містяться на них?

ВІДПОВІДЬ. Обвинувачений Стус не захотів знайомитись з пред'явленими йому записами і відповідати на поставлене запитання безмотивно відмовився.

ЗАПИТАННЯ. Як вбачається зі змісту заміток, що містяться на пред'явлених вам шести аркушах зеленувато-світло-голубого кольору, вони являють собою чернетки листа, в якому йдеться про сучасну українську літературу, яка, на думку їх автора, в «занепаді».

Поясніть, що це за замітки, коли та в зв'язку з чим вони були написані?

ВІДПОВІДЬ. Відповіді на поставлене запитання не надійшло.

ЗАПИТАННЯ. Тоді ж, під час обшуку 14—15 травня цього року, в вашій квартирі поряд з іншими документами було знайдено й вилучено:

- три аркуші білого нелінованого паперу стандартного формату з рукописним текстом, який на всіх трьох аркушах починається однаково, зі слів: «Уважаемая редакция!..»;
- три примірники вашої заяви, адресованої «Председателю Республиканского КГБ» від 3 жовтня 1979 року, кожен з яких виконано на окремому аркуші. Вказані тексти пред'являються вам для огляду. Що ви можете показати відносно пред'явлених вам документів?

ВІДПОВІДЬ. Знайомитись з пред'явленими для огляду документами обвинувачений Стус не побажав і ніякої відповіді на поставлене запитання не дав.

ЗАПИТАННЯ. Автором пред'явлених вам документів, що починаються зі слів: «Уважаемая редакция!..», значиться мешканець міста Київа — Ю. Бадзьо.

Покажіть, чи знаєте ви Бадзьо, якщо знаєте, то коли, де, за яких обставин познайомились з ним, які між вами стосунки і яким шляхом потрапили до вас його документи?

ВІДПОВІДЬ. Обвинувачений Стус вислухав запитання, яке було оголошене йому слідчим, і ніякої відповіді на нього не дав.

ЗАПИТАННЯ. Пред'явлену вам щойно заяву, адресовану «Председателю Республиканского КГБ», ви написали в трьох примірниках.

З якою метою ви виготовили таку кількість примірників названої заяви?

ВІДПОВІДЬ. Відповідати на запитання обвинувачений Стус відмовився.

ЗАПИТАННЯ. Вам пред'являються для огляду вилучені в вас під час обшуку 14—15 травня цього року:

- аркуш білого нелінованого паперу стандартного формату з рукописним текстом, що починається зі слів: «Минулого року я...» і закінчується словами: «...Хіба на арешт. На дибу»;
- аркуш білого нелінованого паперу розміром 20,5 × 26,5 см з рукописним текстом, що починається зі слів: «Ізоляція І. Д. окажеться на укр...» і закінчується словами: «...закінчив самогубством»;
- три аркуші (один жовтий, два білих) нелінованого паперу стандартного формату з рукописним текстом, що починається зі слів: «Давно минув той час...» і закінчується словами: «...їм уже відмовлено в існуванні».

Коли, ким та з якою метою виконані записи на пред'явлених вам аркушах?

ВІДПОВІДЬ. Знайомитись з пред'явленими для огляду записами обвинувачений Стус не захотів і відповіді на запитання не дав.

ЗАПИТАННЯ. Вказані вище записи (на всіх п'яти аркушах) являють собою замітки відносно молодих літераторів, яким нібито не дають можливості розвиватись, «консервують їх літературний доробок».

Хто автор цих заміток та для чого ви зберігали їх у себе вдома?

ВІДПОВІДЬ. Відповідати на поставлене запитання обвинувачений Стус відмовився.

ЗАПИТАННЯ. Вам надається можливість оглянути вилучені в вас під час обшуку 14—15 травня 1980 року:

- аркуш жовтого нелінованого паперу стандартного формату з рукописним текстом, що починається зі слів: «Нарешті важила звичайне…» і закінчується словами: «…стати виразником народних»;
- аркуш білого нелінованого паперу стандартного формату з рукописним текстом, що починається зі слів: «Сонячні кларнети…» і закінчується словами: «…Пізніше — теперішній стандарт»;
- аркуш зелено-жовтого нелінованого паперу стандартного формату з рукописним текстом, що починається зі слів: «Володимир…» і закінчується словами: «…Але цього мало».

Вказані тексти являють собою чернетки заміток про творчість і П. Г. Тичини і М. П. Драгоманова.

Покажіть, кому належать пред'явлені вам тексти, хто їх автор та виконавець?

ВІДПОВІДЬ. Обвинувачений Стус відмовився оглядати пред'явлені йому тексти і ніякої відповіді на запитання не дав.

ЗАПИТАННЯ. Вам пред'являються для огляду й ознайомлення вилучені в вашій квартирі під час обшуку 14—15 травня цього року:
- аркуш білого нелінованого паперу стандартного формату з рукописним текстом, що починається зі слів: «1. Що нового за сл.? Порадьтеся, обдувайте…» і закінчується словами: «…Заливаха Панас»;
- аркуш білого нелінованого паперу стандартного формату з рукописним текстом, що починається зі слів: «Календар. 13.1. вручив звинувачення» і закінчується словами: «…санітарна рубка»;
- аркуш білого нелінованого паперу стандартного формату з рукописним текстом, що починається зі слів: «Василю! Київ, Свердлова, 10…» і закінчується словами: «…З привітом Василь».

Поясніть, що це за тексти, ким та коли вони виготовлені?

ВІДПОВІДЬ. Знайомитись з предьявленими для огляду документами обвинувачений Стус відмовився і відповіді по суті запитання не дав.

ЗАПИТАННЯ. Вам надається можливість оглянути вилучені в вас під час обшуку 14—15 травня цього року:
- аркуш білого нелінованого паперу з рукописним текстом листа, що починається зі слів: «Дорогі Олено, Зеноне! Дякую…» і закінчується словами: «…суд.медексперт виявив тяжкі»;
- аркуш білого нелінованого паперу стандартного формату з рукописним текстом заяви, що починається зі слів: До Верховного суду УРСР…» і закінчується словами: «…розправи над М. Горбалем»;

- аркуш білого нелінованого паперу розміром 13,5 × 19 см з рукописним текстом, що починається зі слів: «Забрали зі справи багато...» і закінчується словами: «...побачив ґвалт і втрутився».

Хто автор та виконавець пред'явлених вам документів, коли та в зв'язку з чим вони були написані?

ВІДПОВІДЬ. Обвинувачений Стус відмовився знайомитись з пред'явленими йому документами і ніякої відповіді на запитання не дав.

ЗАПИТАННЯ. В пред'явлених вам для ознайомлення листі, заяві, а також у тексті на окремому аркуші тенденційно описується судовий процес по кримінальній справі Миколи Горбаля, твердиться, що його судили нібито безпідставно. Що ви зараз покажете відносно наведених вам записів?

ВІДПОВІДЬ. Обвинувачений Стус відмовився відповідати на поставлене йому запитання.

ЗАПИТАННЯ. Вам пред'являються для огляду й ознайомлення вилучені в вас під час обшуку 14—15 травня 1980 року:

- аркуш білого нелінованого паперу стандартного формату з рукописним текстом листа, що починається зі слів: «Привіт, Євгене! Дістав твого листа...» і закінчується словами: «...не задирайся до мене. Василь»;
- аркуш білого нелінованого паперу стандартного формату з рукописним текстом листа, що починається зі слів: «Дорогая Нина Петровна...» і закінчується словами: «...настроение еще похуже»;
- аркуш білого нелінованого паперу з рукописним текстом листа, що починається зі слів: «Дорогий Славку, дякую за телеграму...» і закінчується словами: «...підстави були геть мізерні (сугестивні)»;
- аркуш білого нелінованого паперу з рукописним текстом листа, що починається зі слів: «Дорогий Євгене, не май серця, що не...» і закінчується словами: «...А на суд (17—21) не пустили нікого».

Зі змісту зазначених листів вбачається, що їх автором є ви. Покажіть, кому саме призначались перелічені листи, як ви знаєте осіб, до яких звертаєтесь у своїх листах, коли, де, за яких обставин познайомились з ними, які між вами стосунки?

ВІДПОВІДЬ. Знайомитись з пред'явленими йому для огляду листами обвинувачений Стус не захотів і відповідати на поставлене запитання відмовився, не висунувши ніяких мотивів.

ЗАПИТАННЯ. В пред'явлених вам листах ви в чорних фарбах описуєте про своє життя в Києві, де в вас начебто «ганебна праця, злиденна платня», а місто (Київ) нібито в усіх відношеннях «удручающе действует» на вас.

Що ви можете зараз показати з цього приводу?

ВІДПОВІДЬ. Відповідь на запитання не надійшла.

В зв'язку з тим, що обвинувачений Стус відмовився знайомитись і підписувати протокол допиту, протокол оголошений йому слідчим. Заяв та зауважень щодо протоколу не поступило.

Ст. слідчий Слідвідділу КДБ УРСР
майор Селюк

ПРОТОКОЛ
додаткового допиту обвинуваченого

місто Київ 25 липня 1980 р.

Старший слідчий Слідчого відділу КДБ Української РСР майор Селюк в приміщенні Слідчого відділу КДБ УРСР, кабінет № 20, з додержанням вимог ст. ст. 143, 145 і 146 КПК УРСР допитав обвинуваченого: Стус Василь Семенович, 1938 року народження (дані про особу обвинуваченого маються в справі).

Допит почато в 10 год. 45 хв.
Закінчено в 12 год. 15 хв.

ЗАПИТАННЯ. Покажіть, як ви знаєте Кириченко Світлану Тихонівну, де, коли, за яких обставин познайомились з нею та які між вами стосунки?

ВІДПОВІДЬ. Відповідати на поставлене запитання обвинувачений Стус відмовився.

ЗАПИТАННЯ. Під час обшуку 14—15 травня 1980 року в вашій квартирі був вилучений лист Світлани Кириченко до Драча Івана

Федоровича, написаний нею в березні 1976 року. Названий лист пред'являється вам для огляду.

Поясніть, як цей лист потрапив до вас та для чого ви зберігали його в себе вдома?

ВІДПОВІДЬ. Знайомитись з пред'явленим для огляду листом обвинувачений Стус не побажав і ніякої відповіді на запитання не дав.

ЗАПИТАННЯ. Тоді ж, під час обшуку 14—15 травня 1980 року, в вашій квартирі був вилучений рукописний лист, виконаний на двох аркушах білого нелінованого паперу, що починається зі слів: «10.2.80 р. Дорогий Василю! Дістав твого...» і закінчується словами: «...Бо все — непевне. Щиро Василь». Вказаний лист пред'являється вам для огляду та ознайомлення.

Кому належить цей лист, хто його автор та виконавець?

ВІДПОВІДЬ. Обвинувачений Стус знайомитись з пред'явленим йому листом відмовився і ніякої відповіді на запитання не дав.

ЗАПИТАННЯ. Як вбачається зі змісту зазначеного листа, зокрема з того, що в ньому описується про ваше враження від Києва та про інші події, пов'язані з вами, його автором є ви. В цьому листі ви пишете: «Києва нема. Є пам'ять про в'язнів і засланців і прегарний час барашівсько-лісних трудів і днів... Розбій на кожному кроці дисидента...» і пропонуєте адресату: «Тримайся, брате. Всім бідам наперекір — тримайся. У нас малі шанси — перебути лихоліття... І нам треба залишити ясну голову для того часу».

В зв'язку з чим ви пишете про наведене в своєму листі?

ВІДПОВІДЬ. Відповіді на запитання не надійшло.

ЗАПИТАННЯ. Вам надається можливість оглянути два примірники машинописного тексту, кожен з яких надруковано на одному аркуші стандартного формату і починається зі слів: «Свідомість того...» та закінчується словами: «...Засуджений на довічне життя. Василь Стус». Зазначений документ, автором якого значитесь ви, було вилучено в вашій квартирі під час обшуку 14—15 травня 1980 року.

Покажіть, що це за документ, коли та в зв'язку з чим ви його виготовили?

ВІДПОВІДЬ. Знайомитись з пред'явленим для ознайомлення документом обвинувачений Стус не захотів і відповідати на поставлене запитання відмовився.

ЗАПИТАННЯ. Як вбачається з огляду вказаного документа, він виготовлений в двох примірниках. Покажіть, для чого ви розмножували названий вище документ?

ВІДПОВІДЬ. Відповіді на поставлене запитання не надійшло.

ЗАПИТАННЯ. Вам пред'являються для огляду та ознайомлення вилучені в вас під час обшуку 14—15 травня цього року:

- чотири аркуші білого паперу стандартного формату з машинописними текстами віршів: «Тагіл. Зима...», «Опівночі, о дванадцятій годині...», «Чого ти ждеш...», «Йде середня людина...», «Я йшов за труною...», «О краю мій...», «У щастя, кажуть...»;
- 17 аркушів паперу, з яких 7 стандартних і 10 з учнівського зошита, з рукописними текстами віршів, виконаних різнокольоровими барвниками та простим олівцем, які починаються віршем: «Сьогодні — ти...», а закінчуються: «Але п'яний сміх Котляревського».

Кому належать пред'явлені вам вірші, хто їх автор та виконавець?

ВІДПОВІДЬ. Обвинувачений Стус відмовився знайомитись з пред'явленими йому текстами віршів і по суті поставленого запитання відповіді не дав.

ЗАПИТАННЯ. В розпорядженні слідства знаходяться:

- 49 аркушів з рукописними віршованими текстами, виконаними різнокольоровими барвниками, що починаються зі слів: «Цей став повіселений останній чорний став...» і закінчуються словами: «...і мертва не воскресне всемолода біда»;
- аркуш білого нелінованого паперу з машинописним віршованим текстом, що починається зі слів: «Громадяни, дотримуйтесь тиші...» і закінчується словами: «...не можу бути певним, що світ не збожеволів. 18.8.70».

Зазначені тексти з віршованими текстами пред'являються вам для огляду та ознайомлення.

Дайте покази, що це за тексти, кому вони належать, хто їх автор та виконавець?

ВІДПОВІДЬ. Обвинувачений Стус не захотів знайомитись з пред'явленими йому для огляду текстами віршів і на поставлене запитання ніякої відповіді не дав.

В зв'язку з тим, що обвинувачений Стус відмовився знайомитись з протоколом допиту, протокол був оголошений йому слідчим. Заяв, зауважень та поправок до протоколу з боку обвинуваченого не надійшло. Підписувати протокол допиту обвинувачений Стус безмотивно відмовився.

Старший слідчий Слідчого відділу КДБ
Української РСР майор Селюк

ПРОТОКОЛ
додаткового допиту обвинуваченого

місто Київ 6 серпня 1980 р.

Старший слідчий Слідчого відділу КДБ Української РСР майор Селюк в приміщенні Слідчого відділу КДБ УРСР, кабінет № 20, з додержанням вимог ст. ст. 143, 145 і 146 КПК УРСР допитав обвинуваченого: Стуса Василя Семеновича, 1938 року народження (дані про особу обвинуваченого маються в справі).

Допит почато в 14 год. 10 хв.
Закінчено в 16 год. 50 хв.

ЗАПИТАННЯ. На допиті 19 травня 1980 року вам пред'являвся для огляду рукописний документ — ваша заява від 10 грудня 1976 року, адресована «В Президиум Верховного Совета СССР», під текстом якої значиться дата її написання і ваш підпис, але ви відмовились дати показання про обставини виготовлення зазначеної заяви, заявивши, що участі в слідстві не хочете брати.

Про те, що цей документ виготовлений саме вами, свідчить також висновок криміналістичної експертизи від 21 липня 1980 року, з яким ви були ознайомлені 2 серпня цього року.

Вам ще раз пропонується дати показання, де, коли та за яких інших обставин був виготовлений вами названий вище документ.

ВІДПОВІДЬ. Вислухавши запитання, яке було оголошене слідчим, обвинувачений Стус ніякої відповіді на нього не дав.

ЗАПИТАННЯ. З тексту вашої заяви «В Президиум Верховного Совета СССР» видно, що в цілому вона написана з ворожих радянському суспільству позицій, містить у собі наклепницькі вигадки, що порочать радянський державний і суспільний лад.

Покажіть, з якою метою ви виготовили та розповсюдили цей наклепницький документ?

ВІДПОВІДЬ. Відповіді від обвинуваченого на поставлене запитання не надійшло.

ЗАПИТАННЯ. В зазначеному документі — заяві «В Президиум Верховного Совета СССР» ви, оправдовуючи свою ворожу діяльність, вказуєте, що вас репресовано нібито лише «за чувство собственного достоинства» і наклепницьки твердите, що в Радянському Союзі з боку влади начебто чиняться беззаконня, насильство та розправи над радянськими людьми. Разом з цим зводите також наклепи на демократичні основи нашого суспільства, заявляючи, що нібито «пространство человеческих прав, очерченное текстом Декларации, в СССР очень урезано» і права радянських громадян утискуються, захищаєте ряд осіб, засуджених за антирадянську діяльність, називаючи їх учасниками так званого «украинского национально-демократического движения».

Ці ваші твердження вказують на те, що зазначений документ виготовлений вами саме з метою підриву та ослаблення Радянської влади. Чи визнаєте ви це?

ВІДПОВІДЬ. Відповіді по суті поставленого запитання від обвинуваченого не надійшло.

ЗАПИТАННЯ. На допиті 10 червня 1980 року ви особисто ознайомились з текстом свого листа до Лук'яненка Левка Григоровича від 9 листопада 1977 року, який починається зі слів: «с. Матросово, 9.11.77 р. Шановний пане Левку! На превелику силу...» і закінчується словами: «...перед народом, нащадками. Дай Боже! Василь Стус», а на допиті 14 червня цього року оглянули електрографічну копію поштового конверта, в якому надіслали зазначеного листа Лук'яненку.

Висновком криміналістичної експертизи від 21 липня 1980 року встановлено, що адреси відправника та отримувача на вказаному конверті виконані вами.

Покажіть, в зв'язку з чим був виготовлений вами названий вище лист та з якою метою ви розповсюдили його?

ВІДПОВІДЬ. Відповіді не надійшло.

ЗАПИТАННЯ. У вищезазначеному документі — вашому листі від 9 листопада 1977 року, направленому мешканцю міста Чернігова Лук'яненку Левку Григоровичу, містяться злісні наклепницькі вигадки, що порочать радянський державний і суспільний лад. В ньому ви, заявляючи про своє бажання бути членом так званого «Українського наглядового комітету», підбурюєте його «учасників» проводити ворожу діяльність «комітету» в більш широкому плані, наклепницьки твердите про те, що на Україні проводяться нібито безпідставні «репресії української інтелігенції», що в занедбаному стані знаходиться українське «письмо», що начебто «чимало є ще українців, яким боронено проживати на Україні — і вони коріняться будь-де: на Колимі, в Красноярскому краю, Казахстані і т. ін.». У цьому ж листі з націоналістичних позицій ви зводите також наклеп відносно рівноправності союзних республік і націй в складі Союзу РСР, заявляючи, що «український демократичний рух має на меті поставити перед урядом ті питання, без розв'язання яких неможливе конституційне право про фактичну рівноправність націй».

Як вбачається з наведеного, цей документ своїм змістом спрямований на підрив та ослаблення Радянської влади. Що ви можете показати в зв'язку з цим?

ВІДПОВІДЬ. Відповіді по суті поставленого запитання обвинувачений не дав.

ЗАПИТАННЯ. Те, що ви займаєтесь ворожою діяльністю, за яку притягують до кримінальної відповідальності, ви усвідомлювали ще в 1977 році при виготовлені названого вище листа до Лук'яненка. Про це, зокрема, свідчить ваше твердження в зазначеному листі: «Коли мені випаде йти на другий тур, то я говоритиму тільки в останньому слові, говоритиму про народ і тільки про народ. Я писав уже, що відмовлюся брати участь у слідстві й закритому суді. Проти останнього я протестуватиму голодною мовчанкою — упродовж усієї судової вистави. Що зватиму представників Наглядового комітету Москви і України, Всесвітнього конгресу українців, журналістів Заходу і Сходу на процес і т. ін. Звичайно, ні на які компромиси не піду, ні на яке визнання вини й самокаяття — хоч би й запакували в божевільню. Знай це!»

Дайте показання щодо цих ваших тверджень.

ВІДПОВІДЬ. Відповіді від обвинуваченого по суті поставленого запитання не надійшло.

ЗАПИТАННЯ. На допиті 16 травня 1980 року вам пред'являвся для огляду та ознайомлення рукописний документ — ваш лист, адресований «Члену Президиума Верховного Совета СССР Расулу Гамзатову...», який було вилучено під час обшуку 10 лютого 1978 року в вашій кімнаті гуртожитку селища імені Матросова Тенькінського району Магаданської області. Виходячи зі змісту цього документа, він був виготовлений вами у другій половині 1977 року — на початку 1978 року під час вашого перебування в засланні, в зазначеному селищі.

Про те, що цей документ виготовлений саме вами, свідчить також висновок криміналістичної експертизи від 21 липня 1980 року.

Покажіть, з якою метою ви виготовили та зберігали в себе вдома цей документ.

ВІДПОВІДЬ. Ніякої відповіді на поставлене запитання обвинувачений не дав.

ЗАПИТАННЯ. В документі, адресованому «Члену Президиума Верховного Совета СССР...» містяться наклепницькі вигадки на радянський державний і суспільний лад. Зокрема, в ньому ви наклепницьки твердите, що в Радянському Союзі нібито чиниться «беззаконие и насилие», «шовинистический произвол», в результаті чого було начебто безпідставно засуджено в 1972—1973 роках цілий ряд осіб.

З тексту цього документа вбачається, що він виготовлений вами саме з метою підриву та ослаблення Радянської влади. Дайте покази відносно цього.

ВІДПОВІДЬ. Відповіді по суті поставленого запитання обвинувачений не дав.

ЗАПИТАННЯ. На допиті 23 травня 1980 року ви оглянули свій рукописний лист, що починається словами: «Уважаемый Петр Григорьевич, обращается к Вам бывший...», який був вилучений за місцем вашого проживання в селищі Матросова Магаданської області під час обшуку 10 лютого 1978 року.

Як вбачається з тексту — це ваш лист, написаний в 1977 році під час вашого перебування в селищі Матросова, до Григоренка, якого в лютому 1978 року за систематичне вчинення дій, не сумісних з належністю до громадянства СРСР, і завдання своєю поведінкою шкоди престижу Союзу РСР було позбавлено громадянства СРСР.

Про те, що цей лист виготовлений саме вами, свідчить також висновок криміналістичної експертизи від 21 липня 1980 року.

Покажіть, з якою метою ви виготовили цей документ і зберігали в себе вдома.

ВІДПОВІДЬ. Вислухавши запитання, яке було оголошене слідчим, обвинувачений ніякої відповіді на нього не дав.

ЗАПИТАННЯ. Виходячи зі змісту зазначеного листа, в якому містяться наклепницькі вигадки на радянський державний і суспільний лад, ви написали його з метою підриву і ослаблення Радянської влади. Зокрема, в цьому листі ви твердите про свій намір проводити ворожу діяльність під виглядом участі в так званому «демократическом движении», пропонуєте активізувати і посилити проведення антирадянської агітації та пропаганди шляхом «консолидации и действенности» окремих «правозащитников на Украине» і поряд з цим захищаєте бандитів ОУН, називаючи їх «участниками партизанского движения на Западной Украине».

Чи визнаєте ви, що цей документ своїм змістом спрямований на підрив та ослаблення Радянської влади?

ВІДПОВІДЬ. Відповіді по суті поставленого запитання обвинувачений Стус не дав.

ЗАПИТАННЯ. На тому ж допиті 23 травня 1980 року ви були ознайомлені з рукописним документом, що починається зі слів: «Уважаемый Петр Григорьевич! Ваше имя...», який був вилучений в вас під час обшуку 10 лютого 1978 року.

Як вбачається зі змісту названого документа, виготовленого в вигляді листа до Григоренка, він був виготовлений в кінці 1977 року в селищі Матросова Тенькінського району Магаданської області, де ви в той час перебували в засланні.

Крім того, висновком криміналістичної експертизи від 21 липня 1980 року стверджується, що цей документ написаний вами.

Покажіть, з якою метою було виготовлено вказаний документ.

ВІДПОВІДЬ. Відповіді на запитання не надійшло.

ЗАПИТАННЯ. В зазначеному документі — листі до Григоренка — містяться наклепницькі вигадки, що порочать радянський державний і суспільний лад. В ньому твердиться, що в 70-х роках на Україні були нібито безпідставні «репрессии творческой интеллигенции», під час яких вас було арештовано начебто по «сфабрикованному делу» і засуджено виключно за «литературную деятельность», «обычную литературную работу». Поряд з цим ви паплюжите органи радянського правосуддя, наклепницьки називаєте їх ворогами народу, ворогами соціалізму, ворогами гуманізму і «преступниками против человечности».

Наведене свідчить, що зазначений документ виготовлений також з метою підриву та ослаблення Радянської влади. Чи визнаєте ви це?

ВІДПОВІДЬ. По суті поставленого запитання обвинувачений Стус відповіді не дав.

В зв'язку з тим, що обвинувачений Стус відмовився знайомитись з протоколом допиту, протокол був оголошений йому слідчим. Доповнень, зауважень та поправок до протоколу з боку обвинуваченого не поступило. Підписувати протокол допиту обвинувачений Стус безмотивно відмовився.

Старший слідчий Слідчого відділу КДБ
Української РСР майор Селюк

ПРОТОКОЛ
додаткового допиту обвинуваченого

місто Київ 7 серпня 1980 р.

Старший слідчий Слідчого відділу КДБ Української РСР майор Селюк в приміщенні Слідчого відділу КДБ з додержанням вимог ст. ст. 143, 145 і 146 КПК УРСР допитав обвинуваченого: Стус Василь Семенович, 1938 року народження (дані про особу обвинуваченого маються в справі).

Допит почато в 15 год. 15 хв.
Закінчено в 16 год. 55 хв.

ЗАПИТАННЯ. На допиті 21 червня 1980 року вам було пред'явлено для огляду та ознайомлення три аркуші рукописного документа під назвою «Памятка украинского борца за волю», вилученого під час обшуку 14—15 травня цього року в вашій квартирі за адресою: місто Київ, вулиця Чорнобильська, 13-а, квартира 94.

Згідно висновку криміналістичної експертизи від 21 липня 1980 року, зазначений документ був виготовлений вами.

Покажіть, коли саме та за яких обставин ви виготовили документ «Памятка украинского борца за волю».

ВІДПОВІДЬ. Відповіді по суті поставленого запитання не надійшло.

ЗАПИТАННЯ. Як вбачається з протоколу огляду аркушів, на яких написано текст документа «Памятка украинского борца за волю», вони за своїм розміром, кольором та наявністю слідів від скріпок співпадають з аркушами в загальному зошиті на 78 аркушах, який також був вилучений в вас під час обшуку 14—15 травня цього року і пред'являвся вам для огляду на допиті 21 червня 1980 року.

Про те, що всі аркуші, на яких виконаний документ «Памятка украинского борца за волю», раніше складали одне ціле з зазначеним вище загальним зошитом, підтверджується також висновком криміналістичної експертизи від 21 липня 1980 року.

Дайте покази про обставини виготовлення вами цього документа.

ВІДПОВІДЬ. Відповіді від обвинуваченого по суті поставленого запитання не надійшло.

ЗАПИТАННЯ. Як видно з огляду названого вище загального зошита, з якого вирвані аркуші з документом «Памятка украинского борца за волю», ви їм користувались після повернення в серпні 1979 року з Магаданської області до Києва.

Крім того, на одному з аркушів названого вище документа простим олівцем виписані дні календаря за квітень-травень 1980 року. Це ще раз свідчить, що він був у вашому користуванні навесні 1980 року.

Покажіть, з якою метою ви виготовили документ «Памятка украинского борца за волю».

ВІДПОВІДЬ. Відповіді на запитання не надійшло.

ЗАПИТАННЯ. Документ «Памятка украинского борца за волю» за своїм змістом є відверто ворожим, програмного характеру. В ньому з антирадянських позиций ви зводите злісні наклепницькі вигадки, що порочать радянський державний і суспільний лад, викладаєте конкретну програму боротьби з існуючим у нашій країні ладом, твердите про необхідність створення так званої «незалежної України» і даєте рекомендації по проведенню антирадянської діяльності та поради на випадок арешту «українським борцям за справедливість».

Дайте показання відносно цього.

ВІДПОВІДЬ. Відповіді по суті поставленого запитання не надійшло.

ЗАПИТАННЯ. В зазначеному документі ви вказуєте «силы, преследующие тебя, это те, кто удерживает твою родину в колон. неволе» і наклепницьки твердите, що Радянську Україну нібито тримають «в колон. ярмі шляхом страшного терору, геноциду, нищення найкр. синів України».

Покажіть, хіба це не наклеп на рядянський державний і суспільний лад?

ВІДПОВІДЬ. Відповіді по суті поставленого запитання не надійшло.

ЗАПИТАННЯ. Поряд з наведеним вище в документі «Памятка украинского борца за волю» ви закликаєте до боротьби з Радянською владою шляхом «створення широкої мережі правозахисних об'єднань, орг-ції випуску періодичних журналів типу "Укр. вісника" і т. д.», викладаєте програму боротьби з радянським державним та суспільним ладом, вказуючи, що шлях, на який ви стали, є шляхом опору Радянській владі, і даєте конкретні поради щодо конспірації при проведенні ворожої діяльності і на випадок арешту. Зокрема, твердите: «Коли ти став на шлях опору, знай, що карні сили тебе вже помітили. Тому будь обачний у словах, учинках, стосунках з людьми. Отож, кажи іншим тільки те, що потрібне, продумуй кожен свій крок, перевір друзів, особливо тих, з ким ти маєш найбл. справи. Завжди будь готовий до арешту. Тому всі папери, книжки і т. д. постійно ховай… Усе, не потрібне тобі на ближчий період, тримай у більш надійному сховку, про який мусить знати мінімум 1—2 твоїх друзів… Під час слідства думай про справу, а не про себе. Коли ти не нашкодиш їй, тобі буде легше перенести тягар ізоляції. На всі питання слідства можна відповідати так: а) всі необхідні пояснення в справі я волію дати у відкр. політ. процесі з участю представників укр. і міжнар. правоз. орг-цій. До цього часу відповідати не волію, б) відповідати не бажаю».

Покажіть, чому ви стали на шлях виготовлення цього антирадянського документа?

ВІДПОВІДЬ. Відповіді по суті запитання не надійшло.

ЗАПИТАННЯ. Виходячи з ворожого змісту і антирадянської направленості документа «Памятка украинского борца за волю», який спрямований на боротьбу з існуючим у нашій країні радянським державним і суспільним ладом, цей документ виготовлено вами саме з метою підриву та ослаблення Радянської влади.

Чи підтверджуєте ви це?

ВІДПОВІДЬ. Відповіді на запитання не надійшло.

ЗАПИТАННЯ. Як вбачається з тексту зазначеного документа, він був виготовлений вами для поширення в майбутньому, про що свідчить той факт, що його текст ви написали українською і російською мовами.

Покажіть, де саме, серед яких осіб ви збирались розповсюдити цей документ?

ВІДПОВІДЬ. Відповіді по суті запитання не надійшло.

ЗАПИТАННЯ. В названому вище документі ви захищаєте антирадянську, антинародну діяльність бандитів ОУН-УПА, називаючи її «національно-визвольним рухом», і пропонуєте «На Зах.-Укр. землях у кожному селі складати картотеки тих, що загинули в роки нац.-визв. повст., — учасників ОУН і УПА, потрібна політ. історія кожного села, містечка, району».

В зв'язку з такими вашими твердженнями про бандитів-бандерівців доречно нагадати вам, що в своєму останьому слові на суді 7 вересня 1972 року ви вказували: «Бандерівська преса визнала мене за свого спільника, а люди, на чиїх руках ще не обсохла кров радянських людей, визнали мене за одновірця. Мушу на це сказати: з панами із жовто-блакитних куренів мені не по дорозі, із недобитками бандерівських охвістя — мені не по дорозі. Вони мої вороги, бо це вороги українського радянського народу, бо це повзучі рептилії іноземних контррозвідок, бо це змії з отруйними жалами антирадянських оббріхувачів…»

Для чого ж ви тепер оправдуєте злодіяння бандитів ОУН-УПА?

ВІДПОВІДЬ. Відповіді на запитання не надійшло.

Протокол оголошено слідчим. Обвинувачений відмовився підписувати його, при цьому поводив себе зухвало, заявивши, що участі в слідстві не воліє брати.

Старший слідчий Слідчого
відділу КДБ УРСР майор Селюк

ПРОТОКОЛ

додаткового допиту обвинуваченого

місто Київ 12 серпня 1980 р.

Старший слідчий Слідчого відділу КДБ Української РСР майор Селюк в приміщенні Слідчого відділу КДБ УРСР, кабінет № 20, з додержанням вимог ст. ст. 143, 145 і 146 КПК УРСР допитав обвинуваченого: Стус Василь Семенович, 1938 року народження (дані про особу обвинуваченого маються в справі).

Допит почато в 10 год. 20 хв.
Закінчено в 15 год. 45 хв.
З перервою на обід з 13 год.
до 14 год. 10 хв.

ЗАПИТАННЯ. На допитах 15 і 21 травня та 18 червня 1980 року вам ставились питання відносно виготовленого вами документа так званої заяви «До Прокуратури УРСР», датованої 18 листопадом 1979 року. Два примірники цього документа було вилучено в вашій квартирі в місті Києві під час обшуку 14—15 травня цього року, один з яких російською мовою викладено в вашому листі до «Андрея Дмитриевича».

Крім того, текст цього документа, також російською мовою, ви виклали в своєму листі від 21 січня 1980 року до мешканки міста Москви Лісовської Ніни Петрівни.

Про те, що зазначені примірники вашої заяви «До Прокуратури УРСР» виготовлені саме вами, свідчить висновок криміналістичної експертизи від 21 липня 1980 року.

Покажіть, з якою метою ви виготовили, розмножили та поширили цей документ серед названих вище приватних осіб і зберігали в себе вдома до травня 1980 року?

ВІДПОВІДЬ. Відповіді по суті поставленого запитання від обвинуваченого Стуса не надійшло.

ЗАПИТАННЯ. В розпорядження слідства 16 липня 1980 року із Прокуратури Української РСР надійшов примірник зазначеної вище вашої заяви «До Прокуратури УРСР», датованої 19 листопада 1979 року. Цей примірник, який ви виготовили українською мовою на одному аркуші білого нелінованого паперу стандартного формату, пред'являється вам для огляду.

Про те, що текст цього документа виконаний саме вами, підтверджується висновком криміналістичної експертизи від 28 липня 1980 року.

В зв'язку з чим ви, направляючи вказаний документ безпосередньому адресату, датуєте його 19 листопада, в той час як у листах до приватних осіб «Андрея Дмитриевича» і Лісовської Ніни Петрівни вказуєте дату його виготовлення — 18 листопада 1979 року?

ВІДПОВІДЬ. Обвинувачений Стус не побажав знайомитись з пред'явленим йому текстом заяви «До Прокуратури УРСР» і ніякої відповіді на поставлене запитання не дав.

ЗАПИТАННЯ. Попереднім слідством по вашій справі встановлено, що виготовлена вами заява «До Прокуратури УРСР» була поширена також за кордоном на Заході, зокрема її текст з коментарем 27 лютого 1980 року передавався антирадянською радіостанцією «Радіо Свобода», а 4 квітня 1980 року вона повністю була опублікована в щотижневій газеті «Українське слово», яка видається в Франції.

Яким шляхом ця ваша заява потрапила за кордон?

ВІДПОВІДЬ. Відповіді на поставлене запитання не надійшло.

ЗАПИТАННЯ. Як вбачається з тексту вашої заяви «До Прокуратури УРСР», яка виготовлена вами в місті Києві і датована 18 і 19 листопада 1979 року, в ній зводяться наклепницькі вигадки, що порочать радянський державний і суспільний лад. Зокрема, в ній ви наклепницьки твердите, що радянські «репресивні органи» нібито вдаються «до брутальних способів розправи і дискредитації людей», а органи влади начебто можуть «заарештувати будь-яку людину, за будь-яким звинуваченням, якщо тільки громадська позиція людини чимось недогідна владі». Поряд з цим ви намагаєтесь ствердити, що в нашій країні начебто існує «сваволля», «беззаконня», зневажаються права людини, проводиться «практика репресій», «масова деморалізація суспільства» і «будь-який захист людської недоторканності з боку влади відсутній».

З якою метою було виготовлено вами цей наклепницький документ?

ВІДПОВІДЬ. Після того як запитання було оголошене слідчим, обвинувачений Стус мовчав, ніякої відповіді на запитання не дав.

ЗАПИТАННЯ. Виходячи з ворожої спрямованості цього документа, наклепницьких вигадок на радянський державний і суспільний лад, що містяться в ньому, а також широкого поширення його серед приватних осіб та за кордоном, він виготовлений вами з метою підриву та ослаблення Радянської влади.

Чи підтверджуєте ви це?

ВІДПОВІДЬ. Відповіді по суті поставленого запитання обвинувачений Стус не дав.

ЗАПИТАННЯ. Під час допиту 21 червня 1980 року вам була надана можливість ознайомитись з вилученим у вас під час обшуку 14—15 травня цього року рукописним документом, виготовленим у вигляді листа, що починається зі слів: «Дорога Михасю! Дорогі Світлано, Юрку!..» та закінчується словами: «…хоч бувало не часто, на жаль».

Як вбачається зі змісту цього документа, він був виготовлений вами в жовтні 1977 року в селищі Матросова Тенькінського району Магаданської області і призначався для широкого розповсюдження.

Допитані по справі свідки Коцюбинська Михайлина Хомівна, Кириченко Світлана Тихонівна та Бадзьо Георгій Васильович показали, що цей документ був виготовлений вами і надійшов від вас до Києва поштою.

Вилучений у вас вдома примірник цього документа був переписаний, як свідчить висновок криміналістичної експертизи від 21 липня 1980 року, Кириченко С. Т. та її чоловіком Бадзьо Г. В.

Покажіть, з якою метою було виготовлено вами документ, який згодом переписали Кириченко та Бадзьо, і для чого ви зберігали його в своїй квартирі до травня 1980 року?

ВІДПОВІДЬ. Відповіді на поставлене запитання від обвинуваченого Стуса не надійшло.

ЗАПИТАННЯ. В названому документі з ворожих позицій ви зводите наклепницькі вигадки на радянський державний і суспільний лад, твердите про те, що Радянська влада нібито «душить» та проводить «репресії українців», що в українського народу начебто «катастрофічне духовне існування», а тих, «що виносять на собі найбільший тягар у всіх зачинаннях протестаційних», органи влади висилають «за край-окрай».

Наведене свідчить, що документ — ваш лист до цілої групи приватних осіб, був виготовлений вами з метою підриву та ослаблення Радянської влади. Чи визнаєте ви це?

ВІДПОВІДЬ. Відповіді на запитання не надійшло.

ЗАПИТАННЯ. Про те, що зазначений вище документ ви виготовили саме з метою підриву та ослаблення Радянської влади, свідчать також викладені в ньому ваші твердження щодо вашого наміру і в майбутньому проводити ворожу діяльність та про свою поведінку на випадок арешту і суду. Зокрема, ви вказуєте: «В разі арешту я відмовлятимусь вести будь-яку досудову розмову, хай і запихують у божевільню. В разі суду я вимагатиму відкритого судового процесу, представників міжнар. організацій, членів Наглядового комітету, Конгресу світових українців. А не доможуся — оголошу голодівку на весь час суду, не відповідаючи на питання. Моє слово — буде лише останнє. І в ньому я не дам завузити предмету судового обговорення, а називатиму проблему, яку старанно ховають і в суді: стан мого народу, репресії українців, суть т. зв. інтернаціоналізму по-російському і т. д. Я кликатиму на суд і кореспондентів "Юманіте" і "Уніти". Я визначу все, що можу означити...»

Ці ваші твердження свідчать, що ще в 1977 році, перебуваючи в засланні за антирадянську діяльність, ви залишались на ворожих нашому суспільству позиціях і виробили тактику своєї поведінки на випадок арешту, якої тепер дотримуєтесь.

Що ви покажете відносно цього?

ВІДПОВІДЬ. Відповіді на поставлене запитання від обвинуваченого Стуса не надійшло.

ЗАПИТАННЯ. Під час обшуку 14—15 травня 1980 року в вашій квартирі в місті Києві був вилучений загальний зошит, на 12—18 аркушах якого є рукописний текст документа, що починається зі слів: «Бердяев. В типе рус. ч-ка всегда...» і закінчується словами: «...подчинило судьбу его Богу». Цей зошит пред'являвся вам на допиті 18 червня 1980 року.

Згідно висновку криміналістичної експертизи від 21 липня 1980 року, вказаний вище рукописний текст у цьому зошиті виконано вами.

Покажіть, з якою метою ви виготовили цей документ?

ВІДПОВІДЬ. Обвинувачений Стус ніякої відповіді на поставлене йому запитання не дав.

ЗАПИТАННЯ. В названому вище документі містяться наклепницькі вигадки на радянський державний і суспільний лад, робиться спроба ревізувати марксистсько-ленінське вчення про соціалістичну революцію, опорочити ленінізм, засновника Радянської держави та історічний досвід нашого народу в будівництві соціалізму. Зокрема, твердиться, що «коммунистическая» революція в Росії начебто «неизбежно ведет к национализму и националистической политике», що «коммунистический строй переходного периода єсть строй крепостнический», що в нашій країні громадяни начебто не мають свобод і нібито Радянський Союз — «единственный сейчас в мире тип тоталитарного государства».

Наведене свідчить, що рукопис цього ворожого документа ви виготовили і зберігали в себе вдома з метою підриву та ослаблення Радянської влади. Чи визнаєте ви це?

ВІДПОВІДЬ. Відповіді на поставлене запитання від обвинуваченого Стуса не надійшло.

ЗАПИТАННЯ. На допиті 24 червня 1980 року вам пред'являлись для огляду машинописні тексти віршів «Колеса глухо стукотять, мов хвиля об паром...», «Ось вам сонце, сказав чоловік з кокардою на кашкеті...» та рукопис вірша «Колеса глухо стукотять, мов хвиля об паром...».

Згідно висновку криміналістичної експертизи від 21 липня 1980 року, зазначені машинописні примірники віршів «Колеса глухо стукотять, мов хвиля об паром...» та «Ось вам сонце, сказав чоловік з кокардою на кашкеті...» віддруковані на друкарській машинці «Эрика» 4525453, яка належала вам і була конфіскована судом ще в 1972 році в зв'язку з притягненням вас тоді до кримінальної відповідальності за антирадянську діяльність, а рукопис вірша «Колеса глухо стукотять, мов хвиля об паром...» — написаний вами.

Покажіть, для чого ви зберігали в себе вдома до травня 1980 року виготовлені вами названі вище вірші?

ВІДПОВІДЬ. Відповіді на поставлене запитання не надійшло.

ЗАПИТАННЯ. В зазначених віршах ви зводите наклепницькі вигадки, що порочать радянський державний і суспільний лад, робите спробу довести читачеві перекручене уявлення про радянське соціалістичне суспільство. Зокрема, у вірші «Колеса глухо стукотять, мов хвиля об паром...» ви порівнюєте нашу країну з концентраційним табором, наклепницьки твердите, що майбутнє нашого народу нібито будується «на крові і кістках», а в вірші «Ось вам сонце, сказав чоловік з кокардою на кашкеті...» паплюжите життя радянських людей, яке, за вашими словами, начебто регламентоване «чоловіком з кокардою», а люди, щоб не хотілося їсти і пити, слухають лекції, дивляться кінофільми, як житимуть щасливо в майбутньому.

З якою метою ви зводите в названих віршах наклепницькі вигадки, що порочать радянський державний і суспільний лад і спрямовані на підрив та ослаблення Радянської влади?

ВІДПОВІДЬ. Відповіді від обвинуваченого на поставлене йому запитання не надійшло.

ЗАПИТАННЯ. На тому ж допиті 24 червня 1980 року вам пред'являвся загальний зошит, на останніх аркушах якого є вірші «Безпашпортний і закріпачений...» та «Село, колгоспна вітчина...».

Згідно висновку криміналістичної експертизи від 21 липня 1980 року, тексти зазначених віршів написані вами.

Покажіть, для чого ви виготовили та зберігали в себе вдома до травня 1980 року зазначені вище вірші?

ВІДПОВІДЬ. Відповіді від обвинуваченного на запитання не надійшло.

ЗАПИТАННЯ. В зазначених вище віршах ви зводите злісні наклепницькі вигадки на радянський державний і суспільний лад, радянську дійсність, політику КПРС щодо села.

Так, у вірші «Безпашпортний і закріпачений...» ви наклепницьки називаєте радянських колгоспників «сліпим», «закріпаченим», «катованим» та «рабованим» народом, який покірно лізе «під обух».

У вірші «Село, колгоспна вітчина...» ви наклепницьки твердите, що Україна нібито «знедолена», при цьому колгоспне селянство називаєте кріпаками, а майбутнє нашого народу новим рабством.

Вказані ваші наклепницькі твердження свідчать про те, що зазначені вірші своїм змістом спрямовані на підрив та ослаблення Радянської влади. Що ви покажете в зв'язку з цим?

ВІДПОВІДЬ. Ніякої відповіді на поставлене запитання обвинувачений Стус не дав.

ЗАПИТАННЯ. На допиті 24 червня 1980 року вам також пред'являвся рукописний документ, що починається зі слів: «Існує тільки дві форми контактування народу з урядом...», який, згідно висновку криміналістичної експертизи від 21 липня 1980 року, виготовлений вами.

З якою метою ви виготовили цей документ та зберігали його в себе вдома до вилучення його в вас під час обшуку 14—15 травня цього року?

ВІДПОВІДЬ. Відповіді на поставлене запитання від обвинуваченого Стуса не надійшло.

ЗАПИТАННЯ. В зазначеному документі ви з антирадянських позицій зводите злісні наклепницькі вигадки на радянський державний і суспільний лад, паплюжите демократичні принципи нашої країни, намагаєтесь посіяти недовір'я в народі до Радянської влади та Уряду. Зокрема, ви намагаєтесь довести, що нібито «існує тільки дві форми контактування народу з урядом: відверта боротьба (в усіх можливих її проявах) і відкрита полеміка» і кожна людина начебто «неминуче стоїть перед цією дилемою, бо третього не дано», а сила урядової влади, за вашими словами, «прямо пропорційна обезвладнюванню кожної людини».

Поряд з цим ви наклепницьки твердите, що в нашій країні нібито «той, хто не згоден з урядом, є ворогом… свого народу», а Радянська влада начебто «стала фетішем, молохом, поганським богом, будь-яка данина для якого не є завеликою».

З наведеного вбачається, що цей документ своїм ворожим змістом спрямований на підрив та ослаблення Радянської влади.

Чи визнаєте ви це?

ВІДПОВІДЬ. Відповіді на поставлене запитання обвинувачений Стус не дав.

ЗАПИТАННЯ. На допиті 24 червня 1980 року вам була надана можливість ознайомитись з машинописним документом, що починається зі слів: «Нещодавно в «Літературній Україні» було надруковано статтю О. Полторацького…», який, як встановлено слідством, являється одним із примірників вашого ворожого за змістом листа, адресованого до Президії Спілки письменників України, в копіях: Секретареві ЦК КП України та редакції журналу «Всесвіт».

В цьому документі ви, виступаючи на захист засуджених за антирадянську діяльність осіб, зводите наклепницькі вигадки на радянський державний і суспільний лад, паплюжите радянську дійсність, наклепницьки твердите, що на Україні нібито безпідставно переслідуються інтелігенція та науковці, що в нашій країні начебто відсутні демократія і свобода.

Покажіть, з якою метою ви зберігали в себе вдома до травня 1980 року цей ворожий документ, який своїм змістом спрямований на підрив та ослаблення Радянської влади?

ВІДПОВІДЬ. Ніякої відповіді на запитання не надійшло.

ЗАПИТАННЯ. Вам пред'являються для огляду: електрографічна копія рукописного документа під назвою «Відкритий лист до Івана Дзюби» на двох аркушах, що виділена із кримінальної справи відносно Шевченка Олеся Євгеновича та електрографічна копія цього ж документа, надрукованого в журналі «Визвольний шлях» № 12 за грудень 1976 року, який видається організацією українських націоналістів у Лондоні.

Зі змісту цього документа вбачається, що його автором є ви. Крім того, під його текстом значиться ваше прізвище: «Василь Стус».

Покажіть, де, коли, за яких обставин та з якою метою ви виготовили вищеназваний документ і яким шляхом він потрапив за кордон?

ВІДПОВІДЬ. Знайомитись з пред'явленими йому для огляду електрографічними копіями документа «Відкритий лист до Івана Дзюби» обвинувачений Стус відмовився і ніякої відповіді на запитання не дав.

ЗАПИТАННЯ. З тексту документа «Відкритий лист до Івана Дзюби» вбачається, що він в цілому написаний вами з ворожих, націоналістичних позицій. В ньому, зокрема, наклепницьки твердиться, що на Україні в 1972—1973 роках нібито відбувся «антиукраїнський погром», під час якого начебто «розпинали на хресті не за якусь радикальну громадську позицію, а за саме лише бажання мати почуття самоповаги, людської і національної гідності». Поряд з цим ви твердите, що в Радянському Союзі начебто кожен український літератор «приневолений до пожиттєвої самотності, як народ — до вікового безголосся», що український народ «існує ніби в якомусь вакуумі, наче переставши бути живою реальністю», а духовне існування українського народу нібито «сьогодні поставлено під загрозу».

З якою метою ви виготовили цей документ, який містить наклепницькі вигадки, що порочать радянський державний і суспільний лад і спрямований на підрив та ослаблення Радянської влади?

ВІДПОВІДЬ. Відповіді на поставлене запитання від обвинуваченого Стуса не надійшло.

ЗАПИТАННЯ. Чи знаєте ви мешканця міста Києва Шевченка Олеся Євгеновича, якщо знаєте, то коли, де, за яких обставин познайомились з ним та які між вами стосунки?

ВІДПОВІДЬ. Відповіді на запитання не надійшло.

До протоколу додаю свою заяву про завдані мені фізичні тортури 7 серпня ц. р. У зв'язку з тим, що ця гестапівська розправа була вчинена з волі слідчого Селюка (так заявив нач. тюрми кагебіст Швець), вимагаю іншого слідчого.

Протокол оголошений слідчим. Заяв та зауважень щодо протоколу допиту від обвинуваченого Стуса не поступило. Підписувати сторінки протоколу обвинувачений Стус безмотивно відмовився.

Старший слідчий Слідчого відділу КДБ УРСР майор Селюк

Віддрук.2 прим.
1-й в адрес
2-й в справу
Виконав і друкував
без чернетки, Селюк 12.08.1980 р.

ПОСТАНОВА

15 серпня 1980 р. м. Київ

Старший помічник Прокурора УРСР по нагляду за слідством в органах державної безпеки старший радник юстиції Лісний В. Й., розглянувши заяву обвинуваченого за ст. 62 ч. 2 КК УРСР Стуса В. С., перевіривши цю заяву та кримінальну справу по обвинуваченню останнього, —

ВСТАНОВИВ:

14 серпня 1980 р. в Прокуратуру УРСР надійшла заява обвинуваченого Стуса В. С. про відвід слідчого КДБ УРСР Селюка А. В. на тій підставі, що нібито за вказівкою останнього до нього безпідставно були застосовані заходи фізичного впливу.

Перевіркою встановлено, що відносно Стуса В. С. незаконних мір фізичного характеру не застосовувалось. 7 серпня 1980 р. обвинувачений Стус В. С. безмотивно в слідчому ізоляторі відмовився прибути на допит до слідчого, в зв'язку з чим у відповідності до ст.ст. 135—136 КПК УРСР та п. 98 «Інструкції про організацію служби в слідчих ізоляторах...» Стус В. С. був примусово доставлений до кабінету слідчого і допитаний по суті справи. Отже, передбаченних законом підстав для відводу слідчого немає.

Керуючись ст. 60 КПК УРСР, —

ПОСТАНОВИВ:

Заяву обвинуваченого Стуса В. С. про відвід слідчого Селюка А. В. відхилити, про що повідомити заявника.

Цю постанову направити в слідчий відділ КДБ УРСР для приєднання до справи по обвинуваченню Стуса В. С.

Старший помічник Прокурора УРСР
старший радник юстиції В. Й. Лісний

ПРОТОКОЛ
додаткового допиту обвинуваченого

місто Київ 14 серпня 1980 р.

Старший слідчий Слідчого відділу КДБ Української РСР майор Селюк в приміщенні Слідчого відділу КДБ УРСР, кабінет № 20, з додержанням вимог ст. ст. 143, 145 і 146 КПК УРСР допитав обвинуваченого: Стус Василь Семенович, 1938 року народження (дані про особу обвинуваченого маються в справі).

Допит почато в 14 год. 10 хв.
Закінчено в 17 год. 20 хв.

ЗАПИТАННЯ. З матеріалів кримінальної справи відносно вас вбачається, що ви на протязі тривалого часу поширювали серед свого оточення в усній формі наклепницькі вигадки на радянський державний і суспільний лад.

Вам пропонується дати показання щодо цього, зокрема покажіть, чи поширювали ви серед осіб, з якими спілкувались, наклепницькі вигадки, що порочать радянський державний і суспільний лад.

ВІДПОВІДЬ. Відповіді на запитання не надійшло.

ЗАПИТАННЯ. Чи знаєте ви мешканців Тенькінського району Магаданської області Голубенка Василя Васильовича, Казакова Петра Вікторовича, Стефановського Бориса Геннадійовича, Никифоренко Ніну Кирилівну, Жеренкова Миколу Миколайовича та Баннікову Альбіну Миколаївну, якшо знаєте, то з якого часу, де, коли, за яких обставин познайомились з ними і які між вами стосунки?

ВІДПОВІДЬ. Ніякої відповіді на оголошене слідчим запитання обвинувачений Стус не дав.

ЗАПИТАННЯ. Допитані під час попереднього слідства як свідки Голубенко Василь Васильович, Казаков Петро Вікторович та Стефановський Борис Геннадійович показали, що знають вас по спільній роботі на руднику імені Матросова Тенькінського району Магаданської області з весни 1977 року, тобто з того часу, коли ви приїхали в Магаданську область і почали працювати на вказаному руднику.

Що ви можете пояснити в зв'язку з цим?

ВІДПОВІДЬ. Відповіді на запитання не надійшло.

ЗАПИТАННЯ. Покажіть, чи висловлювали ви в присутності вказаних та інших осіб наклепницькі вигадки, що порочать радянський державний і суспільний лад, якщо висловлювали, то де, коли, за яких обставин і з якою метою?

ВІДПОВІДЬ. Ніякої відповіді на поставлене запитання від обвинуваченого Стуса не надійшло.

ЗАПИТАННЯ. Допитаний по справі 10 серпня 1980 року свідок Голубенко Василь Васильович показав, що ви в його присутності відкрито висловлювали своє невдоволення існуючим у нашій країні державним і суспільним ладом, і в одній із розмов з ним, яка відбулась у грудні 1977 року на руднику імені Матросова, зводили наклепницькі вигадки на демократичну основу радянського суспільства, заявляли, що радянські люди нібито обмежені в своїх правах, а записані в Конституції СРСР права і свободи радянських громадян начебто являються «фікцією». Разом з цим вихваляли буржуазний спосіб життя, заявляючи, що справжня демократія існує начебто тільки в капіталістичних країнах, таких як Сполучені Штати Америки, Канада, ФРН.

Покази свідка Голубенка про це вам оголошуються.

Покажіть, чи стверджуєте ви їх, та поясніть, з якою метою ви поширювали ці наклепницькі вигадки.

ВІДПОВІДЬ. На поставлене запитання, а також відносно зачитаних йому показів свідка Голубенка обвинувачений Стус ніякої відповіді не дав.

ЗАПИТАННЯ. Свідок Стефановський Борис Геннадійович на допиті 8 липня 1980 року показав, що в грудні 1978 року під час переодягання перед зміною в адміністративному приміщенні рудника імені Матросова (роздягальні) ви в присутності його та інших осіб зводили наклеп на радянський державний і суспільний лад, політику КПРС, заявляючи, що комуністи нібито довели країну до убозтва, злиденності.

Про цей факт показали також свідки Голубенко Василь Васильович та Казаков Петро Вікторович, покази яких у цій частині, відповідно, від 10 серпня і 7 липня 1980 року вам оголошуються. Вам оголошуються і покази про це Стефановського Бориса Геннадійовича.

Чи зрозумілі вам покази зазначених вище свідків Стефановського, Голубенка, Казакова та чи підтверджуєте ви їх?

ВІДПОВІДЬ. Вислухавши запитання, а також покази свідків Стефановського, Голубенка та Казакова, обвинувачений Стус ніякої відповіді не дав.

ЗАПИТАННЯ. Допитана як свідок Никифоренко Ніна Кирилівна на допиті 9 липня 1980 року показала, що познайомилась з вами під час вашого перебування в серпні-жовтні 1977 року в Транспортинській лікарні Тенькінського району Магаданської області і ви в розмовах з нею в вказаний час систематично допускали наклепницькі вигадки на радянський державний і суспільний лад, політику Комуністичної партії та Радянського уряду. Зокрема, стверджували, що в нашій країні начебто відсутні демократичні права та свободи громадян; органи влади нібито творять «цинічне беззаконня», а Українська РСР неначе нерівноправна в складі Союзу РСР, «окупована москалями» і, за вашими словами, знаходиться в «колоніальному становищі».

Разом з цим зводили наклеп на умови життя радянських людей, порівнювали Радянський Союз з «концентраційним табором» та вихваляли спосіб життя в капіталістичних країнах тощо.

Показання свідка Никифоренко в цій частині вам оголошуються.

Покажіть, чи підтверджуєте ви їх, та з якою метою ви зводили і зазначені наклепи на радянський державний і суспільний лад.

ВІДПОВІДЬ. На оголошене слідчим запитання та показання свідка Никифоренко обвинувачений Стус відповіді не дав.

ЗАПИТАННЯ. Свідок Жеренков Микола Миколайович на допиті 8 серпня 1980 року показав, що він протягом більше десяти днів у червні 1979 року разом з вами знаходився на лікуванні в хірургічному відділенні Транспортинської лікарні Тенькінського району і ви в розмовах з ним неодноразово допускали наклепницькі вигадки на радянський державний і суспільний лад, стверджували, що в нашій країні начебто відсутні свобода слова, друку, обмежуються права громадян і радянські люди нібито позбавлені самих елементарних людських прав і являються, за вашими словами, тільки «знаряддям виробництва», покірно, «мов роботи», виконують всі вимоги властей.

В той же час, в середині червня 1979 року, під час прогулянки ви в присутності Жеренкова ганьбили існуючий в нашій країні соціалістичний лад, намагались доказати, що він нібито тримається на «насильстві» та повній «ізоляції від зовнішнього світу», висловлювали «надію», що радянський народ «проснеться», «зрозуміє свою помилку» і ліквідує цей начебто «неприйнятний» для нього устрій.

Поряд з цим зводили наклеп на марксистсько-ленінське вчення, називаючи його «утопією», «маренням радянських фанатиків».

Показання свідка Жеренкова в цій частині вам оголошуються.

Покажіть, чи стверджуєте ви їх та з якою метою ви поширювали серед свого оточення такі злісні наклепницькі вигадки, що порочать існуючий в нашій країні радянський державний і суспільний лад.

ВІДПОВІДЬ. Вислухавши оголошене слідчим запитання та показання свідка Жеренкова, обвинувачений Стус ніякої відповіді не дав.

ЗАПИТАННЯ. Допитана по справі як свідок Баннікова Альбіна Миколаївна — завідуюча книжковим магазином у селищі Матросова, на допиті 6 липня 1980 року показала, що протягом травня 1977 року — червня 1979 року ви в розмовах з нею в селищі Матросова неодноразово висловлювали наклепницькі вигадки на радянський державний і суспільний лад, демократичні основи нашого суспільства.

Що ви можете показати відносно цього?

ВІДПОВІДЬ. Відповіді на поставлене запитання не надійшло.

ЗАПИТАННЯ. На вказаному вище допиті свідок Баннікова Альбіна Миколаївна показала, що восени 1977 року ви в розмові з нею, яка відбулась у книжковому магазині селища Матросова, наклепницьки твердили, що записані в Конституції СРСР права і свободи для радянських громадян нібито являються «фікцією», «вигадкою» для обману радянського народу і світової громадськості, що проголошені Конституцією права громадян начебто порушуються органами Радянської влади і в цілому в нашій країні начебто чиниться «цинічне беззаконня», а людей, думки яких розходяться з офіційною лінією партії, за вашими словами, «безжалісно» переслідують, направляють у тюрми та заслання.

Показання свідка Баннікової від 6 липня 1980 року в цій частині вам оголошуються.

Чи підтверджуєте ви їх?

ВІДПОВІДЬ. На оголошене слідчим запитання та показання свідка Баннікової обвинувачений Стус відповіді не дав.

ЗАПИТАННЯ. На тому ж допиті 6 липня 1980 року свідок Баннікова також показала, що під час зустрічі з нею в вересні 1978 року в селищі Матросова ви зводили наклепи на демократичні основи нашого суспільства, заявляючи, що вибори в нашій країні нібито є «обман для народу», наклепницьки стверджували, що в Радянському Союзі начебто порушуються права громадян, політику Комуністичної партії та Радянського уряду порівнювали з режимом дореволюційної Росії, в той же час вихваляли «демократію» та спосіб життя в капіталістичних країнах.

Як показала далі Баннікова, ви, зустрівшись з нею в березні 1979 року в книжковому магазині названого вище селища, в її присутності наклепницьки заявляли, що існуючий в нашій країні радянський державний і суспільний лад нібито нічим не відрізняється від «фашистського режиму».

Зазначені показання свідка Баннікової вам оголошуються.

Що ви покажете відносно наведених вам показів Баннікової, зокрема покажіть, з якою метою ви зводили вказані вище наклепницькі вигадки на радянський державний і суспільний лад?

ВІДПОВІДЬ. Вислухавши запитання та показання свідка Баннікової, обвинувачений Стус ніякої відповіді не дав.

ЗАПИТАННЯ. Чи знаєте ви мешканця селища Матросова Тенькінського району Магаданської області Мастракова Петра Михайловича та в яких стосунках з ним знаходитесь?

ВІДПОВІДЬ. Відповіді на поставлене запитання не надійшло.

ЗАПИТАННЯ. Допитаний по справі свідок Мастраков Петро Михайлович 8 липня 1980 року показав, що з вересня 1978 року до січня 1979 року він проживав з вами в одній кімнаті гуртожитку селища Матросова Тенькінського району і ви в розмовах з ним неодноразово допускали наклепницькі вигадки, що порочать радянський державний та суспільний лад. Зокрема, наклепницьки твердили, що в Радянському Союзі нібито грубо порушуються права людини та демократичні принципи нашого суспільства, що органи Радянської влади неначебто чинять «беззаконня», «свавілля», в зв'язку з чим населення країни, за вашими словами, «залякане», а КПРС і Радянський уряд ведуть нашу країну буцімто не по ленінському шляху і Українська РСР начебто не є рівноправною республікою в складі Союзу РСР, а знаходиться «в залежності від Москви».

Показання свідка Мастракова Петра Михайловича в цій частині вам оголошуються.

Покажіть, чи підтверджуєте ви зачитані вам показання свідка Мастракова та з якою метою ви поширювали наведені вище наклепницькі вигадки на радянський державний і суспільний лад?

ВІДПОВІДЬ. На оголошене запитання, а також відносно зачитаних показів свідка Мастракова обвинувачений Стус ніякої відповіді не дав.

ЗАПИТАННЯ. Про те, що ви поширювали в усній формі наклепницькі вигадки на існуючий в нашій країні радянський державний і суспільний лад, показав також на допиті 29 липня 1980 року свідок Грибанов Валерій Яківлевич, з яким ви тривалий час з березня 1978 року до липня 1979 року проживали в одній кімнаті № 36 гуртожитку в селищі Матросова Тенькінського району Магаданської області.

Покажіть, як ви знаєте Грибанова Валерія Яковича, які між вами стосунки та чи допускали ви в його присутності наклепницькі вигадки, що порочать радянський державний і суспільний лад?

ВІДПОВІДЬ. Відповіді на поставлене запитання не надійшло.

ЗАПИТАННЯ. На вищевказаному допиті свідок Грибанов Валерій Якович показав, що під час вашого спільного проживання в гуртожитку селища Матросова ви в розмовах з ним систематично допускали наклепницькі вигадки, що порочать радянський державний і суспільний лад. Зокрема, ви наклепницьки твердили, що Радянська влада в нашій країні нібито не є народною владою, оскільки, за вашими словами, владу захопила «кліка комуністів», «пристосовувачів», «гнобителів народу». Радянський уряд ви наклепницьки називали «олігархією», «верхівкою», який начебто чинить у країні «цинічне беззаконня», порушує права громадян, переслідує тих людей, які нібито «борються» з такими порушеннями, відправляючи їх до «концентраційних» таборів та заслання.

Як показав далі свідок Грибанов, ви наклепницьки стверджували, що Українська РСР, перебуваючи в складі Союзу РСР, нібито не має тих прав, які вона мала б, будучи «самостійною державою», що сьогодні Україна начебто являється «колонією Москви», на її території проводиться «насильницька русифікація» і що українцям, за вашими словами, треба вести «національно-визвольну боротьбу» за своє «звільнення».

Поряд з цим ви наклепницьки заявляли, що в Радянському Союзі начебто немає свободи творчості, вихваляли спосіб життя в капіталістичних країнах, заявляючи, що тільки там є «справжня свобода», а радянська пропаганда нібито викривляє «західну дійсність», зневажливо відкликались про наш робітничий клас тощо.

Зазначені показання свідка Грибанова Валерія Яковича від 29 липня 1980 року вам оголошуються.

Чи стверджуєте ви наведені вам показання свідка Грибанова та поясніть, для чого ви в його присутності висловлювали зазначені наклепницькі вигадки на радянський державний і суспільний лад?

ВІДПОВІДЬ. Ніякої відповіді на запитання та відносно оголошених йому показів сгідка Грибанова обвинувачений Стус не дав.

ЗАПИТАННЯ. Покажіть, з якою метою ви, мешкаючи в селищі Матросова Тенькінського району Магаданської області, займались поширенням в усній формі серед такого широкого кола осіб вищезазначених наклепницьких вигадок, що порочать існуючий в нашій країні радянський державний і суспільний лад?

ВІДПОВІДЬ. Відповіді на поставлене запитання не надійшло.

В зв'язку з тим, що обвинувачений Стус відмовився знайомитись з протоколом допиту, протокол був оголошений йому слідчим. Заяв та поправок до протоколу допиту з боку обвинуваченого не надійшло. Підписувати протокол обвинувачений Стус безмотивно відмовився.

Старший слідчий Слідчого відділу КДБ УРСР
майор Селюк

ПРОТОКОЛ
додаткового допиту обвинуваченого

місто Київ 15 серпня 1980 р.

Старший слідчий Слідчого відділу КДБ Української РСР майор Селюк в приміщенні Слідчого відділу КДБ УРСР, кабінет № 20, з додержанням вимог ст. ст. 143, 145 і 146 КПК УРСР допитав обвинуваченого: Стус Василь Семенович, 1938 року народження (дані про особу обвинуваченого маються в справі).

Допит почато в 14 год. 30 хв.
Закінчено в 18 год. 35 хв.

ЗАПИТАННЯ. Покажіть, чи знаєте ви мешканців Тенькінського району Магаданської області: Русова Євгена Костянтиновича, Радевича Євгена Володимировича, Шаврій Івана Ніканоровича, Ковальова Георгія Івановича та Ковальову Світлану Григорівну, якщо знаєте, то з якого часу, за яких обставин познайомились з ними, які між вами стосунки, де, коли і в зв'язку з чим ви зустрічались, якого змісту мали розмови?

ВІДПОВІДЬ. Відповіді на поставлене запитання від обвинуваченого Стуса не надійшло.

ЗАПИТАННЯ. Допитаний як свідок Русов Євген Костянтинович на допиті 4 серпня 1980 року показав, що з січня 1978 року до червня 1979 року він проживав разом з вами в одній кімнаті гуртожитку в селищі Матросова Тенькінського району Магаданської області і неодноразово мав з вами розмови на різні теми.

Чи пригадуєте ви тепер Русова Євгена Костянтиновича та розмови, які вели з ним?

ВІДПОВІДЬ. Ніякої відповіді на оголошене слідчим запитання обвинувачений Стус не дав.

ЗАПИТАННЯ. На тому ж допиті 4 серпня 1980 року свідок Русов Євген Костянтинович показав, що в зазначений вище час ви в розмовах з ним систематично допускали наклепницькі вигадки, що порочать радянський державний і суспільний лад. Зокрема, наклепницьки твердили, що записані в Конституції СРСР права і свободи радянських громадян нібито являються «фікцією», «вигадкою для обману радянського народу і світової громадськості», намагались довести, що в Радянському Союзі такі поняття, як «демократичність», «народність» влади, нібито відсутні, бо, за вашими словами, владу «в центрі і на місцях» начебто захопили «узурпатори», які «гноблять» народні маси, обмежують права радянських громадян, переслідують «інакодумців», відправляють «передових людей», «борців за свободу» до «концентраційних таборів», в заслання, тримають їх у «будинках для божевільних». Разом з цим існуючий в нашій країні радянський державний і суспільний лад ви наклепницьки називали «режимом», порівнюючи його з державним ладом царської Росії, стверджували, що на Україні нібито проводиться «насильницька русифікація», а Українська РСР начебто являється «колонією Москви» і не є рівноправною в складі Союзу РСР, намагались виправдати злочинну діяльність бандитів-бандерівців, називаючи їх учасниками неначебто «національно-визвольної боротьби» за «звільнення» України.

Показання свідка Русова Євгена Костянтиновича від 4 серпня 1980 року в цій частині вам оголошуються.

Чи стверджуєте ви наведені вам показання Русова та що ви можете показати по їх суті і, зокрема, з якою метою ви зводили ці злісні наклепницькі вигадки на радянський державний і суспільний лад?

ВІДПОВІДЬ. Вислухавши запитання та показання свідка Русова, які були оголошені слідчим, обвинувачений Стус ніякої відповіді не дав.

ЗАПИТАННЯ. Подібні зазначеним вище наклепницькі вигадки на радянський державний і суспільний лад ви зводили також в неодноразових розмовах з Радевичем Євгеном Володимировичем, який в 1977—1979 роках проживав разом з вами (на одному поверсі) в гуртожитку селища Матросова Тенькінського району Магаданської області.

Що ви можете показати відносно змісту розмов, які в названий час ви мали з Радевичем Євгеном Володимировичем?

ВІДПОВІДЬ. Відповіді на запитання не надійшло.

ЗАПИТАННЯ. На допиті 24 липня 1980 року свідок Радевич Євген Володимирович показав, що з грудня 1977 року до липня 1979 року ви в розмовах з ним, які відбувались у вказаний час у селищі Матросова, допускали наклепницькі вигадки на радянську дійсність, існуючий в нашій країні радянський державний і суспільний лад.

Так, в розмовах з Радевичем ви наклепницьки твердили, що в Радянському Союзі нібито «грубо порушуються права громадян», органи влади начебто «раз у раз чинять беззаконня», переслідують передових людей, до яких ви відносили і себе, відправляючи їх, за вашими словами, в «концентраційні табори», в заслання, в божевільні.

Поряд з цим ви наклепницьки заявляли, що владу в Радянському Союзі нібито «захопила кліка комуністів», називали Радянський уряд «олігархією», яка начебто «гнобить» народні маси і творить «цинічне беззаконня».

В листопаді 1978 року, як показав свідок Радевич, ви в розмові з ним, що відбулась у гуртожитку названого вище селища, намагались доказати, що Україна нібито являється «колонією Москви» і, перебуваючи в складі Союзу РСР, начебто не є рівноправною республікою, не має тих прав, які б вона мала, будучи «самостійною» державою. Під час цієї ж розмови ви закликали Радевича до проведення ворожої діяльності, заявляючи, що українцям треба згуртуватись і вести «національно-визвольну боротьбу» за «звільнення» України.

Показання свідка Радевича Євгена Володимировича про це вам оголошуються.

Покажіть, чи підтверджуєте ви показання свідка Радевича та з якою метою ви поширювали наведені вище наклепницькі вигадки, що порочать радянський державний і суспільний лад?

ВІДПОВІДЬ. На поставлене запитання, а також відносно показів свідка Радевича, які були оголошені слідчим, обвинувачений Стус ніякої відповіді не дав.

ЗАПИТАННЯ. На допиті 30 липня 1980 року свідок Шаврій Іван Ніканорович показав, що знає вас з березня 1977 року по спільній роботі на руднику імені Матросова Тенькінського району та спільному проживанню в гуртожитку названого рудника і ви в розмовах з ним з весни 1977 року до літа 1979 року неодноразово зводили наклепницькі вигадки на радянський державний і суспільний лад. Зокрема, наклепницьки стверджували, що в нашій країні начебто відсутня свобода, що органи влади нібито порушують права громадян, творять «беззаконня», а записані в Конституції СРСР права і свободи є, за вашими словами, «вигадка верхівки», яка начебто «захватила владу» в країні і «пригнічує» народні маси, а відносно людей, які нібито виступають за «демократизацію» країни, застосовують репресивні міри, відправляючи їх до «концентраційних таборів», в заслання, в «божевільню».

Показання свідка Шаврій в цій частині вам оголошуються.

Покажіть, чи стверджуєте ви їх та з якою метою ви зводили ці наклепницькі вигадки?

ВІДПОВІДЬ. Відповіді на поставлене запитання, а також по суті наведених наклепницьких тверджень обвинувачений Стус не дав.

ЗАПИТАННЯ. Будучи допитаним як свідок, Ковальов Георгій Іванович на допиті 5 серпня 1980 року показав, що в одній із розмов з ним, яка відбулась у березні 1978 року в гуртожитку селища Матросова, ви наклепницьки твердили, що були репресовані Радянською владою нібито за ваші «переконання», за те, що начебто боролись «за волю для України, за демократичні права для народу» і заявляли «настане той день, коли Україна буде вільна, коли для всіх будуть справжні права і свободи».

Ці показання Ковальова Георгія Івановича ствердила на допиті 6 серпня 1980 року свідок Ковальова Світлана Григорівна, яка була присутня під час зазначеної вище розмови.

Показання свідків Ковальова Георгія Івановича та Ковальової Світлани Григорівни вам оголошуються.

Чи підтверджуєте ви їх та що ви можете показати по суті наведених вам показань?

ВІДПОВІДЬ. Ніякої відповіді на поставлене запитання не надійшло.

ЗАПИТАННЯ. Чи знаєте ви Шаріпова Рашіда Гаріфовича, бувшого начальника відділу кадрів рудника імені Матросова, якщо знаєте, то які між вами стосунки?

ВІДПОВІДЬ. Відповіді на запитання не надійшло.

ЗАПИТАННЯ. Допитаний по справі як свідок Шаріпов Рашід Гаріфович на допиті 31 липня 1980 року показав, що знає вас з березня 1977 року, тобто з того часу, коли ви почали працювати на руднику імені Матросова, і на протязі всього вашого перебування в Тенькінському районі Магаданської області він неодноразово зустрічався з вами, мав розмови, під час яких ви допускали наклепницькі вигадки на радянський державний і суспільний лад. Зокрема, в розмовах з ним ви наклепницьки твердили, що в Радянському Союзі начебто відсутні свобода слова, друку, пересування, з націоналістичних позицій заявляли, що «Україна повинна бути для українців і тільки».

Показання свідка Шаріпова в цій частині вам оголошуються.

Покажіть, чи допускали ви в присутності Шаріпова наведені вам наклепницькі вигадки, що порочать радянський державний і суспільний лад?

ВІДПОВІДЬ. На поставлене запитання, а також відносно зачитаних показань свідка Шаріпова обвинувачений Стус відповіді не дав.

ЗАПИТАННЯ. Як ви знаєте директора рудника імені Матросова Тенькінського району Магаданської області Войтовича Всеволода Степановича та які між вами стосунки?

ВІДПОВІДЬ. Відповідь на запитання не надійшла.

ЗАПИТАННЯ. На допиті 7 липня 1980 року свідок Войтович Всеволод Степанович показав, що знає вас з березня 1977 року і з того часу до серпня 1979 року постійно зустрічався з вами, як на території рудника, так і в гуртожитку; неодноразово між вами були розмови на різні теми.

Що ви покажете відносно цього?

ВІДПОВІДЬ. Відповіді на поставлене запитання не надійшло.

ЗАПИТАННЯ. На тому ж допиті 7 липня 1980 року свідок Войтович показав, що під час розмови з ним, яка відбулась у квітні 1979 року в селищі Матросова, ви зводили наклеп на існуючий в нашій країні радянський державний і суспільний лад, наклепницьки заявляли, що в Радянському Союзі нібито «існує беззаконня», що наш народ начебто «безправний», «заляканий». Комуністичну партію СРСР ви наклепницьки називали «зграєю», яка нібито «захопила владу» в країні «для отримання особистого пожитку».

Показання свідка Войтовича Всеволода Степановича про це вам оголошуються.

Чи підтверджуєте ви наведені вам покази свідка Войтовича про поширення вами наклепницьких вигадок, що порочать радянський державний і суспільний лад?

ВІДПОВІДЬ. Ніякої відповіді на поставлене запитання, а також по суті зачитаних показань свідка Войтовича обвинувачений Стус не дав.

ЗАПИТАННЯ. Чи знаєте ви Сірика Миколу Івановича, який з грудня 1974 року до лютого 1977 року відбував міру покарання в виправно-трудовій установі № 19 Мордовської АРСР, тобто в тій же установі, де в той час знаходились і ви, якщо знаєте, то які між вами стосунки?

ВІДПОВІДЬ. Відповіді на поставлене запитання не надійшло.

ЗАПИТАННЯ. Допитаний як свідок Сірик Микола Іванович на допиті 31 липня 1980 року показав, що, перебуваючи в названій вище установі, він спілкувався з вами в грудні 1974 року, в березні і квітні 1975 року та в період з вересня 1975 року до лютого 1977 року. Що ви можете показати відносно цього?

ВІДПОВІДЬ. Відповіді на запитання обвинувачений Стус не дав.

ЗАПИТАННЯ. На тому ж допиті 31 липня 1980 року свідок Сірик Микола Іванович показав, що ви в розмовах з ним у вказаний вище період вашого спілкування систематично допускали наклепницькі вигадки на радянський державний і суспільний лад. Зокрема, твердили, що в Радянському Союзі нібито порушуються права людини, а органи Радянської влади начебто чинять «беззаконня», арештовують та судять невинних людей; існуючий в нашій країні радянський державний і суспільний лад ви називали «фашистським режимом» та порівнювали його з режимом царської Росії, заявляли, що Україна в складі Союзу РСР начебто не є рівноправною республікою, а перебуває в підневільному стані, знаходиться в «залежності від Росії» і, за вашими словами, є «колонією Москви».

Поряд з цим ви наклепницьки стверджували в розмовах з Сіриком, що на Україні начебто проводиться «насильницька русифікація», яку чинять органи Радянської влади та «кліка комуністів».

Крім того, ви закликали Сірика до проведення антирадянської діяльності, заявляючи, що «проти Радянської влади всі засоби боротьби підходять, починаючи від антирадянської агітації та пропаганди до вчинення терористичних акцій проти відповідальних партійних і радянських працівників».

Показання свідка Сірика Миколи Івановича від 31 липня 1980 року в цій частині вам оголошуються.

Покажіть, чи підтверджуєте ви оголошені вам показання Сірика Миколи Івановича та з якою метою ви поширювали з грудня 1974 року до лютого 1977 року зазначені вище наклепницькі вигадки, що порочать радянський державний і суспільний лад?

ВІДПОВІДЬ. Вислухавши запитання та оголошені слідчим показання свідка Сірика Миколи Івановича, обвинувачений Стус ніякої відповіді не дав.

ЗАПИТАННЯ. Як вбачається з показань допитаних по вашій справі свідків: Голубенка Василя Васильовича, Казакова Петра Вікторовича, Стефановського Бориса Геннадійовича, Никифоренко Ніни Кирилівни, Жеренкова Миколи Миколайовича, Баннікової Альбіни Миколаївни, Грибанова Валерія Яковича, Русова Євгена Костянтиновича, Радевича Євгена Володимировича, Шаврій Івана Ніканоровича, Ковальова Георгія Івановича, Ковальової Світлани Григорівни, Шаріпова Рашіда Гаріфовича, Войтовича Всеволода Степановича, Сірика Миколи Івановича, ви протягом тривалого часу, ще перебуваючи в місцях позбавлення волі на території Мордовської АРСР та в засланні в селищі Матросова Тенькінського району Магаданської області, в період з грудня 1974 року до липня 1979 року систематично поширювали серед свого оточення злісні наклепницькі вигадки на існуючий в нашій країні радянський державний і суспільний лад, демократичні основи нашого суспільства, політику КПРС і Радянського уряду, закликали окремих осіб до проведення антирадянської діяльності.

Наведене свідчить, що таку ворожу діяльність ви проводили саме з метою підриву та ослаблення Радянської влади.

Чи визнаєте ви це?

ВІДПОВІДЬ. Ніякої відповіді на оголошене слідчим запитання обвинувачений Стус не дав.

В зв'язку з тим, що обвинувачений Стус відмовився знайомитись з протоколом допиту, протокол був оголошений йому слідчим. Заяв, зауважень та поправок до протоколу допиту з боку обвинуваченого не надійшло. Підписувати протокол обвинувачений Стус безмотивно відмовився.

Старший слідчий Слідчого відділу КДБ УРСР
майор Селюк

ПРОТОКОЛ
додаткового допиту обвинуваченого

місто Київ 28 серпня 1980 р.

Старший слідчий Слідчого відділу КДБ Української РСР майор Селюк в приміщенні Слідчого відділу КДБ УРСР, кабінет № 20, з додержанням вимог ст. ст. 143, 145 і 146 КПК УРСР допитав обвинуваченого: Стус Василь Семенович, 1938 року народження (дані про особу обвинуваченого маються в справі).

Допит почато в 15 год. 00 хв.
Закінчено в 16 год. 35 хв.

ЗАПИТАННЯ. З матеріалів кримінальної справи відносно вас вбачається, що ви на протязі тривалого часу підтримували зв'язки з особами, що мешкають за кордоном.

Вам пропонується дати показання відносно цих осіб та характеру ваших стосунків з ними.

ВІДПОВІДЬ. Відповіді на поставлене запитання від обвинуваченого Стуса не надійшло.

ЗАПИТАННЯ. Під час виїмки 22 травня 1980 року поштової кореспонденції, яка поступила на вашу адресу, був вилучений рукописний лист, виконаний українською мовою, шо надійшов на ваше ім'я від мешканки Федеративної Республіки Німеччини Ганни-Галини Горбач.

З тексту листа, який починається зі слів: «22.4.80 Дорогий пане Василю!..» і закінчується словами: «...Широ Ваша Горбач Г.», вбачається, шо ви знайомі з сім'єю Горбач і підтримуєте з нею листування. Цей лист пред'являється вам для огляду.

Покажіть, як ви знаєте Ганну-Галину Горбач, коли, де, за яких обставин познайомились з нею, які між вами стосунки та на чому грунтується ваше спілкування?

ВІДПОВІДЬ. Обвинувачений Стус не побажав знайомитись з пред'явленим йому листом від Горбач і ніякої відповіді на поставлене запитання не дав.

ЗАПИТАННЯ. Вам пред'являються для огляду та ознайомлення два листи з конвертами, що надійшли в вашу адресу від мешканки міста Бремена (Федеративна Республіка Німеччина) Крістіни Бремер і були вилучені під час виїмок поштової кореспонденції 22 травня та 21 липня 1980 року.

Що ви можете показати відносно пред'явлених вам листів?

ВІДПОВІДЬ. Знайомитись з пред'явленими для огляду листами від Крістіни Бремер обвинувачений Стус не захотів і відповіді на поставлене йому запитання не дав.

ЗАПИТАННЯ. З тексту пред'явлених вам для огляду листів вбачається, що ви тривалий час листуєтесь з Крістіною Бремер.

Покажіть, хто така Крістіна Бремер, звідки їй відоме ваше прізвище і домашня адреса та який характер носить ваше листування?

ВІДПОВІДЬ. Ніякої відповіді на поставлене запитання обвинувачений Стус не дав.

ЗАПИТАННЯ. Під час обшуку 14—15 травня 1980 року в вашій квартирі було вилучено відкритий поштовий конверт з листівкою в адресу названої вище Крістіни Бремер і вашою фотокарткою, а також аркуш білого паперу стандартного формату з рукописним листом, виконаним вами німецькою та російською мовами, текст якого починається зі слів: «Meine...» і закінчується словами: «...Требую судить виновников подлейшей провокации».

В зазначеному листі до Крістіни Бремер ви виступаєте на захист заарештованого за вчинення кримінального злочину Миколи Горбаля та допускаєте судження ідейно-шкідливого змісту.

В зв'язку з чим ви збирались надіслати за кордон зазначену вище тенденційну інформацію?

ВІДПОВІДЬ. Ніякої відповіді на поставлене запитання обвинувачений Стус не дав.

ЗАПИТАННЯ. Вам пред'являється для огляду та ознайомлення машинописний лист разом з конвертом, що надійшов на вашу київську адресу від жителя Філадельфії (Сполучені Штати Америки) Доменіко ДіМарко і був вилучений під час виїмки поштової кореспонденції 21 липня 1980 року.

Чи знаєте ви Доменіко ДіМарко, якщо знаєте, то коли, де, за яких обставин познайомились, яким шляхом потрапила до нього ваша адреса?

ВІДПОВІДЬ. Обвинувачений Стус не побажав знайомитись з листом, який був пред'явлений йому для огляду, і відповіді на поставлене запитання не дав.

ЗАПИТАННЯ. Як вбачається з вилучених під час виїмки 9 липня 1980 року матеріалів у поштовому відділенні зв'язку селища Матросова Тенькінського району Магаданської області, ви протягом 1978—1979 років постійно одержували посилки та цінні бандеролі із-за кордону.

Покажіть, хто вам надсилав ці відправлення?

ВІДПОВІДЬ. Відповіді на поставлене запитання від обвинуваченого Стуса не надійшло.

ЗАПИТАННЯ. Вам пред'являються для огляду та ознайомлення поштові документи — ліцензії та декларації про одержання вами посилок з промисловими і продовольчими товарами, зокрема про те, що вами було одержано:

- в липні 1978 року посилку із Філадельфії (США) на суму 100 доларів;
- в серпні 1978 року із Сполучених Штатів Америки посилку на суму 200 доларів;
- вересня 1978 року посилку із Торонто (Канада) на суму 44 долари;
- жовтня 1978 року посилку із Балтимора (США) на суму 50 доларів;
- 17 жовтня 1978 року посилку із Базеля (ФРН) [Швейцарія] вагою 14 400 кг.

Покажіть, ким саме із названих вище капіталістичних країн були надіслані вам зазначені посилки?

ВІДПОВІДЬ. Знайомитись з пред'явленими для огляду поштовими документами Стус не побажав і відповіді на запитання не дав.

ЗАПИТАННЯ. Поясніть, з якою метою вказані посилки надсилались вам із Сполучених Штатів Америки, Федеративної Республіки Німеччини та Канади і чи не є вони компенсацією вам за ваші дії на користь ворогів Союзу РСР, які знаходяться за кордоном?

ВІДПОВІДЬ. Відповіді на запитання не надійшло.

В зв'язку з тим, що обвинувачений Стус відмовився знайомитись з протоколом допиту, протокол був оголошений йому слідчим. Заяв та зауважень з боку обвинуваченого щодо протоколу не надійшло. Підписувати протокол обвинувачений Стус безмотивно відмовився.

Старший слідчий Слідчого відділу КДБ УРСР
майор Селюк

ПРОТОКОЛ

допиту свідка
місто Київ 28 серпня 1980 р.

Старший слідчий Слідчого відділу КДБ Української РСР майор Селюк за дорученням старшого слідчого того ж відділу капітана Бойцова в приміщенні Слідчого відділу КДБ УРСР, каб. № 20, з додержанням вимог ст. ст. 85, 167 і 170 КПК УРСР допитав як свідка: Стус Василь Семенович, 1938 року народження (дані про особу обвинуваченого маються в справі).

ЗАПИТАННЯ. Чи знаєте ви Шевченка Олеся Євгеновича, якщо знаєте, то де, коли, за яких обставин познайомились з ним та які між вами стосунки?

ВІДПОВІДЬ. Відповіді на поставлене запитання не надійшло.

ЗАПИТАННЯ. Чи передавали ви Шевченку Олесю особисто або через інших осіб які-небудь виконані вами документи, якщо передавали, то які саме, з якою метою та коли і за яких обставин це було?

ВІДПОВІДЬ. Ніякої відповіді на поставлене запитання обвинувачений Стус не дав.

ЗАПИТАННЯ. Під час обшуку в квартирі Шевченка Олеся був вилучений рукописний документ під заголовком «Відкритий лист до Івана Дзюби» за підписом «Василь Стус». Вказаний документ пред'являється вам для ознайомлення.

Що ви можете показати щодо змісту пред'явленого вам документа, зокрема чи виготовляли ви документ такого змісту?

ВІДПОВІДЬ. Обвинувачений Стус не побажав знайомитись з пред'явленим йому документом «Відкритий лист до Івана Дзюби» і відповіді на поставлене запитання не дав.

ЗАПИТАННЯ. Чи передавали ви названий вище документ Шевченку Олесю, якщо передавали, то коли та за яких обставин, особисто чи через інших осіб, з якою метою?

ВІДПОВІДЬ. Відповіді на поставлене запитання від обвинуваченого Стуса не надійшло.

ЗАПИТАННЯ. Що вам відомо про виготовлення так званого «Українського вісника» та причетність до його видання Шевченка Олеся?

ВІДПОВІДЬ. Ніякої відповіді на запитання не надійшло.

В зв'язку з тим, що свідок Стус Василь Семенович відмовився знайомитись з протоколом допиту, протокол був оголошений йому слідчим. Заяв та зауважень щодо протоколу не поступило. Підписувати протокол Стус безмотивно відмовився.

Старший слідчий Слідчого відділу КДБ УРСР
майор Селюк

ПОСТАНОВА
про притягнення як обвинуваченого

місто Київ 1 вересня 1980 року

Старший слідчий Слідчого відділу КДБ Української РСР майор Селюк, розглянувши матеріали кримінальної справи № 5 відносно Стуса Василя Семеновича, 8 січня 1938 року народження, —

ВСТАНОВИВ:
21 травня 1980 року Стусу пред'явлено обвинувачення в скоєнні злочину, передбаченного ст. 62 ч. 2 КК УРСР і ст. 70 ч. 2 КК РРФСР.

Під час подальшого попереднього розслідування кримінальної справи встановлені нові факти та обставини злочинної діяльності Стуса, в зв'язку з чим виникла необхідність в доповненні раніше пред'явленого йому 21 травня 1980 року обвинувачення.

Попереднім слідством по справі зібрано в достатній мірі доказів для пред'явлення Стусу Василю Семеновичу обвинувачення в тому, що він, будучи раніше, 7 вересня 1972 року, засудженим Київським обласним судом за проведення антирадянської агітації і пропаганди (ст. 62 ч. 1 КК УРСР) до 5 років позбавлення волі і 3 років заслання, відбуваючи основну та додаткову міру покарання — у виправно-трудовій колонії № 19 селища Лісний Мордовської АРСР та в засланні в Магаданській області, а з 3 серпня 1979 року до травня 1980 року мешкаючи в місті Києві, не став на шлях виправлення і, залишаючись на ворожих радянському суспільству позиціях, спілкуючись шляхом особистих контактів та листування з особами, засудженими за особливо небезпечні державні злочини, а також з представниками зарубіжних буржуазно-націоналістичних кіл й іншими відщепенцями, на грунті антирадянських націоналістичних переконань, незважаючи на неодноразові попередження з боку офіційних осіб органів влади та представників громадськості про недопустимість злочинної діяльності, протягом тривалого часу з метою підриву і ослаблення Радянської влади систематично виготовляв, зберігав та розповсюджував антирадянську і наклепницьку літературу, в якій містяться заклики до проведення боротьби з Радянською владою та вигадки, що порочать радянський державний і суспільний лад. Деякі з них потрапили за кордон в капіталістичні країни, де широко використовуються буржуазно-націоналістичними центрами в провокаційних кампаніях проти Союзу РСР. Разом з цим займався антирадянською агітацією і пропагандою в усній формі, поширюючи наклепницькі вигадки на радянський державний і суспільний лад.

Так, у грудні 1976 року, відбуваючи покарання у виправно-трудовій колонії № 19 селища Лісний Мордовської АРСР, незважаючи на оголошене йому 19 жовтня 1975 року у відповідності з Указом Президії Верховної Ради СРСР від 25 грудня 1972 року офіційне попередження про недопустимість ворожої діяльності, Стус з метою підриву та ослаблення Радянської влади виготовив наклепницький документ у вигляді «заяви» до Президії Верховної Ради СРСР і тоді ж поширив його, надіславши до Прокуратури Союзу СРСР зі своїм листом-проханням, щоб текст «заяви» було доведено до «адресата».

В зазначеному документі він зводить наклепницькі вигадки, що порочать радянський державний і суспільний лад. Зокрема, намагається довести, що в нашій країні начебто існує беззаконня та відсутня демократія. Схвалюючи діяльність осіб, заарештованих за особливо небезпечні та інші державні злочини, робить спробу обвинуватити Радянську владу в порушенні прав людини.

Тоді ж, у 1976 році, відбуваючи міру покарання в Мордовській АРСР, з тією ж метою виготовив документ у вигляді «Відкритого листа до І. Дзюби». В ньому Стус, паплюжачи радянський державний і суспільний лад, наклепницьки твердить, що на Україні в 1972—1973 роках начебто відбувся «антиукраїнський погром», під час якого нібито притискувалась «національна гідність» радянських людей, що в СРСР кожен український літератор начебто «поневолений», а народ знаходиться нібито «в якомусь вакуумі», і його духовне існування «поставлено під загрозу».

Зазначений ворожий документ набув поширення серед націоналістично настроєних осіб, зокрема потрапив до мешканця міста Києва Шевченка Олеся Євгеновича, притягнутого по іншій справі до кримінальної відповідальності за антирадянську агітацію і пропаганду. Рукописна копія цього документа була вилучена по вказаній кримінальній справі під час обшуку 1 квітня 1980 року.

Згаданий документ також потрапив за кордон, де використовувався буржуазною пропагандою в ворожих акціях проти Союзу РСР і був надрукований під назвою «Відкритий лист В. Стуса до І. Дзюби» в журналі «Визвольний шлях» № 12 за грудень 1976 року, що видається організацією українських буржуазних націоналістів у Лондоні.

Восени 1977 року, відбуваючи додаткову міру покарання — заслання в селищі Матросова Тенькінського району Магаданської області, з метою підриву та ослаблення Радянської влади виготовив рукописний документ у вигляді «листа» до своїх знайомих-мешканців м. Києва Коцюбинської М. Х., Кириченко С. Т. та її чоловіка — Бадзьо Г. В., пізніше засудженого за антирадянську діяльність.

В зазначеному документі Стус з ворожих націоналістичних позицій зводить наклепницькі вигадки, що порочать радянський державний і суспільний лад, паплюжить національну політику КПРС та братню дружбу українського і російського народів, наклепницьки стверджуючи, що в українського народу нібито «катастрофічне духовне існування», а радянська влада начебто «душить» та проводить «репресії українців». Поряд з цим, згадуючи про свою судимість за антирадянську агітацію і пропаганду, він відверто зазначає, що залишився на тих же націоналістичних позиціях і буде далі проводити ворожу діяльність.

Зазначений документ наприкінці 1977 року Стус надіслав поштою до м. Києва, де з його текстом ознайомились Коцюбинська М. Х., Андрієвська В. В., Кириченко С. Т. та її чоловік — Бадзьо Г. В. Тоді ж Кириченко та Бадзьо переписали названий документ і цей рукописний текст потрапив до Стуса, який зберігав його в своїй квартирі в м. Києві до вилучення під час обшуку 14 травня 1980 року. Доля оригіналу вказаного документа не встановлена.

В листопаді 1977 року також під час перебування в засланні в Магаданській області з тією ж метою виготовив рукописний документ у вигляді листа до мешканця м. Чернігова Лук'яненка Л. Г., судимого в 1961 році за зраду Батьківщини та в 1978 році — за антирадянську агітацію і пропаганду.

В цьому листі Стус з ворожих націоналістичних позицій зводить злісні наклепи на радянський державний і суспільний лад. Заявляючи про своє бажання бути членом так званого «Українського наглядового комітету», підбурює «однодумців» проводити ворожу діяльність «в більш широкому плані». Наклепницьки стверджує, що на Україні нібито провадяться незаконні «репресії української інтелігенції», паплюжить рівноправність України в складі Союзу РСР і твердить, що в Радянському Союзі нібито немає «фактичної рівності націй».

Тоді ж, в листопаді 1977 року, поширив зазначений документ, надіславши поштою в м. Чернігів вказаному Лук'яненку для ознайомлення, який розмножив його не менше як в десяти примірниках і розповсюдив їх серед своїх знайомих.

В кінці 1977 року під час перебування в селищі Матросова з тією ж метою виготовив рукописний документ у вигляді «листа-звернення» до одного із членів Президії Верховної Ради Союзу РСР.

В цьому документі робиться спроба зганьбити діяльність Радянського уряду. Зокрема, наклепницьки твердиться, що в Радянському Союзі нібито існує «беззаконие и насилие», «шовинистический произвол», в результаті чого було начебто безпідставно засуджено його — Стуса та інших осіб.

Засуджених антирадянщиків автор намагається показати як «представників української інтелігенції», що репресовані нібито лише за їх «переконання».

Зазначений документ зберігав у своїй кімнаті гуртожитку до його вилучення 10 лютого 1978 року під час обшуку по кримінальній справі відносно Лук'яненка.

В грудні 1977 року, перебуваючи в засланні в названому селищі, з метою підриву та ослаблення Радянської влади виготовив рукописний документ у вигляді «листа» до колишнього мешканця міста Москви Григоренка П. Г., якого згідно Указу Президії Верховної Ради СРСР від 13 лютого 1978 року за систематичне вчинення дій, несумісних з належністю до громадянства СРСР, завдання своєю поведінкою шкоди престижу Союзу РСР позбавлено громадянства СРСР.

В цьому документі містяться наклепницькі вигадки на радянський державний і суспільний лад. Зокрема, в ньому Стус наклепницьки стверджує про нібито відсутність в нашій країні «человеческих прав и прав народов» та заявляє про свій намір проводити ворожу діяльність під виглядом участі в нібито існуючому в СРСР «демократическом движении»; різного роду відщепенцям пропонує активізувати і посилити антирадянську агітацію та пропаганду. Поряд з цим з ворожих націоналістичних позицій захищає бандитів ОУН, називаючи їх «участниками партизанского движения».

Зазначений документ Стус зберігав в своїй кімнаті гуртожитку до його вилучення 10 лютого 1978 року під час обшуку по кримінальній справі відносно Лук'яненка.

В кінці 1977 року Стус, перебуваючи в засланні, з тією ж метою виготовив рукописний документ у вигляді «листа» до вказаного Григоренка П. Г.

В зазначеному документі містяться наклепницькі вигадки, що порочать радянський державний і суспільний лад. Зокрема, в ньому твердиться, що нібито в нашій країні існують беззаконня і сваволя, безпідставні «репрессии творческой интеллигенции». При цьому в документі паплюжаться органи радянського правосуддя, яких Стус наклепницьки називав ворогами народу.

Названий «лист» Стус зберігав у себе в кімнаті гуртожитку до дня вилучення його під час обшуку 10 лютого 1978 року по кримінальній справі відносно Лук'яненка.

Незважаючи на повторно оголошене йому 19 червня 1978 року офіційне застереження про недопустимість надалі дій, які суперечать інтересам державної безпеки СРСР, Стус не тільки не припинив виготовлення, зберігання і розповсюдження антирадянських наклепницьких документів, а, навпаки, активізував свою ворожу діяльність.

Так, мешкаючи в місті Києві після відбуття основної і додаткової міри покарання за проведення антирадянської агітації і пропаганди, Стус до погашення судимості з метою підриву та ослаблення Радянської влади виготовив у листопаді 1979 року рукописний документ у вигляді «заяви» до Прокуратури УРСР.

В цьому документі, датованому 19 листопада 1979 року, Стус, виступаючи на захист М. Горбаля, раніше судимого за антирадянську діяльність і арештованого за вчинення іншого кримінального злочину, зводить наклепницькі вигадки, що порочать радянський державний і суспільний лад. Зокрема, наклепницьки твердить, що радянські правозахисні органи нібито «вдаються до брутальних способів розправи і дискредитації людей». Поряд з цим він намагається ствердити, що в нашій країні нібито існує «свавілля» і «беззаконня», зневажаються права людини.

Для широкого розповсюдження зазначеного ворожого документа Стус розмножив його не менше як в чотирьох рукописних примірниках українською і російською мовами та поширив їх.

З них:

- один примірник українською мовою, датований 19 листопада 1979 року, надіслав до Прокуратури УРСР;
- один примірник російською мовою 21 січня 1980 року надіслав поштою до мешканки міста Москви Лісовської Ніни Петрівни, який було вилучено під час виїмки 25 січня 1980 року на Київському поштамті по кримінальній справі відносно Калиниченка В. В., притягнутого до відповідальності за антирадянську агітацію і пропаганду;
- два примірники, датовані 18 листопада 1979 року, один — українською мовою до Прокуратури УРСР, а другий — російською мовою,

викладений в листі до мешканця м. Москви Сахарова А. Д., зберігав у себе вдома до дня вилучення під час обшуку 14 травня 1980 року.

Виготовлений Стусом зазначений ворожий документ потрапив за кордон на Захід, де використовується в підривних акціях проти СРСР антирадянськими центрами, зокрема його текст був переданий радіостанцією «Радіо Свобода» 27 лютого 1980 року, а також опублікований в буржуазно-націоналістичній газеті «Українське слово» за 4 квітня 1980 року, що видається в Парижі.

Мешкаючи в місті Києві з серпня 1979 року до травня 1980 року, з тією ж метою виготовив рукописний документ без назви в загальному зошиті, який зберігав у себе вдома до дня вилучення його під час обшуку 14 травня 1980 року.

В цьому документі містяться злісні наклепницькі вигадки, що порочать радянський державний і суспільний лад. Зокрема, робиться спроба ревізувати марксистсько-ленінське вчення про соціалістичну революцію, опорочити ленінізм, засновника Радянської держави та історичний досвід нашого народу в будівництві соціалізму. Щодо Великої Жовтневої соціалістичної революції наклепницьки твердиться, що нібито вона «совершилась во имя тоталитарного марксизма», «неизбежно ведет к национализму и националистической политике», а «коммунистический строй переходного периода есть строй крепостнический».

Крім того, після повернення із заслання до міста Києва з серпня 1979 року до травня 1980 року Стус з тією ж ворожою метою зберігав у своїй квартирі рукописні та машинописні тексти документів і віршів, виготовлених ним у 1963—1972 роках, а саме:

- рукописний вірш «Безпашпортний і закріпачений...», в якому він викладає наклепницькі вигадки щодо політики КПРС і Радянської влади відносно колгоспного селянства нашої країни, яке нібито «закріпачене» і «катоване»;
- документ, що починається зі слів: «Існує тільки дві форми...», в якому паплюжаться демократичні основи нашої країни, робиться спроба посіяти недовір'я народу до Уряду та Радянської влади. Так, в ньому Стус наклепницьки твердить, що в Радянському Союзі нібито «існує тільки дві форми контактування народу з урядом: відверта боротьба (в усіх можливих її проявах) і відкрита полеміка».

Поряд з цим наклепницьки стверджується, що в нашій країні начебто «той, хто не згоден з урядом, є ворогом...»;

- машинописний документ, що починається зі слів: «Нещодавно в «Літературній Україні» було надруковано…», в якому Стус, виступаючи на захист засуджених Караванського, Чорновола, Осадчого та інших відщепенців, зводить наклепницькі вигадки на радянську дійсність, твердячи, що на Україні нібито безпідставно переслідуються інтелігенція та науковці, начебто відсутні демократія і свобода, що в нашій країні нібито знущаються з «соціалістичної законності, правосуддя, демократичних свобод».
- машинописний текст вірша «Ось вам сонце, сказав чоловік з кокардою…», в якому зводяться наклепи на радянську дійсність, паплюжиться життя радянського народу, який начебто «злиденний і духовно збіднений»;
- рукописний та машинописний примірники вірша «Колеса глухо стукотять…», в якому Стус зводить наклепницькі вигадки на радянський державний і суспільний лад, зображаючи нашу країну як «концтаборів союз».

Зазначені ворожі документи зберігав у себе вдома в м. Києві до дня вилучення їх під час обшуку 14 травня 1980 року.

Залишаючись на антирадянських націоналістичних позиціях, в другій половині 1979 року — на початку 1980 року з метою підриву та ослаблення Радянської влади виготовив у місті Києві для подальшого розповсюдження рукописний документ українською і російською мовами під назвою «Пам'ятка українського борця за справедливість» («Памятка украинского борца за волю»), який за своїм змістом і спрямуванням є відверто антирадянським, наклепницьким. В ньому Стус з націоналістичних позицій зводить злісні наклепницькі вигадки, що порочать радянський державний і суспільний лад, викладає конкретну програму боротьби проти Радянської влади, обстоює необхідність створення так званої «незалежної України». При цьому закликає проводити ворожу діяльність шляхом створення «широкої мережі правозахисних об'єднань» на платформі «забезпечення незалежної України, організації випуску періодичних журналів типу "Укр. вісника" і т. д.». Наклепницьки твердить, що Україну нібито тримають «в колоніальному ярмі шляхом страшного терору, геноциду», виправдовує антирадянську, антинародну діяльність бандитів ОУН-УПА, називаючи її «національно-визвольним рухом».

Зазначений антирадянський документ зберігав у себе вдома в м. Києві до вилучення його під час обшуку 14 травня 1980 року.

Поряд з виготовленням, розповсюдженням і зберіганням ворожих документів Стус протягом тривалого часу з метою підриву та ослаблення Радянської влади проводив антирадянську агітацію і пропаганду в усній формі, поширюючи злісні вигадки, що порочать радянський державний і суспільний лад.

Так, відбуваючи покарання у виправно-трудовій колонії № 19 селища Лісний Мордовської АРСР та спілкуючись з грудня 1974 року по січень 1977 року з засудженим за антирадянську діяльність Сіриком Миколою Івановичем, в неодноразових розмовах з ним систематично висловлював наклепницькі вигадки на радянський державний і суспільний лад, стверджуючи, що в Радянському Союзі нібито порушуються права людини, а органи Радянської влади начебто чинять «беззаконня», арештовують і засуджують «невинних людей». Існуючий в нашій країні лад називав «фашистським» та порівнював його з режимом царської Росії; заявляв, що на Україні нібито проводиться «насильницька русифікація», яку, за його словами, чинять органи Радянської влади, що УРСР начебто не є рівноправною республікою, а перебуває в підневільному стані. Обробляючи Сірика в антирадянському націоналістичному дусі, закликав його до проведення активної ворожої діяльності, заявляючи, що «проти Радянської влади всі засоби боротьби підходять, починаючи від антирадянської агітації та пропаганди до вчинення терористичних акцій».

Перебуваючи на засланні в селищі Матросова Тенькінського району Магаданської області, з тією ж ворожою метою в період з весни 1977 року до літа 1979 року під час розмов з мешканцями цього селища систематично зводив наклепницькі вигадки на радянський державний і суспільний лад.

Зокрема, в розмовах з робітником рудника імені Матросова Шаврієм Іваном Ніканоровичем по місцю роботи та в гуртожитку в названий вище час наклепницьки стверджував, що в нашій країні начебто відсутня свобода, що органи Радянської влади нібито порушують права громадян, творять «беззаконня» і «пригнічують народні маси».

В той же період під час розмов з начальником відділу кадрів вказаного рудника Шаріповим Рашідом Гаріфовичем наклепницьки твердив, що в Радянському Союзі відсутні свобода слова, друку, пересування, намагався порівняти органи Радянської влади з гестапо та з націоналістичних позицій заявляв, що «Україна повинна бути тільки для українців».

Під час розмов з завідуючою книжковим магазином зазначеного селища Банніковою Альбіною Миколаївною в жовтні-листопаді 1977 року, в вересні 1978 року та в березні 1979 року наклепницьки твердив, що записані в Конституції СРСР права і свободи для радянських людей неначе є «фікцією», «вигадкою» для обману радянського народу і світової громадськості, оскільки ці права, за його словами, начебто порушуються органами Радянської влади, що в нашій країні нібито відсутня демократія, чиниться «цинічне беззаконня». Державний лад нашої країни порівнював з режимами дореволюційної Росії та фашистським, в той же час вихваляв «демократію» і спосіб життя в капіталістичних країнах.

В період від грудня 1977 року до липня 1979 року під час розмов з прохідником рудника ім. Матросова Радевичем Євгеном Володимировичем наклепницьки твердив, що в Радянському Союзі начебто «грубо порушуються права громадян», органи влади «раз у раз чинять беззаконня», безпричинно переслідують «передових людей». З ворожих позицій висловлювався, що Радянський уряд нібито «гнобить» народні маси і творить у країні «цинічне беззаконня». Намагався довести, що Україна нібито є «колонією Москви», перебуваючи в складі Союзу РСР, начебто не має прав суверенної республіки, та закликав Радевича до проведення ворожої діяльності, заявляючи, що «українцям» треба вести «національно-визвольну боротьбу» за «звільнення України».

У грудні 1977 року під час розмови з прохідником вказаного рудника Голубенком Василем Васильовичем, висловлюючи своє невдоволення існуючим в нашій країні державним і суспільним ладом, зводив наклепницькі вигадки на демократичні основи радянського суспільства, заявляв, що радянські люди нібито обмежені в своїх громадянських правах, а також вихваляв спосіб життя в капіталістичних країнах, де начебто існує справжня демократія.

Проживаючи в гуртожитку в одній кімнаті з головним енергетиком фабрики цього ж рудника Русовим Євгеном Костянтиновичем, в період з січня 1978 року до червня 1979 року під час розмов з ним наклепницьки твердив, що в Радянському Союзі начебто відсутня демократія, існує свавілля та беззаконня. Разом з цим радянський державний і суспільний лад ототожнював з режимом царської Росії, стверджував, що на Україні нібито проводиться «насильницька русифікація». Наклепницьки заявляв, що Українська РСР начебто не є рівноправною республікою в складі СРСР, а також виправдовував злочинну діяльність бандитів ОУН.

У березні 1978 року в кімнаті гуртожитку вказаного селища в присутності прохідника Ковальова Георгія Івановича і його дружини Ковальової Світлани Григорівни зводив наклепницькі вигадки на радянський державний і суспільний лад, стверджуючи, зокрема, що начебто в УРСР для громадян відсутні права і вони незаконно переслідуються.

В період від березня 1978 року до липня 1979 року, під час розмов з робітником вказаного рудника Грибановим Валерієм Яковичем, з яким проживав в одній кімнаті, Стус наклепницьки твердив, що Радянська влада нібито не є народною, що в нашій країні неначе чиниться «беззаконня» та порушуються права громадян. З ворожих позицій заявляв, що Україна в складі Союзу РСР нібито не суверенна держава, та закликав до боротьби з Радянською владою.

Протягом вересня 1978 року — січня 1979 року в розмовах з сусідом по кімнаті гуртожитку робітником Мастраковим Петром Михайловичем наклепницьки твердив, що в Радянському Союзі нібито порушуються права людини та демократичні принципи нашого суспільства, зводив злісні наклепи на внутрішню політику КПРС та Радянського уряду.

У грудні 1978 року в приміщенні рудника імені Матросова Стус в присутності робітників Стефановського Бориса Геннадійовича, Казанова Петра Вікторовича і згаданого вище Голубенка В. В. зводив наклепи на радянський державний і суспільний лад, політику КПРС, заявляючи, що комуністи нібито довели країну до убогості і злиденності.

В квітні 1979 року під час розмови з директором вказаного рудника Войтовичем Всеволодом Степановичем зводив наклепи на радянську дійсність, заявляючи, що в нашій країні нібито існує «беззаконня», радянський народ начебто «безправний», «заляканий», а КПРС начебто проводить антинародну політику.

Під час лікування в хірургічному відділенні лікарні селища Транспортний Тенькінського району Магаданської області, протягом серпня-жовтня 1977 року, в розмовах з сестрою-господаркою Никифоренко Ніною Кирилівною систематично допускав наклепи на радянський спосіб життя, політику КПРС і Радянського уряду. Зокрема, твердив, що в нашій країні начебто відсутні демократичні права і свободи громадян. Органи Радянської влади, за його словами, нібито творять «беззаконня». З ворожих позицій заявляв, що Україна в складі Союзу РСР начебто нерівноправна.

Перебуваючи на лікуванні в тій же лікарні в червні 1979 року, під час розмов з мешканцем селища Омчак Тенькінського району Магаданської області неповнолітнім Жеренковим Миколою Михайловичем зводив наклепницькі вигадки на радянський державний і суспільний лад, заявляв, що в нашій країні начебто відсутня свобода слова, друку, обмежуються права громадян і радянські люди нібито позбавлені елементарних людських прав, а також допускав наклепи на марксистсько-ленінське вчення.

Переліченими в цій постанові діями по виготовленню, зберіганню і розповсюдженню з метою підриву та ослаблення Радянської влади ворожої літератури, що порочить радянський державний і суспільний лад, вчиненими на території УРСР, Стус скоїв злочин, передбачений ст. 62 ч. 2 КК УРСР, як особа раніше судима за особливо небезпечний державний злочин.

Діяннями по виготовленню, зберіганню, розповсюдженню з метою підриву і ослаблення Радянської влади антирадянської та наклепницької літератури, поширення в усній формі з тією ж метою наклепницьких вигадок, що порочать радянський державний і суспільний лад, вчиненими на території РРФСР, Стус скоїв злочин, передбачений ст. 70 ч. 2 КК РРФСР, як особа раніше судима за особливо небезпечний державний злочин.

На підставі наведеного, керуючись вимогами ст.ст. 130, 131, 132, 133, 140, 141 і 142 Кримінально-процесуального кодексу УРСР, —

ПОСТАНОВИВ:

1. Притягнути Стуса Василя Семеновича, 8 січня 1938 року народження, як обвинуваченого по кримінальній справі № 5, пред'явивши обвинувачення в скоєнні ним злочину — антирадянської агітації і пропаганди, передбаченого ст. 62 ч. 2 Кримінального кодексу Української РСР та ст. 70 ч. 2 Кримінального кодексу Російської РФСР, про що оголосити йому під розписку в цій постанові.
2. Копію постанови негайно надіслати Прокурору Української РСР.

Старший слідчий Слідчого відділу
КДБ УРСР майор А. В. Селюк

Згоден:
Начальник Слідчого відділу КДБ УРСР — полковник В. П. Туркін

Постанову мені оголошено 2 вересня 1980 року, суть обвинувачення роз'яснено.
Обвинувачений (підпис) /Стус/

Обвинувачений Стус з постановою ознайомився особисто і заявив, що суть викладеного в ній обвинувачення йому зрозуміла, винним себе не визнає і підписувати постанову відмовляється.

Старший слідчий Слідвідділу КДБ УРСР майор Селюк

Помічник Прокурора Української РСР —
старший радник юстиції Потапенко

Одночасно з цим на підставі ст. 142 КПК УРСР мені роз'яснені слідчим права обвинуваченого на попередньому слідстві, тобто що обвинувачений має право: знати, в чому він обвинувачується; давати пояснення по пред'явленому йому обвинуваченню; подавати докази; заявляти клопотання про допит свідків, про проведення очної ставки, про проведення експертизи, про витребування і приєднання до справи доказів, а також заявляти клопотання з усіх інших питань, які мають значення для встановлення істини в справі; заявляти відвід слідчому, прокуророві, експерту і перекладачу; з дозволу слідчого бути присутнім при виконанні окремих слідчих дій; знайомитися з усіма матеріалами справи після закінчення попереднього слідства; мати захисника відповідно до ст.ст. 44 і 45 КПК УРСР; подавати скарги на дії та рішення слідчого і прокурора.

Обвинувачений __________________ /Стус/ 2 вересня 1980 р.

Старший слідчий Слідчого відділу
КДБ УРСР майор А. В. Селюк

Обвинувачений Стус особисто ознайомився з правами обвинуваченого і підписатись відмовився.

Старший слідчий Слідвідділу КДБ УРСР
майор Селюк

Помічник Прокурора Української РСР
старший радник юстиції Потапенко

ПРОТОКОЛ
допиту обвинуваченого
місто Київ 2 вересня 1980 р.

Допит почато в 11 год. 00 хв.
Закінчено в 12 год. 05 хв.

Старший слідчий Слідчого відділу КДБ Української РСР майор Селюк та помічник Прокурора Української РСР старший радник юстиції Потапенко в приміщенні Слідчого відділу КДБ УРСР, каб. № 20, з додержанням вимог ст.ст. 143, 145 і 146 КПК УРСР допитав як обвинуваченого: Стус Василь Семенович, 1938 року народження (дані про особу обвинуваченого маються в справі).

ЗАПИТАННЯ. Постановою від 1 вересня 1980 року ви притягнуті по кримінальній справі № 5 як обвинувачений в скоєнні злочину — антирадянської агітації і пропаганди, передбаченого ст. 62 ч. 2 Кримінального кодексу Української РСР і ст. 70 ч. 2 Кримінального кодексу Російської РФСР, тобто в тому, що ви протягом тривалого часу (1974—1980 років), відбуваючи за вироком Київського обласного суду від 7 вересня 1972 року основну та додаткову міру покарання в Мордовській АРСР і Магаданській області та мешкаючи в місті Києві, до погашення судимості за раніше скоєний злочин, з метою підриву та ослаблення Радянської влади займалися виготовленням, зберіганням та розповсюдженням антирадянської і наклепницької літератури, в якій містяться заклики до проведення боротьби з Радянською владою та вигадки, що порочать радянський державний і суспільний лад. Деякі з виготовлених вами документів потрапили за кордон, де використовуються буржуазно-націоналістичними центрами в провокаційних кампаніях проти Союзу РСР. Разом з цим займалися антирадянською агітацією і пропагандою в усній формі, поширюючи наклепницькі вигадки на радянський державний і суспільний лад.

Вказана постанова вам пред'являється для ознайомлення та особистого прочитання.

Одночасно з цим вам роз'яснені права обвинуваченого, передбачені ст. 142 Кримінально-процесуального кодексу УРСР.

Чи зрозуміло вам, у чому ви звинувачуєтесь та права обвинуваченого?

ВІДПОВІДЬ. Обвинувачений Стус особисто ознайомився з постановою від 1 вересня 1980 року про притягнення його як обвинуваченого по кримінальній справі № 5, заявив, що вона йому зрозуміла, більше ніякої відповіді на поставлене запитання не дав.

ЗАПИТАННЯ. Чи визнаєте ви себе винним у пред'явленому вам звинуваченні, тобто в скоєнні злочину, передбаченого ст. 62. ч. 2 КК УРСР і ст. 70 ч. 2 КК РРФСР, який викладено в постанові від 1 вересня 1980 року про притягнення вас як обвинуваченого?

ВІДПОВІДЬ. Абсолютно не вважаю себе винним у пред'явленому мені обвинуваченні.

ЗАПИТАННЯ. Вам пропонується дати докладні показання по суті пред'явленого обвинувачення.

ВІДПОВІДЬ. Обвинувачений Стус відмовився давати показання по суті викладеного в постанові звинувачення.

ЗАПИТАННЯ. Що ви бажаєте доповнити в зв'язку з допитом вас як обвинуваченого, чи маєте якісь пояснення та заяви відносно пред'явленого вам обвинувачення і поставлених запитань?

ВІДПОВІДЬ. Відповідати відмовився.

В зв'язку з тим, що обвинувачений Стус відмовився знайомитись з протоколом допиту, протокол оголошений йому в присутності прокурора слідчим. Заяв та зауважень щодо протоколу допиту — не надійшло. Підписувати протокол допиту обвинувачений Стус відмовився, при цьому ніяких мотивів не привів.

Старший слідчий Слідчого відділу КДБ УРСР майор Селюк

Помічник Прокурора Української РСР
старший радник юстиції Потапенко

ТОМ 3

ПРОТОКОЛ ДОПИТУ СВІДКА

місто Київ 25 серпня 1980 р.

Допит почато о 15 год. 00 хв.
Закінчено о 16 год. 45 хв.

Старший слідчий слідчого відділу КДБ Української РСР майор Селюк в приміщенні Слідчого відділу КДБ УРСР, кабінет № 20, з додержанням вимог ст. ст. 85, 167 і 170 КПК УРСР допитав як свідка:

1. Прізвище: Андрієвська.
2. Ім'я: Валерія.
3. По батькові: Вікторівна.
4. Дата народження: 1938.
5. Місце народження: місто Охтирка Сумської області.
6. Національність і громадянство: українка, гр-ка СРСР.
7. Партійність: безпартійна.
8. Освіта: вища.
9. Рід занять: Московська лабораторія при Науково-дослідницькому інституті УРСР (психології) ст. науковий співробітник.
10. Місце проживання: Київ-167, вул. Плеханова, 6, квартира 40.
11. Паспорт: ІІ—МА № 743851, виданий 2.09.1977 р. ВВС Дарницького райвиконкому міста Києва.
12. В яких стосунках з обвинуваченим і потерпілим: нормальних.

У відповідності з ч. IV ст. 167 КПК УРСР Андрієвській В. В. роз'яснені обов'язки свідка, передбачені ст. 70 КПК УРСР, і її попереджено про відповідальність за ст. 179 КК УРСР за відмову або ухилення від дачі показань і за ст. 178 ч. 2 КК УРСР за дачу завідомо неправдивих показань.

(підпис свідка)

На пропозицію дати показання по всіх відомих їй обставинах свідок показала:

Стуса Василя Семеновича я знаю приблизно з 1969 року. Я декілька разів чула його виступи на вечорах, поважала як поета, проте наше особисте знайомство було лише побіжним. Обставин, за яких саме ми познайомились, я зараз не пам'ятаю. Спілкування між нами ніякого не було, зустрічі були принагідні, він знав мене як дружину Сверстюка Євгена Олександровича, з яким був добре знайомий.

В 1972 році Стус був засуджений Київським обласним судом до п'яти років позбавлення волі в виправно-трудовій колонії і трьох років заслання. Який саме злочин йому інкримінувався, мені невідомо.

Під час перебування Стуса в виправно-трудовій колонії я від нього ніяких листів не отримувала.

Коли він мешкав у Магаданській області, я отримала від нього два-три листи. В цих листах були слова дружнього привіту і підтримки дружині товариша. В свою чергу я також написала йому декілька листів, в яких коротко розповідала про своє життя. Листи Стуса в мене не збереглися.

В серпні минулого року Стус повернувся до Києва і десь восени разом зі своєю дружиною заходив до мене додому. Як я вважаю, він хотів провідати мене, подивитись, як я живу.

Це була моя єдина зустріч з Стусом після його повернення додому.

Під час цієї зустрічі Стус розповідав про себе, розпитував про Євгена, від якого я щойно повернулась.

Якихось наклепницьких висловлювань, що порочать радянський державний і суспільний лад, я від нього не чула.

Мені також невідомо, чи займався Стус виготовленням та розповсюдженням документів антирадянського або наклепницького змісту.

Згодом від когось із своїх знайомих, кого саме не пам'ятаю, я чула, що він працює в ливарному цеху якогось завода. Ніяких зв'язків я з ним і його сім'єю не підтримувала і тільки недавно від слідчих органів дізналась, що він заарештований.

ЗАПИТАННЯ. Вам пред'являються для огляду чотири аркуші з учнівського зошита з рукописним текстом листа, що починається зі слів: «Дорога Михасю! Дорогі Світлано, Юрку!..» і закінчується словами: «…хоч бувало не часто, на жаль», в якому є також звернення до вас.

Покажіть, чи отримували ви коли-небудь подібного листа, якщо отримували, то коли саме, від кого?

ВІДПОВІДЬ. Я особисто ознайомилась з пред'явленим мені листом, що починається зі слів: «Дорога Михасю! Дорогі Світлано, Юрку!..», і бачу, що в ньому є звернення і до мене.

Як я зараз пригадую, з текстом цього листа я знайомилась десь наприкінці 1977 року. Першу частину листа я переглянула поверхово, а детально прочитала його кінець, де Стус звертався до мене. Думаю, що це була його відповідь на мій лист, в якому я описувала свою поїздку на побачення до чоловіка (Сверстюка Євгена Олександровича) в Пермську область. Знайомилась я в 1977 році не з цим примірником, який мені зараз пред'явлено. Але чи то був оригінал, чи копія листа Стуса, я зараз не пригадую, як і не можу пригадати особу, що приносила мені цей лист додому.

Пам'ятаю, що мені сказали, що надійшов лист від Стуса, де він звертається і до мене, і запропонували ознайомитись з його текстом.

Як я вже показала, я переглянула цей лист, більше уваги звернула на те місце, де Стус звертався до мене, і повернула його назад тій же особі.

Яким шляхом цей лист надійшов до Києва і на яку саме адресу, я не цікавилась, про це мені нічого не відомо.

Чи знайомились з текстом цього листа інші особи, яким він призначався, я не знаю. Розмов стосовно цього листа я ні з ким не вела.

ЗАПИТАННЯ. Чим ви бажаєте доповнити свої показання по суті поставлених вам запитань?

ВІДПОВІДЬ. Доповнень до протоколу я не маю.

Протокол прочитала, записано з моїх слів вірно, поправок не маю.
(підпис) В. Андрієвська

Старший слідчий Слідвідділу КДБ УРСР майор (Селюк)

Комитет Государственной Безопасности Мордовской АССР
ПРОТОКОЛ
допроса свидетеля

пос. Барашево
Мордовской АССР 28 июля 1980 г.

Старший следователь КГБ УССР Мордовской АССР капитан Мишин по поручению начальника отделения следственного отдела КГБ

Украинской ССР подполковника Колпака с соблюдением требований ст. ст. 158, 160 УПК РСФСР допросил в качестве свидетеля

1. Фамилия: Бадзьо.
2. Имя и отчество: Георгий Васильевич.
3. Год рождения: 1936.
4. Место рождения: село Копиновцы Мукачевского района Закарпатской области.
5. Национальность и гражданство: украинец, гражданин СССР.
6. Партийность: беспартийный.
7. Образование: высшее.
8. Род занятий: осужденный учреждения ЖХ-385/3.
9. Сведения о судимости: 21 декабря 1979 г. Киевским городским судом по ст. 62 ч. I УК УССР к 7 годам лишения свободы.
10. Постоянное место жительства: пос. Барашево Теньгушевского района Мордовской АССР, учреждение ЖХ-385/3.
11. Паспорт или иной документ: личность удостоверена.

Свидетелю Бадзьо Г. В. разъяснены обязанности, перечисленные в ст. 73 УПК РСФСР, и он предупрежден об ответственности по ст. 182 УК РСФСР за отказ или уклонение от дачи показаний по ст. 181 УК РСФСР за дачу заведомо ложных показаний.

(подпись)

Допрос начат в 12 час. 45 мин.
Окончен в 14 час. 45 мин.

Перед началом допроса свидетель Бадзьо заявил, что русским языком владеет хорошо, поэтому в услугах переводчика не нуждается и свои показания желает давать на русском языке.

Свидетель Бадзьо изъявил желание свои показания записать собственноручно.

По существу заданных вопросов свидетель Бадзьо показал следующее:

ВОПРОС. Знаете ли Вы Стуса Василия Семеновича и если да, то когда, и при каких обстоятельствах с ним познакомились и каковы между вами были взаимоотношения?

ОТВЕТ. Стуса Василя Семеновича знаю с 1962 г., со времени поступления его в аспирантуру Института литературы АН УССР, где в это время учился и Стус. Учились мы в одном отделе — теории литературы. Отношения между нами товарищеские.

ВОПРОС. Переписывались ли вы со Стусом В. С. в период его пребывания в местах лишения свободы и ссылке и если да, то какой характер носила ваша переписка?

ОТВЕТ. В период пребывания Стуса В. С. в местах лишения свободы я писал ему, но очень редко. Кажется, непосредственно мне Стус В. С. из ссылки не писал. Письма мои к нему носили личный и литературный характер.

ВОПРОС. Что вам известно об изготовлении и распространении Стусом В. С. документов, содержащих клеветнические измышления, порочащие советский государственный и общественный строй?

ОТВЕТ. Кому было адресовано и кому пришло указанное письмо Стуса В. С., я не знаю. Другими словами, я не помню, чтобы я получал это письмо, и не знаю, кто его получил.

ВОПРОС. Можете ли вы что-либо добавить к данным вами показаниям?

ОТВЕТ. Хочу только добавить, что знаю Стуса В. С. как человека очень высокого морального и гражданского сознания, глубоко преданного своему народу, свободного национального предубеждения к кому бы то ни было, демократически настроенного; антисоциалистических настроений за ним тоже не замечал.

Других дополнений не имею, протокол допроса написан правильно, ответы на вопросы записаны мною собственноручно.

Свидетель (подпись) (Бадзьо Г. В.)

Допрос произвел и протокол составил
Старший следователь КГБ
Мордовской АССР капитан Г. Мишин

ПРОТОКОЛ
допроса свидетеля

город Сочи 10 августа 1980 г.

Допрос начат в 9 час. 00 мин.
Окончен в 13 час. 05 мин.

Старший следователь Следственного отдела КГБ УССР майор Селюк с соблюдением требований ст. ст. 72—74, 157, 158, 160 УПК РСФСР допросил в качестве свидетеля

1. Фамилия: Голубенко.
2. Имя: Василий.
3. Отчество: Васильевич.
4. Год рождения: 1943.
5. Место рождения: с. Цыгановка Синельниковского р-на Днепропетровской обл.
6. Национальность и гражданство: украинец, гр-н СССР.
7. Партийность: чл. КПСС.
8. Образование: 10 классов.
9. Род занятий: Магаданская область, Тенькинский район, рудник им. Матросова, проходчик.
10. Постоянное место жительства: Магаданская область, Тенькинский район, пос. Матросова, ул. Центральная, 29, кв. 2.
11. Паспорт или иной документ: I-ФК № 662121 выдан 17.X.78 г. Омчакским отделением милиции ОВД Тенькинского райисполкома Магаданской области.
12. В каких отношениях состоит с обвиняемым: нормальных.

В соответствии с ч. II ст. 158 УПК РСФСР Голубенко В. В. разъяснены обязанности свидетеля, предусмотренные ст. 73 УПК РСФСР, и он предупрежден об ответственности по ст. 182 УК РСФСР за отказ или уклонение от дачи показаний по ст. 181 ч. 2 УК РСФСР за дачу заведомо ложных показаний.

(подпись)

Перед началом допроса свидетель Голубенко Василий Васильевич заявил, что показания желает давать на русском языке, которым владеет свободно, и на поставленные вопросы показал:

В Магаданской области я проживаю с 1971 года. С этого же времени постоянно работаю проходчиком на руднике имени Матросова, расположенном в Тенькинском районе названной области.

В настоящее время нахожусь в отпуске и временно проживаю в городе Сочи, улица Подлесная, 4.

Стуса Василия Семеновича я знаю с весны 1977 года, то есть с того времени, когда он приехал к нам на рудник.

По прибытию в поселок Матросова Стус был поселен в новое благоустроенное общежитие рудника, расположенное в центре поселка, и определен на работу в одну из лучших комплексных бригад, учеником проходчика.

Поработав примерно с месяц, Стус обратился к руководству рудника имени Матросова с просьбой перевести его на более легкую работу. Просьба Стуса была удовлетворена, ему предоставили работу в должности скреписта, где он только управлял при помощи рычагов скреперной лебедкой при погрузке руды в вагоны.

Первые несколько месяцев Стус ничем особым среди других рабочих рудника, да и участка, на котором мы вместе с ним работали, не выделялся. Я знал его только как вновь поступившего рабочего, даже не подозревал, что он ранее судим и отбывает ссылку. Насколько мне известно, на нашем руднике ссыльных до Стуса не было, как нет их и в настоящее время.

Спустя два-три месяца, после того как Стус начал работать скреперистом на нашем участке, я в одной из бесед с ним, которая состоялась в кругу других рабочих, узнал, что ранее он жил в Киеве, работал в отделе технической информации какого-то министерства. В начале 70-х годов его судили якобы к трем годам лишения свободы, он оскорбительно отозвался о суде и в связи с этим ему определили меру наказания пять лет лишения свободы и три года ссылки. По его словам, осужден он был несправедливо за какую-то написанную им книгу стихов, которая была издана за границей. В той же беседе он рассказывал, что эту книгу он хотел опубликовать в Союзе, но ему предложили доработать некоторые стихи, с чем он не согласился. Рукопись этой книги он давал читать друзьям, и она каким-то образом оказалась за границей.

Со второй половины 1977 года Стус начал вести себя высокомерно по отношению к другим рабочим, стал называть себя политическим ссыльным и открыто высказывать недовольство существующим в нашей стране государственным и общественным строем.

Так, в одной из бесед со мной, которая состоялась у меня с ним наедине в декабре 1977 года на руднике имени Матросова, Стус по своей инициативе начал разговор о правах человека, при этом клеветал на демократическую основу советского строя, заявляя, что советские люди якобы ограничены в своих правах, записанные в Конституции СССР права и свободы граждан являются «фикцией», а людей, выступающих с критическими замечаниями, будто бы преследуют.

При этом он пытался доказать мне, что повинны в этом якобы существующий в нашей стране социалистический строй и руководители нашей партии и правительства. Тут же заявлял, что подлинная демократия существует только в капиталистических странах, таких как США, Канада, ФРГ. Тогда я пытался разубедить его, но он остался при своем мнении и прекратил со мной разговор.

Впоследствии он в моем присутствии воздерживался от подобных высказываний, зная, что я не соглашусь с его мнением, а, наоборот, буду пресекать его. Но однажды, это было также на руднике, в декабре 1978 года, когда наша смена переодевалась в спецодежду, скреперист нашей бригады Стефановский Борис Геннадиевич сказал Стусу, что он в последнее время начал лучше работать и ему могут дать значок «Ударник коммунистического труда». Стус возмутился и с каким-то озлоблением заявил, что «если мне дадут такой значок, то я брошу его в полицейского Шарипова».

Шарипов Рашид Гарифович в то время работал начальником отдела кадров рудника имени Матросова, занимался по линии профкома воспитанием молодежи, проживающей в общежитии, как я считаю, был принципиальным и справедливым человеком.

Я попросил Стуса не оскорблять Шарипова и заметил, что если бы было побольше таких людей, как Шарипов, то в нашей стране быстрее бы построили коммунизм.

Тогда Стус еще более возмутился, обозвал также и меня «полицейским» и, зная, что я являюсь членом КПСС, заявил: «Коммунисты довели страну до нищеты, скоро вы в одних трусах пойдете на свое партийное собрание».

Я резко потребовал от него прекратить подобные высказывания, и он замолчал.

После этого Стус в моем присутствии каких-либо клеветнических высказываний в отношении советского государственного и общественного строя, нашей действительности не допускал, хотя я с ним неоднократно виделся на руднике. У меня сложилось такое впечатление, что он избегает меня, зная, что я не только не разделяю его антисоветских высказываний, но и буду пресекать его, если он подобные высказывания будет допускать в моем присутствии. Хочу отметить, хотя я и не поддерживал его, отношения у меня с ним всегда были нормальными, каких-либо ссор и личных счетов между нами не было, как нет и в настоящее время. Виделся я с ним только на работе. В его комнате, в общежитии, я никогда не был.

В общественной жизни коллектива рудника Стус никакого участия не принимал, даже не посещал собраний рабочих участка.

Насколько мне известно, по прибытии на рудник он отказался быть членом профсоюза и какое-то время не платил членских взносов. После того как произошел с ним несчастный случай (он упал со второго этажа общежития, пытаясь залезть в комнату через окно), Стус обратился с просьбой, чтобы его восстановили в профсоюзе, с тем, чтобы он мог получить денежную компенсацию по больничному листу. Рудничный комитет профсоюза пошел ему навстречу, восстановил его в члены профсоюза и полностью оплатил по больничному листу.

На мой взгляд, руководство рудника, общественные организации относились к нему доброжелательно, с вниманием, как я уже показал, шли ему навстречу. Стус же своим поведением хотел выделить себя из коллектива, с пренебрежением относился к мнению рабочих, брюзжал по каждому мелкому недостатку, пытаясь увязать это, вернее, выделить это как недостаток социалистического строя.

В августе 1979 года Стус уехал из поселка Матросова, больше я с ним не виделся и о его судьбе мне ничего не известно.

ВОПРОС. Чем вы желаете дополнить свои показания?

ОТВЕТ. Свои показания я хочу дополнить тем, что когда в декабре 1978 года я пресекал клеветнические заявления Стуса, то при этом присутствовали рабочие Стефановский, Казаков Петр Викторович и еще кто-то из их бригады. Других дополнений у меня нет.

Протокол мною прочитан, записано с моих слов правильно, замечаний и поправок к протоколу не имею.

(подпись)

Старший следователь Следотдела
КГБ УССР майор Селюк

ПРОТОКОЛ ДОПРОСА СВИДЕТЕЛЯ

гор. Донецк 29 июля 1980 г.

Допрос начат в 10 час. 10 мин.
Окончен в 17 час. 15 мин.
Перерыв с 13 час. До 14 час.

Старший следователь следотдела КГБ УССР майор Цимох в помещении следотделения УКГБ по Донецкой обл. с соблюдением требований ст. ст. 85, 167 и 170 УПК УССР допросил в качестве свидетеля:

1. Фамилия: Грибанов.
2. Имя: Валерий.
3. Отчество: Яковлевич.
4. Год рождения: 8.VI.1940 г.
5. Место рождения: гор. Макеевка Донецкой обл.
6. Национальность и гражданство: русский, гражданин СССР.
7. Партийность: беспартийный.
8. Образование: 11 классов.
9. Род занятий: шахта им. 60-летия Советской Украины, машинист-механик угольного комбайна.
10. Постоянное место жительства: гор. Макеевка-48, ул. Животноводческая, дом № 9, Донецкой области.
11. Паспорт или иной документ: XVI-ТР № 537460 выдан 16.I.1973 г., выдан Центрально-городским РОМ гор. Макеевки.
12. В каких отношениях состоит с обвиняемым: нормальных.

В соответствии с ч. IV ст. 167 УПК УССР Грибанову В. Я. разъяснены обязанности свидетеля, предусмотренные ст. 70 УПК УССР и он предупрежден об ответственности по ст. 179 УК УССР за отказ или уклонение от дачи показаний и по ст. 178 ч. 2 УК УССР за дачу заведомо ложных показаний.

(подпись)

По существу заданных вопросов свидетель Грибанов В. Я. показал:

С сентября 1975 года по 7 февраля 1980 года я работал на руднике имени Матросова Тенькинского района Магаданской области и проживал в общежитии этого рудника, в поселке Матросова, улица Центральная, № 37.

В марте 1978 года я поселился в комнате № 36 указанного общежития, где к тому времени жили Русов Евгений Константинович и Стус Василий Семенович. Ранее Стуса я знал наглядно, как скреперовщика участка № 1 нашего рудника и жильца общежития.

С сентября 1978 года по январь 1979 года я находился в отпуску, в городе Макеевке. Все остальное время, то есть с марта 1978 года до июля 1979 года, когда Стус убыл из поселка (за исключением указанных четырех месяцев отпуска), я общался с ним, как с соседом по комнате. Взаимоотношения со Стусом у меня были нормальные, личных ссор и счетов у нас не было. Во многих отношениях Стус как человек мне нравился. Вместе с тем, общаясь с ним, беседуя на различные темы, я пришел к убеждению, что Стус — враг Советской власти. Однажды весной 1979 года я ему прямо сказал об этом: «Вася, я уважаю тебя как человека, а за твою антисоветчину я бы тебя сам расстрелял». В разговорах со мной Стус систематически допускал клеветнические измышления на советский государственный и общественный строй, на политику Советского Союза и Коммунистической партии нашей страны. Мне сейчас затруднительно назвать точное время тех или иных враждебных высказываний Стуса, но я слышал от него такие высказывания систематически, в указанный период нашего общения.

Так, Стус говорил, что Советская власть в нашей стране — это не власть народа, поскольку, по его словам, «власть захватила «клика коммунистов», в которой якобы только «приспособленцы», «гнобители народа». Советское правительство он называл «верхушкой», «олигархией», которое творит, по его словам, «циническое беззаконие», «нарушает права граждан» и преследует «передовых людей», что «борются» с такими нарушениями. К «передовым людям» он относил себя, а также различного рода отщепенцев, осужденных за антисоветскую деятельность или выдворенных из СССР. Таких лиц он прославлял, говорил, что они составляют какую-то «оппозицию» Советскому правительству и их за это преследуют «полицейские» (этими словами он называл сотрудников КГБ и милиции), отправляют таких «передовых людей» в «советские концлагеря» и в ссылку. В качестве примера он приводил себя как «известного мировой общественности» поэта, литератора, которого якобы незаконно репрессировали, но история его «оправдает». При этом он говорил: «Они (органы власти) давно бы со мной рассчитались, но я нахожусь под защитой Международного Красного Креста».

Однажды в разговоре со мной в отношении советских писателей и композиторов Стус высказался, что в нашей стране нет свободы творчества, поскольку «талантливых людей» репрессируют, преследуют органы власти, а другие «типа Шолохова, Роберта Рождественского, Пахмутовой» — «приспособленцы», «прихлебатели» у коммунистов.

Вместе с тем он высокомерно, с презрением относился к рабочим нашего рудника, бросая в их адрес оскорбительные слова «сволота», «быдло», «алкаши». Девятого мая 1979 года, в День Победы, я поздравил Стуса: «Вася, с Днем Победы!», а он мне ответил: «Это — не победа для меня, это — мое поражение». За эти слова я хотел его избить, но как-то воздержался, чтобы не омрачить для себя праздник, тот праздник, который завоевал и мой отец — инвалид Великой Отечественной войны. Именно тогда я сказал Стусу: «Вася, я уважаю тебя, как человека, но за такие твои слова, за твою антисоветчину я бы тебя сам расстрелял».

Слушая от Стуса такие враждебные, чудовищные высказывания, я советовал ему прекратить заниматься такой деятельностью, чтобы не быть вторично осужденным. Я говорил ему: «Ты же с женой не жил», он отвечал: «Я сейчас живу для народа, для его будущего, а революционеры всегда жертвовали семьей ради идеи».

И снова следовал мой вопрос: «Тебя же народ не поддержит, как же ты будешь делать революцию без народа?» Стус отвечал, что якобы найдутся люди, которые «будут делать революцию» в нашей стране. При этом он с каким-то озлоблением высказывался, что «против Советской власти все средства хороши». Однако конкретных своих планов, предположений на этот счет Стус мне не называл.

Часто в споры со Стусом встревал наш сосед по комнате Русов Евгений. В присутствии еще каких лиц Стус допускал враждебные высказывания, я не знаю.

В разговорах со мной Стус восхищался Западом, говорил, что там «настоящие свободы», но советская пропаганда «искажает» эту западную действительность. Он еженочно слушал передачи закордонных радиостанций при помощи своего транзисторного радиоприемника.

Существом этих передач я не интересовался у Стуса, и сам я их также не прослушивал. Очень часто Стусу поступали из-за границы посылки и ценные бандероли, в которых находились продукты и предметы одежды. Стус пояснял, что эти отправления ему делают «почитатели его литературного таланта», поскольку за границей издаются его стихи. Своих произведений Стус мне не декламировал и читать не давал.

Из произведений, имевшихся у Стуса, я прочел лишь книгу «Уроки Армении» советского издания. Вообще-то Стус не разрешал мне и Русову даже подходить к его полке с книгами.

Хочу также отметить, что в разговорах со мной Стус говорил, что Советская Украина, находясь в составе СССР, якобы не имеет тех прав, которые имела бы, будучи «самостоятельным государством». Он говорил, что украинский народ всегда вел борьбу с различными захватчиками, и что якобы и сейчас Украина является «колонией Москвы», где проходит «насильственная руссификация», и что украинцам нужно вести «национально-освободительную борьбу» за свое «освобождение». В июле 1979 года после отбытия ссылки Стус уехал из поселка Матросова. Перед отъездом он мне говорил: «Не верю, что доберусь домой, что моя каторга кончится». Оделся он по-нищенски. На мой вопрос, почему он так плохо оделся, Стус ответил: «Я еду из ссылки, а не с курорта, чтобы мои друзья видели, как я здесь мучился». Тогда же он позашивал карманы в своей одежде, пояснив, что делает это для того, чтобы «полицейские» ему ничего не вложили в карманы с целью какой-то «провокации».

Мне известно, что за период нахождения на руднике имени Матросова, с марта 1977 года по июль 1979 года, Стус заработал примерно 12 тысяч рублей. Вместе с тем он возмущался, что находится в «ссылке». У меня с ним даже состоялся разговор на эту тему. Я высказался ему, что его положение «ссыльного» ничем не хуже моего положения, добровольно прибывшего в Магаданскую область, и я не усматриваю для него — Стуса — никаких ущемлений прав гражданина. Стус мне ответил, что я в этом деле ничего не понимаю. После отъезда Стуса он прислал мне в поселок Матросова единственное письмо, в котором сообщил, что в Киев он добрался хорошо, проживает по улице Чернобыльской, в хорошем месте, возле воды и леса, советовал мне «бросать Колыму». На это письмо я Стусу ответил, но больше от него писем не получал. Указанного письма Стуса у меня не сохранилось.

После отъезда Стуса я с ним не виделся, о его дальнейшей судьбе мне ничего не известно.

Хочу отметить, что к Стусу в поселок Матросова дважды приезжала его жена. Один раз я с Русовым освободили для них комнату в общежитии, а во второй раз им был предоставлен номер в гостинице поселка. Как относилась жена Стуса к его враждебной деятельности, известны ли ей факты такой его деятельности, я не знаю, на эту тему с ней разговора не имел.

ВОПРОС. Чем желаете дополнить свои показания?

ОТВЕТ. Я дал правдивые показания в отношении Стуса, о характере наших взаимоотношений и по существу его враждебных высказываний, дополнить свои показания ничем не имею. Хочу лишь отметить, что разговаривал я со Стусом, как и он со мной, только на русском языке.

Протокол допроса я прочитал, записано с моих слов правильно. Дополнений и поправок не имею.

Грибанов 29.VII.1980 г.

Допросил:
Старший следователь следственного отдела
КГБ УССР майор Цимох

ПРОТОКОЛ ДОПРОСА СВИДЕТЕЛЯ

гор. Киев 13 августа 1980 г.

Допрос начат в 14 час. 10 мин.
Окончен в 17 час. 45 мин.

Старший следователь Следственного отдела КГБ УССР майор Селюк в помещении Следотдела КГБ УССР с соблюдением требований ст. ст. 85, 167 и 170 УПК УССР допросил в качестве свидетеля:

1. Фамилия: Дмитришин.
2. Имя: Михаил.
3. Отчество: Михайлович.

4. Год рождения: 1944.
5. Место рождения: с. Крыловка Новоусманского р-на Воронежской обл.
6. Национальность и гражданство: украинец, гр-н СССР.
7. Партийность: беспартийный.
8. Образование: среднее.
9. Род занятий: Магаданская область, Тенькинский район, рудник имени Матросова, бригадир проходчиков.
10. Постоянное место жительства: Магаданская обл., Тенькинский р-н, пос. Матросова, ул. Центральная, 17, кв. 79.
11. Паспорт или иной документ: I-ФК № 732255 выдан 29.08.1979 г., Омчакским отделением милиции ОВД Тенькинского райисполкома Магаданской области.
12. В каких отношениях состоит с обвиняемым: нормальных.

В соответствии с ч. IV ст. 167 УПК УССР Дмитришину М. М. разъяснены обязанности свидетеля, предусмотренные ст. 70 УПК УССР, и он предупрежден об ответственности по ст. 179 УК УССР за отказ или уклонение от дачи показаний и по ст. 178 ч. 2 УК УССР за дачу заведомо ложных показаний.

(подпись)

Перед началом допроса свидетель Дмитришин Михаил Михайлович заявил, что показания желает давать на русском языке, которым владеет свободно, и на поставленные вопросы показал:

В поселке Матросова Тенькинского района Магаданской области я постоянно проживаю с августа 1970 года. До июня 1978 года проживал в общежитии, расположенном по улице Центральной, 37, а затем получил отдельную квартиру в этом же поселке, в которой и проживаю в настоящее время вместе со своей семьей.

Все это время, то есть с 1970 года, я работаю на руднике имени Матросова в должности бригадира проходчиков.

Названного мне Стуса Василия Семеновича я знаю с весны 1977 года, с того времени, когда он прибыл в наш поселок и поселился в общежитии по улице Центральной, 37, где в то время проживал и я. Проживали мы с ним в соседних комнатах упомянутого общежития и, естественно, виделись почти ежедневно.

Взаимоотношения у меня со Стусом нормальные, каких-либо ссор и личных счетов между нами никогда не было и нет в настоящее время.

По прибытии в поселок Матросова Стус был определен на работу в одну из лучших бригад проходчиков, которую возглавляет Андреевец Михаил Александрович. Поработав два-три месяца учеником проходчика, Стус обратился с просьбой к администрации рудника имени Матросова с просьбой предоставить ему более легкую работу. Администрация удовлетворила его просьбу, и он был оформлен машинистом скреперной установки (скреперистом). В этой должности он работал до августа 1979 года, то есть до убытия из нашего поселка.

Как я уже показал, более года я проживал вместе с ним в общежитии рудника, однако близких отношений между нами не было. Да и вообще я не знаю, поддерживал ли он с кем-либо из горняков нашего рудника дружеские отношения.

У меня встречи с ним были чаще всего случайные, в здании общежития или же в административном корпусе комбината, если мы работали в одну смену.

Хочу отметить, что я со Стусом работал на разных участках и мог встретиться с ним только в раздевалке при заступлении на смену.

Из тех разговоров, которые я имел со Стусом, я узнал, что ранее он жил в Киеве, учился в аспирантуре Института литературы, писал стихи, которые были опубликованы за границей, и за это его якобы судили к пяти годам лишения свободы в исправительно-трудовой колонии и трем годам ссылки.

До 1977 года меру наказания отбывал в Мордовской АССР, а в Магаданскую область прибыл отбывать ссылку. Себя в разговорах с окружающими он подчеркнуто называл «политическим ссыльным». По его словам, судили его якобы несправедливо, а также несправедливо вместе с ним были осуждены и ряд его товарищей, но по фамилии никого из них он не называл.

Был случай, когда я в конце 1977 года заболел ангиной и Стус приносил мне перцовый пластырь и бульонные брикетики, которые он получал из-за границы. Когда я поинтересовался, кто шлет ему эти продукты, он ответил, что получает посылки якобы из Международного Красного креста. За какие «заслуги» ему высылали продуктовые, а также и вещевые посылки, мне неизвестно.

В марте 1978 года в моей комнате по случаю праздника проводов русской зимы собралось несколько семей. Услышав веселье с нашей комнаты, к нам, по своей инициативе, пришел Стус. Мы веселились, вели разговоры на бытовые, семейные темы, когда гости начали расходиться, к нам по моему приглашению пришла семья Ковалевых — Ковалев Георгий Иванович с женой Светланой. Помню, что возник разговор о работе и я сказал, что моя бригада перевыполнит план и будет неплохой заработок. В этот разговор вмешался Стус, но меня тут же позвали в коридор, где возникла какая-то потасовка. Когда я возвратился к себе в комнату, Стус и Ковалев разговаривали на повышенных тонах, доказывая что-то друг другу. Содержание их разговора я не слышал, ибо вместе со мной в комнату зашел участковый милиционер и спор между ними прекратился. После этого Стус сразу же ушел в свою комнату.

Вскоре я уехал в отпуск, а затем получил квартиру и со Стусом только изредка виделся на руднике, но в разговор с ним не вступал.

Во время тех бесед, которые мне пришлось иметь со Стусом, я от него каких-либо клеветнических высказываний, порочащих советский государственный и общественный строй, не слышал. Допускал ли он подобные высказывания в присутствии других лиц, я не знаю. После его отъезда из рудника, вернее, из поселка Матросова я о нем ничего не слышал, и о его судьбе мне ничего не известно.

Протокол мной прочитан, записано с моих слов правильно, дополнений и замечаний, поправок к протоколу не имею.

(подпись)

Старший следователь следотдела
КГБ УССР майор Селюк

ПРОТОКОЛ ДОПИТУ СВІДКА

місто Київ 23 липня 1980 р.

Допит почато о 12 год. 10 хв.
Закінчено о 13 год. 25 хв.

Старший слідчий Слідчого відділу КДБ Української РСР майор Селюк в приміщенні Слідчого відділу КДБ УРСР, кабінет № 20, з додержанням вимог ст. ст. 85, 167 і 170 КПК УРСР допитав як свідка:

1. Прізвище: Довбуш.
2. Ім'я: Сергій.
3. По батькові: Пилипович.
4. Дата народження: 1939.
5. Місце народження: с. Молодецьке Маньківського р-ну Черкаської обл.
6. Національність і громадянство: українець, громадянин СРСР.
7. Партійність: безпартійний.
8. Освіта: 8 класів.
9. Рід занять: Київський завод імені Паризької комуни, ливарзаливник.
10. Місце проживання: місто Київ, вул. Городнянська, 5-а, кв. 51.
11. Паспорт: при собі немає, особа встановлена.
12. В яких стосунках з обвинуваченим і потерпілим: нормальних.

У відповідності з ч. IV ст. 167 КПК УРСР Довбуш С. П. роз'яснені обов'язки свідка, передбачені ст. 70 КПК УРСР, і його попереджено про відповідальність за ст. 179 КК УРСР за відмову або ухилення від дачі показань і за ст. 178 ч. 2 КК УРСР за дачу завідомо неправдивих показань.

(підпис свідка)

На пропозицію дати показання по всіх відомих йому обставинах свідок показав:

Названого мені Стуса Василя Семеновича я знаю з жовтня 1979 року. Познайомився я з ним в ливарному цеху Київського заводу імені Паризької комуни, де він майже три місяці працював формувальником, а я — ливарником-заливником.

(підпис свідка)

Взаємовідносини у мене з Стусом нормальні, якихось сварок або особистих рахунків між нами ніколи не було. Бачились ми з ним тільки на роботі, поза роботою я з ним не зустрічався. До дорученої йому роботи Стус, на мій погляд, відносився сумлінно, якихось претензій до нього з боку керівництва заводу, цеху не було. Раніше він за фахом формувальника не працював, а тому йому було присвоєно невеликий розряд, і, згідно цього, заробітна плата в нього була приблизно 120—160 карбованців. З робітниками цеху він ні з ким близьких стосунків не підтримував, хоча і не сторонився колективу, весь час був серед робітників. Під час обідніх перерв, затримок по роботі мені доводилось розмовляти з ним, здебільшого на побутові теми. З цих розмов мені стало відомо, що Стус раніше жив у Донецькій області, де закінчив педагогічний інститут. Десь у 60-х роках приїхав до Києва, а на початку 70-х років був засуджений. За який саме злочин його судили, він мені не розказував, але іноді, коли я в розмові з ним хотів торкнутись того чи іншого питання, не пов'язаного з роботою, то він говорив: «Ти зі мною обережніше, бо я державний злочинець». З його слів мені також відомо, що судили його нібито не одного, а разом з цілою групою осіб. Розказував, що міру покарання відбував у Мордовії, а потім на Колимі, де працював у шахті, добував золото. Після повернення до Києва влаштувався працювати на завод Паризької комуни, який знаходиться недалеко від будинку, в якому він проживає разом зі своєю сім'єю — дружиною і сином. В одній із розмов я запитував його, чому він, маючи вищу освіту, працює не за фахом, на що Стус відповів, що його нібито ніде не беруть на роботу по спеціальності, причину при цьому не пояснив. Як я вже показав, Стус не сторонився робітників, але в той же час не хотів приймати участь у колективних заходах.

Кожен понеділок у нашому цесі проводяться політінформації, і Стусу, як людині з вищою освітою, було запропоновано проводити їх, але він чомусь відмовився. Сам же він відвідував політінформації, хоча сам на них ніколи не виступав.

За весь час мого знайомства з Стусом я від нього антирадянських або наклепницьких висловлювань, що порочать наш радянський державний і суспільний лад, не чув.

Мені невідомо, чи допускав він подібні висловлювання в присутності інших осіб.

На роботі, в обідню перерву, він читав книжки, газети, але прочитаним з робітниками не ділився.

В січні 1980 року Стус за власним бажанням звільнився з завода імені Паризької Комуни, і після того я з ним не зустрічався, і про його подальшу долю мені нічого не відомо.

ЗАПИТАННЯ. Чим ви бажаєте доповнити свої показання?
ВІДПОВІДЬ. Доповнень до своїх показань я не маю.

Протокол прочитав, записано з моїх слів вірно.

Старший слідчий Слідчого відділу КДБ
Української РСР майор Селюк

ПРОТОКОЛ ДОПИТУ СВІДКА

місто Київ 25 липня 1980 р.

Допит почато о 15 год. 00 хв.
Закінчено о 16 год. 35 хв.

Старший слідчий Слідчого відділу КДБ Української РСР майор Селюк в приміщенні Слідчого відділу КДБ УРСР, кабінет № 20, з додержанням вимог ст. ст. 85, 167 і 170 КПК УРСР допитав як свідка:

1. Прізвище: Довгань.
2. Ім'я: Рита.
3. По батькові: Костянтинівна.
4. Дата народження: 1930.
5. Місце народження: місто Ташкент.
6. Національність і громадянство: росіянка, громадянка СРСР.
7. Партійність: чл. КПРС.
8. Освіта: вища.
9. Рід занять: не працює.
10. Місце проживання: місто Київ, Бастіонний провулок, 9, кв. 41.
11. Паспорт: при собі немає, особа встановлена.
12. В яких стосунках з обвинуваченим і потерпілим: нормальних.

У відповідності з ч. IV ст. 167 КПК УРСР Довгань Р. К. роз'яснені обов'язки свідка, передбачені ст. 70 КПК УРСР, і її попереджено про відповідальність за ст. 179 КК УРСР за відмову або ухилення від дачі показань і за ст. 178 ч. 2 КК УРСР за дачу завідомо неправдивих показань.

(підпис свідка)

На пропозицію дати показання по всіх відомих їй обставинах свідок показала:

Показання бажаю викласти власноручно українською мовою, якою я володію досконало. Свідку Довгань, згідно ст. 170 КПК УРСР, така можливість надається.

(підпис свідка) Довгань

Стуса Василя Семеновича я знаю з початку 60-х років. В той час працювала в ред. газети «Друг читача», де він був кореспондентом, навчаючись в аспірантурі Інституту Літератури АН УРСР. Писав рецензії на нові видання наших видавництв, і мені як редактору названої вище газети приходилось зустрічатись з ним і обговорювати літературні новинки.

Десь в 1965 р. В. Стуса було відчислено з аспірантури, і я з ним зустрічалась рідко, аж поки ми не опинились на одній роботі в об'єднанні «Укрмістпромпроект» Міністерства промисловості будівельних матеріалів УРСР, у відділі технічної інформації. З того часу наші стосунки з В. Стусом і його родиною стали близькими, по-сімейному дружніми.

В 1972 р. В. Стуса було заарештовано і засуджено до п'яти років позбавлення волі, за що конкретно — мені невідомо, оскільки на суді я не була.

Під час перебування В. Стуса в таборах, а потім у засланні я листувалась з ним — намагалась підтримувати гарний настрій, сповіщала про мистецькі новини в основному. Зрідка Василь писав і мені. Його листи носили побутовий характер, інколи ділився прочитаним.

Восени минулого року В. Стус повернувся до Києва, і ми декілька разів зустрічались — на лоні природи, на дні народження. Наші стосунки грунтуються на моїй повазі до всієї сім'ї — до дружини Василя Валі, до сина Дмитра. Оскільки зустрічі наші носили сімейно-побутовий характер, то і бесіди точилися в цьому колі, а ще про мистецькі події. За час наших зустрічей я не чула від Василя ніяких антирадянських розмов. Мені невідомо, щоб він вів подібні розмови в колі інших осіб.

Мені відомо, що він працював, перебуваючи у Києві, спочатку на заводі ім. Паризької Комуни, а потім — на взуттєвому об'єднанні «Спорт». Чи писав щось за цей час — мені невідомо. Ніяких своїх робіт, в тому числі і віршів, він мені для ознайомлення не давав. Про ворожу, антирадянську діяльність В. Стуса мені не відомо нічого.

ЗАПИТАННЯ. Під час обшуку 14—15 травня 1980 року в квартирі Стуса Василя Семеновича було вилучено чотири аркуші з учнівського зошита з рукописним текстом листа, що починається зі слів: «Дорога Михасю! Дорогі Світлано, Юрку! Дорогі Льолю, Надіє, Павле! Дорогі Рито, Борисе!..» і закінчується словами: «...хоч бувало не часто, на жаль». Вказаний лист пред'являється вам для огляду.

Що ви можете показати відносно зазначеного листа, зокрема хто його автор та виконавець, чи знайомились ви з цим листом раніше, якщо знайомились, то коли саме і за яких обставин?

ВІДПОВІДЬ. Я особисто ознайомилась з пред'явленим мені листом. Раніше я цього листа не бачила, тим більше що почерк, яким він виконаний, мені незнайомий. Як я бачу, він написаний від імені В. Стуса і адресований до кількох осіб, в тому числі і до мене. Але я ще раз тверджу, що ні з оригіналом, ні з пред'явленим мені текстом я не знайомилась. Про такий лист дізналась тут вперше.

Як я бачу, лист адресовано не тільки мені і моєму чоловікові Борису, а ще М. Коцюбинській, Світлані Кириченко і Юрію Бадзьо, Льолі [Леоніді] та Надії Світличним і чоловіку Надії — Павлу. З усіма цими людьми я знайома, але не від кого з них не чула про наявність такого листа.

Знаю, що Надія Світлична із своїм чоловіком виїхали за кордон, решта мешкають в Києві.

ЗАПИТАННЯ. Чи мали ви розмови з Стусом Василем Семеновичем після повернення його до Києва відносно пред'явленого вам листа?

ВІДПОВІДЬ. Під час зустрічі з В. Стусом після його повернення до Києва розмов відносно цього листа і взагалі відносно нашого листування не було.

ЗАПИТАННЯ. Що вам відомо про наявність у Стуса Василя Семеновича знайомих за кордоном та в яких стосунках він з ними знаходиться?

ВІДПОВІДЬ. Я чула від Василя тепер, коли він був вдома, про жінку Крістіну, яка живе у Німеччині і пише йому, бачила поштівочки. Хто ця жінка — не знаю. Якось запитала Василя — він сказав, що теж не знає її. Як почалось їх листування і який воно носить характер — мені невідомо.

ЗАПИТАННЯ. Чим бажаєте доповнити свої показання по суті поставлених вам запитань?

ВІДПОВІДЬ. Доповнень до своїх показань не маю, крім того, що хочу уточнити — ні про які закордонні знайомства Василя, крім названої Крістіни, не знаю.

Відповіді писала особисто. Протокол прочитала.
(підпис) Довгань

Старший слідчий слідчого відділу
КДБ УРСР майор Селюк

ПРОТОКОЛ ДОПРОСА СВИДЕТЕЛЯ

город Киев 8 августа 1980 г.

Допрос начат в 10 час. 15 мин.
Окончен в 15 час. 00 мин.

Старший следователь Следственного отдела КГБ УССР майор Селюк в помещении Следотдела КГБ УССР с соблюдением требований ст. ст. 85, 167 и 170 УПК УССР допросил в качестве свидетеля:

1. Фамилия: Жеренков.
2. Имя: Николай.
3. Отчество: Николаевич.
4. Год рождения: 1962.
5. Место рождения: гор. Приморско-Ахтарск Краснодарского края.
6. Национальность и гражданство: русский, гр-н СССР.
7. Партийность: чл. ВЛКСМ.
8. Образование: среднее.
9. Род занятий: временно не работает.
10. Постоянное место жительства: Магаданская область, Тенькинский район, пос. Омчак, ул. Клубная, № 4.
11. Паспорт или иной документ: I-ФК № 772241 выдан 13.VI.79 г. Омчакским отделением милиции ОВД Тенькинского райисполкома Магаданской области.
12. В каких отношениях состоит с обвиняемым: нормальных.

В соответствии с ч. IV ст. 167 УПК УССР Жеренкову Н. Н. разъяснены обязанности свидетеля, предусмотренные ст. 70 УПК УССР, и он предупрежден об ответственности по ст. 179 УК УССР за отказ или уклонение от дачи показаний по ст. 178 УК УССР за дачу заведомо ложных показаний.

(подпись)

На предложение рассказать все известное ему об обстоятельствах, в связи с которыми он вызван на допрос, свидетель Жеренков Николай Николаевич показал:

С 1976 года я вместе с родителями проживаю в поселке Омчак Тенькинского района Магаданской области. С апреля по август 1980 года я временно проживал в городе Бельцы Молдавской ССР, а сейчас возвращаюсь к постоянному месту жительства в Магаданскую область.

В начале июня 1979 года у меня обострился аппендицит и я был доставлен в хирургическое отделение больницы поселка Транспортный Тенькинского района, где 6 июня 1979 года меня оперировали. Так как операция прошла не совсем удачно, я находился в больнице более десяти дней, где-то до 18 или 20 июня.

Спустя день или два после того, как меня оперировали, в нашу палату № 1 хирургического отделения указанной выше больницы поступил Стус Василий Семенович.

Ранее я с ним знаком не был, но слышал, вернее, читал в местной газете «Ленинское знамя», где была опубликована статья «Это страшное слово — война», в которой излагались неодобрительные отзывы о Стусе, работавшем на руднике имени Матросова.

В больницу Стус поступил в связи с обострением болезни голеностопного сустава, который был поврежден им еще ранее.

Хочу отметить, что сразу же, зайдя в палату, он вел себя как-то настороженно и в то же время вызывающе. Убедившись, что никто из больных, нас было в палате всего лишь пять-шесть человек, не обращает на него внимания, Стус, по своей инициативе, начал говорить о том, что якобы пострадал за свои убеждения, которые расходятся с официальной политикой в нашей стране, а поэтому и находится на Севере, в Магаданской области.

В тот же день, после того как ему была сделана первая процедура, парафиновые аппликации, он начал клеветать на работу советских медицинских учреждений, утверждая, что в Советском Союзе, хотя медицинское обслуживание-лечение и бесплатное, но оно якобы находится очень на низком уровне, медицинские работники формально относятся к своим обязанностям, как он выразился, «безалаберно», смотрят на человека как на вещь и больных практически не лечат.

Когда больные начали доказывать несостоятельность его утверждений, он стал восхищаться и, в буквальном смысле, пропагандировать западный образ жизни, в частности медицинское обслуживание.

Кто-то из присутствовавших возмутился таким его поведением, и он прекратил разговор, но на следующий день снова стал выражать свои мнимые недовольства.

В последующие дни во время нашего совместного пребывания в хирургическом отделении Транспортинской больницы Стус в беседах со мной неоднократно допускал клеветнические измышления на Советский государственный и общественный строй. Так, он утверждал, что в нашей стране ущемляются права человека, якобы нет свободы слова, печати. При этом с какой-то злобой говорил, что в нашей стране будто бы даже за «неосторожно оброненное слово», критику в адрес руководства привлекают к ответственности, преследуют.

В качестве примера Стус приводил себя, говоря о том, что он написал правду и его якобы за это судили, а на Западе он получил большую поддержку, его статьи широко публикуются.

По его словам, советские люди «не живут, а существуют», заработной платы якобы еле хватает на прожиточный минимум. В то же время восхищался наличием частной собственности в капиталистических странах, с возмущением говорил, что в нашей стране нет такой возможности, как на Западе, разбогатеть, жить свободно, потому что советские граждане, по его словам, лишены самых элементарных человеческих прав и являются орудием труда. При этом сравнивал советского человека с роботом, который послушно и безропотно выполняет все требования властей.

В одном из разговоров, который состоялся у меня с ним в середине июня 1979 года на прогулке в лесу, Стус в присутствии меня и еще двух-трех человек, которых я не знаю, стал поносить существующий в нашей стране социалистический строй, пытаясь доказать, что этот строй себя не оправдывает и со временем, как он утверждал, будет ликвидирован. По его словам, держится этот строй на насилии и полной изоляции от внешнего мира, которым он называл США, ФРГ, Японию. Здесь же он добавлял, что настанет время, когда советский народ «проснется», «поймет свою ошибку» и, пользуясь услугами названных стран, освободится от этого якобы неприемлемого им строя.

В этой же беседе он клеветал на марксистско-ленинское учение, называя его «утопией», «бредом советских фанатиков».

Никаких возражений против своих подобных клеветнических высказываний он не терпел, твердо оставался на своих позициях, страстно их защищая. У меня сложилось мнение, что переубедить этого человека (Стуса) очень трудно или даже невозможно.

Все упомянутые выше разговоры Стус вел со мной в больничной палате и на прогулке в лесу. С больными из других палат он не общался, вернее, почти не контактировал. Мои взаимоотношения с ним были и есть нормальными, каких-либо личных счетов между нами не было и нет в настоящее время.

Выписавшись из больницы, я больше со Стусом не встречался и о его дальнейшей судьбе мне ничего не известно.

За давностью времени я не могу сейчас назвать кого-либо по фамилии или имени из тех лиц, которые совместно со мной и Стусом находились в июне 1979 года в хирургическом отделении Транспортинской больницы.

ВОПРОС. Чем вы желаете дополнить свои показания?

ОТВЕТ. Свои показания я хочу дополнить тем, что приведенных в протоколе высказываний Стуса я не разделял и не разделяю. У меня сложилось впечатление о нем как об антисоветчике, который всем своим существом настроен против Советской власти.

Других дополнений к протоколу у меня нет.

Протокол мною лично прочитан, записано с моих слов правильно, замечаний и поправок к протоколу не имею.

(подпись)

Старший следователь Следотдела
КГБ УССР　　　　　　　　　　　　　　майор Селюк

УПРАВЛЕНИЕ КГБ при СОВЕТЕ МИНИСТРОВ СССР
по Магаданской области

ПРОТОКОЛ
допроса свидетеля

Поселок Матросова
Магаданской области

Старший следователь следотдела КГБ УССР майор Цимох в помещении административного здания рудника им. Матросова с соблюдением требований ст. ст. 72—74, 157, 158 и 160 УПК РСФСР допросил в качестве свидетеля Казакова Петра Викторовича.

Мне разъяснено, что согласно ст. 73 и 74 УПК РСФСР свидетель может быть допрошен о особых обстоятельствах, подлежащих установлению по данному делу, и обязан дать правдивые показания: сообщить все известное ему по делу и ответить на поставленные вопросы.

Об уголовной ответственности по ст. 182 УК РСФСР за отказ или уклонение от дачи показаний по ст. 181 ч. 2 УК РСФСР за дачу заведомо ложных показаний и предупрежден.

(подпись свидетеля)

Кроме того, мне разъяснено, что в соответствии со ст. ст. 141 и 160 УПК РСФСР я имею право после дачи показаний написать их собственноручно, ознакомиться с протоколом допроса и требовать дополнения протокола допроса и внесения в него поправок, а также ходатайствовать о применении звукозаписи при допросе.

(подпись свидетеля)

О себе сообщаю следующее:

1. Фамилия, имя, отчество: Казаков Петр Викторович.
2. Дата, месяц, год рождения: 12 октября 1934 г.
3. Место рождения: дер. Ново-Аксубаево Аксубаевского района Татарской АССР.
4. Национальность, гражданство: русский, гражданин СССР.
5. Образование: 6 классов.
6. Принадлежность к КПСС, ВЛКСМ: беспартийный.

7. Место работы, должность: скреперист участка № 1 рудника им. Матросова.
8. Семейное положение: женат.
9. Судимости: ранее не судим.
10. Место жительства: пос. Матросова Тенькинского района Магаданской области, ул. Центральная, № 19, кв. 2.
11. Документ, удостоверяющий личность: паспорт I-ФК № 610070 выдан Омчакским ОВД Тенькинского района 17.III.1978 г.

Допрос начат в 19 час. 25 мин.
Допрос окончен в 20 час. 30 мин.

По существу дела показываю следующее: С 1958 года по настоящее время я работаю на руднике имени Матросова, скреперистом горного участка № 1. Весной 1977 года в нашу бригаду, где бригадиром был (...) Петр, поступил работать Стус Василий Семенович, взаимоотношения с которым у меня были нормальные. О себе, о своей прошлой жизни Стус рассказывал мало, лишь то, что он — украинский поэт, его неправильно осудили за то, что писал стихи, которые были напечатаны за границей, а затем весной 1977 года отправили в ссылку в Магаданскую область, на наш рудник.

Помимо работы я со Стусом не общался, у него в комнате общежития не бывал, как он вел себя в быту, сообщить не могу.

Однажды в декабре 1978 года перед сменой я находился в раздевалке рудника, где также были скреперисты нашей бригады Стефановский Борис, Голубенко Василий, Рудой Михаил и Стус Василий.

Во время разговора Стефановский сказал Стусу, что тот в последнее время начал хорошо работать, за что может получить нагрудный значок «Ударник коммунистического труда». На это Стус заявил, что, как только ему дадут этот значок, он бросит его «в полицейского Шарипова».

Хочу отметить, что в то время начальником отдела кадров нашего рудника был Шарипов Рашид Гарифович, принципиальный коммунист, начальник добровольной народной дружины поселка.

Голубенко Василий сказал Стусу, чтобы тот прекратил оскорблять Шарипова, и заметил, что если бы было побольше таких людей, как Шарипов, то в нашей стране быстрее бы построили коммунизм. Стус сразу же начал обзывать Голубенко Василия «полицейским», а также высказался: «Коммунисты довели страну до нищеты, скоро вы в одних трусах пойдете на свое партийное собрание».

Лишь после резкого требования Голубенко Василия прекратить свои враждебные высказывания Стус замолчал.

Других подобных высказываний Стуса за время его нахождения в нашем поселке я не слышал.

Протокол я прочитал, записано с моих слов правильно, дополнений и поправок не имею.

(подпись)

Старший следователь следотдела
КГБ УССР майор Цимох

ПРОТОКОЛ ДОПИТУ СВІДКА

місто Київ 5 серпня 1980 р.

Допит почато о 10 год. 15 хв.
Закінчено о 13 год. 15 хв.

Старший слідчий слідчого відділу КДБ УРСР майор Цімох в приміщенні слідчого відділу КДБ УРСР з додержанням вимог ст. ст. 85, 167 і 170 КПК УРСР, допитав як свідка:

1. Прізвище: Ковальов.
2. Ім'я: Георгій.
3. По батькові: Іванович.
4. Дата народження: 7.V.1945 р.
5. Місце народження: м. Дегтярськ Ревденського р-ну Свердловської обл.
6. Національність і громадянство: українець, громадянин СРСР.
7. Партійність: член КПРС з 1968 р.
8. Освіта: середня технічна.
9. Рід занять: рудник ім. Матросова Магаданської обл., бригадир прохідників дільниці № 4.

10. Місце проживання: селище Матросова, вул. Комсомольська, буд. № 1, Тенькінського району Магаданської обл.
11. Паспорт: V-НО № 601894, виданий 23.VIII.1977 р. Сніжнянським МВВС Донецької області.
12. В яких стосунках з обвинуваченим і потерпілим: (прочерк).

У відповідності з ч. IV ст. 167 КПК УРСР Ковальову Г. І. роз'яснені обов'язки свідка, передбачені ст. 70 КПК УРСР, і його попереджено про відповідальність за ст. 179 КК УРСР за відмову або ухилення від дачі показань і за ст. 178 ч. 2 КК УРСР за дачу завідомо неправдивих показань.

(підпис свідка)

На пропозицію дати показання по всіх відомих йому обставинах свідок показав:

З 1945 року до осені 1970 року я проживав з батьками в місті Сніжне Донецької області. Восени 1970 року я разом з своєю дружиною Світланою поїхав працювати в Магаданську область, де на руднику імені Матросова працював прохідником до літа 1975 року. Протягом 1975—1977 років працював у шахті «Восход» міста Сніжне Донецької області. У вересні 1977 року я з сім'єю знову прибув на рудник ім. Матросова, де працюю бригадиром прохідників гірничої дільниці № 4.

Моя зарплата в середньому щомісячно складає 600—700 карбованців.

В даний час, з 12 квітня по 17 вересня 1980 року, я перебуваю у відпустці, частину якої провів у матері в місті Сніжне Донецької області та в сестри у м. Києві.

Приблизно взимку 1977—1978 року від когось з робітників рудника ім. Матросова мені стало відомо, що на цьому руднику перебуває у засланні мій земляк Стус Василь Семенович, з яким раніше я не був знайомий. У березні 1978 року, на день проводів російської зими, мене і мою дружину Світлану запросив в гості Дмитришин Михайло Михайлович, який проживав в кімнаті № 38 гуртожитку рудника по вул. Центральній, № 37.

Коли ми прибули до Дмитришина, то дізналися, що його гості розійшлися, залишилась тільки дружина Дмитришина — Зоя та Стус Василь Семенович, який був напідпитку. Саме тоді я познайомився зі Стусом.

Під час розмови Дмитришин, який працює бригадиром прохідників дільниці № 2, почав розповідати мені, що його бригада перевиконала місячне завдання по видобутку руди, що члени його бригади мають високі заробітки, навіть більше, ніж в моїй бригаді.

Розмовляли ми російською та українською мовами. І тут у розмову встряв Стус. Він почав говорити Дмитришину: «Так в твоїй же бригаді які люди! Це ж розуміти треба. Майже всі з Західної України, справжні українці, і тут показують, як потрібно працювати. Не те, що східняки, що москалям продалися. У тебе, Михайле, справжні люди, а не якесь…»

Після цього Стус сказав гидке, нецензурне слово. Я відчув образу від таких слів Стуса і запитав його: «А ти хто такий?» На моє запитання Стус почав допускати висловлювання ворожого змісту, які я запам'ятав майже дослівно: «Ти не знаєш, хто я такий? — запитав Стус. — Я — відомий український поет, член ПЕН-клубу, якого знає громадськість світу. А зараз я страждаю за свої переконання, зараз я — політичний засланець, знаходжусь у цьому «кублі». За що ж я терплю цю каторгу? За те, що боровся і борюсь за волю для України, за демократичні права для народу. І ось за це жандарми кинули мене в тюрму, в концтабір, а зараз в заслання. Але я вірю, що настане той день, коли Україна буде вільна, коли для всіх будуть справжні права і свободи».

Я більше не мав сили терпіти ці кощунські ворожі твердження Стуса, який все це промовляв українською мовою. Дуже хвилюючись, від чого я заїкаюсь, я сказав Стусу по-російськи: «Знаю я вас, бандитов-националистов. Это вы, такие, как ты, убили моего дядю Сергея уже после войны, в сорок шестом году, на территории Западной Украины. А ему только двадцать четыре года было, и перед этим он всю войну воевал… а сейчас ты, недобитый националист, стал «борцом за справедливость, за счастье народное»! А ты спросил украинцев (я показал на сидевших за столом людей), — хотят ли они, чтобы ты за их «права» боролся? Ты спросил украинцев — хотят ли они твоей «самостийной Украины?»

В такому стані я чуть не побив Стуса, моя дружина зразу ж відвела мене додому.

Це була перша і єдина моя зустріч зі Стусом. Чув я від сусідів Стуса по кімнаті Грибанова Валерія і Русова Євгена, що під час розмов з ними Стус багато разів допускав наклепи на радянський державний і суспільний лад, на нашу дійсність, але конкретні факти таких ворожих висловлювань Стуса мені невідомі.

В червні 1978 року на рудник приїхала кореспондент районної газети «Ленинское знамя», яка цікавилась відносно роботи Стуса на руднику і його поведінкою. В розмові зі мною я розповів про вищевикладений випадок стосовно висловлювань Стуса в кімнаті Дмитришина та маю відповідь йому. Незабаром після цього в трьох номерах газети за липень 1978 року появилась стаття «Друзья и враги Василя Стуса», де за 15 липня 1978 року згадувалось і моє прізвище, про той випадок, що мав місце з Стусом у березні 1978 року. Про цей інцидент зі Стусом у статті було викладено правильно і майже дослівно про те, що говорив Стус тоді і що я йому відповів.

Інших фактів ворожої діяльності Стуса я не знаю. З літа 1979 року, після відбуття Стуса з селища Матросова, я з ним не зустрічався, про його долю мені нічого не відомо.

Хочу відмітити, що мій дядько Ковальов Сергій Миколайович, 1922 року народження, загинув у боротьбі з бандитами на території Західної України під час військової операції проти бандерівських банд. Саме про нього я говорив Стусу у березні 1978 року.

ЗАПИТАННЯ. Чим бажаєте доповнити свої показання?

ВІДПОВІДЬ. Я дав правдиві показання відносно Стуса та про ворожі його твердження, свідком яких я був у березні 1978 року в селищі Матросова Магаданської області.

Протокол допиту я прочитав, записано з моїх слів правильно. Доповнень і поправок не маю.

(підпис)

Допитав:
Старший слідчий слідчого відділу КДБ УРСР майор (Цімох)

ПРОТОКОЛ
допиту свідка

м. Київ 6 серпня 1980 р.

Допит почато о 10 год. 15 хв.
Закінчено о 12 год. 05 хв.

Старший слідчий слідчого відділу КДБ УРСР майор Цімох в приміщенні слідчого відділу КДБ УРСР з додержанням вимог ст. ст. 85, 167 і 170 КПК УРСР, допитав як свідка:

1. Прізвище: Ковальова.
2. Ім'я: Світлана.
3. По батькові: Григорівна.
4. Дата народження: 23.IV.1945 р.
5. Місце народження: м. Кишинів.
6. Національність і громадянство: росіянка, громадянка СРСР.
7. Партійність: безпартійна.
8. Освіта: середня.
9. Рід занять: дитячий сад рудника ім. Матросова, вихователь.
10. Місце проживання: селище Матросова, вул. Комсомольська, буд № 1, Тенькінського району Магаданської обл.
11. Паспорт: I-НО № 601895, виданий 23.VIII.1977 р. Сніжнянським МВВС Донецької області.
12. В яких стосунках з обвинуваченим і потерпілим: (прочерк).

У відповідності з ч. IV ст. 167 КПК УРСР Ковальовій С. Г. роз'яснені обов'язки свідка, передбачені ст. 70 КПК УРСР, і її попереджено про відповідальність за ст. 179 КК УРСР за відмову або ухилення від дачі показань і за ст. 178 ч. 2 КК УРСР за дачу завідомо неправдивих показань.

(підпис свідка)

На пропозицію дати показання по всіх відомих їй обставинах свідок показала:

Я досконало володію українською мовою, показання бажаю давати цією ж мовою.

Протягом 1970—1975 років я разом з чоловіком Ковальовим Георгієм Івановичем проживала в селищі Матросова Тенькінського району Магаданської області.

У вересні 1977 року ми знову приїхали в це селище, де чоловік працює бригадиром прохідників гірничої дільниці № 4 рудника ім. Матросова, а я працюю вихователем дитячого садка цього ж рудника. В даний час я з чоловіком перебуваю у відпустці.

У березні 1978 року мене і мого чоловіка Георгія запросив у гості, на день проводів російської зими, Дмитришин Михайло Михайлович, який мешкав у гуртожитку рудника ім. Матросова, по вул. Центральній, будинок № 37.

Коли ми прибули в кімнату до Дмитришина, там була лише його дружина Зоя та раніше мені незнайома людина Стус Василь Семенович, який був напідпитку. Я почала допомагати Зої по господарству, накривати стіл, а чоловіки без нас затіяли якусь розмову. Початок розмови я не чула, лише почула окремі фрази, які говорив Стус. Зокрема, пам'ятаю, він говорив, що нібито українці східної частини України «продалися москалям», а українці з західних областей республіки є «справжніми людьми, а не якесь…», після чого Стус промовив гидке слово. Далі Стус почав говорити, що він — відомий український поет терпить знущання за свої переконання, за те, що «боровся за демократичні права для народу, за волю для України», і за це, мовляв, його «переслідують», але він вірить у краще майбутнє для народу, в те, що «Україна буде вільна» і люди в нашій країні будуть мати «справжні права і свободи».

Він промовляв й інші наклепницькі вигадки на радянський державний і суспільний лад, говорив все це українською мовою.

Після цього в розмову втрутився мій чоловік Георгій, який російською мовою сказав Стусу, що той є справжнім націоналістом, як колишні бандити-бандерівці, що після війни вбили його дядька, тому Стусу нема чого корчити з себе якогось «борця» за «щастя народне», оскільки люди не просять його — Стуса «боротись» за їх «права» і йому нема чого оскорбляти людей та ділити їх на «східняків», «западенців» і «москалів».

Боячись, щоб не почалася бійка, я забрала чоловіка Георгія додому. Звичайно, свято для нас через Стуса було зіпсованим.

Після цього зі Стусом я більше не бачилась. У червні 1978 року в наше селище приїхала кореспондент Тенькінської райгазети «Ленинское знамя», яка збирала матеріал про поведінку Стуса. Тоді ж мій чоловік і я розповіли їй про вищевикладений інцидент з Стусом.

В трьох номерах вказаної газети за липень 1978 року було надруковано статтю «Друзья и враги Василя Стуса», де згадували мій чоловік і я про випадок ворожих висловлювань Стуса у березні 1978 року в кімнаті Дмитришина. У статті було правильно викладено про інцидент зі Стусом та про те, що говорив тоді, в кімнаті Дмитришина, Василь Стус і що йому відповів мій чоловік. Інші факти ворожої діяльності Стуса мені невідомі.

ЗАПИТАННЯ. Чим бажаєте доповнити свої показання?
ВІДПОВІДЬ. Я дала правдиві показання, доповнити їх нічим не маю.

Протокол допиту я прочитала. Записано з моїх слів правильно. Доповнень і поправок не маю.
(підпис) Ковальова

Допитав:
Старший слідчий слідчого відділу КДБ УРСР майор (Цімох)

ПРОТОКОЛ ДОПИТУ СВІДКА

місто Київ

Допит почато о 12 год. 30 хв.
Закінчено о 17 год. 50 хв.

Старший слідчий Слідчого відділу КДБ Української РСР майор Селюк в приміщенні Слідчого відділу КДБ УРСР, кабінет № 20 з додержанням вимог ст. ст. 85, 167 і 170 КПК УРСР, допитав як свідка:

1. Прізвище: Кириченко.
2. Ім'я: Світлана.
3. По батькові: Тихонівна.
4. Дата народження: 1935.
5. Місце народження: місто Київ.
6. Національність і громадянство: українка, громадянка СРСР.
7. Партійність: безпартійна.
8. Освіта: вища.
9. Рід занять: не працює.
10. Місце проживання: місто Київ, вул. Червоноармійська, 93, кв. 16.
11. Паспорт: IV—МА № 742403, виданий 22 травня 1979 року Відділом внутрішніх справ Московського райвиконкому міста Києва.
12. В яких стосунках з обвинуваченим і потерпілим: нормальних.

У відповідності з ч. IV ст. 167 КПК УРСР Кириченко С. Т. роз'яснені обов'язки свідка, передбачені ст. 70 КПК УРСР, і її попереджено про відповідальність за ст. 179 КК УРСР за відмову або ухилення від дачі показань і за ст. 178 ч. 2 КК УРСР за дачу завідомо неправдивих показань.

(підпис свідка)

На пропозицію дати показання по всіх відомих їй обставинах свідок показала:

Перш за все я хочу особисто ознайомитись зі статтями КПК УРСР, в яких викладені права та обов'язки свідка.

Ознайомившись зі своїми правами, свідок заявила, що бажає написати свої показання власноручно, і їй така можливість, згідно ст. 170 КПК УРСР, надана.

(підпис свідка)

На поставлені запитання свідчу:

Стуса Василя Семеновича знаю з часу його вступу до аспірантури Інституту літератури АН УРСР — на початку 60-х років. В той час я працювала ст. референтом Інституту літератури. Перші роки ми спілкувалися тільки в межах Інституту — як співпрацівники. Знала його як талановитого поета, була на його творчому вечорі в Спілці письменників України, чула про нього захоплені відгуки як про тонкого інтерпретатора художнього слова. 1965 року В. С. Стуса було відраховано з Інституту: як формулювався наказ про це — не знаю.

Наші стосунки з 1965 р. по 1972 р. були дружні, хоча зустрічалися ми принагідно; я глибоко поважала В. С. Стуса як людину безкомпромісну, високих моральних принципів, активної громадянської позиції. При зустрічах торкалися питань літератури, мистецтва, цікавилася, як він живе.

1972 року В. С. Стуса було заарештовано і звинувачено в антирадянській діяльності. Конкретного змісту звинувачення я не знаю. Усі роки його ув'язнення та заслання я листувалася з ним. Характер листування визначався умовами, обставинами, тобто фактично був однобічний. У листах сповіщала В. С. Стусові про різні літературно-мистецькі новини, надсилала окремі вірші. Чи писав мені В. Стус із табору — не пам'ятаю; із заслання зрідка отримувала листівки, вітальні телеграми, листи, в яких писав про своє життя. Цих листів у мене не збереглося.

Після повернення В. Стуса до Києва я зустрілася з ним уперше у вересні 1979 року. З цього часу ми часто бачилися: я заходила до нього, інколи він із своєю дружиною — до мене. Спілкування з такою неординарною людиною дуже збагачувало мене, було мені просто необхідне.

У жовтні 1979 року я разом із В. Стусом їздила до Москви і Тарусі, де зустрічалися з подружжям Караванських — Святославом Караванським та його дружиною Ніною Строкатою. Ніну Строкату я знаю з 60-х років і хотіла з нею побачитися. Це і було причиною моєї поїздки.

З якою метою їздив до Москви В. Стус, я не знаю; думаю, що він хотів познайомитися і подякувати людям, яких знав заочно, які з ним листувалися. Називати людей, у яких ми зупинялися в Москві, я не буду з етичних міркувань. Розмови з цими людьми у нас були тільки на побутові теми. У Москві ми були одну добу, а в Тарусі тільки переночували. Чи знав раніше В. Стус подружжя Караванських, я не знаю; зі слів В. Стуса, він хотів із ними побачитися. Ніяких документів ні до Москви, ні до Тарусі ми не відвозили. У Караванських розмови точилися навколо літератури: С. Караванський читав нам свої переклади сонетів Шекспіра.

За весь час мого спілкування з В. Стусом я не чула від нього ніяких антирадянських або наклепницьких висловлювань, не бачила в нього і не отримувала від нього антирадянських чи наклепницьких документів. Стосунки між нами завжди були дружні, вони ґрунтуються на моїй глибокій повазі до В. Стуса.

ЗАПИТАННЯ. Що вам відомо про виготовлення та поширення Стусом Василем Семеновичем документів, в яких містяться наклепницькі вигадки, що порочать радянський державний і суспільний лад?

ВІДПОВІДЬ. Про виготовлення та поширення Стусом документів наклепницького чи антирадянського характеру мені нічого не відомо.

ЗАПИТАННЯ. Чи передавали ви Стусу які-небудь рукописні або машинописні документи, якщо передавали, то які саме, коли та з якою метою?

ВІДПОВІДЬ. Ніяких документів я Стусу ніколи не передавала.

ЗАПИТАННЯ. Вам пред'являється для огляду аркуш нелінованого паперу стандартного формату з рукописним текстом листа, до починається словами: «Дозвольте, Іване Федоровичу...», який підписаний вашим прізвищем «Світлана Кириченко» і датований березнем 1976 року. Цей лист був вилучений в квартирі Стуса під час обшуку 14—15 травня цього року.

Хто та в зв'язку з чим написав цього листа і яким чином він потрапив до квартири Стуса Василя Семеновича?

ВІДПОВІДЬ. Свідок Кириченко побажала викласти свою відповідь на запитання власноручно, і така можливість їй надається.

З пред'явленим мені листом я особисто ознайомилася. Це мій приватний лист до І. Драча, якого я дійсно написала 1976 р. Цей лист був десь у мене вдома; від часу написання я цього аркуша не бачила і В. Стусові особисто його не передавала. Припускаю, що він міг потрапити до родини Стусів у якійсь книжці, яку я давала читати його дружині чи синові.

ЗАПИТАННЯ. Тоді ж, під час обшуку 14—15 травня 1980 року в квартирі Стуса Василя Семеновича було вилучено чотири аркуші з учнівського зошита з рукописним текстом листа, що починається зі слів: «Дорога Михасю! Дорогі Світлано, Юрку!...» та закінчується словами: «...хоч бувало не часто, на жаль». Названий лист пред'являється вам для огляду.

Що ви можете показати відносно пред'явленого вам листа, зокрема хто його автор та виконавець?

ВІДПОВІДЬ. Це лист В. Стуса, як я зрозуміла, ознайомившись із ним; точніше, це моя копія отриманого від В. Стуса листа. За давністю часу я не пригадую, яким чином лист В. Стуса потрапив до мене. Але я пам'ятаю, що оригінал цього листа був у мене, і я зробила з нього копію для себе, бо лист гуртовий і не належав одній мені. Переписала я цей лист, як убачаю з його змісту, десь наприкінці 1977 р. Куди подівся оригінал, я не пригадую. Із пред'явлених мені чотирьох аркушів я бачу, що тільки два аркуші переписані моєю рукою. Ким написаний текст листа на інших двох аркушах, точно стверджувати не беруся, припускаю, що це міг зробити мій чоловік, Бадзьо Георгій Васильович. Яким чином цей лист потрапив до квартири В. Стуса, я не знаю. Особисто я його нікому не давала і нікого саме з цією копією не знайомила. Наскільки я пригадую, з оригіналом цього листа я теж нікого не знайомила і, як уже показала, не можу пригадати, куди цей оригінал подівся. Протягом першої половини 1979 року в нас двічі провадився обшук, і ні оригіналу, ні копії на цей час уже не було.

ЗАПИТАННЯ. Уточніть, коли та від кого саме ви отримали оригінал названого вище листа Стуса і в якому вигляді, рукописному чи машинописному?

ВІДПОВІДЬ. Я добре пам'ятаю, що оригінал цього листа був рукописним, прийшов він від В. Стуса поштою, але чи саме до нас чи до іншої особи, зазначеної в звертанні, не пригадую. Можливо, він прийшов до нас, його міг отримати мій чоловік, від якого я саме й чула, що лист цей прийшов поштою.

ЗАПИТАННЯ. Кому ще, крім вас, призначався цей лист Стуса?

ВІДПОВІДЬ. Як видно із звертання, цей лист призначався також Михайлині Коцюбинській, моєму чоловікові, Леоніді Світличній, Надії Світличній, Павлові Стокотельному. Що стосується «Рити, Бориса», я не можу точно стверджувати, хто це саме, не знаю, кого мав на увазі В. Стус. Якихось розмов із названими особами з приводу цього листа не пригадую.

ЗАПИТАННЯ. Чи мали ви розмови стосовно цього листа з Стусом Василем Семеновичем?

ВІДПОВІДЬ. Стосовно цього листа розмов із В. Стусом у мене не було; я про цей лист забула, а В. Стус про нього ніколи не згадував.

ЗАПИТАННЯ. Що вам відомо про виготовлення та розповсюдження Стусом Василем Семеновичем документа — так званої заяви до Прокуратури УРСР стосовно Миколи Горбаля?

ВІДПОВІДЬ. Через деякий час після арешту М. Горбаля В. Стус в одній із розмов сказав мені, що звернувся до Прокуратури УРСР із позовом на організаторів провокації, вчиненої з М. Горбалем. Особисто я цього позову не бачила; В. Стус не пропонував мені ознайомитися з ним. Як він був виготовлений — машинописом чи рукописно, — не знаю. Під час цієї розмови В. Стус сказав мені, що у позові назвав мене як можливого свідка в цій справі. Інших розмов про це не було.

Хочу зробити уточнення. Можливо, В. Стус сказав мені про свій позов не тоді, як уже надіслав його, а лише збираючись надіслати, точно я не пригадую. Він запропонував мене як свідка, знаючи мої дружні стосунки з М. Горбалем і мою оцінку справи М. Горбаля.

Згодом, десь у грудні 1979 р., В. Стус сказав мені, що отримав на цей позов відповідь із Прокуратури УРСР. Чи надсилав В. Стус цей документ ще в якісь установи або приватним особам, я не знаю. Про це в мене з В. Стусом мови не було.

ЗАПИТАННЯ. Чи казав вам Стус Василь Семенович про наявність у нього якихось знайомих за кордоном та в яких стосунках він з ними знаходиться?

ВІДПОВІДЬ. Спеціально такої мови — про знайомих за кордоном та стосунки з ними — між нами не було. Знаю лише одну його знайому за кордоном — п. Анну-Галю Горбач: чула, що писав до неї листа, про що він сам мені казав, бідкаючись, що повідомлення про вручення не повернулося. Змісту цього листа я не знаю, як і не знаю, які між ними стосунки. Чи є у нього інші знайомі за кордоном, крім громадян СРСР та згаданої вище А.-Г. Горбач, я не знаю.

ЗАПИТАННЯ. Ви показали, що називати людей, в яких ви зупинялись з Стусом Василем Семеновичем у Москві, не будете з етичних міркувань.

Які ви маєте на увазі етичні міркування?

ВІДПОВІДЬ. Я не хочу, щоб у протоколі мого допиту були названі особи, які не мають на мою думку, ніякого стосунку до справи В. Стуса; саме з цих міркувань я їх не називаю.

ЗАПИТАННЯ. Чи є в вас доповнення або поправки до протоколу допиту?

ВІДПОВІДЬ. Свої свідчення я писала власноручно, ніяких доповнень та поправок до протоколу не маю. Протокол прочитала.

(підпис)

Старший слідчий Слідвідділу КДБ УРСР майор Селюк

ПРОТОКОЛ ДОПИТУ СВІДКА

місто Київ 10 липня 1980 р.

Допит почато о 14 год. 25 хв.
Закінчено о 16 год. 45 хв.

Старший слідчий Слідчого відділу КДБ Української РСР майор Селюк в приміщенні Слідчого відділу КДБ УРСР, кабінет № 20 з додержанням вимог ст. ст. 85, 167 і 170 КПК УРСР, допитав як свідка:

1. Прізвище: Коцюбинська.
2. Ім'я: Михайлина.
3. По батькові: Хомівна.
4. Дата народження: 1931.

5. Місце народження: місто Вінниця.
6. Національність і громадянство: українка, гр-ка СРСР.
7. Партійність: безпартійна.
8. Освіта: вища.
9. Рід занять: Видавництво «Вища школа», старший редактор.
10. Місце проживання: місто Київ, вул. Леніна, 84, кв. 6.
11. Паспорт: II—МА № 746720, виданий 22 вересня 1977 р. Відділом внутрішніх справ Радянського райвиконкому міста Києва.
12. В яких стосунках з обвинуваченим і потерпілим: нормальних.

У відповідності з ч. IV ст. 167 КПК УРСР Коцюбинській М. Х. роз'яснені обов'язки свідка, передбачені ст. 70 КПК УРСР, і її попереджено про відповідальність за ст. 179 КК УРСР за відмову або ухилення від дачі показань і за ст. 178 ч. 2 КК УРСР за дачу завідомо неправдивих показань.

(підпис свідка)

На пропозицію дати показання по всіх відомих їй обставинах свідок показала:

Свої показання я бажаю написати власноручно. Свідку Коцюбинській, згідно ст. 170 КПК УРСР, така можливість надається.

Стуса Василя Семеновича я знаю з початку 60-х років. Ми разом працювали в Інституті літератури ім. Т. Г. Шевченка у відділі теорії літератури: я — науковим співробітником, а він — аспірантом. Десь з 1965 р. наші стосунки стали більш близькими, товариськими, ми почали зустрічатися з ним і в позаробочий час. Наша дружба розвинулася на ґрунті спільності інтересів, ми часто бували разом у театрах, на літературних вечорах, мене приваблював безперечний літературний талант Стуса і його відкрита безкомпромісна вдача. При зустрічах ми розмовляли про поезію, з якою він був добре обізнаний, про музику, зокрема ми часто торкалися питань художнього перекладу. Десь у 1965 р. його було звільнено з Інституту, але наша дружба тривала, хоча ми й зустрічалися рідше.

Хоча Василь Стус після 1965 р. і не працював за фахом, він не облишував літературної роботи, займався перекладами, зокрема з Лорки, писав оригінальні вірші. На початку 1972 року його було заарештовано і засуджено за статтею 62 (1-ю частиною) до п'яти років позбавлення волі у виправно-трудових таборах і трьох років заслання. Під час його перебування в таборі я регулярно писала йому, пізніше, коли він був уже в засланні в Магаданській області, ми листувалися, він надсилав мені вірші і перекази, я сповіщала йому літературно-мистецькі новини, розповідала про життя друзів, звичайно, цих листів у мене не збереглося. У 1978 р., коли він приїздив у Донецьк на похорон батька, я відвідала його вдома, пробула там день. Він мені розповів про себе, я розпитувала його про здоров'я, про творчі плани.

Мені завжди дуже боліло те, що така талановита й цікава людина, як Стус, позбавлена можливості нормально працювати і розвивати свій талант. Я знаю багато поезій і перекладів Стуса, знайома з концепцією його роботи про Тичину. Наскільки мені відомо, в 1972 р. йому інкримінувалася одна з його праць про Тичину. Хоча взагалі докладно про зміст звинувачень Стуса я не знаю, оскільки на його суді я присутня не була.

Глибоко переконана, що це людина широких гуманістичних переконань, абсолютно позбавлена націоналістичної обмеженості. Я б назвала його «людиною з оголеною совістю». Він не здатний не прореагувати на несправедливість, якщо він вважає її несправедливістю, до яких би наслідків це не призвело і для нього, і для його родини. Він схильний загострювати, доводити до крайнощів, ніколи не «згладжує кути». Однак мета, яку він переслідує, завжди глибоко гуманістична й демократична.

У Донецьку Василь Стус був недовго, повернувся назад у Магаданську область, не заїжджаючи до Києва.

Я отримала від нього ще кілька листів. У серпні 1979 р. термін його перебування на засланні закінчився, і він повернувся додому. З часу його повернення ми бачилися досить часто, підтримували родинні, дружні стосунки. В зв'язку з тим що йому було встановлено адміністративний нагляд, що обмежувало його пересування, частіше я навідувала його. В розмовах ми, як і раніше, торкалися питань літератури і мистецтва, говорили про долю наших друзів.

За весь час нашого спілкування я ніколи не чула від Василя Стуса ніяких наклепницьких, антирадянських висловлювань, що порочать радянський суспільний лад, нашу дійсність. З розмов з ним мені відомо, що в кінці жовтня 1979 р. він звернувся до прокуратури УРСР з позовом відносно притягнення до кримінальної відповідальності Миколи Горбаля. Сам позов він мені не показував, лише повідомив мене про сам цей факт, а тому докладно змісту позову я не знаю. Ця розмова відбулася в нас у кінці минулого року, і для мене це було ще одним яскравим підтвердженням його вдачі.

Чи писав він ще аналогічні позови, заяви, я не знаю.

Мені невідомі ніякі наклепницькі антирадянські документи, автором яких був би Стус. Відомі мені вірші його ніяк не можна віднести до таких документів. А крім віршів, ніяких інших творів своїх або інших авторів не давав мені і з такими мене не знайомив.

ЗАПИТАННЯ. Під час обшуку 14—15 травня 1980 року в квартирі Стуса Василя Семеновича було вилучено чотири аркуші з учнівського зошита з рукописним текстом листа, що починається зі слів: «Дорога Михасю! Дорогі Світлано, Юрку!..» і закінчується словами: «…хоч бувало не часто, на жаль». Названий лист пред'являється вам для огляду.

Що ви можете показати відносно пред'явленого вам листа, зокрема хто його автор та виконавець, чи знайомились ви з ним раніше, якщо знайомились, то коли саме і за яких обставин?

ВІДПОВІДЬ. Я ознайомилася з показаним мені листом. Відносно нього можу показати, що це лист, як видно з його змісту, до групи осіб, в тому числі й до мене. Автором цього листа є Василь Стус. Це один з його перших листів із заслання до Києва. Кому саме, на яку адресу надсилав він цього листа, я за давністю не пам'ятаю, але з оригіналом цього листа я знайомилася десь у кінці 1977 р. Хто мені його дав і за яких обставин, я не пригадую. Як я бачу, показаний мені лист переписаний чиєюсь рукою. Саме з цим примірником я не знайомилася, бачу його вперше. Де оригінал цього листа, я не знаю. Як я пам'ятаю, я тільки ознайомилася з ним і комусь його віддала. Написаний він був від руки самим Стусом, почерк якого я добре знаю.

ЗАПИТАННЯ. Кому ще, крім вас, призначався зазначений лист Стуса?

ВІДПОВІДЬ. Як видно із звертання, лист адресувався також Світлані Кириченко та її чоловікові, Льолі і Надії Світличним, Павлу Стокотельному, а також Риті і Борісові Довганям. З усіма цими особами я добре знайома, але, чи показував мені листа саме хтось із них, не пригадую, як і не пригадую, чи були в мене з ними розмови стосовно цього листа.

ЗАПИТАННЯ. Чи мали ви розмови відносно названого листа з Стусом В. С. під час зустрічей з ним?

ВІДПОВІДЬ. Наскільки пригадую, ніяких розмов з приводу саме цього листа ми з Василем Стусом не вели. Лист був написаний давно, ми побачилися через два роки, тому ця тема не фігурувала в наших розмовах.

ЗАПИТАННЯ. Чи розповідав вам Стус В. С. про наявність у нього знайомих, які мешкають за кордоном, та в яких стосунках він з ними перебуває?

ВІДПОВІДЬ. З розмов з Василем Стусом мені відомо, що він має знайомих у Західній Німеччині. Це, зокрема, Галя Горбач, перекладач, яка не раз бувала в Києві в 60-х роках, коли й познайомилася з ним. Через Горбач Стус познайомився також з Крістіною Бремер, з якою він листувався в засланні і продовжував листуватися в Києві. Наскільки мені відомо, з Горбач його єднали суто професійні інтереси як перекладачів, а характер листування з Бремер мені невідомий.

ЗАПИТАННЯ. Чим бажаєте доповнити свої показання по суті поставлених запитань?

ВІДПОВІДЬ. Доповнень не маю.

Протокол писала власноручно.
(підпис)

Старший слідчий Слідчого відділу КГБ
Української РСР майор Селюк

УПРАВЛЕНИЕ КОМИТЕТА ГОСБЕЗОПАСНОСТИ
при СОВЕТЕ МИНИСТРОВ СОЮЗА ССР
по гор. Москве и Московской области

ПРОТОКОЛ ДОПРОСА СВИДЕТЕЛЯ

Допрос начат 18 августа 1980 г. в 18 час. 20 мин.
Допрос окончен в 19 час. 05 мин.
гор. Москва

Начальником отделения Следотдела УКГБ СССР по г. Москве и Московской области капитан Каташков по поручению Следотдела УКГБ Украинской ССР допросил с соблюдением требований ст. ст. 158, 160 УПК РСФСР в качестве свидетеля:

1. Фамилия, имя, отчество: Лисовская Нина Петровна.
2. Год рождения: 1917.
3. Место рождения: гор. Лахти, Финляндия.
4. Национальность, гражданство: русская, гражданка СССР.
5. Образование: высшее.
6. Партийность: б/п.
7. Род занятий: препаратор Научно-исследовательского института витаминов Всесоюзного научно-производственного объединения «Витамин» Министерства медпромышленности СССР.
8. Паспорт: серии XII—МЮ № 548843 выданный 11 января 1978 года 110 отделением милиции г. Москвы.
9. Адрес: г. Москва, ул. Дм. Ульянова, дом 4, кор. 2, кв. 228.

Обязанности, предусмотренные в ст. 73 УПК РСФСР, свидетелю разъяснены, он предупрежден об ответственности за отказ или уклонение от дачи показаний по ст. 182 УК РСФСР и за дачу заведомо ложных показаний по ст. 181 УК РСФСР.

(подпись)

На предложение рассказать все ему известное об обстоятельствах, в связи с которым он вызван на допрос, свидетель показал:

ВОПРОС. Знаете ли вы Стуса В. С., когда, где, при каких обстоятельствах, познакомились с ним, каковы между вами отношения?

ОТВЕТ. Я видела Стуса В. С. один раз, он произвел на меня очень хорошее впечатление. С первого взгляда видно, что Стус добрый и искренний человек. На вопросы, когда, где и при каких обстоятельствах я познакомилась со Стусом, а также какие между нами были отношения, я отвечать не желаю.

ВОПРОС. Переписывались ли вы со Стусом в период его пребывания в 1972—1979 годах в местах лишения свободы и ссылке, какой характер носила эта переписка?

ОТВЕТ. Моя переписка с кем бы то ни было — мое личное дело, она всегда носит личный характер.

ВОПРОС. Что вам известно об изготовлении и распространении Стусом документов, содержащих клеветнические измышления, порочащие советский государственный и общественный строй?

ОТВЕТ. Мне об этом ничего не известно.

ВОПРОС. Получали ли вы от Стуса какие-либо документы, если да, то какие конкретно, когда, в связи с чем, как ими распорядились?

ОТВЕТ. Никаких документов от Стуса я никогда не получала.

ВОПРОС. Просили ли вы Стуса направить в ваш адрес его заявление в прокуратуру УССР от 19 ноября 1979 года в отношении Горбаля Н. П., если просили, то с какой целью?

ОТВЕТ. Насколько помню, я не обращалась к Стусу с какими-либо просьбами.

ВОПРОС. Известно ли вам, в связи с чем Стус в ноябре 1979 года приезжал в Москву, где останавливался, с кем встречался, не привозил ли он с собой каких-либо документов?

ОТВЕТ. Ничего из этого мне не известно.

ВОПРОС. Допускал ли Стус в вашем присутствии высказывания, порочащие советский государственный и общественный строй?

ОТВЕТ. Таких высказываний Стус не допускал.

Протокол мною прочитан, показания с моих слов записаны правильно. Замечаний и дополнений не имею.

(подпись)

Допросил:
Начальник отделения Следотдела
УКГБ СССР по г. Москве и Московской обл.
капитан Каташков

СССР
КОМИТЕТ ГОСУДАРСТВЕННОЙ БЕЗОПАСНОСТИ
Управление КГБ при Совете Министров СССР
по Пермской области

ПРОТОКОЛ
допроса свидетеля

пос. Кучино 11 августа 1980 г.

Старший следователь УКГБ СССР по Пермской области капитан Коробейников по поручению Следотдела КГБ УССР в помещении камерного типа учреждения ВС-389/36 с соблюдением требований ст. ст. 158, 160 УПК РСФСР допросил в качестве свидетеля:

1. Фамилия: Лукьяненко.
2. Имя и отчество: Левко Григорьевич.
3. Год рождения: 1927 год.
4. Место рождения: с. Хриповка Городнянского района Черниговской области.
5. Национальность и гражданство: украинец, гражданин СССР.
6. Партийность: беспартийный.
7. Образованием высшее.
8. Род занятий: сборщик-монтажник механического производства учреждения ВС-389/36 УИТУ УВД Пермского облисполкома.
9. Постоянное место жительства: осужденный, содержится в учреждении ВС-389/36.
10. Паспорт или иной документ: документов при себе не имеет, личность удостоверена.

Свидетелю Лукьяненко Л. Г. разъяснены обязанности, перечисленные в ст. 73 УПК РСФСР, и он предупрежден об ответственности по ст. 182 УК РСФСР за отказ или уклонение от дачи показаний по ст. 181 УК РСФСР за дачу заведомо ложных показаний.

(подпись свидетеля)

Допрос начат в 09 час. 30 мин.
Окончен в 12 час. 20 мин.

На предложение рассказать все известное об обстоятельствах дела, в связи с которыми вызван на допрос, свидетель показал:

Допрос производился с участием переводчика украинского языка Рак Любови Николаевны, 1940 года рождения, уроженки с. Семеновки Шевченковского района Харьковской области, проживающей в поселке Кучино Чусовского района Пермской области. Перед началом допроса переводчику разъяснены ее обязанности, предусмотренные ст. 57 УКК РСФСР, и она предупреждена об ответственности за заведомо неправильный перевод по ст. 181 УК РСФСР.

ВОПРОС. Знаете ли вы Стуса Василия Семеновича, в положительном случае когда, где и при каких обстоятельствах познакомились с ним?

ОТВЕТ. Стуса Василия Семеновича я знаю из заочного знакомства как одного из лучших представителей украинской интеллигенции и этим знакомством горжусь. Лично с ним не знаком, знаю его с начала литературной деятельности как поэта и публициста. О Стусе мне известно приблизительно с 1965 года.

ВОПРОС. В каких отношениях вы находитесь со Стусом В. С., встречались ли вы с ним?

ОТВЕТ. Арест Стуса В. С. считаю грубым нарушением Декларации прав человека и Заключительного акта Хельсинкского соглашения и поэтому отказываюсь отвечать на поставленный вопрос.

ВОПРОС. Переписывались ли вы со Стусом во время пребывания его в местах лишения свободы и ссылке, какой характер носила ваша переписка?

ОТВЕТ. Переписка — это личное дело, и Стус не сделал никакого преступления. Это не может быть предметом расследования следственных органов. Допрос меня по этому вопросу есть продолжение покушения на мои и Стуса демократические права. Не желая попустительствовать этому беззаконию, я и отказываюсь освещать поставленный выше вопрос.

ВОПРОС. Что вам известно об изготовлении и распространении Стусом документов, в которых содержатся клеветнические измышления, порочащие советский государственный и общественный строй?

ОТВЕТ. Василь Стус — порядочный человек. Он никогда не сводил никаких клеветнических измышлений на кого бы то ни было или на что бы то ни было, в том числе на советскую действительность. А если следователи расценивают отдельные упоминания о реальных фактах советской действительности как клеветнические, то это свидетельствует о их боязни смотреть правде в глаза. Клевета в этом случае имеет место не со стороны Стуса на советскую действительность, а со стороны следователей на Стуса.

ВОПРОС. Получали ли вы от Стуса какие-либо документы, если получали, то какие конкретно, когда, в связи с чем, как вы распорядились ими?

ОТВЕТ. Как я уже сказал, арест В. Стуса считаю незаконным, а относительно переписки меня с ним — считаю частным делом. Поэтому отказываюсь отвечать и давать разъяснения на поставленный вопрос.

ВОПРОС. Когда, каким путем было получено вами письмо от Стуса, датированное 9 ноября 1977 года, ксерокопия которого вам предъявляется для осмотра?

ОТВЕТ. Руководство Советского Союза называет СССР демократическим государством. Демократичность политического строя означает разрешение и реальную возможность заниматься гражданам политической деятельностью, распространением своих политических, национальных, философских, религиозных и других взглядов. Допрос меня по данному вопросу по поводу письма В. Стуса от 9 ноября 1977 года является ярким примером грубого нарушения демократических принципов общественной жизни и продолжением несправедливых репрессий участников украинского правозащитного и освободительного движения и в частности одного из лучших его представителей — поэта и публициста Василия Стуса. Возмущенный продолжением репрессий, я отказываюсь давать разъяснения по поводу письма.

ВОПРОС. Каков был подлинник упомянутого выше письма и где он находится в настоящее время?

ОТВЕТ. Ответ на этот вопрос изложен выше.

ВОПРОС. С какой целью, по чьей инициативе вы размножили указанное письмо, где находятся размноженные вами экземпляры?

ОТВЕТ. Этот вопрос касается не В. Стуса, а меня. На него я отказываюсь отвечать.

ВОПРОС. Имеете ли вы дополнения к вашим показаниям?

ОТВЕТ. Еще раз высказываю возмущение продолжением репрессий украинских патриотов и демократов. Дополнений больше нет. Замечаний по поводу допроса не имею.

По окончании допроса протокол оглашен мне переводчиком. Кроме того, я путем личного прочтения ознакомился с содержанием протокола, поскольку читать по-русски я могу. Сделанный мне в устной форме перевод протокола соответствует данным мною показаниям.

(подпись)

Допросил
Ст. следователь УКГБ
капитан Коробейников

УПРАВЛЕНИЕ КГБ при СОВЕТЕ МИНИСТРОВ СССР
по Магаданской области

ПРОТОКОЛ ДОПРОСА СВИДЕТЕЛЯ

пос. Транспортный
Магаданской обл. 9 июля 1980 г.

Старший следователь следственного отдела КГБ УССР майор Цимох в помещении больницы пос. Транспортный с соблюдением требований ст. ст. 72—74, 157, 158 и 160 УПК РСФСР допросил в качестве свидетеля Никифоренко Нину Кирилловну.

Мне разъяснено, что согласно ст. 73 и 74 УПК РСФСР свидетель может быть допрошен о особых обстоятельствах, подлежащих установлению по данному делу, и обязан дать правдивые показания: сообщить все известное ему по делу и ответить на поставленные вопросы.

Об уголовной ответственности по ст. 182 УК РСФСР за отказ или уклонение от дачи показаний по ст. 181 ч. 2 УК РСФСР за дачу заведомо ложных показаний и предупрежден.

(подпись свидетеля)

Кроме того, мне разъяснено, что в соответствии со ст. ст. 141 и 160 УПК РСФСР я имею право после дачи показаний написать их собственноручно, ознакомиться с протоколом допроса и требовать дополнения протокола допроса и внесения в него поправок, а также ходатайствовать о применении звукозаписи при допросе.

(подпись свидетеля)

О себе сообщаю следующее:

1. Фамилия, имя, отчество: Никифоренко Нина Кирилловна.
2. Дата, месяц, год рождения: 29 июня 1937 г.
3. Место рождения: гор. Калинин.
4. Национальность, гражданство: русская, гражданка СССР.
5. Образование: 10 классов.
6. Принадлежность к КПСС, ВЛКСМ: беспартийный.
7. Место работы, должность: больница поселка Транспортный Тенькинского района, санитарка.
8. Семейное положение: замужем.

9. Судимости: не судима.
10. Место жительства: поселок Транспортный, ул. Почтовая, № 22, Тенькинского района Магаданской области.
11. Документ, удостоверяющий личность: личность установлена.

Допрос начат в 12 час. 15 мин.
Допрос окончен в 14 час. 20 мин.

По существу дела показываю следующее:

С июля 1977 года по настоящее время я работаю в хирургическом отделении больницы поселка Транспортный Тенькинского района Магаданской области. В период с августа по декабрь 1977 г. я работала сестрой-хозяйкой указанного хирургического отделения. В 20-х числах августа в одну из палат хирургического отделения больницы поступил из поселка Матросова Стус Василий Семенович, у которого были переломы пяточных костей обеих ног. Он рассказал, что, проживая в комнате общежития рудника имени Матросова на втором этаже, он захлопнул дверь комнаты, а ключ забыл в комнате, хотел попасть через форточку окна в комнату, но сорвался со второго этажа и по этой причине получил переломы.

Со Стусом мне пришлось общаться на протяжении всего периода его пребывания в больнице, почти два месяца, то есть до середины октября 1977 года, когда он в удовлетворительном состоянии был выписан на амбулаторное лечение. Со слов Стуса мне известно, что он окончил институт, работал учителем, писал стихи, а в 1972 году был арестован и осужден на 5 лет лишения свободы и 3 года ссылки за то, что не был согласен с официальной линией партии и Советского правительства. Он рассказывал о режиме содержания заключенных в тюрьмах и «советском концлагере», как он называл место отбытия своего наказания, сообщил, что его, как «политического ссыльного», направили в поселок Матросова Магаданской области в ссылку за его «политические убеждения», поэтому он вынужден проживать с «быдлом», как он называл рабочих, проживающих в общежитии рудника им. Матросова. В беседах со мною, а также в моем присутствии с другими больными Стус систематически допускал клеветнические измышления на советский государственный и общественный строй, на политику Коммунистической партии и Советского правительства.

В частности, он высказывался, что в Советском Союзе органы власти творят «циническое беззаконие», что отсутствуют демократические права и свободы, что (по его словам) нарушаются «права человека». В качестве примера он приводил себя, как якобы незаконно репрессированного за то, что он «боролся» за «права человека», за лучшую жизнь для украинцев. Читая как-то в газете об успехах Советской Украины, Стус начал говорить мне и другим лицам, что теперешняя Украина находится в «колониальном состоянии», в составе СССР не имеет тех прав, которые она имела бы, если бы была «самостийной». Стус высказывался, что Украина «оккупирована» «москалями», полностью зависит «от Москвы», куда вывозятся сырье и продукты, а «настоящие» украинцы «страдают». Он также высказывался, что «Советский Союз — это большой концлагерь», в котором люди — «нищие», не могут даже заработать, чтобы прокормиться, народ «ущемляют», поэтому многие «бегут как мыши из СССР» в капиталистические страны, где «подлинные свободы» и «изобилие» продуктов и товаров. В отношении органов правосудия высказывался, что «это — гестапо» «как при фашистах».

Некоторые больные (фамилии которых я не помню) пытались ему доказать ошибочность и вредность его враждебных высказываний, однако он оставался фанатическим антисоветчиком.

Я также возмущалась высказываниями Стуса, рассказала ему о своем детстве в период Отечественной войны и стыдила его, как, мол, он может быть врагом Советской власти. Однако он оставался при своих враждебных убеждениях. Как-то пытался и меня убедить в том, что у него «ограничены права». Для этого «доверил» мне отправить телеграмму кому-то в Москву, подписанную своей фамилией. В этой телеграмме он жаловался, что на почте задерживают поступающие ему посылки и бандероли из-за границы. При этом Стус высказался, что телеграмму об этом на почте не примут. Когда я отдала ему квитанцию об отправке телеграммы, он поначалу даже растерялся, видно не верил, что телеграмма могла быть отправлена. Хочу отметить, что, работая сестрой-хозяйкой хирургического отделения больницы, я вела тетрадь, в которой записывала больных, их фамилии и имена. В палате со Стусом, как мне помнится, не было жителей поселка Транспортный, а из других населенных пунктов, поскольку больница у нас участковая. После того как в начале 1978 года я ушла с должности сестры-хозяйки, я уничтожила свои тетради с записями фамилий больных, поэтому я не могу назвать лиц, которые находились со Стусом в одной палате. Установить этих лиц по историям болезни также затруднительно, поскольку в них не отражается, в какой палате находился тот или иной больной.

В июне 1978 года в наш поселок прибыла корреспондент районной газеты «Ленинское знамя» для сбора материала в отношении Стуса. Я рассказала ей о своих контактах со Стусом, о его враждебных проявлениях, вспомнила и свое тяжелое военное и послевоенное детство, поскольку мне было обидно за то, что в наше время в советской стране может находиться такой отщепенец, как Стус, проводя враждебную деятельность против нашей страны. В июле 1978 года в указанной газете появилась серия статей под названием «Друзья и враги Василя Стуса», в которой упоминалась и моя фамилия, излагалось существо моего общения со Стусом, приводились примеры периода моего детства.

Со Стусом после его убытия в августе 1977 года из больницы я больше не встречалась. О его судьбе мне ничего не известно.

ВОПРОС. Чем желаете дополнить свои показания?

ОТВЕТ. Я дала правдивые показания в отношении Стуса, наших взаимоотношений, а также тех высказываний, которые мне довелось слышать от Стуса.

Протокол допроса я прочитала, записано с моих слов правильно. Дополнений и поправок не имею.
9 июля 1980 г. (подпись)

Допросил:
Старший следователь следственного отдела
КГБ УССР майор (Цимох)

ПРОТОКОЛ ДОПИТУ СВІДКА

місто Вільнянськ 22 серпня 1980 р.

Допит почато о 10 год. 50 хв.
Закінчено о 12 год. 10 хв.

Слідчий УКДБ УРСР по Запорізькій області капітан Крамаренко в приміщенні службового кабінету ВТУ № 310/55 з додержанням вимог ст. ст. 85, 167 і 170 КПК УРСР допитав як свідка:

1. Прізвище: Овсієнко.
2. Ім'я: Василь.
3. По батькові: Васильович.
4. Дата народження: 1949.
5. Місце народження: с. Леніне Радомишльського району Житомирської області.
6. Національність і громадянство: українець, гр-н СРСР.
7. Партійність: безпартійний.
8. Освіта: вища.
9. Рід занять: засуджений, покарання відбуває в ВТУ № 310/55.
10. Місце проживання: ВТУ № 310/55.
11. Паспорт: особа встановлена.
12. В яких стосунках з обвинуваченим і потерпілим: назвати відмовився.

У відповідності з ч. IV ст. 167 КПК УРСР свідку Овсієнко В. В. роз'яснені обов'язки свідка, передбачені ст. 70 КПК УРСР, і його попереджено про відповідальність за ст. 179 КК УРСР за відмову або ухилення від дачі показань і за ст. 178 ч. 2 КК УРСР за дачу завідомо неправдивих показань.

Від підпису відмовився.

На пропозицію дати показання по всіх відомих йому обставинах свідок показав:

ЗАПИТАННЯ. Коли саме і за що ви були засуджені і відбували покарання у виправно-трудовій установі № 19 Мордовської АРСР?

ВІДПОВІДЬ. З етичних міркувань відповідати відмовляюсь.

ЗАПИТАННЯ. З якого часу ви знайомі зі Стусом Василем Семеновичем, де, при яких обставинах познайомилися, в яких взаємовідношеннях з ним перебували?

ВІДПОВІДЬ. На це запитання я також відповідати відмовляюсь з етичних міркувань.

ЗАПИТАННЯ. Чи не допускав Стус у вашій присутності і інших осіб висловлювання, що порочать радянський державний і суспільний лад, в чому вони заключались, де і коли це було?

ВІДПОВІДЬ. І на це запитання я відповідати відмовляюсь з етичних міркувань.

ЗАПИТАННЯ. Які акції ворожого характеру проводив Стус за час перебування в ВТУ № 19 Мордовської АРСР?

ВІДПОВІДЬ. Поставлене запитання мені зрозуміло, але і на нього я з етичних міркувань відповідати відмовляюсь.

ЗАПИТАННЯ. Чи знайомив вас Стус з документами ворожого змісту, в позитивному випадку — де, коли, в якому вигляді були ці документи?

ВІДПОВІДЬ. На це запитання я також відповідати відмовляюсь з етичних міркувань.

ЗАПИТАННЯ. Чи вели листування ви зі Стусом за час перебування Стуса в засланні у селищі Матросова Тенькінського району Магаданської області (з березня 1977 року по серпень 1979 року) і проживанні в місті Києві (з серпня 1979 року по травень 1980 року), чи не висловлював Стус в листах наклепницьких вигадок на радянський державний і суспільний лад?

ВІДПОВІДЬ. І на це запитання, як і на інші попередні, я також відповідати відмовляюсь з етичних міркувань.

ЗАПИТАННЯ. Чим ви бажаєте доповнити свої покази відносно Стуса В. С.?

ВІДПОВІДЬ. На це запитання також відповідати відмовляюсь з етичних міркувань. Ніяких доповнень відносно Стуса я не маю.

Протокол за моїм проханням мені прочитав слідчий, відповіді на запитання з мої слів записані вірно, але підписувати протокол відмовляюсь з етичних міркувань.

Від підпису відмовився.

Допитав:
Слідчий УКДБ УРСР
по Запорізькій області
капітан Крамаренко

УПРАВЛЕНИЕ КОМИТЕТА ГОСУДАРСТВЕННОЙ БЕЗОПАСНОСТИ при СОВЕТЕ МИНИСТРОВ СССР по ПРИМОРСКОМУ КРАЮ

ПРОТОКОЛ допроса свидетеля

31 июля 1980 г. пос. Лазо

Ст. следователь Следственного отдела УКГБ при СМ СССР по Приморскому краю ст. лейтенант Хвалько с соблюдением требований ст. ст. 72—74, 157, 158 и 160 УПК РСФСР допросил в качестве свидетеля Парникова Василия Захаровича.

Мне разъяснено, что согласно ст. ст. 73 и 74 УПК РСФСР свидетель может быть допрошен о любых обстоятельствах, подлежащих установлению по данному делу, и обязан дать правдивые показания: сообщить все известное по делу и отвеять на поставленные вопросы.

Об ответственности по ст. 182 УК РСФСР за отказ или уклонение от дачи показаний и по ст. 181 УК РСФСР за дачу заведомо ложных показаний я предупрежден.

(подпись свидетеля)

Кроме того, мне разъяснено, что в соответствии со ст. ст. 17, 141, 151 и 160 УПК РСФСР я имею право давать показания на родном языке и пользоваться услугами переводчика, после дачи показаний написать их собственноручно, ознакомиться с протоколом допроса и требовать дополнения протокола и внесения в него поправок, а также ходатайствовать о применении звукозаписи при допросе.

(подпись свидетеля)

Русским языком владею, в услугах переводчика не нуждаюсь и желаю давать показания на русском языке.

(подпись свидетеля)

О себе свидетель сообщил следующее:

1. Фамилия, имя, отчество: Парников Василий Захарович.
2. Дата, месяц, год рождения: 15 марта 1932 г.
3. Место рождения: Алтайский край Турочакский р-он, пос. Тандошка.
4. Национальность, гражданство: русский, СССР.
5. Образование и специальность: 7 кл., проходчик.

6. Принадлежность к КПСС, ВЛКСМ: б/п.
7. Место работы, должность или род занятий: рабочий Лазовского райкомхоза.
8. Судимость: не судим.
9. Место жительства: пос. Лазо, Приморского края, ул. Некрасовская, 50.

Допрос начат в 13 час. 00 мин.
Допрос окончен в 15 час. 10 мин.

По существу дела показываю следующее:

В Тенькинский район Магаданской области я приехал в 1973 году. В этом же году устроился проходчиком на рудник имени Матросова. Проживал я в общежитии рудника на ул. Центральной 37, комната 59. По-моему, в 1977 году меня избрали председателем совета общежития. Вскоре после того как меня избрали председателем совета общежития, я в марте 1977 года уехал на полгода в отпуск в Приморский край. Возвратился я на рудник в августе 1977 года. После приезда из отпуска меня поселили в 59-ю комнату, где кроме меня проживал главный энергетик обогатительной фабрики — фамилии его не помню, а имя его — Евгений. С Евгением я был знаком еще до объезда в отпуск. В этой же комнате проживал незнакомый мне мужчина. Мы познакомились, он назвался Стус Василием Семеновичем. Стус прибыл на рудник в то время, когда я находился в отпуске. Со Стусом я жил в одной комнате до марта 1978 года, т. е. до своего отъезда в Приморский край. При знакомстве Стус объяснил, что до приезда в Магадан он жил на Украине — в каком населенном пункте, я не помню. По его словам, он имел высшее педагогическое образование, работал журналистом. Однако его якобы притесняли — в чем это выражалось, он не говорил. В связи с этим он был вынужден пойти работать на шахту в пос. Горловка простым рабочим. В дальнейшем он был осужден по политической статье — что это была за статья, он не говорил, а называл ее «политической». Он говорил, что находился в заключении 5 или 6 лет — точно этот срок я не помню. После отбытия срока его выслали в Магаданскую область на три года. На руднике им. Матросова Стус работал на первом участке скреперистом. Отношения у меня со Стусом были нормальные, хотя друзьями мы не были, конфликтов между нами также не было. Я со Стусом виделся очень редко — вскоре после моего приезда он сломал ноги и попал на три месяца в больницу, а затем я вместе со своей бригадой в октябре 1977 года уехал на три месяца в командировку. После возвращения из командировки я также редко встречался со Стусом, так как работали мы в разных сменах. Я не замечал, чтобы у Стуса были друзья, он, по-моему, сторонился людей, он заявлял, что является политическим ссыльным, однако, что за преступление он совершил, никому не говорил. Нужно отметить, что Стус своим поведением заметно отличался от других жильцов общежития. Спиртными напитками не злоупотреблял, если и выпивал, то очень мало. Следил за своим внешним видом, был очень аккуратен. Я заметил, что Стус очень эрудирован, начитан. У него была очень хорошая библиотечка — художественные книги русских, украинских и советских классиков, различные энциклопедии. В свободное время он обычно читал книги и много писал. Что Стус писал, я не знаю, так как его записи мне не приходилось читать. Записи он делал в общих тетрадях.

По характеру Стус был очень спокойным, выдержанным человеком. К работе относился добросовестно, насколько мне известно, претензий к нему со стороны администрации рудника не было. Какой-либо озлобленности у Стуса я не замечал, своими планами на будущее не делился — он сторонился людей, был не очень разговорчив. Стус регулярно читал периодическую печать, хорошо был осведомлен в вопросах внешней и внутренней политики. Какой-либо общественной работой в общежитии и на руднике Стус не занимался, мне кажется, что ему и не предлагали. Я замечал, что ведет себя он очень настороженно — перед уходом из комнаты очень внимательно окидывал взглядом свои вещи, как бы запоминая, где что лежит. В связи с этим я никогда не брал ни его книги, ни рукописные записи. Почтовую переписку Стус вел не очень большую — переписывался с родственниками, писем он получал не очень много, были ли письма от его друзей и знакомых, мне неизвестно. В моем присутствии да и, насколько мне известно, в присутствии других лиц, Стус не допускал высказываний, порочащих советский государственный и общественный строй. У Стуса был транзисторный приемник марки «ВЭФ», однако в моем присутствии он зарубежные передачи не прослушивал, слушал ли он такие передачи, когда оставался один, я не знаю, он об этом ничего не говорил. Меня

Стус с документами враждебного содержания не знакомил, и мне неизвестно, были ли они у него вообще. В отношении Стуса какие-либо меры общественного воздействия не принимались, так как в этом не было необходимости. После отъезда из Магаданской области я со Стусом не переписывался. Когда я уезжал, то еще не думал увольняться с работы, а рассчитывал после отпуска вернуться. Однако по семейным обстоятельствам я был вынужден остаться в Приморском крае, поэтому я написал Стусу письмо с просьбой выслать мне вещи, которые остались в общежитии. Стус мою просьбу выполнил, в дальнейшем переписки между нами не было.

Протокол допроса мною прочитан, с моих слов записано все правильно. Замечаний и дополнений не имею.

(подпись)

Допросил и составил протокол:
Ст. следователь следственного отдела
УКГБ СССР по Приморскому краю
ст. лейтенант /Хвилько/

ПРОТОКОЛ ДОПИТУ СВІДКА

місто Київ 22 серпня 1980 р.

Допит почато о 14 год. 35 хв.
Закінчено о 19 год. 20 хв.

Старший слідчий Слідчого відділу КДБ Української РСР майор Селюк в приміщенні Слідчого відділу КДБ УРСР, кабінет № 20, з додержанням вимог ст. ст. 85, 167 і 170 КПК УРСР допитав як свідка:

1. Прізвище Попелюх.
2. Ім'я: Валентина.
3. По батькові: Василівна.
4. Дата народження: 1938.
5. Місце народження: місто Черкаси.

6. Національність і громадянство: українка, гр-ка СРСР.
7. Партійність: безпартійна.
8. Освіта: вища.
9. Рід занять: Київський механічний завод, інженер-конструктор.
10. Місце проживання: Київ, вул. Чорнобильська, 13-а, квартира 94.
11. Паспорт: VI—МА № 578335, виданий 24.01.80 р. ВВС Ленінградського райвиконкому м. Києва.
12. В яких стосунках з обвинуваченим і потерпілим: (прочерк)

У відповідності з ч. IV ст. 167 КПК УРСР Попелюх В. В. роз'яснені обов'язки свідка, передбачені ст. 70 КПК УРСР, і її попереджено про відповідальність за ст. 179 КК УРСР за відмову або ухилення від дачі показань і за ст. 178 ч. 2 КК УРСР за дачу завідомо неправдивих показань.

(підпис свідка)

На пропозицію дати показання по всіх відомих їй обставинах свідок показала:

Стуса Василя Семеновича я знаю з 1964 року. Познайомилась з ним випадково на вулиці. В той час він вчився в аспірантурі Інституту літератури АН Української РСР. В 1965 році ми одружились. Незадовго до нашого одруження Василя було виключено з аспірантури інституту, як мені відомо з його слів, за якийсь виступ на зборах чи вечорі. В деталях він мені про це не розказував, а тому я не знаю, що саме явилось причиною виключення його з Інституту літератури.

Після одруження ми з Василем стали проживати в квартирі моїх батьків за адресою: місто Київ, вулиця Львівська, 62, квартира 1.

Років два-три ми проживали разом з батьками, а потім батьки одержали квартиру в Дарницькому районі міста Києва, а ми з Василем і сином Дмитром, 1966 року народження, залишились проживати в тій же квартирі.

Після звільнення з аспірантури Василь працював у різних установах, а перед арештом у 1972 році — в відділі технічної інформації Міністерства будівельних матеріалів УРСР.

Мені відомо, що до приїзду в Київ Василь жив разом з батьками в Донецьку, де закінчив педагогічний інститут. Потім служив у лавах Радянської армії, деякий час працював на Донеччині, а на початку 60-х років приїхав до Києва.

В той час, як мені відомо з його слів, він мав намір присвятити себе літературі, але склалося так, що він, як я вже показала, не зміг продовжувати навчання в аспірантурі і став працювати не за фахом.

Хоча з середини 60-х років він працював не за фахом, але не залишив займатись літературною діяльністю, писав вірші, робив переклади радянських та зарубіжних поетів. Василь мав намір видати збірку своїх віршів і, наскільки мені відомо, подавав збірку своїх віршів до друку. З якихось причин ця збірка не була опублікована в нашій пресі, а згодом я дізналась від Василя, що якісь його вірші надруковані за кордоном. Яким саме шляхом ці його вірші потрапили за кордон, я не цікавилась. Взагалі я, за браком часу, мало вникала в те, що він писав, а тому і не можу назвати, які саме вірші, статті були написані ним у той час.

В січні 1972 року в нашій квартирі був проведений обшук, і тоді ж Василя було заарештовано, а в вересні того ж року він був засуджений Київським обласним судом за статтею 62 ч. І КК УРСР до п'яти років позбавлення волі в виправно-трудовій колонії і трьох років заслання.

Які саме вчинки інкримінувались йому в вину, я не знаю, бо на суді не була.

Міру покарання Василь відбував на території Мордовської АРСР, куди я їздила до нього декілька разів на побачення.

Після відбуття основної міри покарання весною 1977 року його було направлено в заслання в селище Матросова Тенькінського району Магаданської області, де він перебував до серпня 1979 року.

Перебуваючи в названому вище селищі, Василь працював на руднику імені Матросова скреперистом і регулярно допомагав мені матеріально, майже щомісяця надсилав до Києва 100—150 карбованців. Крім того, він також надсилав гроші своїм батькам, але в якому розмірі, мені невідомо.

Я двічі, в липні 1977 року і в липні-серпні 1978 року, їздила до нього в Магаданську область. Перший раз ми проживали з ним у готелі, а коли я поїхала до нього вдруге, то жила в гуртожитку в його кімнаті. На мій погляд, стосунки в Василя з гірниками, з якими він разом працював і мешкав у гуртожитку, були нормальні.

Але коли я була в нього в 1978 році, то саме в той час у місцевій газеті друкувалась стаття під назвою «Друзья и враги Василя Стуса», і, звичайно, у мене була розмова з Василем відносно названої статті.

Василь говорив мені, що стаття надумана, написана кореспондентом, яка його зовсім не знає.

Зі слів Василя мені відомо, що він, проживаючи в Магаданській області, одержував із-за кордону продуктові та речові посилки, але, хто саме надсилав йому ці посилки, з яких країн, мені невідомо. Я також не знаю, чому саме йому надсилали зазначені посилки. Родичів та знайомих у мене особисто за кордоном немає, чи є такі в мого чоловіка — я не знаю.

Коли я їздила до Василя в Магаданську область, то ніяких паперів, зошитів йому не возила, як і не привозила нічого такого від нього до Києва.

В квітні 1979 року я одержала нову квартиру, і всі його книжки і папери були перевезені мною на нове місце нашого проживання. Змістом старих робіт Василя, які є в нашій квартирі, я не цікавилась, вони мною були спаковані і оглянуті тільки зовні. В середині серпня 1979 року Василь повернувся до Києва, коли я з сином проживала в новій квартирі. Повернувшись додому, він деякий час працював на заводі «Паризька комуна», а з початку 1980 року став працювати в Київському виробничому взуттєвому об'єднанні «Спорт».

В цей час він зустрічався в себе на квартирі з Коцюбинською Михайлиною Хомівною, Мешко Оксаною Яківною, Кириченко Світланою Тихонівною, здається один раз приходила Руденко Раїса Опанасівна. З усіма цими особами, крім Руденко, Василь був знайомий ще раніше, листувався під час відбуття міри покарання, і після повернення його до Києва вони провідували його. З Коцюбинською та Кириченко Василя об'єднувало спільне захоплення літературою. Наскільки мені відомо, Мешко вела розмову з Василем стосовно свого сина Сергієнка Олеся, який перебуває в засланні в Хабаровському краю. Я не чула, щоб названі особи, а також і Василь у розмовах з ними допускали наклепницькі вигадки на радянський державний і суспільний лад.

14—15 травня 1980 року в нашій київській квартирі був проведений обшук, під час якого я частково була присутня. В моїй присутності був оформлений протокол обшуку і вилучено ряд машинописних та рукописних документів, які відмічені в протоколі обшуку.

З вилученими під час обшуку документами я раніше не знайомилась, хоч бачила їх у нашій квартирі. Тоді ж Василя було заарештовано, але, в чому саме полягає його злочин, мені невідомо.

ЗАПИТАННЯ. Вам пред'являються для огляду вилучені в вашій квартирі під час обшуку 14—15 травня 1980 року документи, зокрема:

- загальний зошит «Арт. 1158. ціна 44 коп.» в дерматиновій обкладинці темно-коричньового кольору на 94 аркушах білого паперу з записами, що починаються зі слів: «Випад меча в першому світлі...» і закінчуються словами: «як він забув інших і це сталося»;
- аркуш з рукописним текстом вірша «Колеса глухо стукотять...», «В мені уже народжується бог...», «Колеса глухо стукотять», «Я знав майже напевно» і «Ось вам сонце, сказав чоловік...»;
- загальний зошит у картонній обкладинці голубого кольору на 40 аркушах з записами, що починаються зі слів: «Левек: Без великих доктрин не может быть...» і закінчуються словами: «...Де свободи чортма — там музи — бранки»;
- 78 аркушів жовтого нелінованого паперу, скріплених трьома металевими скріпками з записами, що починаються зі слів: «Пісні одного острова...» і закінчуються словами: «...habe ich aus La S.C»;
- три аркуші жовтого нелінованого паперу з текстами, що починаються на першому аркуші зі слів: «Памятка украинского борца за волю...», на другому: «Пам'ятка українського борця за справедливість...» і на третьому: «на випадок арешту...»;
- чотири аркуші з учнівського зошита з рукописним текстом, що починається зі слів: «Дорога Михасю! Дорогі Світлано, Юрку!..»;
- шість аркушів з машинописним текстом, що починається зі слів: «Нещодавно в «Літературній Україні»...»;
- два аркуші з рукописним текстом, що починається на обох аркушах зі слів: «Існує тільки дві форми контактування народу з урядом».

Що ви можете показати відносно пред'явлених вам документів?

ВІДПОВІДЬ. Я особисто ознайомилась з усіма переліченими в запитанні документами і відносно них можу пояснити, що всі вони були вилучені в нашій квартирі під час обшуку 14—15 травня цього року.

Стосовно загального зошита, записи в якому починаються зі слів: «Випад меча в першому світлі...», я можу тільки показати, що записи в ньому виконані моїм чоловіком, але я не знаю, коли саме він їм користувався.

Аркуш з рукописним текстом вірша «Колеса глухо стукотять...» і аркуш з машинописними текстами віршів: «Так явно світ тобі належать став...», «В мені уже народжується бог...», «Колеса глухо стукотять...», «Я знав майже напевно...», «Ось вам сонце, сказав чоловік...», а також два аркуші з рукописними текстами, що починаються зі слів: «Існує тільки дві форми контактування народу з урядом...» і шість аркушів з машинописним текстом, що починається зі слів: «Нещодавно в "Літературній Україні"...», я не знаю, з якого часу знаходилась у нашій квартирі, бо я з ними раніше не знайомилась, побачила їх тільки під час обшуку.

Мені також невідомо, з якого часу знаходився у нашій квартирі і пред'явлений мені загальний зошит у картонній обкладинці голубого кольору, записи у якому починаються зі слів: «Пісні одного острова...»

Я також нічого не можу пояснити відносно пред'явлених мені чотирьох аркушів з рукописним текстом, що починається зі слів: «Дорога Михасю! Дорогі Світлано, Юрку!..» З цим текстом я раніше не знайомилась, мені невідомо, як він потрапив до нашої квартири, як і невідомо, ким він виконаний.

Стосовно 78 аркушів жовтого нелінованого паперу, скріплених трьома металевими скріпками в загальний зошит, можу показати тільки те, що я його бачила на столі в нашій кімнаті уже в цьому році, коли Василь проживав разом зі мною.

Три аркуші жовтого нелінованого паперу з текстами, що починаються зі слів: «Пам'ятка українського борця за волю», «Пам'ятка для укр. борця за справедливість...» та «на випадок арешту...» я раніше окремо не бачила, із текстом, що міститься на них, — раніше не знайомилась.

ЗАПИТАННЯ. Вам пред'являється для огляду запрошення-виклик вашої родини на поїздку в гості в Сполучені Штати Америки до мешканки міста Нью-Йорка Ніни Самокіш на восьми аркушах, яке також було вилучене в вашій квартирі під час обшуку 14—15 травня 1980 року. Покажіть, хто така Ніна Самокіш та в яких стосунках перебуває з нею ваш чоловік — Стус Василь Семенович?

ВІДПОВІДЬ. Я особисто ознайомилась з пред'явленим мені запрошенням-викликом від мешканки Нью-Йорка Ніни Самокіш і хочу пояснити, що Ніну Самокіш я не знаю. Чи знає її мій чоловік — Василь Стус — мені невідомо. Пам'ятаю, що незадовго до його арешту він мені говорив, що надійшов виклик-запрошення на поїздку в США, і показував цей документ.

В зв'язку з чим це запрошення надійшло нашій родині, я в нього не розпитувала, і він мені про це нічого не казав.

ЗАПИТАННЯ. Чим ви бажаєте доповнити свої показання?

ВІДПОВІДЬ. Свої показання я хочу доповнити тим, що особисто я від Василя Стуса ніяких антирадянських або наклепницьких висловлювань, що порочать радянський державний і суспільний лад, не чула. Чи допускав він подібні висловлювання в присутності інших осіб — я не знаю.

Мені також невідомо, щоб він займався виготовленням та поширенням антирадянських або наклепницьких документів. Інших доповнень до протоколу не маю.

Протокол прочитала, відповіді з моїх слів записані вірно. Зауважень до протоколу немає.

Старший слідчий слідвідділу КДБ УРСР
майор (Селюк)

ПРОТОКОЛ ДОПИТУ СВІДКА

місто Київ 5 серпня 1980 р.

Допит почато о 11 год. 30 хв
Закінчено о 13 год. 20 хв

Старший слідчий Слідчого відділу КДБ Української РСР майор Селюк в приміщенні Слідчого відділу КДБ УРСР, кабінет № 20, з додержанням вимог ст. ст. 85, 167 і 170 КПК УРСР допитав як свідка:

1. Прізвище: Попелюх.
2. Ім'я: Василь.
3. По батькові: Карпович.
4. Дата народження: 1903.
5. Місце народження: с. Сокальча Попельнянського району Житомирської області.
6. Національність і громадянство: українець, громадянин СРСР.
7. Партійність: чл КПРС.
8. Освітам незакінчена середня.
9. Рід занять: пенсіонер.

10. Місце проживання: місто Київ, вул. Серова, буд. 30, кв. 59.
11. Паспорт: I—МА № 700359, виданий відділом внутрішніх справ Дніпровського райвиконкому міста Києва 28 жовтня 1976 року.
12. В яких стосунках з обвинуваченим і потерпілим: нормальних.

У відповідності з ч. IV ст. 167 КПК УРСР Попелюх В. К. роз'яснені обов'язки свідка, передбачені ст. 70 КПК УРСР, і його попереджено про відповідальність за ст. 179 КК УРСР за відмову або ухилення від дачі показань і за ст. 178 ч. 2 КК УРСР за дачу завідомо неправдивих показань.

(підпис свідка)

На пропозицію дати показання по всіх відомих йому обставинах свідок показав:

Стуса Василя Семеновича я знаю з середини 60-х років, тобто з того часу, коли він познайомився з моєю дочкою — Валентиною. За давністю часу я не можу пригадати, в якому саме році відбулось наше знайомство, але пам'ятаю, що, коли Валя рекомендувала мені його (це було в моїй квартирі), він навчався в аспірантурі Інституту літератури Академії Наук Української РСР. Через деякий час після того, як ми познайомились, Валентина і Василь одружились і стали проживать разом зі мною, в одній квартирі по вулиці Львівській, будинок 62, кв. 1. На цей час Василя було вже відчислено з аспірантури, але за що саме — я не знаю. Про те, що його звільнили з Інституту літератури АН УРСР, я довідався від дочки — Валентини. Василь мені про це нічого не розказував, і я в розмовах з ним цього питання не порушував.

Після того як його було відраховано з аспірантури, він деякий час працював кочегаром, де саме — не знаю, а згодом влаштувався працювати на якусь посаду в Міністерство промисловості будівельних матеріалів.

В одній квартирі ми прожили з Стусом приблизно півтора-два роки. Якихось суперечок у мене з ним, так і між нашими сім'ями, не було. Жили ми дружно, як одна сім'я. До Валентини, на мій погляд, Василь відносився добре, допомагав їй в господарських справах, а в вільний час працював над літературою, щось писав. Коли я цікавився, що він пише, Василь говорив, що складає вірші, але їх ніде не друкують. Я особисто його віршів не читав і про їх зміст нічого сказати не можу.

В 1967 році я переселився в нову квартиру по вулиці Серова, а Василь з Валентиною і сином залишились жити в старій квартирі. Після цього я тільки інколи відвідував їх сім'ю, вів розмови виключно на побутові теми. Валентина ніколи не скаржилась на Василя, і в мене склалося враження, що в їх сім'ї все гаразд.

На початку 1972 року Василя було заарештовано, і в вересні того ж року він був засуджений Київським обласним судом до п'яти років позбавлення волі в виправно-трудовій колонії і трьох років заслання. Який саме злочин вчинив Василь, мені невідомо, я тільки чув від Валентини, що судили його за антирадянську діяльність.

Міру покарання Василь відбував у виправно-трудових колоніях на території Мордовської АРСР, а з 1977 року находився в засланні в Магаданській області.

Мені відомо, що Валентина регулярно листувалась з ним і декілька разів їздила до нього на побачення, зокрема двічі навідувалась до нього, коли він перебував у Магаданській області, возила продукти харчування. Чи передавав Василь через Валентину до Києва які-небудь папери або документи, я не знаю. Про це мені Валентина ніколи не казала, і я цим питанням не цікавився. Я навіть не знаю, де він конкретно жив і працював, перебуваючи в Магаданській області.

Весною 1979 року, в зв'язку з тим, що будинок по вулиці Львівській, де жила сім'я Василя, підлягав знесенню, Валентині дали двокімнатну квартиру по вулиці Чорнобильській, будинок № 13-а, кв. 94. Я особисто допомагав переселятись Валентині в нову квартиру. Все їх господарство, в тому числі і книжки, було перевезене в названу вище квартиру. Чи були серед книжок якісь папери Василя, я не знаю, бо складала книжки Валентина, я до них причетним не був.

В серпні 1979 року Василь повернувся до Києва, коли його сім'я жила вже в новій квартирі. Звичайно, я неодноразово бачився з ним, але розмови між нами, як і раніше, були виключно на побутові теми. Василь ніколи в моїй присутності не висловлював якихось невдоволень радянською дійсністю. З його боку антирадянських або наклепницьких висловлювань щодо радянського державного і суспільного ладу я не чув. Чи займався він літературною діяльністю, я не знаю.

Приїхавши до Києва, він влаштувався працювати на завод імені Паризької Комуни, а згодом я довідався, що він працює на взуттєвому виробничому об'єднанні «Спорт».

Від Валентини мені відомо, що Василю був встановлений адміністративний нагляд і він був обмежений в пересуванні, але, що явилось причиною цьому, я не знаю.

В мене вдома, після повернення до Києва, Василь був всього-навсього три-чотири рази, разом з Валентиною приходив відвідати мене. В районі Софіївської Борщагівки я маю невеличку дачу, і весною Василь допомагав мені обкопати дерева. Без мене він на дачі ніколи не був і не просив, щоб я надав йому можливість користуватись нею.

В травні цього року Василя було знову заарештовано, але, як і раніше, що послужило причиною цьому — мені невідомо.

ЗАПИТАННЯ. Чим бажаєте доповнити свої показання?

ВІДПОВІДЬ. Доповнень до своїх показань я не маю.

Протокол записано вірно. (підпис)

Старший слідчий Слідчого відділу КДБ
Української РСР майор Селюк

ПРОТОКОЛ ДОПРОСА СВИДЕТЕЛЯ

город Львов 24 июля 1980 г.

Допрос начат в 14 час. 25 мин.
Окончен в 18 час. 05 мин.

Старший следователь следотдела КГБ УССР майор Цимох в помещении следотдела УКГБ по Львовской обл. с соблюдением требований ст. ст. 85, 167 и 170 УПК УССР допросил в качестве свидетеля:

1. Фамилия: Радевич.
2. Имя: Евгений.
3. Отчество: Владимирович.
4. Год рождения: 14.10.1952 г.
5. Место рождения: гор. Львов.
6. Национальность и гражданство: украинец, гражданин СССР.
7. Партийность: член ВЛКСМ.
8. Образование: средне-техн.

9. Род занятий: рудник им. Матросова Магаданской области, проходчик участка № 2.
10. Постоянное место жительства: пос. Матросова, ул. Центральная, 37, к. 18, прописан г. Львов, ул. Калинина, № 20, кв. 9.
11. Паспорт или иной документ: депутатское удостоверение № 54 Тенькинского райсовета Магаданской области.
12. В каких отношениях состоит с обвиняемым: (прочерк)

В соответствии с ч. IV ст. 167 УПК УССР Радевичу Е. В. разъяснены обязанности свидетеля, предусмотренные ст. 70 УПК УССР, и он предупрежден об ответственности по ст. 179 УК УССР за отказ или уклонение от дачи показаний по ст. 178 ч. 2 УК УССР за дачу заведомо ложных показаний.

(подпись)

По существу заданных вопросов свидетель Радевич Е. В. показал:

Я владею русским и украинским языками, однако показания желаю дать на русском языке, поскольку в течение трех последних лет, проживая в Магаданской области, разговаривал на русском языке.

До 1977 года я проживал в городе Львове, с родителями. Затем от одного моего знакомого мне стало известно, что в Магаданской области имеется рудник имени Матросова, где высокая зарплата, а также ряд льгот. Я написал письмо руководству этого рудника, мне пришел вызов, и с ноября 1977 года я работаю проходчиком участка № 2 указанного рудника. С 9 июня 1980 года по 3 декабря 1980 года я нахожусь в отпуске. В первый год работы на руднике ежемесячно я зарабатывал в пределах 300 рублей, на второй год зарабатывал по 450—500 рублей ежемесячно и на третьем году работы ежемесячно зарабатывал по 600—700 рублей.

Такие же высокие суммы зарплаты и у других рабочих рудника. Поселок Матросова, где я проживал, благоустроен, в нем имеются магазины — продовольственные, промышленные, хозяйственный и книжный, столовая, буфеты. Имеется там Дом культуры, где демонстрируются новые фильмы, проводится ряд культурных мероприятий, библиотека.

В общежитии, где я проживал, по ул. Центральной, № 37, имеются телевизоры, радиоточки, холодильники, электроплитки.

Мне там нравится, и я намерен жить и работать в поселке Матросова еще не менее 4—5 лет.

Примерно в декабре 1977 года мне стало известно, что на руднике работает бывший житель города Киева Стус Василий Семенович, который проживал в том же общежитии, где и я, на одном со мной этаже, — на втором.

Со Стусом я знаком с декабря 1977 года, взаимоотношения у нас были нормальные, личных счетов и ссор не было. Разговаривал я со Стусом, так же как и он со мной, в основном на русском языке. От Стуса я услышал, что он «украинский поэт, литератор», которого «репрессировали» за то, что писал стихи, изданные за границей, — осудили к пяти годам лишения свободы, а затем на три года направили в ссылку, в поселок Матросова Магаданской области, чем Стус возмущался.

Для меня же, как и для многих других рабочих рудника, было удивительным то, что Стуса за проведение антисоветской деятельности направили в ссылку именно в поселок Матросова, куда желающим не так-то легко попасть, и что в этой так называемой ссылке он пользовался всеми правами советского человека, получал большие суммы зарплаты. Вместе с тем меня возмущало то, что Стус в беседах со мной допускал клеветнические высказывания на советский государственный и общественный строй. Так, Стус говорил, что в Советском Союзе «грубо нарушаются права граждан», «отсутствуют свободы», что якобы органы Советской власти «сплошь и рядом творят беззаконие». Здесь же он заявлял, что если находятся в стране «передовые люди» (к таким он относил себя), которые составляют какую-то «оппозицию» Советскому правительству, то таких лиц преследуют, отправляют «в советские концлагеря», в ссылки или в психбольницы. В качестве примера он приводил себя, как якобы незаконно репрессированного, вместе с тем заявлял, что «история его оправдает», его реабилитируют, так же как и его единомышленников. Стус с какой-то злобой высказывался, что власть в СССР «захватила клика коммунистов», а Советское правительство (которое он называл «верхушкой», «олигархией»), по словам Стуса, «угнетает народные массы» и творит «циническое беззаконие».

Хочу отметить, что в период с марта 1978 года по настоящее время я являюсь председателем совета общежития и беседовать со Стусом мне приходилось в связи с выполнением мной этой общественной функции. Конечно, никакого участия в общественной жизни общежития Стус не принимал и уникал от этого. Неоднократно я предлагал принять ему участие в субботниках и воскресниках по уборке территории около общежития или в общежитии, но он избегал этого.

Враждебные высказывания Стуса я слышал в течение примерно двух с половиной лет, то есть с декабря 1977 года — января 1978 года до лета 1979 года, когда Стус убыл из поселка Матросова. Я многократно пытался доказать Стусу ошибочность его суждений, указывал на враждебный характер его высказываний, предупреждал, что за такую деятельность он вновь может быть осужден. Но на это он не реагировал и даже говорил мне: «Это ты выступаешь по поручению «полицейских», которые хотят меня перевоспитать, но они этого не дождутся». Стус называл «полицейскими» сотрудников органов милиции и КГБ, а также народных дружинников.

Кстати, он с каким-то презрением относился к рабочим поселка, бросая оскорбительные слова — «это быдло», «пьяницы», а общежитие рабочих, в котором и сам проживал, называл «кубло».

Примерно в ноябре 1978 года в беседе со мной, как с «земляком» и украинцем, Стус заявил, почему я, как украинец, не выступаю против того, что Украина якобы является «колонией Москвы». Он пояснил, что, находясь в составе СССР, Украина якобы не имеет тех прав, которые имела бы, будучи «самостоятельной» («самостійною» — по его словам), что украинцам нужно сплотиться и вести «национально-освободительную борьбу» за «освобождение» Украины, а не ехать «за тридевять земель за большими заработками».

Я возразил Стусу, что его национализм для меня неприемлем, и попросил больше на эту тему со мной не разговаривать, после чего Стус прекратил разговор. Хочу отметить, что Стус вел со мной вышеуказанные разговоры в поселке Матросова, в основном в общежитии, в отсутствие других лиц.

В июле 1979 года Стус убыл из поселка Матросова, с того времени я больше с ним не встречался, о его судьбе мне ничего не известно. Никаких документов, произведений Стус мне читать не давал, разговоров в отношении каких-либо своих документов Стус со мною не вел.

ВОПРОС. Чем желаете дополнить свои показания?

ОТВЕТ. Я дал правдивые показания в отношении Стуса, о характере наших взаимоотношений и по существу его враждебных высказываний. Никаких дополнений к своим показаниям я не имею.

Протокол допроса я прочитал, дополнений и поправок не имею, записано с моих слов правильно.

Допросил:
Старший следователь следотдела КГБ УССР
майор (Цимох)

ПРОТОКОЛ ДОПРОСА СВИДЕТЕЛЯ

гор. Киев 4 августа 1980 г.

Допрос начат в 10 час. 30 мин.
Окончен в 18 час. 00 мин.
Перерыв с 13 час. до 14 час.

Старший следователь следственного отдела КГБ УССР майор Цимох в помещении следотдела КГБ УССР с соблюдением требований ст. ст. 85, 167 и 170 УПК УССР допросил в качестве свидетеля:

1. Фамилия: Русов.
2. Имя: Евгений.
3. Отчество: Константинович.
4. Год рождения: 9.04.1937 г.
5. Место рождения: гор. Стаханов Ворошиловградской обл.
6. Национальность и гражданство: русский, гражданин СССР.
7. Партийность: член КПСС с 1969 г.
8. Образование: высшее.
9. Род занятий: главный энергетик золотоизвлекательной фабрики рудника им. Матросова Магаданской обл.
10. Постоянное место жительства: пос. Омчак, Тенькинского района, Магаданской обл., ул. Новая, № 19, кв. 7.
11. Паспорт или иной документ: II-ФК № 524817 выдан Омчакским отд. милиции Тенькинского РОВД Магаданской обл. 22.II.1980 г.
12. В каких отношениях состоит с обвиняемым: (прочерк)

В соответствии с ч.IV ст. 167 УПК УССР Русову Е. К. разъяснены обязанности свидетеля, предусмотренные ст. 70 УПК УССР, и он предупрежден об ответственности по ст. 179 УК УССР за отказ или уклонение от дачи показаний по ст. 178 ч. 2 УК УССР за дачу заведомо ложных показаний.

(подпись)

По существу заданных вопросов свидетель Русов Е. К. показал:

С декабря 1971 года по февраль 1973 года я работал на руднике им. Матросова Тенькинского района Магаданской области. С февраля 1975 года я вновь стал работать на этом руднике, а с января 1976 года по настоящее время — в должности главного энергетика золотоизвлекательной фабрики этого рудника. Сейчас, с 12 мая по 24 августа 1980 года, я нахожусь в отпуске, часть которого провел у матери, в городе Стаханове Ворошиловградской области, улица Гагарина, дом № 54. С января 1978 года по июнь 1979 года я проживал в общежитии рудника, в поселке Матросова Тенькинского района Магаданской области, улица Центральная, дом № 37, комната № 36. Весь указанный период моим соседом по комнате являлся Стус Василий Семенович. Первоначально с нами проживал также Парников Василий Захарович, а с марта или апреля 1978 года — Грибанов Валерий Яковлевич. Взаимоотношения со Стусом у меня были нормальные, личных счетов и ссор между нами не было. Вместе с тем хочу отметить, что за период общения со Стусом, то есть с января 1978 года по июнь 1979 года, я часто спорил с ним, поскольку в разговорах со мной Стус систематически допускал клеветнические измышления, порочащие советский государственный и общественный строй, существо которых я изложу ниже. От Стуса я узнал, что он окончил Донецкий педагогический институт, работал учителем и литератором, за написание стихов был осужден на пять лет лишения свободы, а затем отправлен в ссылку в Магаданскую область, на рудник им. Матросова. Стус пояснял, что его репрессировали якобы незаконно, не столько за стихи, которые были изданы на Западе, как за его «убеждения», расходящиеся с линией КПСС и Советского правительства. Он высказывался, что в нашей стране органы власти «нарушают права человека», а «передовых людей», «борцов» за «подлинные свободы» преследуют, отправляя «в концлагеря», в ссылку, «содержат в домах для умалишенных». Часто в разговорах со мною Стус высказывался, что записанные в Конституции СССР права и свободы граждан якобы в действительности отсутствуют, не соблюдаются органами власти, это, по его словам, «фикция», выдумка для обмана советского народа и мировой общественности. Советский государственный и общественный строй он называл — «режим», сравнивая с царским режимом, а органы милиции и КГБ называл — «полицейские», «жандармы», «гебисты», «третье отделение охранки».

Он пытался доказать, что в Советском Союзе такие понятия, как «демократичность», «народность» власти, отсутствуют, поскольку «власть в Центре и на местах» захватили «узурпаторы», «клика», «верхушка», которые якобы угнетают народные массы, что население «запугано», поэтому органы власти «ущемляют права советских граждан», «преследуют» «инакомыслящих».

Себя он также называл «борцом», в разговорах зачастую пытался преувеличить значение своей персоны и своей роли среди «поборников за права человека». В частности, он говорил, что является членом всемирного «ПЭН-клуба» (поясняя, что это клуб литературно-общественного направления), в который его приняли заочно, как «украинского поэта-классика». Рассказывая об испанском поэте-антифашисте Фредерико Гарсиа Лорка, погибшем от франкистов, проводил параллель, что он — Стус и его единомышленники-литераторы тоже «борются» с «советским режимом» и их «в любой час также могут уничтожить». Вместе с тем он заявлял, что его — Стуса «полицейские» не перевоспитают, «не сломают его волю», поскольку он сам «не подогнется», вкладывая в эти выражения, как я понял, свое стремление оставаться на своих прежних антисоветских позициях.

Стус, преувеличивая свою персону, с каким-то презрением относился к рабочим поселка, бросая в их адрес различные оскорбительные слова, говоря, что настоящие почитатели его «таланта поэта» находятся за рубежом, поддерживают его материально и морально. Кстати, от таких «почитателей» Стусу поступали посылки, ценные бандероли, письма — из-за рубежа и его единомышленников в нашей стране. Фамилиями и адресами лиц, которые вели со Стусом переписку, направляли ему посылки и бандероли, я не интересовался, и он сам мне таковых не называл.

В разговорах Стус восхищался западным образом жизни, почти еженощно слушал при помощи своего транзисторного радиоприемника передачи зарубежных радиостанций. Существо этих передач Стус мне не рассказывал.

Касаясь современного положения на Украине, Стус говорил, что там якобы проводится «насильственная руссификация» и «борцов» против этого — «лучших представителей украинской интеллигенции» органы власти репрессируют и преследуют. Он пытался доказать, что Советская Украина якобы является «колонией Москвы» и, находясь в составе ССР, не имеет всех тех прав, которые имела бы, будучи «самостоятельной». При этом также пытался оправдать злодеяния бандитов-бандеровцев как участников «национально-освободительной борьбы» за «освобождение» Украины.

Указанные выше разговоры враждебного содержания Стус вел со мной в отсутствие других лиц.

Каждый раз я доказывал ему ошибочность его рассуждений, указывал на враждебный характер его высказываний и советовал отказаться от такой деятельности, чтобы не быть ему осужденным вновь.

Стус же отвечал, что он боролся и будет бороться «с этим режимом», жертвуя всем «ради идеи». Если же я говорил Стусу, что он длительное время не живет с женой и сыном, о которых он не должен забывать, он отвечал, что хотя сейчас его жена «гебистами запугана», но она якобы его понимает и в душе им гордится.

Мне известно, что жена Стуса дважды приезжала к нему в поселок Матросова. Один раз им предоставили номер в гостинице, а второй раз я и Грибанов освободили для них нашу комнату почти на месяц, в частности я специально взял путевку себе в рудниковский профилакторий. С женой Стуса я виделся только в его присутствии, разговоры вели на бытовые темы. Поэтому не могу сказать, как она относилась к деятельности самого Стуса.

Вместе с тем могу отметить, что сама жена Стуса не произвела на меня впечатление человека, «запуганного» кем бы то ни было.

В июле 1978 года в газете «Ленинское знамя» Тенькинского района, в трех номерах, была напечатана статья «Друзья и враги Василя Стуса». Эту статью я прочитал в присутствии Стуса в нашей комнате общежития, после чего указанную публикацию прочитал Стус. Статью Стус воспринял отрицательно, высказался, что это продолжение творимого в отношении него «беззакония», что это «газетная клевета».

Я тогда обратил внимание Стуса, что в газете подана выдержка из зарубежной бандеровской газеты о нем, что якобы на Стуса было организовано нападение и, убегая от бандитов, он упал из окна второго этажа общежития, которое «зарубежные защитники» Стуса назвали «общежитие ссыльных». Я спросил у Стуса, почему он не возмущается этой ложью зарубежной газеты и каким образом эта «выдумка» оказалась на Западе, но на это Стус мне ничего ответить не смог.

Мне неизвестны случаи, чтобы Стус принимал участие в каких-либо общественных мероприятиях, проводимых на руднике, в поселке и в общежитии, где он проживал. Никаких своих стихов или других произведений и документов Стус мне читать не давал.

ВОПРОС. Чем желаете дополнить свои показания?

ОТВЕТ. Я дал правдивые показания в отношении Стуса, о своих взаимоотношениях с ним и о тех враждебного содержания высказываниях, которые я слышал от Стуса. Хочу отметить, что Стус разговаривал со мной только на русском языке, хотя ему было известно, что я владею украинским языком.

После отбытия Стуса летом 1979 года из пос. Матросова я с ним больше не виделся, с ним не переписывался, о его судьбе мне ничего не известно.

Протокол допроса прочитал, записано с моих слов правильно, дополнений и поправок не имею.

Допросил:
Старший следователь следотдела КГБ УССР
майор (Цимох)

ПРОТОКОЛ ДОПИТУ СВІДКА

місто Київ 7 серпня 1980 р.

Допит почато о 12 год. 15 хв.
Закінчено о 14 год. 30 хв.

Старший слідчий слідчого відділу КДБ УРСР майор Цімох в приміщенні слідчого відділу КДБ УРСР з додержанням вимог ст. ст. 85, 167 і 170 КПК УРСР допитав як свідка:
1. Прізвище: Руденко.
2. Ім’я: Раїса.

3. По батькові: Опанасівна.
4. Дата народження: 20.XI.1939 р.
5. Місце народження: с. Петрівка Синельниківського району Дніпропетровської області.
6. Національність і громадянство: українка, громадянка СРСР.
7. Партійність: безпартійна.
8. Освіта: середня.
9. Рід занять: тимчасово не працює.
10. Місце проживання: м. Київ-84, Конча-Заспа, № 1, кв. 8.
11. Паспорт: IV—МА № 572329 виданий 30.XI.1978 р. Московським РВВС.
12. В яких стосунках з обвинуваченим і потерпілим: (прочерк)

У відповідності з ч. IV ст. 167 КПК УРСР Руденко Р. О. роз'яснені обов'язки свідка, передбачені ст. 70 КПК УРСР, і її попереджено про відповідальність за ст. 179 КК УРСР за відмову або ухилення від дачі показань і за ст. 178 ч. 2 КК УРСР за дачу завідомо неправдивих показань.

(підпис свідка)

На пропозицію дати показання по всіх відомих їй обставинах свідок показала:

Стуса Василя Семеновича я знаю особисто з грудня 1979 року, коли з ним познайомилась в його київській квартирі, по вулиці Чорнобильській, № 13-а, кв. 94. Приблизно з 1977 року я знайома з дружиною Стуса — Попелюх Валентиною Василівною, від якої знала, що Стус перебував в місцях позбавлення волі на території Мордовської АРСР та в засланні в Магаданській області.

У грудні 1979 року, числа не пам'ятаю, я поїхала в гості до Попелюх Валі, де й познайомилась з Василем Стусом. Розмовляла з ним про художню літературу та на побутові теми. У мене склалося враження про нього як про розумну людину і талановитого поета. Про антирадянську діяльність Стуса мені нічого не відомо. Ніякої літератури Стус мені читати не давав, розмови на політичні теми зі мною не вів. Я від нього не чула ніяких наклепницьких вигадок на радянський державний і суспільний лад. Вищевказана зустріч зі Стусом у мене була єдиною. З ним я не листувалася. У травні 1980 року я дізналася про арешт Стуса, причина арешту мені невідома. Нічого іншого відносно

Стуса я показати не можу. 14 травня 1980 року у мене було проведено особистий обшук під час мого перебування в місті Москві.

4 серпня 1980 року було проведено обшук в моїй київській квартирі.

Ці обидва обшуки, як вбачається з постанов про їх проведення, були зроблені по кримінальній справі № 5, тобто відносно Стуса Василя Семеновича.

В зв'язку з цим заявляю, що вилучені у мене під час обшуків по справі відносно Стуса предмети і документи ніякого відношення, як я вважаю, до вказаної справи не мають. Саме тому давати будь-які показання про ці вилучені у мене документи і предмети я відмовляюсь.

ЗАПИТАННЯ. Під час особистого обшуку 14 травня 1980 року у вас, під час перебування у м. Москві, були вилучені ряд документів, листів, в тому числі рукописний документ під назвою «Відкритий лист до російських та українських істориків» на 9 аркушах паперу наклепницького змісту, автором якого значиться засуджений за антирадянську діяльність Бадзьо Юрій Васильович. Покажіть, яким чином цей документ опинився у вас, в місті Москві?

ВІДПОВІДЬ. Ніяких показань відносно документів, що були вилучені у мене під час особистого обшуку 14 травня 1980 року, я давати не буду, оскільки ці документи, як я вважаю, ніякого відношення до кримінальної справи відносно Стуса не мають. З цієї ж причини не бажаю повідомити, яким чином до мене потрапив рукописний документ «Відкритий лист до російських та українських істориків». Можу лише відмітити, що цей документ до мене потрапив не від Стуса, читати Стусу цей документ я не давала.

ЗАПИТАННЯ. Під час обшуку 4 серпня 1980 року у вашій київській квартирі наряду з аркушами паперу, де вказані адреси різних осіб, і друкарською машинкою «Rheinmetall», було вилучено 74 аркуші білого паперу з записаним на них віршовим текстом. Покажіть, хто автор цих віршів і яким чином вони потрапили до вас?

ВІДПОВІДЬ. Я відмовляюсь дати показання відносно вилучених у мене паперів, оскільки вони ніякого відношення до кримінальної справи на Стуса не мають.

Хочу тільки сказати, що вірші на 74 аркушах потрапили до мене не від Стуса і не він є їх автором. Читати Стусу ці вірші я не давала. Прошу відмітити й таке. Вилучена у мене під час обшуку 4 серпня 1980 року друкарська машинка належить мені. У користуванні Стуса вона ніколи не була, на цій машинці для Стуса я нічого не друкувала. І взагалі на цій машинці я не друкувала ніяких документів ворожого змісту. Саме тому я прошу органи слідства повернути мені зазначену друкарську машинку.

Мені роз'яснено слідчим обов'язки свідка, і мене попереджено про відповідальність за ст. 179 КК УРСР за відмову або ухилення від дачі показань і за ст. 178 ч. 2 КК УРСР за дачу завідомо неправдивих показань.

Відносно Стуса я дала показання. Що ж стосується вилучених у мене під час обшуків документів та окремих аркушів з записами, то відносно них я не бажаю давати показання, оскільки вважаю, що вони не мають відношення до кримінальної справи на Стуса.

Протокол я прочитала, з моїх слів записано правильно. Доповнень і поправок не маю.

(підпис)

Допитав:
Старший слідчий слідчого відділу КДБ УРСР
майор (Цімох)

ПРОТОКОЛ ДОПИТУ СВІДКА

м. Донецьк 31 липня 1980 р.

Допит почато о 14 год. 15 хв.
Закінчено о 18 год. 45 хв.

Старший слідчий слідчого відділу КДБ УРСР майор Цімох в приміщенні слідчого відділу УКДБ по Донецькій обл. з додержанням вимог ст. ст. 85, 167 і 170 КПК УРСР допитав як свідка:

1. Прізвище: Сірик.
2. Ім'я: Микола.
3. По батькові: Іванович.
4. Дата народження: 17.V.1954 р.
5. Місце народження: с. Проїжджє Старобільського району Ворошиловградської області.

6. Національність і громадянство: українець, громадянин СРСР.
7. Партійність: безпартійний.
8. Освіта: 9 класів.
9. Рід занять: робітник Старобільського заводу залізобетонних виробів.
10. Місце проживання: село Піщане Старобільського району Ворошиловградської області.
11. Паспорт: ІІ-ЕД № 688781 виданий 22.ІІ.1977 р. Старобільським РВВС.
12. В яких стосунках з обвинуваченим і потерпілим: (прочерк)

У відповідності з ч. IV ст. 167 КПК УРСР Сірику М. І. роз'яснені обов'язки свідка, передбачені ст. 70 КПК УРСР, і його попереджено про відповідальність за ст. 179 КК УРСР за відмову або ухилення від дачі показань і за ст. 178 ч. 2 КК УРСР за дачу завідомо неправдивих показань.

(підпис свідка)

На пропозицію дати показання по всіх відомих йому обставинах свідок показав:

В липні 1973 року мене було засуджено Ворошиловградським обласним судом за ст. 62 ч. 1 КК УРСР за вчинення державного злочину — антирадянської агітації і пропаганди до 7 років позбавлення волі. У грудні 1973 року для відбуття міри покарання мене було направлено у виправно-трудову установу № 19 селища Лісний Мордовської АРСР, де я перебував до лютого 1977 року. У лютому 1977 року Президія Верховної Ради УРСР мене помилувала і я був звільнений від відбуття покарання. З того часу я проживаю в селі Піщане Старобільського району Ворошиловградської області. Перебуваючи в місцях позбавлення волі, у ВТУ-19 я вперше почув про Стуса Василя Семеновича у грудні 1973 року як про колишнього літератора, що відбуває покарання за антирадянську агітацію і пропаганду в цій же установі, де знаходився і я. Зі Стусом я познайомився у грудні 1974 року у штрафному ізоляторі ВТУ-19, куди мене помістили за порушення правил режиму. За порушення таких правил в цей же ізолятор було поміщено Стуса. В ізоляторі ми перебували разом 15 діб. Вдруге я зустрівся зі Стусом у березні 1975 року також в штрафному ізоляторі, де ми перебували протягом 15 діб. У квітні 1975 року я потрапив до лікарні виправно-трудової установи № 19 в зв'язку з хворобою шлунка.

Там же перебував і Стус протягом 10—15 діб. Після лікування я залишився працювати в цій же лікарні і знаходився там до вересня 1975 року. Далі мене направили в зону ВТУ-19, де у вересні 1975 року я зустрівся зі Стусом і спілкувався з ним до лютого 1977 року. Стосунки з ним у мене були нормальні, особистих порахунків і сварок між нами не було.

Спілкуючись зі Стусом у грудні 1974 року, у березні і квітні 1975 року та в період з вересня 1975 року до лютого 1977 року я переконався, що Стус є відкритий ворог радянської влади, який вперто, систематично і послідовно поширював наклепницькі вигадки на радянський державний і суспільний лад, закликав мене та інших засуджених до проведення антирадянської боротьби. Він був ініціатором написання засудженими різних петицій, заяв, скарг в різноманітні установи, організації, до органів влади, в тому числі до Президії Верховної Ради СРСР. Стус також систематично спонукав осіб ВТУ-19 до проведення голодовок з різних приводів, у вигляді так званих «протестів».

Впевнившись в тому, що я був малокомпетентний в питаннях націоналістичного трактування історії України, боротьби різного роду відщепенців проти Радянської влади, Стус постійно рекомендував мені займатись «самоосвітою», вивченням цих питань, давав читати різні рукописні документи націоналістичного, ідейно-шкідливого змісту. Назви цих документів я не пам'ятаю і не знаю, ким вони були складені.

В розмовах зі мною Стус говорив, що в Радянському Союзі нібито порушуються права людини, що органи влади чинять «беззаконня», арештовують і засуджують «безвинних» людей. Як приклад цьому, він називав себе та інших осіб, засуджених за антирадянську діяльність. Стус постійно обробляв мене в антирадянському і націоналістичному дусі. Він намагався довести мені, що Україна у складі СРСР нібито не є рівноправною республікою, а перебуває «в підневільному стані», в залежності від Росії, «від Москви», і що наша республіка нібито є «колонією Москви». При цьому він заявляв, що на території України проводиться «насильницька русифікація», яку, за його словами, чинять органи Радянської влади та «кліка комуністів».

Стус постійно говорив мені, що «проти Радянської влади всі засоби боротьби підходять», починаючи від антирадянської агітації і пропаганди до вчинення терористичних акцій проти відповідальних партійних і радянських працівників, проти «поліцейських» (цим словом він називав працівників органів КДБ і міліції). Він постійно твердив: «На терор проти «нас» (маються на увазі антирадянщики), — потрібно відповідати нашим терором». Як я вказав вище, Стус був ініціатором масових голодовок засуджених, невиходів на роботу, написання різких заяв, скарг. Стус підкреслював, що таку ворожу боротьбу потрібно вести постійно, всюди: в колоніях, в місцях заслання «на волі», намагався довести, що «перемога над органами Радянської влади» може наступити тільки тоді, коли всі антирадянщики, всі течії антирадянської боротьби — дисиденти, націоналісти, сектанти та інші об'єднаються і не будуть між собою ворогувати. Стус говорив мені, що він став на шлях «революціонера», «борця за права людини в СРСР» і що з цього шляху він ніколи не зійде, завжди і всюди вестиме боротьбу проти існуючого в нашій країні ладу, який він називав — «фашистський режим», а також порівнював його з режимом царської Росії.

Я впевнився, що під вплив Стуса потрапляли інші особи, що відбували покарання у виправно-трудовій установі № 19, зокрема Овсієнко Василь Васильович, якого було засуджено Київським обласним судом до 4 років позбавлення волі. На мій погляд, саме під впливом Стуса Овсієнко залишився на ворожих позиціях. Слід відмітити, що серед антирадянщиків, які перебували у ВТУ-19, Стус вважався «есбістом», тобто виконувачем функцій так званої «служби безпеки», що існувала (як я дізнався в колонії) в бандитів-бандерівців організації українських націоналістів (ОУН).

В той період, коли я перебував в зазначеній колонії, я впевнився, що в зв'язку з ворожою діяльністю Стуса, яку він там проводив, важко було бути в колонії тим особам, що ставали на шлях виправлення, бо їм Стус і його «єдинодумці» оголошували свого роду бойкот і ті особи відчували свою ізоляцію, мусили підписувати різного роду заяви, скарги, брати участь в голодовці, не виходити на роботу.

Не дивлячись на це, я все ж таки вирішив стати на шлях справжньої радянської людини, порвати з своїм злочинним минулим. В кінці 1976 року я написав заяву до Президії Верховної Ради СРСР, щоб мене помилували, в якій визнав як злочинну свою минулу діяльність, розкаявся і дав обіцянку більше антирадянською діяльністю не займатися. У лютому 1977 року мене було помилувано і звільнено від дальшого відбуття покарання. З того часу я з Стусом більше не зустрічався, з ним не листувався, про його долю нічого мені не відомо.

ЗАПИТАННЯ. Чи можете ви назвати осіб, що перебували у виправно-трудовій установі № 19, серед яких Стус поширював наклепницькі вигадки на радянський державний і суспільний лад?

ВІДПОВІДЬ. Мені важко назвати осіб, які можуть повідомити про факти ворожих висловлювань Стуса, бо під час розмов, що Стус проводив зі мною, інших осіб не було. Стус в якійсь мірі додержувався принципу — проводити розмову з тією чи іншою особою наодинці, дотримуючись певної конспірації. Вище я назвав Овсієнка як особу, з якою Стус підтримував тісні контакти. Вважаю, що Овсієнко відмовиться дати будь-які показання відносно Стуса та про факти його ворожої діяльності. Назвати якихось інших осіб, що можуть повідомити про ворожу діяльність Стуса в період його перебування у ВТУ-19, я не можу, бо не знаю таких конкретних осіб.

ЗАПИТАННЯ. Чим бажаєте доповнити свої показання?

ВІДПОВІДЬ. Я дав правдиві показання відносно Стуса, про мої стосунки з ним та по суті його ворожих висловлювань, що Стус систематично допускав у розмовах зі мною в період: грудня 1974 року, березня-квітня 1975 року, з вересня 1975 року до лютого 1977 року під час перебування в місцях позбавлення волі, у виправно-трудовій установі № 19 Мордовської АРСР. Хочу лише відмітити, що в 1975—1977 роках я кілька разів виконував доручення Стуса, переховуючи його рукописні документи в зоні ВТУ-16, зі змістом яких я не знайомий.

Протокол допиту я прочитав. Показання з моїх слів записано правильно. Доповнень і поправок не маю.

30/VII-80 р. ______________ (Сірик) (Сирык)

Допитав: старший слідчий слідчого відділу
КДБ УРСР майор (Цімох)

ПРОТОКОЛ ДОПИТУ СВІДКА

місто Київ 5 серпня 1980 р.

Допит почато о 17 год. 30 хв.
Закінчено о 18 год. 40 хв.

Старший слідчий Слідчого відділу КДБ Української РСР майор Селюк в приміщенні Слідчого відділу КДБ УРСР, кабінет № 20, з додержанням вимог ст. ст. 85, 167 і 170 КПК УРСР допитав як свідка:

1. Прізвище: Семенюк.
2. Ім'я: Клим.
3. По батькові: Васильович.
4. Дата народження: 1931.
5. Місце народження: с. Золотолин Костопільського р-ну Ровенської обл.
6. Національність і громадянство: українець, громадянин СРСР.
7. Партійність: безпартійний.
8. Освіта: 7 класів.
9. Рід занять: Київське будівельне управління механізації № 57, крановщик.
10. Місце проживання: місто Київ, вулиця Корнійчука, будинок 16, кв. 128.
11. Паспорт: при собі не має, особа встановлена.
12. В яких стосунках з обвинуваченим і потерпілим: (прочерк)

У відповідності з ч. IV ст. 167 КПК УРСР Семенюку К. В. роз'яснені обов'язки свідка, передбачені ст. 70 КПК УРСР, і його попереджено про відповідальність за ст. 179 КК УРСР за відмову або ухилення від дачі показань і за ст. 178 ч. 2 КК УРСР за дачу завідомо неправдивих показань.

(підпис свідка)

На пропозицію дати показання по всіх відомих йому обставинах свідок показав:

Названого мені Стуса Василя Семеновича я особисто не знаю, ніколи з ним не зустрічався. Я тільки чув, що є така людина — письменник, але ніяких його творів я не читав, навіть не знаю, чи є в нього щось надруковане.

Від кого саме я чув, що є така людина, я зараз не пригадую, бо це було дуже давно.

Показати щось стосовно Стуса я не можу, тому що, як уже показав, я з ним не знайомий і про його діяльність мені нічого не відомо.

14 травня 1980 року слідчими органами в моїй квартирі був проведений обшук, під час якого було вилучено чотири фотоплівки, три з яких у касетах. Названі фотоплівки належать моїй дочці, і я не знаю,

чи щось на них зафотографовано. Особисто я фотографією не займаюсь і вилученими в мене фотоплівками не користувався.

ЗАПИТАННЯ. Чи є в вас доповнення до своїх показань?

ВІДПОВІДЬ. Доповнень до своїх показань я не маю.

Протокол я прочитав, записано з моїх слів вірно, доповнень не маю.

Старший слідчий Слідчого відділу КДБ
Української РСР майор Селюк

УПРАВЛЕНИЕ КГБ при СОВЕТЕ МИНИСТРОВ СССР
по Магаданской области

ПРОТОКОЛ
допроса свидетеля

поселок Матросова
Магаданской обл. 8 июля 1980 г.

Старший следователь следотдела КГБ УССР майор Цимох в помещении административного здания рудника им. Матросова с соблюдением требований ст. ст. 72—74, 157, 158 и 160 УПК РСФСР допросил в качестве свидетеля Сонникова Евгения Ивановича.

Мне разъяснено, что согласно ст. 73 и 74 УПК РСФСР свидетель может быть допрошен о особых обстоятельствах, подлежащих установлению по данному делу, и обязан дать правдивые показания: сообщить все известное ему по делу и ответить на поставленные вопросы.

Об уголовной ответственности по ст. 182 УК РСФСР за отказ или уклонение от дачи показаний, по ст. 181 ч. 2 УК РСФСР за дачу заведомо ложных показаний предупрежден.

(подпись свидетеля)

Кроме того, мне разъяснено, что в соответствии со ст. ст. 141 и 160 УПК РСФСР я имею право после дачи показаний написать их собственноручно, ознакомиться с протоколом допроса и требовать дополнения протокола допроса и внесения в него поправок, а также ходатайствовать о применении звукозаписи при допросе.

(подпись свидетеля)

О себе сообщаю следующее:

1. Фамилия, имя, отчество: Сонников Евгений Иванович.
2. Дата, месяц, год рождения: 31 января 1934 года.
3. Место рождения: дер. Кузовино Лихославльского района Калининской области.
4. Национальность, гражданство: русский, гражданин СССР.
5. Образование: 7 классов.
6. Принадлежность к КПСС, ВЛКСМ: беспартийный.
7. Место работы, должность: машинист скрепера (скреперист) участка № 1 рудника им. Матросова.
8. Семейное положение: женат.
9. Судимости: ранее не судим.
10. Место жительства: пос. им. Матросова, ул. Клубная, № 27, кв. 7 Тенькинского района Магаданской области.
11. Документ, удостоверяющий личность: личность установлена.

Допрос начат в 13 час. 40 мин.
Допрос окончен в 14 час. 25 мин.

По существу дела показываю следующее. С 1958 года по настоящее время я работаю на руднике им. Матросова, скреперистом участка № 1.

Весной 1977 года в нашу бригаду поступил работать скреперистом Стус Василий Семенович. Взаимоотношения у меня с ним были нормальные, личных счетов не было. О себе, о своей прошлой жизни Стус рассказывал мало, говорил лишь, что он — украинский поэт, которого незаконно репрессировали и после пятилетнего лишения свободы направили «на исправление» в ссылку на наш рудник. Стус также пояснял, что в Советском Союзе его стихи не печатают, а за границей вышел сборник его стихов и его — Стуса — приняли в члены какого-то литературного клуба.

Со Стусом я общался мало, в его комнате общежития я не бывал. Стус как-то сторонился членов бригады, в которой он работал, говорил, что по указанию органов милиции и КГБ за ним якобы «следят», потому он предпочитает не общаться с членами своей бригады помимо работы. Вместе с тем Стус всегда по малейшему поводу выражал недовольство и любую мелочь в степень возводил. Помню, что однажды он не нашел своих рукавиц на работе и начал возмущаться:

«Если не будет рукавиц, я на работу не выйду», «Аванс буду получать только в рукавицах».

На эти «возмущения» я сказал тогда Стусу: «Что ты из себя клоуна делаешь? Обратись к мастеру или к бригадиру, и рукавицы тебе выдадут».

Об этом случае с рукавицами я рассказал корреспонденту районной газеты «Ленинское знамя» в июне 1978 года, после чего в июле 1978 года в этой газете появилась статья о Стусе. В статье упоминалась и моя фамилия, где писалось в отношении эпизода с рукавицами. После публикации статьи Стус перестал здороваться и разговаривать со мной, а также с другими лицами, что упоминались в статье. Высказываний, порочащих советский государственный и общественный строй, я от Стуса не слышал, на политические темы с ним не разговаривал. От рабочего Мастракова Петра, который осенью 1978 года проживал в одной комнате со Стусом, я узнал, что Стус каждую ночь прослушивал передачи зарубежных радиостанций, а также что он — Стус неодобрительно высказывался о политике советского государства, однако конкретные факты мне неизвестны.

Протокол допроса я прочитал, записано с моих слов правильно, дополнений и поправок не имею.

(подпись)

Допросил:
Старший следователь следственного отдела
КГБ УССР майор Цимох

УПРАВЛЕНИЕ КГБ при СОВЕТЕ МИНИСТРОВ СССР
по Магаданской области

ПРОТОКОЛ ДОПРОСА СВИДЕТЕЛЯ

поселок Матросова
Магаданской обл. 7 июля 1980 г.

Старший следователь следотдела КГБ УССР майор Цимох в помещении административного здания рудника им. Матросова с соблюдением требований ст. ст. 72—74, 157, 158 и 160 УПК РСФСР допросил в качестве свидетеля Храмова Петра Васильевича.

Мне разъяснено, что согласно ст. 73 и 74 УПК РСФСР свидетель может быть допрошен о особых обстоятельствах, подлежащих установлению по данному делу, и обязан дать правдивые показания: сообщить все известное ему по делу и ответить на поставленные вопросы.

Об уголовной ответственности по ст. 182 УК РСФСР за отказ или уклонение от дачи показаний по ст. 181 ч. 2 УК РСФСР за дачу заведомо ложных показаний и предупрежден.

(подпись свидетеля)

Кроме того, мне разъяснено, что в соответствии со ст. ст. 141 и 160 УПК РСФСР я имею право после дачи показаний написать их собственноручно, ознакомиться с протоколом допроса и требовать дополнения протокола допроса и внесения в него поправок, а также ходатайствовать о применении звукозаписи при допросе.

(подпись свидетеля)

О себе сообщаю следующее:

1. Фамилия, имя, отчество: Храмов Петр Васильевич.
2. Дата, месяц, год рождения: 25 января 1939 года.
3. Место рождения: село Прости, Набережно-челненского района Татарской АССР.
4. Национальность, гражданство: русский, гражданин СССР.
5. Образование: среднее специальное.
6. Принадлежность к КПСС, ВЛКСМ: беспартийный.
7. Место работы, должность: машинист скрепера участка № 1 рудника им. Матросова.
8. Семейное положение: холост.
9. Судимости: ранее не судим.
10. Место жительства: пос. Матросова, ул. Центральная, № 26, кв. 6, Тенькинского района Магаданской области.
11. Документ, удостоверяющий личность: личность установлена.

Допрос начат в 17 час. 15 мин.
Допрос окончен в 18 час. 55 мин.

По существу дела показываю следующее.

С 1964 года по настоящее время я работаю на руднике им. Матросова, машинистом скрепера участка № 1. С 1969 года до июня 1980 года я был бригадиром скреперистов участка № 1. Примерно в мае-июне 1977 года в мою бригаду прибыл Стус Василий Семенович, который работал в одной смене со мной, вначале в качестве ученика, а затем он был моим напарником — машинистом скрепера. Зарплату он получал по 3-му разряду наравне с другими рабочими. О себе Стус рассказал очень мало, сообщил лишь, что он поэт-литератор, которого за «вольнодумство» осудили на 5 лет лишения свободы и на 3 года ссылки, в связи с чем он и прибыл в марте 1977 года в Магаданскую область, на рудник им. Матросова. Первоначально он работал на руднике в другой бригаде, а затем был определен ко мне в бригаду. Отношения со Стусом у меня были нормальные, личных счетов с ним не имел. Стус сторонился меня, считал, что его специально определили ко мне, чтобы я наблюдал за его поведением как ссыльного, хотя эти его предположения не соответствовали действительности.

Разговоров на политические темы у меня со Стусом не было, клеветнических высказываний от него я не слышал. Вместе с тем он все время выражал неудовольствие по поводу различных мелочных неполадков на руднике. Так, в мае 1978 года имел место случай, что на нашей смене не было респираторов типа «лепесток», которых вовремя не завезли на участок, хотя имеются (и тогда имелись) респираторы другого типа. Стус, узнав об отсутствии респираторов типа «лепесток», на работу не вышел, считая, что бригада в знак протеста не выйдет на работу. Однако он просчитался, поскольку все члены бригады, за исключением Стуса, в этот день работали, поскольку нам выдали респираторы типа «лепесток» из «НЗ» начальника участка.

За этот прогул руководство рудника перевело Стуса на два или три месяца рабочим по зачистке путей, то есть на нижеоплачиваемую должность. Этим наказанием Стус возмущался, говоря, что это насилие над личностью, хотя в действительности наказание Стуса администрацией рудника за нарушение трудовой дисциплины было правильным.

В августе 1977 года Стус попал в хирургическое отделение Транспортинской больницы по поводу перелома обеих пяточных костей.

Узнав об этом, я проведал Стуса в указанной больнице, которая находится примерно в 40 километрах от нашего поселка. Стус пояснил мне, что в случившейся с ним травме он сам виноват — упал со второго этажа, когда пытался попасть через форточку окна своей комнаты, расположенной на втором этаже, которая оказалась закрытой.

В июне 1978 года на рудник прибыла корреспондент районной газеты «Ленинское знамя», которая интересовалась Василием Стусом, его работой и поведением на руднике. В беседе со мной я сообщил корреспонденту о том, что мне было известно о Стусе, в частности о его прогуле из-за отсутствия респиратора. Вскоре после этого, в июле 1978 года, в указанной газете появилась статья «Друзья и враги Василя Стуса», в которой упоминалась и моя фамилия по поводу случая с респираторами и прогула Стуса. Рабочие рудника восприняли с одобрением эту статью и были возмущены изложенными фактами наглого поведения Стуса. Особенно многих, в том числе и меня, возмутили так называемые «защитники» Стуса с Запада, в частности ложное сообщение зарубежной националистической газеты «Шлях перемоги» о том, что Стус получил перелом ног, «убегая от бандитов», якобы совершивших на него нападение, поскольку многие жители поселка знали действительную причину травмы Стуса.

После появления этой статьи Стус перестал здороваться с лицами, упоминавшимися в статье, в том числе и со мной. Я спросил у него причину такого отношения ко мне. Он мне ответил, что здесь, на руднике, все люди — предатели и трусы, и я в том числе, поскольку рассказал о нем — Стусе корреспонденту газеты, что, мол, он «борется против существующей несправедливости», а о нем пишут в газете, извращая (по его словам) факты.

После этого Стус общался со мной только по вопросам работы. Мне известно, что Стусу поступали из-за границы посылки и бандероли. Однажды весной 1978 года Стус сообщил мне, что он «сегодня купил свою бандероль», пояснил, что ему поступила из-за границы от незнакомых людей бандероль, которая была оценена на почте в 18 рублей, и эту сумму денег он уплатил. Тогда же Стус рассказал мне, что за границей вышел сборник его стихов, поэтому «почитатели его таланта поэта» в знак признательности направляют ему вещевые и продуктовые посылки и бандероли и ему неудобно от них (посылок и бандеролей) отказываться, чтобы не обидеть этих незнакомых ему «почитателей».

С кем общался Стус в поселке, мне неизвестно, у него, в комнате общежития, я был лишь единственный раз в течение 5—10 минут, в отсутствие других лиц.

Никаких книг, а также машинописных и рукописных документов Стус мне читать не давал. В августе 1979 года Стус убыл из нашего поселка, о его дальнейшей судьбе мне ничего не известно.

Протокол допроса я прочитал, записано с моих слов правильно, дополнений и поправок не имею.

(подпись)

Допросил:
Старший следователь следственного отдела
КГБ УССР майор (Цимох)

КОМИТЕТ ГОСУДАРСТВЕННОЙ БЕЗОПАСНОСТИ
при СОВЕТЕ МИНИСТРОВ ТАССР
ПРОТОКОЛ ДОПРОСА СВИДЕТЕЛЯ

г. Казань 31 июля 1980 г.

Допрос начат в 9 час. 45 мин.
Допрос окончен в 12 час. 00 мин.

Ст. следователь по ОВД следственного отделения КГБ ТАССР майор Каримов в помещении КГБ ТАССР, руководствуясь требованиями ст.ст. 157, 158 и 1960 УПК РСФСР, допросил в качестве свидетеля: Шарипова Р. Г.

1. Фамилия, имя и отчество: Шарипов Рашид Гарифович.
2. Год рождения: 1924.
3. Место рождения: г. Великий Устюг, Вологодской области.
4. Национальность: татарин.
5. Гражданство: СССР.
6. Образование: среднее (незакон.).
7. Партийность: чл. КПСС с 1948 г.

8. Место работы и должность: пенсионер.
9. Место жительства: г. Казань, ул. Адель Кутуя, д. 5«а», кв. 29.
10. Судимость: не судим.
11. Документ, удостоверяющий личность: паспорт № I-ФК 610233.
12. На каком языке желает давать показания: на русском языке, которым владею хорошо.

(подпись)

Предусмотренные ст. ст. 73 и 160 УПК РСФСР обязанности свидетеля — дать правдивые показания: сообщить все известное ему по делу и отвечать на поставленные вопросы и лично знакомиться с протоколом допроса: требовать дополнения и внесения в него поправок, которые подлежат обязательному занесению в протокол; после дачи показания написать их собственноручно — мне разъяснены.

Об ответственности за отказ или уклонение от дачи показании, предусмотренной ст. УК РСФСР, и за дачу заведомо ложных показаний, предусмотренной ст. 181 УК РСФСР, предупрежден.

(подпись)

На предложение рассказать все ему известное об обстоятельствах, в связи с которым вызван на допрос, свидетель показал:

Начальником отдела кадров рудника имени Матросова я работал с 19.10.71 года по 29.06.79 года, т. е. до ухода на пенсию. Начальником добровольной народной дружины (ДНД) я был с 19.10.71 года по сентябрь 1976 года, а впоследствии до отъезда из поселка являлся рядовым ДНД.

Стуса Василия Семеновича я знал с момента его прибытия на рудник им. Матросова, примерно с марта 1977 года и до моего отъезда с этого рудника в 1979 году. Стус прибыл в поселок отбывать ссылку. Работал он машинистом скрепера подземно-горного участка. Я его оформлял на работу как начальник ОК, а поэтому взаимоотношения с Стусом были только служебные, дружбы между нами, я имею в виду, личной, не было. Ссор не было также. Неприязни к Стусу я не питал тогда и не питаю и сейчас.

Надо сказать, что не без моего участия Стусу, после его прибытия на рудник, были созданы неплохие условия для жизни. Он получил хорошее место в общежитии, ему выдали хорошую спецодежду, денежный аванс, его обучили профессии машиниста, он прилично, по 400 рублей зарабатывал, к нему приезжала жена, которая жила иногда продолжительное время. Стусу и жене предоставляли или номер в гостинице, или комнату в общежитии, и несмотря на все это Стус отвечал тем, что систематически нарушал трудовую дисциплину: опаздывал на работу, были случаи невыхода на работу; не выполнял норму выработки, был груб с товарищами по своей бригаде.

Стус, на мой взгляд, в политическом отношении негативен ко всему советскому. Я бы сказал, что он даже резко антисоветски настроен. Это видно было и из его поведения и высказываний. Стус, были случаи, вывешивал в общежитии объявления о том, что он объявляет политическую голодовку. Я сам видел однажды такое объявление, которое висело на дверях его комнаты. Надо сказать, что никаких поводов для таких действий со стороны Стуса не было. Его разговоры о том, что за ним следят, ему не дают нужные ему книги, были необоснованными. Он пользовался всеми правами рабочего и гражданина СССР, но выходки его были такие, что он давал повод думать о нем как о человеке не советского характера и, как я сказал, антисоветчика. Мне известен случай, когда Стус демонстративно разорвал профсоюзный билет, считая, что ему необоснованно не выплачивают больничные; мне приходилось неоднократно разговаривать с Стусом, как начальнику ОК. Поводом для разговоров было неправильное поведение на работе, о чем я уже показывал. В ходе этих разговоров, которые я использовал для воспитания Стуса, он допускал такие высказывания: в СССР нет свободы слова, печати, передвижения; он очень не любил работников милиции, которые официально надзирали над ним как над ссыльным, с сарказмом называл их «полицейскими», в разговоре со мной Стус пытался провести равенство между гестапо и КГБ, говоря, что «вот в Киеве во время немецкой оккупации в таком-то здании было гестапо, а сейчас КГБ». Все это произносилось с иронией и сарказмом. В разговорах со мной Стус допускал и националистические высказывания, говоря, что «Украина должна быть для украинцев и только, а Татария для татар».

Стус также восхищался известным академиком Сахаровым. Он говорил, что Сахаров истинный борец за свободу, подчеркивая свое расположение к этому человеку, как-то послал в адрес Сахарова в Москву телеграмму, что он, Стус, объявляет политическую голодовку.

Как я уже показал выше, я разговаривал с Стусом и на политические темы и, видя, что он допускает, на мой взгляд, даже антисоветские суждения, пытался переубедить его, воздействовать на Стуса положительно, но мои слова не доходили до него и он продолжал делать все по-своему. Естественно, наши разговоры, можно сказать, носили характер споров. Мне известно, что Стус «за глаза» называл меня почему-то «полицейским». Я думаю, что ему не по душе было, что я пытался делать из него порядочного человека. Мои разговоры с Стусом обычно происходили в моем служебном помещении в присутствии наших работников, а когда я по долгу службы заходил в общежитие, в его комнате. Я имел такие встречи с Стусом в основном тогда, когда он только приехал в пос. Матросова, потом наши встречи и разговоры почти прекратились. Стус перестал здороваться со мной и, видимо, стал питать ко мне какую-то неприязнь, хотя поводов для этого не было и, повторяю, я хотел сделать для Стуса только хорошее. Допускал ли Стус в присутствии других высказывания, порочащие советский государственный строй, я не знаю.

Мне известно, что со Стусом имели многократные беседы руководство рудника: директор — Войтович В. С., секретарь парткома — Вичканов В. Т., председатель рудкома — Фисенко Е. П.; как мне известно, поводом для этих бесед было нарушение Стусом трудовой дисциплины. Наши товарищи, зная, кто такой Стус, пытались влиять на него положительно. Стус обсуждался на собрании рабочих рудника как нарушитель трудовой дисциплины, его обсуждали на группе профилактики по борьбе с пьянством. Поводом для этого было то, что Стус, будучи пьяным, нарушил общественный порядок в общежитии. И, наконец, он был подвергнут резкому осуждению среди рабочих на расширенном заседании рудкома. Поводом для этого послужила статья в местной газете «Ленинское знамя». Статья называлась «Кто такой Василий Стус». Не помню сейчас полностью содержание статьи, но в ней было сказано о негативных сторонах жизни Стуса, о его связях с заграницей, о его какой-то грязной писанине, о его плохой работе, нарушениях и вообще о его личности. Статья была и зла, и благожелательна. Стус сам лично потребовал созыва рудкома, где, выступив, пытался опорочить корреспондента, автора статьи, считая, что тот оклеветал его. Не помню подробности выступления Стуса, но и здесь он считал себя «борцом за правду», а когда простые рабочие в своих выступлениях стали резко критиковать Стуса, он с заседания рудкома ушел.

Считаю, что все принятые меры воздействия на Стуса положительного влияния на него не имели. Мне кажется, что он больше озлоблялся и продолжал вести себя так, как и раньше.

Время с момента выезда из поселка Матросова прошло довольно много, видимо, я кое-что уже забыл, а поэтому мог упустить сейчас известное о Стусе.

Протокол допроса мною прочитан, с моих слов записано правильно, замечаний не имею.

(подпись)

Допросил: майор Каримов

ПРОТОКОЛ ДОПИТУ СВІДКА

м. Київ 29 серпня 1980 р.

Допит почато о 11 год. 50 хв.
Закінчено о 12 год. 35 хв.

Старший слідчий Слідчого відділу КДБ Української РСР капітан Бойцов за дорученням ст. слідчого того ж відділу майора Селюка в приміщенні Слідвідділу КДБ УРСР з додержанням вимог ст. ст. 85, 167 і 170 КПК УРСР допитав як свідка:

1. Прізвище: Шевченко.
2. Ім'я: Олесь.
3. По батькові: Євгенович.
4. Дата народження: 22.02.1940 р.
5. Місце народження: м. Сквира Київської області.
6. Національність і громадянство: українець, гр-н СРСР.
7. Партійність: безпартійний.
8. Освіта: вища.
9. Рід занять: (прочерк)

10. Місце проживання: утримується в слідчому ізоляторі КДБ УРСР.
11. Паспорт: (прочерк)
12. В яких стосунках з обвинуваченим і потерпілим: (прочерк)

У відповідності з ч. IV ст. 167 КПК УРСР Шевченку О. Є. роз'яснені обов'язки свідка, передбачені ст. 70 КПК УРСР, і його попереджено про відповідальність за ст. 179 КК УРСР за відмову або ухилення від дачі показань і за ст. 178 ч. 2 КК УРСР за дачу завідомо неправдивих показань.
(підпис свідка) /Шевченко/

На пропозицію дати показання по всіх відомих йому обставинах свідок показав:

З Василем Стусом мені ніколи не доводилось зустрічатися і бути з ним знайомим. Проте в 60-х роках, точніше 65—66 році, мені неодноразово доводилось чути це ім'я у середовищі літстудійців як сучасного українського поета. Потім у 1972 році я дізнався від когось, кого саме не пам'ятаю, що Василь Стус був засуджений до ув'язнення за антирадянську діяльність. Більшої інформації про цю особу я не мав. Наприкінці 1976 року я одержав від Надії Світличної з її ініціативи архів «табірної пошти», в якому серед інших документів був «Відкритий лист до Івана Дзюби» за підписом Василя Стуса. Десь в той же час я переписав цього листа, а отриманий оригінал знищив. Переписаний мною «Відкритий лист...» Василя Стуса зберігався у мене вдома для власного користування. Копію цього листа я виготовив власноручно тільки в одному примірнику і з моменту його отримання нікуди з моєї квартири не передавав і інших осіб з ним не знайомив. Оце, зрештою, і все, що мені відомо про Василя Стуса. Щодо проведення ним антирадянської діяльності мені нічого не відомо, як особисто, так і від будь-кого іншого.

Протокол допиту я прочитав, покази з моїх слів записані правильно. Доповнень до протоколу та виправлень не маю.
(підпис) /Шевченко/

Старший слідчий Слідвідділу
КДБ Української РСР капітан Бойцов

ТОМ 4

Копія
прим. 2

Голові Державного комітету
Ради міністрів Української РСР
по телебаченню і радіомовленню

29 липня 80 р. тов. Охмакевичу М. Ф.
м. Київ

В зв'язку з розслідуванням кримінальної справи відносно Стуса Василя Семеновича просимо перевірити та повідомити нас, чи використовувались з антирадянською метою в передачах зарубіжних радіостанцій матеріали політичного та художнього характеру, автором яких є Стус.

Якщо такі матеріали використовувались, просимо повідомити, якими саме радіостанціями велись такі передачі на протязі 1972—1980 років, на яких мовах та їх зміст.

Начальник Слідчого відділу КДБ Української РСР
полковник В. Д. Туркин

Вірно: Старший слідчий Слідвідділу КДБ УРСР майор Селюк

Віддрук. 2 прим.
1-й в адрес
2-й в справу
Виконав і друкував
без чернетки, Селюк
29.07.1980 р. 29.VII.80

Державний Комітет
Української РСР
по телебаченню і радіомовленню
(Держтелерадіо УРСР)
252001, м. Київ-1, Хрещатик, 26
01.08.80 № 505с
На № 6/551 від 29.07.80

Государственный Комитет
Украинской ССР
по телевидению
и радиовещанию
(Гостелерадио УССР)
282001. г. Киев-1,
Крещатик, 26

Примірник № 1

Комітет Державної безпеки УРСР
Держтелерадіо УРСР надсилає текст передачі зарубіжної радіостанції «Радіо Свобода» від 27 лютого 1980 р. стосовно Стуса В. С.
Додаток: на 2-х аркушах, не таємно.

Заступник голови Держтелерадіо УРСР І. П. Хропко

Надрук. 2 примірн.
№ І прим. — адресату
№ 2 прим. — до справи
Виконавець т. Єрмак
Надрукувала Павлова
б/ч
МК № 505с

01.07.80

Следотдел КГБ
при СМ УССР
6.VIII.1980 Вх. № 445

«Радіо «Свобода» (27.II.80 року)
«Відомий український поет, перекладач, літературний критик Василь Стус виступив із заявою в обороні свого репресованого товариша, правозахисника Миколи Горбаля, засудженого недавно до 5 років позбавлення волі. Поінформуємо вас про заяву Василя Стуса. Спочатку кілька слів про автора.

Василь Семенович Стус народився 8 січня 1938 року на Вінниччині. Він закінчив Донецький педагогічний інститут, був аспірантом Інституту літератури Академії наук УРСР. Заарештований він 13 січня 1972 року і засуджений 7 вересня того самого року Київським обласним судом за статтею 62 Кримінального кодексу УРСР до 5 років концентраційних таборів суворого режиму і 3 років заслання.

На Заході вийшли збірки поезій Василя Стуса «Зимові дерева» та «Свіча у свічаді». Після закінчення строку ув'язнення, заслання і повернення до Києва Василь Стус вислав 19 листопада минулого року листа до прокурора Української РСР, в якому вимагає відкритого суду над учасниками вчиненої проти Миколи Горбаля провокації. Стус пише:

«23 жовтня цього року за таємничих обставин було затримано мого товариша, Горбаля Миколу. Як стало відомо, під час затримання працівники міліції Жовтневого району міста Києва застосували до Горбаля грубу фізичну силу, а потім, використавши підставних свідків, його заарештували, звинувативши у спробі зґвалтування.

Микола Горбаль — недавній політв'язень, збирався виїхати до родичів у Сполучених Штатах. За ним постійно стежили як за дисидентом, людиною, що була близькою до українського правозахисного руху. За умов, коли карні органи вдаються до брутальних способів розправи над інакодумцями, я вважаю, що Микола Горбаль став черговою жертвою заготовленої провокації.

Застосовування карними органами найгрубіших провокацій до дисидентів дає підставу думати, що влада може заарештувати будь-яку людину за будь-яким звинуваченням. Будь-який захист людської недоторканності з боку влади відсутній, коли йдеться про дисидентів. З ними можна робити що завгодно».

У своєму листі до прокурора УРСР Василь Стус твердить, що Микола Горбаль став жертвою провокації, і вимагає відкритого суду над учасниками цієї провокації. Лист Василя Стуса є документом українського «самвидаву». Його поширила на Заході українська пресова служба УГВР у Нью-Йорку.

Згідно з оригіналом
Головний редактор зарубіжної
радіоінформації

(П. Єрмак)
I.VIII.80 року

Прим. № 2

Директору центральної наукової бібліотеки
Академії Наук Української РСР

29 липня 1980 — тов. Гутенському М. К.
м. Київ, вул. Володимирська, 62

В зв'язку з розслідуванням кримінальної справи просимо перевірити та повідомити нас, які матеріали відносно Стуса Василя Семеновича були опубліковані в 1972—1980 роках у зарубіжних антирадянських націоналістичних виданнях.

Начальник Слідчого відділу КДБ
Української РСР — полковник В. П. Туркін

Вірно: Старший слідчий Слідвідділу КДБ УРСР майор Селюк

Надрук. 2 прим.
1-й в адрес
2-й в оправу
Виконав і друкував
з чернетки, Селюк
29.7.1980 р.

Академія наук УРСР Центральна наукова бібліотека
м. Київ, Володимирська, 62

Академия наук УССР Центральная научная библиотека
г. Киев, Владимирская ул., 62

Тел. канцелярії 24—34—26

374/976 29 липня 1980 р.

Комітету Державної безпеки Української РСР

м. Київ, Володимирська, 33

Згідно Вашого запиту надсилаємо матеріали стосовно Стуса Василя Семеновича, які опубліковані в зарубіжних антирадянських націоналістичних виданнях, журналі «Визвольний шлях» за грудень 1976 р., газеті «Українське слово» від 6 квітня 1980 року, газеті «Шлях перемоги» від 15 та 29 січня 1978 року.

Директор Центральної наукової
бібліотеки АН УРСР — Б. П. Ковалевський

УКРАЇНСЬКЕ СЛОВО

LA PAROLE UKRAINIENNE — 3, rue du Sabot - 75006 PARIS - FRANCE — UKRAINIAN WORD
HEBDOMADAIRE UKRAINIEN — Téléphone: (1) 45 48 09 05 - FAX: (1) 40 49 06 84 - C.C.P. PARIS 1 603 56 F — UKRAINIAN WEEKLY

ВИХОДИТЬ ЩОТИЖНЯ — Видає ПЕРША УКРАЇНСЬКА ДРУКАРНЯ У ФРАНЦІЇ — Ціна.prix: 7 Frs. price: 1.25$

«Українське слово» № 2002—2003 від 6.04.1980 року

Провокація КГБ
Заява Василя Стуса В ОБОРОНІ Миколи Горбаля

Нью-Йорк. (Пресова Служба ЗП УГВР). Василь Стус, який останньо закінчив свій строк 5-річного ув'язнення і 3-річного заслання, 19 листопада 1979 року вислав листа до прокурора УССР, в якому кидає чимало світла на провокації органів КГБ, в результаті яких 21 січня 1980 року Київський суд засудив на 5 років позбавлення волі учасника українського правозахисного руху Миколу Горбаля.

«23 жовтня ц. р. (1979) за таємничих обставин було затримано мого товариша, Горбаля Миколу. Як стало відомо, під час затримання працівники міліції Жовтневого району м. Києва застосували до Горбаля грубу фізичну силу, а потім, використавши підставних свідків, його заарештували, звинувативши у спробі зґвалтування.

Микола Горбаль — недавній політв'язень, збирався виїхати до родичів у США, подав документи до ВВІД-у. За ним постійно стежили — як за дисидентом, людиною, що була близько до українського правозахисного руху.

За умов, коли карні органи вдаються до брутальних способів розправи над інакодумцями (досить згадати ганебне судилище над В. Овсієнком, арешт Ю. Литвина тощо), я вважаю, що М. Горбаль став черговою жертвою заготовленої провокації.

Застосування карними органами найгрубших провокацій до дисидентів дає підстави думати, що влада може заарештувати будь-яку людину за будь-яким звинуваченням, якщо тільки громадська позиція людини чимось недогідна владі. Тобто передолімпіядна практика карних органів засвідчує: будь-який захист людської недоторканності з боку влади відсутній, коли йдеться про дисидентів. З ними можна робити що завгодно.

Свавілля, яке чинять над українськими дисидентами, потребує для своєї реалізації десятків, а то й сотень осіб, яких роблять співучасниками адміністративної розправи, тобто це свавілля тягне за собою масову деморалізацію суспільства. Зрозуміло, якої небезпеки зазнає етичне здоров'я цього суспільства. Кожен такий арешт рекрутує цілі юрми наляканих мовчунів і воїнство лжесвідків.

Останнім часом М. Горбаль потерпав, що може стати жертвою провокації, тому добре зважував кожен свій крок. Тим очевидніший смисл усієї історії, в яку його втягнули репресивні сили.

16 листопада я звернувся до слідчого М. Горбаля — С. М. Ляшенка, прагнучи з'ясувати обставини арешту. Виявилося, що все тримається у винятковій таємниці, навіть суд буде за закритими дверима. Напевне і лжесвідкам гарантовано інкогніто. Розмова зі слідчим Ляшенком тільки додала мені упевненості в тому, що Микола Горбаль — не винен.

Винні ті, хто затримав і заарештував його, ті, хто сьогодні таємно свідчить проти Горбаля, ті, хто організував всю цю гидку провокацію проти Горбаля.

Тому я вимагаю: осіб, винних в його арешті й цинічній обмові, притягнути до судової відповідальності. Я висуваю зустрічний позов, де винні і жертви мають помінятися місцями.

Як свідків на цьому процесі я називаю: самого Миколу Горбаля і його дружину Аллу Марченко, Павла і Ольгу Стокотельних, Кириченко Світлану Тихонівну і Стуса Василя Семеновича, друзів М. Горбаля.

Я вимагаю відкритого суду над учасниками вчиненої проти Горбаля провокації.

Василь Стус,
учасник Українського правозахисного руху
Київ-179
Чорнобильська, 13а, кв. 94».

19 листопада 1979 року

Документи з поневоленої України

Відкритий лист В. Стуса до І. Дзюби

Уже давно я чув потребу з тобою порозумітися. Бо той, кого я знав, — помер, а той, про чиє народження ти голосно заявив два роки тому, мені незбагненний. Першого я шанував, ставився до нього з безоглядною повагою, другого — зневажаю. Твоє ім'я стає символом зацькованості і жалюгідності, й через це кожного із твоїх учорашніх шанувальників не може не огортати болюча дума: хто ж ти єси, Іване?!

В останній статті, роблячи вибір, за твоїми словами, на все життя, ти з великим притиском наполягаєш на органічності свого переродження — і проти цього не так легко перечити. Справді, в передпогромні часи, не витримавши посиленого пресу, ти вже не раз і не два обмірковував шляхи втечі від самого себе. Бо не зміг залишитися прапором, коли того прапора не стало кому нести. Дразливі рядки Валентина Мороза були дуже влучною, хоч і надто гіркою правдою. І тепер, після твого гріхопадіння, ти пішов далі: вже не хочеш признаватися до того, що просто заломався, ба — ще клопочешся своїм добрим ім'ям, хоч знаєш, де твій уже довічний клопіт.

Ти сподіваєшся повернутися в літературу, хай це повернення й буде без права громадського голосу, почуття власного етичного гаразду. Навіть без права на свій талант. Найстрашніше те, що ти продовжуєш сповзати вниз і вниз — замість того, щоб зачепитися об болісне відчуття власної ганьби і не дати потокові остаточно заволодіти тобою. Навіщо ти розмáльовуєш свій гріх? Чому ти не хочеш глянути в вічі своїй найбільшій трагедії? Перед тобою стояв вибір — або податися з нами на схід, або врятуватися страшною ціною самознищення. Ти обрав останнє. І через це в спискові жертв антиукраїнського погрому 1972—1973 років твоє ім'я стоятиме одним із перших. Бо репресований ти ще й саморепресувався. І, перше, тяжко вигадати моторошнішу кару, аніж примусити жертву додушувати себе своїми ж руками.

Твоя доля стала ще одним підтвердженням того, як нестерпно жити за умов, коли звичайне людське прагнення — прожити свій вік у межах елементарної порядності — вимагає надлюдської мужності й надлюдського героїзму.

Згадую, колись Бертольд Брехт писав: нещасна та країна, яка потребує героїв. Але ще образливіше відчувати, що з усіх можливих героїзмів за наших умов існує тільки один героїзм мучеництва, примусовий героїзм жертви. Довічною ганьбою цієї країни буде те, що нас розпинали на хресті не за якусь радикальну громадську позицію, а за самі наші бажання мати почуття самоповаги, людської і національної гідності.

Ти підкорився обставинам, і тепер усе найгірше і найганебніше, що є в нашій літературі, все найогидніше і найдикіше, що є в нашому громадському житті, стало тією іконою, до якої ти маєш молитися, покутуючи свій «гріх».

Те найкраще, що в тобі було, те, що колись давало мені підстави називати тебе одним із найчесніших лицарів в усій українській літературі. Про свої найсвятіші прагнення до людяного соціалізму, рівноправного національного співжиття, до демократизації громадського життя і духовного розкріпачення людини — ти нині заговорив скоромовкою, як про «окремі недоліки та складні явища, які ще трапляються». Тепер ти дійшов до того, що почав кпити з того гетто, в яке тебе було вкинено від народження. Цього ґетто не може не відчувати жодна чесна людина, що живе в цій країні. Ти відмовився від одного ґетто заради другого, хоч добре знаєш: те друге — куди більш задушливе. І треба було виняткової сміливості, щоб згадати про національно обмежених міщан, які наглухо окопалися в прірві відщепенства від народу.

Над чим ти глузуєш? Над нашою найбільшою трагедією? Над тим, що нас старанно ізолювали від свого народу. Чи ж не кожен із нас відчував свій рідний люд на неоглядній відстані обопільного мовчання? Хіба ти не знаєш, що кожен наш літератор приневолений до пожиттєвої самотності, як народ — до вікового безголосся?

Колись Леонард Франк згадував про умови, за яких інтелігенція приречена на бездіяльність, бо між нею і народом немає жодного свідомого зв'язку. То чи ж наша вина, що нам випало жити в схожих умовах? Хіба то не було нашим насушним болем — відчуття, що наш народ існує ніби в якомусь вакуумі, наче переставши бути живою реальністю? Не один із нас розпачливо думав, що саме духовне існування рідного народу сьогодні поставлено під загрозу. І не один із нас відчував: коли якийсь порятунок ще є, то тільки сьогодні. Бо завтра вже буде пізно. І ми, живі свідки цього тихого потаємного затоплення нашого національного суходолу, змушені були заговорити про явища геноциду. І як ти тільки наважився сипати сіль на наші найглибші рани?

ВІДКРИТИЙ ЛИСТ В. СТУСА ДО І. ДЗЮБИ

Уже давно я чув потребу з тобою порозумітися. Бо той. кого я знав — помер, а той, про чиє народження ти голосно заявив два роки тому, мені незбагнений. Першого я шанував, ставився до нього з безоглядною повагою, другого — зневажаю. Твоє ім'я стає символом зацькованости і жалюгідности, й через це кожного із твоїх учорашніх шанувальників не може не огортати болюча дума: хто ж ти єси, Іване!?

В останній статті, роблячи вибір, за Твоїми словами, на все життя, ти з великим притиском наполягаєш на органічності свого переродження — і проти цього не так легко перечити. Справді, в передпогромні часи, не витримавши посиленого пресу, ти вже не раз і не два обмірковував шляхи втечі від самого себе. Бо не зміг залишитися прапором, коли того прапора не стало кому нести. Дразливі рядки Валентина Мороза були дуже влучною, хоч і надто гіркою правдою. І тепер, після твого гріхопадіння. ти пішов далі: вже не хочеш признаватися до того, що просто заломався, ба — ще клопочешся своїм добрим ім'ям, хоч знаєш, де твій уже довічний клопіт.

Ти сподіваєшся повернутися в літературу, хай це повернення й буде без права громадського голосу, почуття власного етичного гаразду. Навіть без права на свій талант. Найстрашніше те, що ти продовжуєш сповзати вниз і вниз — замість того, щоб зачепитися об болісне відчуття власної ганьби і не дати потокові остаточно заволодіти тобою. Навіщо ти розмальовуєш свій гріх? Чому ти не хочеш глянути ввічі своїй найбільшій трагедії? Перед тобою стояв вибір — або податися з нами на схід, або врятуватися страшною ціною самознищення. Ти обрав останнє. І через це в спискові жертв антиукраїнського погрому 1972-1973 років твоє ім'я стоятиме одним із перших. Бо репресований ти ще й саморепресувався. І, перше, тяжко вигадати моторошнішу кару, аніж примусити жертву додушувати себе своїми ж руками.

Твоя доля стала ще одним підтвердженням того, як нестерпно жити за умов, коли звичайне людське прагнення — прожити свій вік у межах елементарної порядности — вимагає надлюдської мужности й надлюдського героїзму.

Згадую, колись Бертольд Брехт писав: нещасна та країна, яка потребує героїв. Але ще образливіше відчувати, що з усіх можливих героїзмів за наших умов існує тільки один героїзм мучеництва, примусовий героїзм жертви. Довічною ганьбою цієї країни буде те, що нас розпинали на хресті не за якусь радикальну громадську позицію,

Відкритий лист Василя Стуса Іванові Дзюбі,
опублікований у журналі «Визвольний шлях»

Твій приклад не перший. Відступництвом нас не здивуєш; на жаль, перекинчиків на нашій дорозі було чимало — тих, що, погодившись на духовну ампутацію, маскували свій гріх теревенями про безнадійність нашого шляху, вкидаючи в душу нації бацилу невіри, яка знищувала нас упродовж століть куди нещадніше за всі лиха, зафіксовані істориками.

Зупинившись на перехресті, ти пустився навтьоки від самого себе, ми ж рушили далі. Зробили новий крок. Цей крок — як у прірву. Але — це наш крок до самих себе, до свого народу, до нашої будуччини.

Так, Іване, ти загубився в самому собі. Великий Іван Дзюба закінчився, почався гомункул із країни ліліпутів, чиїм найбільшим щастям залишиться те, що він колись мав до великого Дзюби дуже безпосереднє відношення.

І через це я й сьогодні не можу одвернути од тебе свого погляду. І через це я прагну пригадати твоє підзабуте лицарське обличчя — і в очах мені стоять сльози.

Василь Стус

Протокол огляду
архівної кримінальної справи № 67357

м. Київ 3 липня 1980 року

Старший слідчий Слідчого відділу КДБ УРСР майор Пастухов, в службовому приміщенні, дотримуючись вимог ст.ст. 85, 190, 191 і 195 КПК УРСР, в присутності понятих:

Стависької Олександри Яківни, яка мешкає в м. Києві, вул. Лейпцігська, буд. 2/37, кв. 41,

Закревської Надії Іванівни, яка мешкає в м. Києві, вул. маршала Жукова, буд. № 41/28, кв. 29,

в зв'язку з розслідуванням кримінальної справи відносно Стуса Василя Семеновича оглянув архівну кримінальну справу № 67357 по обвинуваченню Бадзя Георгія Васильовича, яка складається із 13 томів і зберігається в архіві КДБ УРСР.

У відповідності зі ст. 127 КПК УРСР понятим роз'яснено їх право бути присутніми при всіх діях слідчого під час огляду, робити зауваження з приводу тих чи інших його дій, які підлягають обов'язковому занесенню до протоколу, а також їх обов'язок засвідчити своїми підписами відповідність записів у протоколі виконаним діям.

Оглядом встановлено:

Кримінальна справа № 3 (архівний № 67357) по обвинуваченню Бадзьо Георгія Васильовича, 25 квітня 1936 року народження, уродженця с. Копинівці Мукачівського району Закарпатської області, українця, громадянина СРСР, безпартійного, з вищою освітою, до арешту працювавшого робітником магазину № 30 «Київхлібторгу», була порушена 21 квітня 1979 року Слідчим відділом КДБ УРСР за ознаками злочину, передбаченого ст. 62 ч. 1 КК УРСР, а 23 квітня 1979 року йому обрана міра запобіжного заходу — тримання під вартою.

Бадзьо звинувачувався в тому, що на ґрунті антирадянських націоналістичних переконань, які виникли у нього внаслідок систематичного прослухування провокаційних передач закордонних радіостанцій і спілкування з окремими вороже настроєними особами, з метою підриву та ослаблення Радянської влади виготовляв, зберігав та розповсюджував літературу, в якій містяться наклепницькі вигадки, що порочать радянський державний і суспільний лад. Разом з цим проводив також антирадянську агітацію і пропаганду в усній формі, поширюючи з тією ж метою наклепницькі вигадки зазначеного змісту серед свого оточення.

Допитаний в судовому засіданні підсудний Бадзьо вину свою в скоєнні інкримінованих йому злочинних дій признав частково. Не дивлячись на це, його вина в скоєнні злочину повністю доведена показаннями свідків і іншими матеріалами кримінальної справи.

Вироком судової колегії в кримінальних справах Київського міського суду від 21 грудня 1979 року Бадзьо Г. В. визнаний винним у скоєнні злочину, передбаченого ст. 62 ч. 1 КК УРСР, і засуджений до позбавлення волі строком на 7 років у виправно-трудовій колонії суворого режиму із засланням на строк 5 років (т. 13 а. с. 65—77).

Судова колегія в кримінальних справах Верховного Суду УРСР своєю ухвалою від 28 лютого 1980 року вирок Київського міського суду від 21 грудня 1979 року залишила без змін, а касаційну скаргу Бадзьо Г. В. без задоволення (т. 13 а. с. 151—155).

Стус Василь Семенович по цій кримінальній справі не проходить.

Під час огляду справи зроблені ксерокопії із зразків почерку Бадзя Г. В., що були відібрані у нього під час попереднього розслідування, які необхідні для криміналістичного дослідження по кримінальній справі відносно Стуса, а також постанова та протоколи про відібрання зазначених зразків почерку (т. 7 а. с. 227—243).

Огляд проводився з 9 до 10 години.

Протокол нами прочитано. Записано правильно. Заяв з приводу дій слідчого та змісту протоколу не маємо.

Поняті: [підпис] (Стависька) [підпис] (Закревська)

Ст. слідчий слідвідділу КДБ УРСР майор Пастухов

ТОМ 5

Ценное = 10 (десять) руб.
№ 21 Киев 1
Магаданская обл.
Тенькинский р-н
с. Матросова
Василию Стусу
686071
250027, г. Чернигов-27
ул. Рокоссовского, 12-а/34
Карандій О. Є.

Опись № 50
Куда с. Матросова
кому Стусу
Текст друк = 6 арк = 9 крб
Текст рукоп. 1 арк = 1 крб
разом 10 крб

Копія вірна: Ст. слідчий Слідвідділу КДБ УРСР
майор Пастухов

Добрий день, пане Василю!

Обидва Ваші листи я отримав.

Дуже дякую. Ваше ставлення до наших соц. і нац. проблем захоплює мене високим почуттям відповідальності. Власне, вся справа в мужності і самовідданості, а не в розумінні. Павлички розуміють усі проблеми не гірше за нас, та подлі негідники поширюють словоблудіє навіть меншій незрячій братії за затишну квартиру та пляшку коньяку.

З огляду на змісті листів я надрукував їх і послав декому з тих, що забилися по шпарках.

Щодо Закл. акту — хай буде по-Вашому: не будемо більше ним займатися до кращих часів. Просто той такий гидотний, що я хотів, аби з наших рук виходив грамотніший текст, але з огляду на «канонічність» того, хай він і залишається.

Мені дуже б хотілося познайомитися з Вашим звинув. висновком і вироком. Пришліть мені по примірникові, але це останні примірники, бо навряд чи стане в мене сили займатися ними тож, як би Ви того хотіли.

У Групі сприяння виникла ідея звернутися з клопотанням до уряду УРСР про реєстрацію Групи і надання їй офіційного Статусу. Я пропонував до Клопотання доповнення такого змісту: «Група поповнюється за рахунок суспільно-активних громадян (незалежно від національності) і діє у складі членів Групи і кореспондентів». Коли б кияни погодилися з таким доповненням, тоді був би сенс залучити Вас до Групи як «кореспондента». Членство ж не має сенсу, бо неможливо узгоджувати з Вами жодного документа — така моя точка зору.

Через сильну обмеженість мою я не знаю, що думають останнім часом кияни і як вони до цієї проблеми ставляться, але я за то, щоб членство не було занадто вже символічним.

Не подумайте, ради Бога, що я відхрещуюсь від Вас, — мова про форму взаємин, що хоч трохи відповідали б реальним взаєминам.

Останнім часом мене притиснули кругом, і я написав другу заяву про виїзд із РС. Це ще зовсім не означає, що я виїду, тобто що мене випустять: але в цьому я бачу найрозумніший вихід зі становища, що склалося.

Чи знаєте Ви Калиниченка Віталія Васил.? Він з Васильківки Дніпропетр. області, написав чудову заяву про приєднання до Групи, домагаються давно вже виїзду із РС [Радянського Союзу].

Додаю Клопотання і дві свої заяви.

Дай Боже Вам здоров'я.

Допомагай Вам Боже!

27.11.77 Ваш Левко

Копія вірна: Ст. слідчий Слідвідділу КДБ УРСР
майор Пастухов

ПРОТОКОЛ ОГЛЯДУ

Місто Київ «6» червня 1980 року

Старший слідчий слідчого відділу КДБ УРСР майор Пастухов, в зв'язку з розслідуванням кримінальної справи № 5 відносно Стуса В. С., в приміщенні КДБ УРСР, у відповідності зі ст. ст. 85, 190, 191 і 195 КПК УРСР, в присутності понятих:

Стависької Олександри Яківни, яка мешкає в м. Києві, вул. Лейпцизька, буд. № 2/37, кв. 41,

Закревської Надії Іванівни, яка мешкає в м. Києві, вул. маршала Жукова, буд. № 41/28, кв. 29,

провів огляд кримінальної справи й 53—273 відносно Горбаля Миколи Андрійовича, яка зберігається в народному суді Жовтневого району міста Києва.

У відповідності зі ст. 127 КПК УРСР понятим роз'яснено їх право бути присутніми при всіх діях слідчого під час огляду, робити зауваження з приводу тих чи інших його дій, які підлягають обов'язковому занесенню до протоколу, а також їх обов'язок засвідчити своїми підписами відповідність записів у протоколі виконаним діям.

(підпис) (підпис)

Оглядом встановлено:

Кримінальна справа № 53—273 відносно Горбаля Миколи Андрійовича, 6 травня 1941 року народження, мешканця м. Києва, уродженця с. Воливець (ПНР), громадянина СРСР,. українця, безпартійного, з середньою спеціальною освітою, одруженого, судимого 13 квітня

1971 року колегією з кримінальних справ Тернопільського обласного суду за ст. 62 ч. І КК УРСР до 5 років позбавлення волі з послідуючим засланням на 2 роки, була порушена 23 жовтня 1979 року прокуратурою Жовтневого району міста Києва по факту замаху на зґвалтування громадянки Наймитенко Л. О. та нанесення легкого тілесного ушкодження громадянину Лятовському Д. Я. у зв'язку з його участю в присіканні злочину, тобто в скоєнні злочинів, передбачених ст. ст. 17—117 ч. І і 190 ч. 2 КК УРСР.

Під час слідства і судового розгляду справи Горбаль в інкримінованих йому злочинах винним себе не визнав.

Проте на підставі доказів (показання потерпілої Наймитенко, свідків Литовського, Іванова, висновки судово-медичної і судово-біологічної експертиз та інші матеріали справи), народний суд Жовтневого району міста Києва 21 січня 1980 року визнав Горбаля винним у скоєнні злочинів, передбачених ст. ст. 17—117 ч. І і 190 ч. 2 КК УРСР, і засудив його до 5 років позбавлення волі у виправно-трудовій колонії суворого режиму (а. с. 219—223). Ксерокопія вироку додається.

У вироці, зокрема, вказано: «...Несмотря на то, что подсудимый Горбаль Н. А. своей вины в совершении преступлений, предусмотренных ст. ст. 17—117 ч. І, 190 ч. 2 УК УССР, не признал, его виновность доказана в полном обьеме показаниями потерпевших, свидетелей и письменными доказательствами, собранными по настоящему уголовному делу...» (а. с. 220).

Київський міський суд своєю ухвалою від 12 березня 1980 року касаційну скаргу засудженого Горбаля Миколи Андрійовича залишив без задоволення, вирок народного суду Жовтневого району м. Києва від 21 січня 1980 року — без змін (а. с. 272—275).

Стус В. С. по справі не проходить за винятком того, що в ній знаходиться його лист від 17 лютого 1980 року до Верховного Суду УРСР, в якому він виступає на захист Горбаля, вважає, що проти Горбаля нібито було організовано «таємну змову зацікавлених служб» (а. с. 264).

Ксерокопія названої заяви додається до протоколу.

Огляд проводився з 9 до 10 години.

Протокол нами прочитано. Записано правильно. Зауважень і доповнень до протоколу не маємо.

Поняті: (підпис) /Стависька/
(підпис) /Закревська/

Огляд провів і протокол склав
ст. слідчий Слідчого відділу КДБ УРСР майор Пастухов

Копія
Міністерство юстиції української РСР

ВИРОК
Ім'ям Української Радянської Соціалістичної Республіки
21 января 1980 р.

Народный суд (повна назва суду)
Жовтневого р-на гор. Киева народный суд
у складі: головуючого — народного судді Синевский А. С
народних засідателів Штурма, Шевченко
при секретарі
з участю прокурора Матвеевой Л. Т.
громадського обвинувача Цехмейструк
та адвоката/адвокатів
громадського захисника

Розглянувши у відкритому судовому засіданні в залі суду (виїзному судовому засіданні) області (місті) Киеве справу про обвинувачення Горбаля Николая Андреевича 6 мая 1941 года рождения, уроженец с. Воливец, Польской Народной республики, гражданин СССР, украинец, б/п, образование средне-специальное, женат, военнообязан, ранее судим 13 апреля 1971 года комиссией по уголовным делам Тернопольского областного суда по ст. 62 ч. I УК УССР к 5 годам лишения свободы и 2 годам ссылки, работавший до ареста электромехаником — обл. ком. «Киевлифт», проживающий до ареста в г-де Киеве, ул. Бастионная, 1/36, кв. 70, в совершении преступления, предусмотренного ст. 17. 117 ч. I, 190. 2 УК УССР,

Установил:

23 октября 1979 года около 21 часа 30 мин. Горбаль Н. А. с целью изнасилования зашел с гражданкой Наймытенко Л. А. в лесопосадку

в районе ул. Железнодорожный в гор. Киеве, где на склоне возле дерева, расположенного на расстоянии от железной дороги и на расстоянии 28 метров от опоры линии электропередачи, применил физическое насилие, повалил ее на землю и реализовал преступный умысел в изнасиловании Наймытенко Л. А., стал ее раздевать, сломав при этом замок «молния» на брюках. Когда Наймытенко Л. А. позвала на помощь, Горбаль Н. А. подавил ее волю, применив физическое насилие, все выразилось в том, что он удерживал ее руками за горло и закрывал рот, пытался совершить с ней насильственный половой акт, но был задержан при Наймытенко Л. А. гражданами Летовским Д. Я. и Ивановым В. Р.

В процессе покушения на совершение изнасилования Горбаль Н. А. подавил волю и сопротивление Наймытенко Л. А., причинил ей телесные повреждения в виде ссадин и кровоподтеков на поверхности шеи и на внутренних поверхностях.

По заключению судебно-медицинской экспертизы, причиненные Наймытенко Л. А. телесные повреждения отнесены к легким телесным, не повлекшим за собой расстройства здоровья.

Кроме того, Горбаль Н. А. 23 октября 1979 года ровно в 21 час 30 мин. до 22 часов в районе у железной дороги, по ул. Железнодорожной в гор. Киеве напротив заготпункта № 2 и на углу улиц Железнодорожной и Мамина-Сибиряка оказал сопротивление гражданам Летовскому Д. Я. и Иванову В. Р., исполняющим свой общественный долг.

Летовский Д. Я. на крики о помощи Наймытенко Л. А. приехал на действие Горбаля Н. А. Горбаль Н. А. попытался вырваться и скрыться с места совершения преступления, но в это время побежал Иванов В. Р., взяв Горбаля Н. А. под руки, попытались привезти его с ул. Железнодорожной. Горбаль Н. А. стал вырываться, и в процессе борьбы они все скатились по склону в ручей. После этого, когда Летовский Д. Я. и Иванов В. Р. вели Горбаля Н. А. по направлению ул. Мамина-Сибиряка, Горбаль Н. А. вырвался от Летовского Д. Я и Иванова В. Р., при этом нанес Летовскому Д. Я. удар ногой по правому коленному суставу и рукой в левую поясничную область. А уже на углу ул. Железнодорожной и Мамина-Сибиряка в гор. Киеве, куда привели Горбаля Н. А., Летовский Л. Я. и Иванов В. Р. в пр. сотрудников милиции, Горбаль Н. А. вновь нанес Летовскому Д. Я. удар ногой по правому коленному суставу, продолжая вырываться и оскорблять их.

В процессе оказания сопротивления Горбаль Н. А. Летовскому Д. Я. были нанесены ссадины на передней поверхности правого коленного сустава; данное повреждение по заключению судебно-медицинской экспертизы отнесено к легким телесным повреждениям, не повлекшим за собой кратковременного расстройства здоровья.

Допрошенный в судебном заседании подсудимый Горбаль Н. А. виновным себя не признал в совершении преступления, предусмотренного ст. ст. 17—117 ч. I, 189, 24 К, суду пояснил, что действительно 10 октября 1979 года он случайно встретился с знакомой Наймытенко Л. А. и провожал. Прохаживаясь по ул. Железнодорожной, они зашли в лесополосу, примыкающую к железнодорожному полотну, где они у одиноко стоящего дерева сидели и разговаривали, в это время к ним подошел гражданин Летовский Д. Я и стал возле ул. Железнодорожной, а затем подошел Иванов В. Р., и они вместе выкрутили ему руки, потом Горбаль Н. А. пошел на ул. Железнодорожную, при этом Летовский Д. Я. начал побои.

Несмотря на то что подсудимый Горбаль Н. А. своей вины в совершении преступления, предусмотренного ст. 17—117 ч. 1, 190 ч. 2 УК УССР, не признает, его виновность доказана в полном объеме показаниями потерпевших, свидетелей, телесными доказательствами, собранными по настоящему уголовному делу, допрошенная в судебном заседании потерпевшая Наймытенко Л. А. пояснила, это 20 октября 1978 года у своей знакомой Батуры Л. М. она случайно познакомилась с Горбалем Н. А., который, записав ее номер телефона, пообещал принести ей почитать Библию. 23 октября 1978 года около 16 часов Горбаль Н. А. позвонил ей на работу и они договорились встретиться. Примерно в 20 часов они встретились, и Горбаль Н. А. предложил Наймытенко Л. А. прогуляться. Гуляя, они зашли в лесопосадку в районе ул. Железнодорожной в гор. Киеве и присели на склоне у одиноко стоящего дерева. Затем Горбаль Н. А. стал целовать потерпевшую, на это потерпевшая ответила, чтобы Горбаль Н. А. этого не делал. Тогда Горбаль Н. А. повалил Наймытенко Л. А. на землю, расстегнул на ней куртку и стал стаскивать брюки, навалившись на нее. Потерпевшая сначала подумала, что Горбаль Н. А. шутит, и она попросила его прекратить, но, увидев, что Горбаль не прекращает свои действия, а сломал замок «молнию» на брюках, стаскивает с нее брюки, она стала вырываться и звать на помощь. В ответ

Горбаль Н. А., приспустив свои брюки, стал закрывать ей рот и душить за шею, придерживая потерпевшую. В это время потерпевшая почувствовала что-то на своей комбинации и опять громко закричала. Горбаль закрыл ей рот. Вскоре подбежал какой-то парень и спросил, в чем дело. Горбаль Н. А. пытался бежать, но парень схватил его, и они упали на землю. Затем подошел второй парень. Они вместе взяли Горбаля Н. А. и стали вести в направлении ул. Железнодорожной. Однако Горбаль Н. А. пытался вырваться, и они все втроем упали и покатились по склону. Потерпевшая взяла портфель Горбаля Н. А. и вышла на улицу Железнодорожную, где стала ожидать.

В это время по улице проходил какой-то человек с работы, державшие Горбаля Н. А. попросили его вызвать работников милиции. После потерпевшая совместно с ними стала вызывать милицию, а Горбаль Н. А. Летовский Д. Я. и Иванов В. Р. упали на землю и Горбаль Н. А. вырвался на угол ул. Железнодорожная и Мамина-Сибиряка. Через некоторое время приехали работники милиции и всех забрали.

Опрошенный в судебной заседании потерпевший Летовский Д. Я. пояснил суду, что 23 октября 1978 года около 21 часа 30 мин. совместно с Ивановым проходили по ул. Железнодорожной в гор. Киеве. Иванов отошел к ручейку по нужде, а Летовский Д. Я. не спускался с насыпи и стал ожидать Иванова В. Р. В это время со стороны посадки он услышал громкий крик о помощи и пошел по направлению, откуда услышал крик. Подойдя к одиноко стоящему дереву, Летовский Д. Я. увидел, что под деревом на склоне «мужчина лежит на женщине и закрывает ей рот рукой. Брюки мужчины были спущены». Летовский Д. Я. говорит, что звал на помощь, но ответа не последовало. Тогда Летовский Д. Я. взял мужчину и оттащил его от женщины и позвал Иванова В. Р. на помощь. Женщина плакала, одежда на ней была в непорядке, брюки приспущены. Мужчина, поднявшись, бросился бежать, но Летовский Д. Я. схватил его, и они оба упали на землю. В это время пришел Иванов В. Р. и взял Горбаля. Вели его под руки и хотели вести его по тропинке, чтобы доставить в милицию. Однако Горбаль Н. А. вырвался, и они втроем скатились в ручей. Затем они поднялись и повели Горбаля Н. А. через освещенную местность. По дороге он пытался вырваться, ударив Летовского Д. Я. ногой по правому колену и рукой в бок. Когда они привели Горбаля Н. А. на угол Мамина-Сибиряка и Железнодорожной, тот вновь стал вырываться и оскорблять потерпевших, в связи с чем они повалили Горбаля Н. А. на землю и держали до приезда милиции.

Показания дал свидетель Иванов В. Р., допрошенный в судовом заседании.

Опрошенный в судебной заседании свидетель Харченко В. И. пояснил суду, что 23 октября 1978 года он дежурил по Жовтневому РОВД гор. Киева и по указанию дежурного доставил в РОВД Горбаля Н. А., Наймытенко Л. А., Летовского Д. Р., Иванова В. Р.

Наймытенко была сильно взволнована, плакала, замок «молния» у нее на брюках поломан, снятая куртка была с пятнами.

Давая оценку ... в судебном заседании, действия подсудимого Горбаля квалифицировали по ст. 17—117 ч. 2 УК УССР, так как подсудимый Горбаль Н. А. пытался совершить акт сношения с применением физического насилия, хотя не смог довести свой преступный умысел до конца.

Степень превышения квалифицировалась по ст. 189 ч. 2 УК УССР, так как суд взял во внимание тяжесть общественной опасности подсудимого, который имеет отрицательную характеристику.

Полагают возможным избрать меру наказания с лишением свободы.

На основе вышесказанного, руководствуясь ст. ст. 321. 323 УК УССР, суд

приговорил

Горбаля Николая Андреевича по ст. 17—117 ч. I УК УССР к 5 (пяти) годам лишения свободы.

По ст. 190, ч. 2 УК УССР к 2 (двум) годам лишения свободы.

Согласно ст. 42 УК УССР показано избрать путем положения меру пресечения в виде 5 (пяти) лет лишения свободы в ИТК строгого режима. Черед с 24 октября 1978 г.

Приговор может быть обжалован в Киевском гор. суде в течение 7 суток.

Нарсудья (подпись)
Нарзаседатели (подпись)

З оригіналом згідно Ст. слідчий Слідвідділу КДБ УРСР майор Селюк
6 червня 1978 р.

Копія

5—1255
21 ОК
Верховного Суду УРСР
79—80
21.10

23 жовтня минулого року було заарештовано українського правозахисного руху Миколу Горбаля: цинічно звинувачено в опорі міліції й спробі зґвалтування.

Як стало відомо, зацікавлені служби організували проти Горбаля провокацію. Якась Наймитенко нав'язалася Горбалеві в знайомі, а через якийсь час, «випадково» зустрівши його на вулиці, попросила провести додому. Горбаль, нічого не підозрюючи, проводив її, а по дорозі, в темному завулкові, на нього накинулися два «свідки» — Летовський та Іванов. Їм допомагала дебела Наймитенко. За сценарієм, інших свідків не передбачалося. Звинувачення Горбаля оформлене за словами цих трьох — т. зв. свідків і т. зв. потерпілої.

Горбаля збили так, що на п'ятий день інциденту судовий медексперт збирався притягнути винних до відповідальності. Але з заміною слідчого, вилученням зі справи попередніх паперів ініціативи медексперта була зупинена. Слідство пішло шляхом слухняного виконання заготовленого сценарію.

17—21.1.1980 р. Жовтневий райсуд м. Києва засудив Миколу Горбаля до 5 років позбавлення волі.

Адвокат Васютинська багато в чому допомогла звинуваченню. Вислухавши свого підзахисного, який розповів їй про цілий ряд фактів, що свідчили про фальсифікацію справи, вона допомогла звинуваченню позбутися цих слідів у обвинувальній частині. Ряд попередніх матеріалів було переписано, аби фабрикація виглядала більш вірогідно.

Отже, на мої тверді переконання, проти Горбаля було організовано змову. Зацікавлені служби схилили на злочин «потерпілу» Наймитенко, юриста Батуру, «свідків» Іванова і Летовського, адвоката Васютинську.

В ряду численних розправ над дисидентами розправа, вчинена над М. Горбалем, особливо цинічна.

Я звертаюся до Вас із проханням скасувати ухвалу Жовтневого райсуду і притягнути до судової відповідальності справжніх злочинців, чиїми зусиллями покарано М. Горбаля — Батуру, Наймитенко, Іванова, Летовського і тих, хто інспірував цю цинічну розправу над українським правозахисником.

Василь Стус

адреса: Київ-179,
17.2.1980 р. вул. Чорнобильська, 13а, кв. 34

ВИТЯГ

Протокол допиту обвинуваченого

м. Київ 16 липня 1980 року

Старший слідчий слідчого відділу КДБ УРСР капітан Банєв, у приміщенні слідчого відділу КДБ УРСР, з дотриманням вимог статей 143, 145 і 146 КПК УРСР, допитав обвинуваченого: Шевченка Олеся Євгеновича, 1940 року народження (інші дані про особу обвинуваченого є в матеріалах справи).

Допит почато о 15 годині 25 хвилин

Закінчено о 17 годині 40 хвилин

«...Ознайомившись 14 липня ц. р. з матеріалами криміналістичної експертизи, я виявив бажання дати пояснення, які стосуються обставин отримання рукописних документів, що підлягали експертному дослідженню в ході цієї експертизи.

...документи я одержав від своєї знайомої, мешканки міста Києва Світличної Надії... щось наприкінці 1976-го чи, можливо, на початку 1977 року... Світлична розповіла мені про своє життя... Коли мова зайшла про табірне життя осіб, які відбувають покарання за скоєні ними державні злочини, і я сказав, що цікавлюсь документами на цю тему, Світлична повідомила мене, що в неї є переписана від руки «табірна пошта», але вона їй ні до чого і через це Світлична має намір її знищити. Я попросив віддати цю «пошту» мені... Через день, а можливо більше, ми зустрілись на бульварі Лесі Українки, і Світлична передала мені пакунок з документами... Світлична поставили умову, що я повинен одразу ж передрукувати ці документи, а рукописні примірники знищити.

...Після одержання від Світличної документів я спочатку взявся їх переписувати, вирішивши, що краще буде їх не передруковувати, а переписати власною рукою… Я переписав лише … документи, які починаються словами: «Відкритий лист до Івана Дзюби…»

Всі перелічені документи я одержав від Світличної Надії, зберігав їх у себе вдома… в березні 1980 року я попросив дружину віднести торбинку, в якій знаходились перелічені вище документи, до Солов'я Василя… Під час обшуку в квартирі Солов'я усі ці документи разом з торбинкою були вилучені…»

Протокол я прочитав, він записаний правильно. Доповнень та зауважень не маю.

(підпис) Шевченко

Старший слідчий слідчого відділу
КДБ УРСР — капітан (підпис) Банєв

З оригіналом згідно: Ст. слідчий Слідвідділу КДБ
при РМ Української РСР капітан Бойцов

Ценное 5 руб.
АВИА
250019
Чернигов — 19,
Рокоссовского, 41-б, кв. 41
Лукьяненко Льву Григорьевичу

686071
с. Матросова,
Тенькінського р-ну
Магадан. обл.
до вимоги В. Стус

17.VI.77 р.

Сервус, Левку!
Мій Київ по-старому мовчить. Правда, дістав листа од Михайла Г. з прекрасними книжками (Укр. одяг, Шевченківський словник). Але що там на Україні — не знаю. Чомусь мене старанно ізолюють од неї.

Днями (15.VI) прийшли мої рукописи з ГБ (11 зошитів) — по них, здається чортиська топталися чобітьми — брудні й піддерті, зім'яті. Гвалтували, мабуть, мою Музу, песиголовці.

Чекаю на приїзд дружини (має бути десь от-от). Тимчасом застудився добре (вічна мерзлота штольні — але руки грабіють, а по штрекові — вітер загонистий, а стане мокрий чуб — от і ханачки): чи пневмонія, чи бронхіт. То вилежую боки — під п'яні окрики, верески, вилучання бітлових платів.

Трохи не розумію, Левку, чому переривається листування у вас, старих в'язнів — межи собою. Хіба то годиться, га?

Напишіть мені за Укр. Гром. Групу сприяння, як стоїть справа у недавніх в'язнів — чотирьох. Кому це дали 15 літ (П. Рубанові?), а кому 8? За що?

Мирослав М. був написав до мене. Його прізвища я не знав, а тому не надто квапився з відповіддю. А тепер — пізно. Дуже шкода.

Пишіть мені лише цінні листи (крадуть їх, але рідше, ніж рекомендовані: ці всі йдуть — гамузом цілим — у ГБ).

Уклін Вашій дружині.

Коли маєте які новини від хлопців-в'язнів (точніше про них) — перекажіть. Я ж дістав од них лише два: од Є. Сверстюка і М. Хейфеця (літерат із Ленінграда). А новини, як відомо, з шатрів ідуть не через листи.

Думаю позивати адмін-цію ЖХ 385 за те, що завдала мені стільки фізичних тортур. Позиватиму і вид-во «Рад. письменник», що не повертає збірки віршів.

Най щастить.

На 19-й зоні — 100-денний піст.

Василь Стус

ОБВИНУВАЛЬНИЙ ВИСНОВОК

по кримінальній справі № 47
по обвинуваченню Стуса Василя Семеновича
за ст. 62 ч. I КК УРСР.

12 січня 1972 року в зв'язку з розслідуванням кримінальної справи відносно бельгійського громадянина Ярослава Добоша у Стуса В. С. було проведено обшук, під час якого вилучено рукописні та машинописні тексти антирадянського наклепницького змісту.

На підставі цих матеріалів 13 січня 1972 року проти Стуса порушено кримінальну справу.

13 січня 1972 року Стуса затримано як підозрюваного, а 15 січня відносно нього обрано міру запобіжного заходу-тримання під вартою.

Проведеним по справі попереднім слідством встановлено, що Стус на ґрунті націоналістичних, ворожих радянському суспільству переконань, з метою підриву та ослаблення Радянської влади на протязі 1963—1972 років виготовляв, зберігав та розповсюджував антирадянські документи, в яких зводяться наклепницькі вигадки, що порочать радянський державний і суспільний лад. З тією ж метою проводив антирадянську агітацію в усній формі.

В період 1963—1972 років написав і зберігав у себе 14 віршів антирадянського змісту, в яких зводить наклепи на радянський державний і суспільний лад, порочить радянську дійсність.

У віршах «Доволі! Ситий вже...», «Безпашпортний, закріпачений в селі конає...», «Опускаюсь — ніби піднімаюсь...» він змальовує життя радянських колгоспників як життя «рабів і кріпаків».

Так (...) у вірші «Доволі! Ситий вже» ним записано таке:

...А мій безпашпортний народ
Конає на колгоспній вахті.

У вірші «Безпашпортний, закріпачений...» він наклепницьки твердить:

...Від трудоднів, і від кріпацтва
несе той син терпкий напій
Свободи, Рівенства і Братства...
...Під сонцем наших конституцій
Земля щаслива ледь не трісне
прозовим духом революцій...

В написаних ним віршах: «Розмова з другом», «Коли багряніла українська революція...», «Комуністи, вперед!...», «Режисер із людожерів...», «Кубло бандитів...», «Три С. — неначе жарт...», «Наша нація — найпередовіша...», «На історичному етапі...», «Між божевіллям і самогубством», «Від радості у степ...», «Ви ходили до Петлюри...» Стус з ворожих нашому суспільству позицій зводить наклепницькі вигадки на умови життя радянського народу, на КПРС і Конституцію СРСР.

Зокрема у вірші «Розмова з другом» він твердить: «То правда: сибірські і соловецькі в'язниці винайдені були азійською дикістю чи то царя, чи то партії, чи покійного Сталіна, винайдені були монархізмом, фашизмом, комунізмом...»

Своє вороже відношення до всього радянського, до КПРС Стус виклав у вірші «Кубло бандитів...», де, зокрема, пише:

«Кубло бандитів, кегебістів, злодіїв і відставників у стольному засіли місті як партія більшовиків. Коли тюрма п'ятдесятиліття бучний справляє ювілей, вже стільки назбиралось сміття, так труїть розуми єлей, що стерпу вже нема...» (...)

І далі:

П'ятдесятлітній рай-омана
проблаготворний вплив імперій
даремно партія кохана
проводить, причинивши двері
Громаді вільній-не дихнути...

Антирадянські твердження і наклепи на радянський державний і суспільний лад містяться і в інших названих вище віршах. (...)

У 1965—1972 роках Стус написав і зберігав у себе десять інших документів антирадянського наклепницького змісту, в тому числі: два листи, що починаються: «Шановний Петре Юхимовичу...», рукописи: «Привид бродить по Європі...», «Ми живемо в дуже цікаву епоху...», «Ми живемо в час парадоксів...», «Франція — це я...», «Відвідини. Лекція на заводі», «Це існування є злочином...», «Існує тільки дві форми...», і «Якийсь киянин...».

В перелічених документах Стус з антирадянських позицій порочить соціалістичні завоювання в нашій країні, ототожнює радянський лад з гітлерівським режимом, твердить про начебто існуюче національне гноблення українців та порушення соціалістичної законності, прагне «довести» неможливість побудови комуністичного суспільство в СРСР. (...)

Радянські люди в цих документах Стуса постають як безправні «раби», наклепницьки стверджується, що в нашій країні внаслідок революції нібито була встановлена деспотична влада, що диктатура пролетаріату утримується на «волі рабів», що у нас нібито будується соціалізм «поліцейського типу», який «продукує лицемірство, брехню, нечесність і інші супутники рабства».

Так, в документі «Привид бродить по Європі…» Стус твердить, що нібито «радянський, насамперед російський комунізм, тяжіє до свого ідеалу — невибагливого щастя раба». Далі автор документа стає на захист В. Мороза, який був засуджений за проведення антирадянської діяльності, визнаний особливо небезпечним рецидивістом, виставляє його як «борця» за людину, культуру, народ.

Названі вище документи СТУС зберігав у себе до їх вилучення під час обшуків 12 січня та 4 лютого 1972 року. (…)

28 липня 1970 року Стус, використавши раніше складений ним наклепницький рукопис «Привид бродить по Європі…», написав ворожого змісту листа до ЦК КП України і КДБ УРСР. Потім цей лист був надрукований в антирадянському так званому журналі «Український вісник» № 3, який нелегально видавався ворожими елементами та використовувався в підривній роботі проти СРСР як на території України, так і за кордоном. (…)

…Текст згаданого вище листа починається словами: «Нині зрозуміло кожному…», крім того, 13 січня 1972 року було вилучено під час обшуку у притягнутого до кримінальної відповідальності за антирадянську діяльність Дзюби Івана Михайловича. (…)

В середині 1970 року Стус написав іншого наклепницького листа, що починається словами «Кожне нормально організоване суспільство…», адресованого Голові Спілки письменників України, Секретарю ЦК КП України та Голові Президії Верховної Ради УРСР.

Для написання цього листа він використав вищезгаданий текст наклепницького рукопису «Франція — це я…». В листі Стус зводить наклепи на національну політику КПРС, стає на захист осіб, що займаються ворожою діяльністю, а вжиті до них заходи з боку органів Радянської влади розцінює як «сваволля над людиною і її совістю».

Цей лист Стуса також був вміщений у так званому «Українському віснику» № 3, виготовленому та розповсюдженому в 1970 році. (…)

В період після 1965 року Стус написав листа наклепницького змісту, якого адресував Президії Спілки письменників України, в копіях — Секретареві ЦК КП України та редакції журналу «Всесвіт».

В цьому документі, виступаючи на захист засудженого за антирадянську діяльність Караванського С. Й. та інших осіб, Стус зводить наклеп на радянську дійсність, стверджує, що на Україні нібито переслідуються інтелігенція і науковці і що в нашій країні начебто відсутні демократія та свобода. (...)

В 1967—1968 роках з цим листом ознайомив Селезненка Л., а в січні 1972 року машинописний текст листа було вилучено під час обшуків у Світличної Н., що мешкає в м. Києві, та у Гулик С., що мешкає в м. Львові.

Текст цього ж листа Стуса, потрапивши за кордон до ворожих видавництв українських буржуазних націоналістів, широко використовувався в пропагандистських заходах, спрямованих проти Радянського Союзу. Зокрема, в квітні 1969 року лист був надрукований в журналі «Сучасність» в Мюнхені, в травні 1969 року у газеті «Українське слово» в Парижі, у травні 1969 року та грудні 1970 року в газеті «Шлях перемоги» в Мюнхені під тенденційними заголовками: «Боягузтво — друге наймення підлості» та «Літературу здано на поталу полторацьким». (...)

В 1969 році Стус написав листа на адресу редактора журналу «Вітчизна» та в копії до редакції газети «Літературна Україна» під заголовком «Місце в бою чи в розправі?», в якому з антирадянських позицій викладає наклепницькі твердження про те, що на Україні нібито наступив «час реакції», «нищаться»тисяч і талантів.

В 1969 році із змістом цього листа ознайомив Селезненка Л. Цей документ також набув поширення і використовувався ворожими елементами на Україні та буржуазною пропагандою на Заході. Так, в січні 1070 року він був надрукований в нелегальному т. з. журналі «Український вісник» № 1, який в 1971 році був передрукований в Парижі. (...)

В червні 1971 року лист Стуса «Місце в бою чи в розправі?» передавався зарубіжною радіостанцією «Свобода», а в серпні того ж року був надрукований в газеті «Шлях перемоги» в Мюнхені.

Крім того, текст цього ж документа Стуса в січні 1972 року було вилучено у Мішко О. Я., що мешкає в м. Києві. (...)

В 1970 році Стус виготовив саморобну нелегальну збірку під назвою «Зимові дерева», в яку вмістив написані ним на протязі 1963—1970 років вірші антирадянського наклепницького змісту, такі як: «Не можу я без посмішки Івана...», «Звіром вити, горілку пити...», «Отак живу, як мавпа серед мавп...», «Даждь нам...», «Розмова», «Балухаті мистецтвознавці...», «Який це час?», «Йдуть три циганки...», «У Мар'їнці стоять кукурудзи...».

В цих віршах життя радянських людей він змальовує в спотвореному, викривленому світлі, як «право надриватися в ярмі». (...)

Радянські люди для нього — це мавпи, а СРСР — це «вітчизна боягузів і убивць».

У вірші «У Мар'їнці стоять кукурудзи...», пишучи про колгоспи, він твердить:

Бо тут собі і на штани не вигадаю,
В цім добровільнім допрі-барлозі.

У вірші «Звіром вити, горілку пити» він пише:

Звіром вити, горілку пити
— і не чаркою, поставцем,
і добі підставляти спите
вірнопідданого лице,
І не рюмсати на поріддя,
Коли твій гайдамацький рід
Ріжуть линвами на обіддя
Кількасот божевільних літ.

В іншому вірші «Даждь нам...» — він твердить:

...Догоряють українські ватри.
Догоряє український весь край.

Вірш «Не можу я без посмішки Івана...» — це злісний наклеп на радянську державу, про що свідчать такі слова:

Тоді прости, прощай, проклятий краю,
Вітчизно боягузів і убивць.

У тому ж, 1970 році, ця збірка віршів Стуса була передрукована на машинці і розповсюджена ним серед своїх знайомих та була поширена за кордоном. Два примірники своєї збірки Стус передав Селезненкові Леоніду, по одному примірнику Дзюбі Івану, Світличному Івану, що мешкають у м. Києві, та Калинець Ірині, що мешкає в м. Львові.

В січні 1972 року по одному примірнику цієї збірки було вилучено у Селезненка і Дзюби під час проведених у них обшуків. (...)

Один з примірників збірки «Зимові дерева», одержаних від Стуса, Селезненко в 1970 році передав громадянці Чехословаччини: Коцуровій Ганні, який вона вивезла за кордон і передала Левицькому, що проживає в Англії. Тоді ж, в 1970 році, ця збірка з передмовою автора була видана бельгійським видавництвом «Література і мистецтво» і надрукована в Лондоні. (...)

При обшуці у Стуса 12 січня 1972 року вилучено, зокрема, два виконані ним тексти вірша «У Мар'їнці стоять кукурудзи...» який входить до згаданої збірки. (...)

В 1970 році Стус виготовив саморобну збірку під назвою «Веселий цвинтар», куди, поруч з іншими, ввійшли написані ним антирадянські та наклепницькі вірші: «Ось вам сонце...», «Колеса глухо стукотять...», «Рятуючись од сумнівів...», «Марко Безсмертний», «Їх було двоє...», «Напередодні свята...», «Сьогодні свято...», «З період розгорнутого...». У цих віршах робиться спроба довести читачеві викривлене уявлення про радянське соціалістичне суспільство. У віршах паплюжаться заходи Комуністичної партії та Радянського уряду, пов'язані з святкуванням 100-річчя з дня народження В. І. Леніна, СРСР порівнюється з концтабором, вміщується твердження про те, що соціалізм в нашій країні нібито будується «на крові і кістках».

Так, у віршованому пасквілі «Ось вам сонце, сказав чоловік» він пише:

«Щоб не хотілося їсти і пити — слухайте лекції, популярні кінофільми як ви житимете щасливо, коли допpавитесь небесного царства...

...Коли вам захочеться відпочити — розучуйте цікаву гру про війну, уявіть, що опали вас вороги і хочуть позбавити щасливого існування, словом, стріляйте, кидайтесь на амбразури, падайте під танки. Тільки не розбігайтесь, докинув він...»

У вірші «Колеса глухо стукотять» Стус з ворожих нашому суспільству позицій твердить:

«...І знову Вятка, Котлас, Усть-Вим, дал і -до Чиб'ю. Рад-соц-концтаборів-союз, який Господь забув...

...Тепер тут править інший бог: расист, марксист і людожер... печорський концентрак споруджує нову добу на крові і кістках».

Після розмноження цієї збірки на друкарській машинці він розповсюджував її, а також окремі вірші, що ввійшли до неї, серед своїх знайомих.

В 1970 році передав по одному примірнику збірки Світличному Івану і Шабатурі Стефанії. (...)

У тому ж році Стус прочитав вголос Селезненку Леоніду і Калиниченку Івану вірш «Колеса глухо стукотять...» із збірки «Веселий цвинтар».

Після цього на прохання Калиниченка і Селезненка надав можливість Калиниченку переписати цей вірш у двох примірниках для власного користування. (...)

У себе на квартирі Стус зберігав один примірник збірки «Веселий цвинтар», рукописний та машинописні тексти його віршів «Колеса глухо стукотять...» і «Марко Безсмертний», які були вилучені у нього під час обшуку 12 січня 1972 року. (...)

В 1970—1971 роках Стус написав наклепницький документ у вигляді статті під назвою «Феномен доби».

В цьому документі під виглядом «дослідження» творчості поета П. Г. Тичини він нав'язує читачеві антирадянські, націоналістичні погляди і уявлення щодо оцінки творчості радянського українського поета. На прикладі творчості П. Г. Тичини робить спробу довести, що принцип партійності в радянській літературі — це нібито негативне явище, «одержавнювання» і «споневірений оптимізм».

Поряд з очорнюванням поета Стус робить наклепницькі висновки про національну політику Комуністичної партії Радянського Союзу, твердить, що колективізація нібито була «невдалою мірою» і що духовна культура народу в нашій країні нібито «винищувалась небаченими в історії засобами».

В 1971 році статтю «Феномен доби» він розповсюдив, ознайомивши з нею Франко Зиновію, Світличного І., Селезненка Л., Тельнюка Станіслава, передав також один примірник Калинець Ірині, яка мешкає у Львові, один примірник цієї статті також був вилучений у Сверстюка Є. під час обшуку 12 січня 1972 року. (...)

В іншій статті «Зникоме розцвітання», написаній Стусом в ці ж роки, він при дослідженні творчості В. Свідзінського робить оцінку спадщини поета з буржуазних позицій і поряд з цим зводить наклепницькі вигадки на досягнення радянського народу в соціалістичному і культурному будівництві, порочить радянський державний і суспільний лад.

Названу статтю Стус в кінці 1970 року чи на початку 1971 року передав для ознайомлення Селезненку Л. В., у якого вона була вилучена під час обшуку 12 січня 1972 року. (...)

21 листопада 1971 року Стус написав листа до ЦК КП України та Президії Спілки письменників України, що починається словами: «За статистичними підрахунками...», в якому наклепницьки змальовує становище сучасної української радянської літератури, стверджуючи,

що в нашій країні по відношенню до молодих літераторів нібито проводиться «політика геноциду». Всіляко вихваляючи деяких «літераторів», які проявили ворожість до радянського суспільства (М. Холодного, І. Світличного, В. Мороза та інших), Стус робить наклепницький висновок про нібито існуючий «психологічний та адміністративний терор» і про те, що радянське правосуддя начебто стає «синонімом беззаконня».

В 1971 році при написанні цього листа ознайомив з його змістом Дзюбу Івана і Сверстюка Євгена. Після розмноження листа на своїй друкарській машинці один примірник його передав Світличному Івану, у якого він був вилучений в січні 1972 року. (...)

У другій половині 1971 року машинописний текст листа давав для ознайомлення Селезненку Л. В.

Три інших примірники згаданого листа були також вилучені під час обшуків в січні 1972 року у Світличної Надії, Дзюби Івана і Плюща Леоніда. (...)

При обшуці у Стуса був вилучений його рукописний текст цього документа. Згаданий наклепницький документ, крім, того, потрапив за кордон, про що 14 березня 1972 року було зроблено повідомлення антирадянською радіостанцією «Свобода». (...)

У грудні 1971 року. Стус на пропозицію Чорновола дав згоду прийняти участь у діяльності так званого «Громадського комітету захисту Ніни Строкатової», заарештованої за антирадянську діяльність. Членами цього «комітету» була складена «заява» та довідка про особу Строкатової, в яких вміщуються наклепницькі твердження; про нібито існуючі в СРСР безпідставні арешти і переслідування громадян, подаються неправдиві відомості про причини засудження чоловіка Строкатого — Караванського С. Й., стверджується, що сама Строкатова була заарештована нібито незаконно. (...)

Приблизно в 1965—1966 рр. Стус одержав від осіб, яких не назвав, два примірники антирадянського твору І. Дзюби «Інтернаціоналізм чи русифікація?» у вигляді машинописного тексту та фоторепродукції, яким є пасквілем на радянську дійсність, національну політику КПРС і практику комуністичного будівництва в СРСР.

Ці примірники твору Стус зберігав у себе до дня їх вилучення під час обшуку 12 січня 1972 року. (...)

В кінці 60-х років Стус одержав від особи, яку також не назвав, саморобну збірку віршів «Крик з могили» М. Холодного. У вміщених в цій збірці віршах «Собака», «Дядько має заводи…» та багатьох інших автор з антирадянських позицій змальовує радянський лад, життя та побут нашого народу, політику КПРС і Радянського уряду. Цю збірку Стус зберігав у себе до дня її вилучення під час обшуку 12 січня 1972 року. (…)

В іншому випадку, коли саме Стус не пам'ятає, він одержав від когось із своїх знайомих машинописний текст «новели» Василя Захарченка під назвою «Дзвінок». Цей твір, що має антирадянське спрямування, вміщує в собі наклепи на радянську дійсність, на органи управління та державні установи, на життя радянських людей.

Цю «новелу» Стус зберігав у себе до дня її вилучення під час обшуку 12 січня 1972 року. (…)

В грудні 1971 року та в січні 1972 року Стус, перебуваючи на лікуванні в санаторії «Світанок» в м. Моршині Львівської області, в розмовах з відпочиваючими Мацкевичем П. М., Кислинським В. В. та Сидоровим В. Г. висловлював антирадянські та наклепницькі судження. Викладаючи свої ворожі погляди, в образливій формі висловлювався на адресу засновника Радянської держави, вихваляв життя в капіталістичних країнах, твердив, що в країнах капіталістичного заходу нібито існують більш широкі демократичні свободи, ніж в СРСР, зводив наклеп на матеріальне становище трудящих нашої країни та всіляко вихваляв українських буржуазних націоналістів, які вели збройну боротьбу проти Радянської влади, називаючи їх «визволителями» українського народу.

Вищенаведене стверджується показаннями свідків Мацкевича П. М., Кислинського В. В. і Сидорова В. Г.

Так, свідок Мацкевич Петро Макарович показав, що під час перебування на лікуванні у м. Моршині Львівської області у грудні 1971 — січні 1972 року Стус в розмовах з ним висловлював думку про те, що бендеровці начебто були національними героями і що їх підтримувало населення Західної України; цинічно висловлювався про вождя пролетарської революції і засновника радянської держави, наклепницьки твердив, що безробітний в капіталістичних країнах нібито краще забезпечений в матеріальному відношенні, ніж робітник в СРСР, що за кордоном начебто більше свободи і демократії, ніж в Радянському Союзі (т. 2, а. с. 1—6).

Свідок Сидоров Василь Гнатович показав, що Стус в розмовах з ним вихваляв буржуазну пресу Заходу — висловлював судження про те, що в радянській пресі, по радіо і телебаченню нібито подається неправдива інформація, що в нашій країні начебто немає свободи друку і пересування (т. 2, а. с. 7—11).

Свідок Кислинський Віктор Володимирович показав, що Стус в його присутності розповів анекдот, в якому висміював засновника радянської держави (т. 2, а. с. 12—15).

В пред'явленому обвинуваченні в проведенні антирадянської агітації, поширенні наклепницьких вигадок, що порочать радянський державний і суспільний лад, Стус винним себе не визнав, хоч на попередньому слідстві підтвердив переважну частину тактів виготовлення і зберігання ним антирадянських і наклепницьких документів.

При цьому Стус заявив, що при скоєнні інкримінованих йому злочинних дій він мети підриву і ослаблення Радянської влади не переслідував.

Але злочинна діяльність Стуса в достатній мірі викривається переліченими вище зібраними по справі доказами, а саме:

- показаннями свідків Мацкевича П. М., Сидорова В. Г., Кислинського В. В., Франко З. Т., Тельнюка С. В., Калиниченка І. О., Шабатури С. М., Калинець І. О.;
- показаннями обвинувачених по інших справах — Селезненка Л. В., Світличного І. О., Дзюби І. М.;
- протоколами очних ставок між обвинуваченим Стусом та свідками;
- матеріалами обшуків, речовими доказами і документами, вилученими під час обшуків;
- протоколами огляду речових доказів і документів;
- висновками криміналістичних експертиз.

Про сталість антирадянських переконань Стуса і спрямування його злочинної діяльності на підрив та ослаблення Радянської влади свідчать, крім того, зібрані по справі матеріали про участь його у збориЩах націоналістично настроєних осіб біля пам'ятника Т. Г. Шевченку в Києві (т. 4, а. с. 39), про провокаційний виступ Стуса у кінотеатрі «Україна» під час перегляду кінофільму «Тіні забутих предків» в 1965 році (т. 4, а. с. 39—41, 50—51, 52—54, 132—133), про провокаційний виступ його на філологічному факультеті Одеського університету у 1966 році (т. 2, а. с. 83—86, 89) і його поведінка під час попереднього розслідування, а також вороже спрямування написаних ним документів і ті обставини, що ці документи Стусом систематично розповсюджувались і набули значного нелегального поширення на Україні та широко використовувались за кордоном в проведенні ворожої пропаганди проти УРСР.

На підставі викладеного обвинувачується

СТУС Василь Семенович, 8 січня 1938 року народження, уродженець с. Рахнівка Гайсинського району Вінницької області, із селян, українець, громадянин СРСР, безпартійний, з вищою освітою, одружений, має сина 1966 року народження, до арешту проживав у м. Києві по вул. Львівській, 62, кв. 21, працював старшим інженером відділу технічної інформації Республіканського об'єднання «Укроргтехбудматеріали», раніше несудимий,

в тому, що він, пробиваючи в місті Києві, на ґрунті антирадянських переконань та невдоволення існуючим в СРСР державним та суспільним ладом, з метою підриву і ослаблення Радянської влади, починаючи з 1963 року і до дня його арешту, тобто до січня 1972 року, систематично виготовляв, зберігав та розповсюджував антирадянські та наклепницькі документи, що порочать радянський державний і суспільний лад, а також займався антирадянською агітацією в усній формі.

В період 1963—1972 років написав і зберігав у себе на квартирі до дня його арешту 14 віршів, в тому числі: «Доволі! Ситий вже...», «Безпашпортний, закріпачений в селі...», «Опускаюсь — ніби підіймаюсь...», «Розмова з другом», «Коли багряніла українська революція...», «Комуністи — вперед!...», «Режисер із людожерів», «Кубло бандитів...», «Три С. — неначе жарт...», «Наша нація — найпередовіша...», «На історичному етапі...», «Між божевіллям і самогубством...», «Від радості у степ...», «Ви ходили до Петлюри...», в яких порочить радянський державний та суспільний лад і зводить наклепи на умови життя радянського народу, на КПРС і конституцію СРСР.

В 1965—1972 роках написав 10 документів антирадянського та наклепницького змісту, в тому числі: два листи, що починаються словами: «Шановний Петре Юхимовичу!», рукописи: «Привид бродить по Європі...», «Ми живемо в дуже цікаву епоху...», «Ми живемо в час парадоксів...», «Франція — це я...», «Відвідини. Лекція на заході...»,

«Де існування є злочином...», «Існує тільки дві форми...», «Якийсь киянин...».

В цих наклепницьких документах порочаться соціалістичні завоювання в нашій країні, ототожнюється радянський лад з гітлерівським режимом, стверджується про начебто існуюче національне гноблення на Україні та порушення соціалістичної законності, робиться спроба «довести» неможливість побудови комуністичного суспільства в Радянському Союзі.

Перелічені вище наклепницькі документи зберігав у себе до їх вилучення під час обшуків 12 січня та 4 лютого 1972 року.

28 липня 1970 року написав листа ворожого змісту, використавши при цьому раніше складений ним текст «Привид бродить по Європі...». Цей лист, адресований до ЦК КП України і КДБ УРСР, був потім надрукований в нелегальному антирадянському журналі «Український вісник» № 3 за 1970 рік, що мав поширення на території УРСР і за кордоном.

Текст згаданого листа, що починається словами: «Нині зрозуміло кожному...», було вилучено у притягнутого до кримінальної відповідальності за антирадянську діяльність Дзюби І. М. під час обшуку 13 січня 1972 року.

В згаданому вище листі зводяться наклепницькі вигадки на радянську дійсність, зокрема на матеріальне і духовне життя нашого народу. Робиться, крім того, спроба обілити В. Мороза і вміщуються звернення виступити на його захист в зв'язку з начебто безпідставним притягненням його до кримінальної відповідальності за антирадянську діяльність.

В середині 1970 року написав інший наклепницький документ у вигляді листа, що починається словами: «Кожне нормально організоване суспільство...», адресованого до Голови Спілки письменників України, Секретаря ЦК КП України та Голови Президії Верховної Ради УРСР, використавши при цьому вищезгаданий текст написаного ним документа «Франція — це я... Цей документ також був вміщений до нелегального так званого журналу «Український вісник» № 3 за 1970 рік. В цьому документі зводяться наклепницькі вигадки на національну політику КПРС. Робиться спроба захищати осіб, що займаються ворожою діяльністю, а вжиті до них заходи з боку органів Радянської влади розцінюються як «свавілля над людиною та її совістю».

В період після 1965 року написав документ наклепницького змісту у вигляді листа, якого адресував Президії Спілки письменник і в України, в копіях Секретареві ЦК КП України та редакції журналу «Всесвіт».

В цьому документі, виступаючи на захист засудженого за антирадянську діяльність Караванського С. Й. та інших осіб, Стус очорнює радянську дійсність, стверджує, що на Україні нібито переслідуються інтелігенція і науковці і що в нашій країні начебто відсутні демократичні свободи.

В 1967—1968 роках з цим документом ознайомив Селезненка Л., а в січні 1972 року машинописний текст його було вилучено під час обшуків у Світличної Н., що мешкає в м. Києві, та у Гулик С., що мешкає в м. Львові.

Цей наклепницький документ, потрапивши за кордон до ворожих видавництв українських буржуазних націоналістів, широко використовувався в пропагандистських заходах, спрямованих проти Радянського Союзу. В квітні 1969 року він був надрукований в журналі «Сучасність» в Мюнхені, в травні 1969 року у газеті «Українське слово» в Парижі, у травні 1969 року та грудні 1970 року в газеті «Шлях перемоги» в Мюнхені під тенденційними заголовками: «Боягузтво — друге наймення підлості» та «Літературу здано на поталу полторацьким».

В 1969 році написав листа на адресу редактора журналу «Вітчизна» та в копії до редакції газети «Літературна Україна» під заголовком «Місце в бою чи в розправі?», в якому з антирадянських позицій викладає наклепницькі твердження про те, що на Україні нібито наступив час «реакції», «нищаться тисячі талантів». В 1969 році ознайомив з ним Селезненка Л.

Цей документ також набув поширення і використовувався ворожими елементами на Україні та буржуазною пропагандою на Заході.

13 січні 1970 року він був надрукований в нелегальному т. з. журналі «Український вісник» № 1, який видавався ворожими елементами на Україні, а також у 1971 році був передрукований в Парижі.

У червні 1971 року лист Стуса «Місце в бою чи в розправі?» передавався зарубіжною радіостанцією «Свобода», а в серпні того ж року був надрукований в газеті «Шлях перемоги» в Мюнхені.

Крім того, текст цього ж документа Стуса в січні 1972 року було вилучено у Мешко О. Я., що мешкає в м. Києві.

В 1970 році упорядкував нелегальну збірку віршів під назвою «Зимові дерева», в яку вмістив свої твори, написані на протязі 1963—1970 років.

В збірку ввійшли вірші наклепницького змісту: «Не можу я без посмішки Івана…», «Звіром вити, горілку пити…», «Отак живу як мавпа..», «Даждь нам…», «Розмова», «Балухаті мистецтвознавці…», «Який це час?», «Йдуть три циганки…», «У Мар'їнці стоять кукурудзи…».

В цих віршах життя людей в Радянській Україні ним змальовується як «добровільний допр», в них наклепницьки твердиться також, що радянські люди начебто мають лише «право надриватися в ярмі», наша держава, за його твердженням, — це «вітчизна боягузів і убивць».

Тоді ж, в 1970 році, згадана нелегальна збірка віршів була передрукована на машинці і розповсюджена Стусом серед своїх знайомих та набула поширення за кордоном. Два примірники своєї збірки він передав Селезненкові Леоніду, по одному примірнику — Дзюбі Івану, Світличному Івану, що мешкають у м. Києві, та Калинець Ірині, що мешкає в м. Львові.

Один з примірників збірки «Зимові дерева», одержаних від Стуса, Селезненко в 1970 році передав громадянці Чехословаччини Коцуровій Ганні, який вона вивезла за кордон і передала Левицькому, що проживає в Англії. В тому ж 1970 році збірка була видана окремою книгою з передмовою автора. Вірш «Не можу я без посмішки Івана…» з цієї збірки окремо друкувався за кордоном в антирадянському націоналістичному журналі «Сучасність» № 12 за 1971 рік.

При обшуці у Стуса 12 січня 1972 року вилучено, зокрема, два написаних ним рукописних тексти вірша «У Мар'їнці стоять кукурудзи…», які входять до збірки «Зимові дерева».

В 1970 році Стус виготовив саморобну нелегальну збірку лід назвою «Веселий цвинтар», куди ввійшли, поруч з іншими, написані ним антирадянські та наклепницькі вірші: «Ось вам сонце…», «Колеса глухо стукотять…», «Рятуючись од сумнівів…», «Марко Безсмертний», «Їх було двоє…», «Напередодні свята…», «Сьогодні свято…», «В період розгорнутого…». В цих віршах робиться спроба довести читачеві зневічене уявлення про радянське соціалістичне суспільство, зводиться наклеп на заходи Комуністичної партії та Радянського уряду, пов'язані з святкуванням 100-річчя з дня народження засновника Радянської держави. СРСР порівнюється з концтабором, з ворожих позицій стверджується, що соціалізм в нашій країні нібито будується «на крові і кістках».

Після розмноження цієї збірки на своїй друкарській машинці він розповсюджував її, а також окремі вірші, що ввійшли до збірки, серед своїх знайомих. В 1970 році передав по одному примірнику збірки Світличному Івану і Шабатурі Стефанії. У тому ж році у себе вдома ознайомив Селезненка Леоніда і Калиниченка Івана з віршем «Колеса глухо стукотять…» із збірки «Веселий цвинтар», на прохання Калиниченка і Селезненка надав можливість їм переписати цей вірш у двох примірниках для власного користування.

Крім того, у себе на квартирі зберігав один примірник збірки «Веселий цвинтар», рукописний та машинописний тексти віршів «Колеса глухо стукотять…» і «Марко Безсмертний», які були вилучені у нього під час обшуку 12 січня 1972 року.

Приблизно в 1970—1971 роках написав дві ворожі статті під назвами «Феномен доби» і «Зникоме розцвітання».

В першій з них під виглядом «дослідження» творчості поета П. Г. Тичини нав'язує читачеві антирадянські, націоналістичні погляди і уявлення щодо оцінки творчості радянського українського поета. На прикладі творчості П. Г. Тичини робить спробу довести, що принцип партійності в радянській літературі — це негативне явище, «одержавнювання» і «спроневірений оптимізм».

Поряд з очорнюванням поета Стус робить висновки про те, що в минулому національна політика Комуністичної партії Радянського Союзу нібито була неправильною, що колективізація також була «невдалою мірою», а духовна культура народу в державі нібито «винищувалась небаченими в історії засобами».

В другій статті при «дослідженні» творчості В. Свідзінського Стус робить оцінку спадщини поета з буржуазних позицій і поряд з цим зводить наклепницькі вигадки на досягнення радянського народу в соціалістичному і культурному будівництві, порочить радянський державний і суспільний лад.

В 1971 році статтю «Феномен доби» розповсюдив, ознайомивши з нею Франко Зиновію, Світличного І., Селезненка Л., Тельнюка Станіслава, передав також один примірник Калинець Ірині, яка мешкає у Львові, і один примірник цієї статті був вилучений у Сверстюка Є. під час обшуку 12 січня 1972 року.

Чернетки і повний машинописний текст статті «Феномен доби» Стус зберігав у себе до вилучення під час обшуку 12 січня 1972 року.

Статтю «Зникоме розцвітання» наприкінці 1970-го чи на початку 1971 року передав для ознайомлення Селезненку Л., яка зберігалась у останнього до 12 січня 1972 року і була вилучена під час обшуку.

21 листопада 1971 року Стус написав листа до ЦК КП України та президії Спілки письменників України, що починається словами: «За статистичними підрахунками...», в якому наклепницьки змальовує становище в сучасній українській радянській літературі, стверджуючи, що в нашій країні по відношенню до молодих літераторів нібито проводиться «політика геноциду». Всіляко вихваляючи деяких «літераторів», які проявили свою ворожість до радянського суспільства (М. Холодного, І. Світличного, В. Мороза та інших), Стус робить наклепницький висновок про нібито існуючий «психологічний та адміністративний терор» і про те, що радянське правосуддя начебто стає «синонімом беззаконня».

У другій половині 1971 року при написанні цього листа ознайомив з його змістом Дзюбу Івана і Сверстюка Євгена. Після передрукування листа на своїй друкарській машинці один примірник його передав Світличному Івану, у якого він був вилучений в січні 1972 року.

Тоді ж згаданий наклепницький документ давав для ознайомлення Селезненку Л.

Три інших примірники цього документа були також вилучені під час обшуків в січні 1972 року у Світличної Надії, Дзюби Івана і Плюща Леоніда.

Рукописний текст згаданого листа Стус зберігав у себе до 12 січня 1972 року. Цей наклепницький документ, крім того, потрапив за кордон, про що 14 березня 1972 року було зроблено повідомлення. антирадянською радіостанцією «Свобода». (...)

В грудні 1971 року на пропозицію Чорновола дав згоду прийняти участь у діяльності так званого «Громадського комітету захисту Ніни Строкатової», заарештованої за антирадянську діяльність. Членами цього «комітету» була складена «заява» та довідка про особу Строкатової, в яких вміщуються наклепницькі твердження про нібито існуючі в СРСР безпідставні арешти і переслідування громадян, подаються неправдиві відомості про причини засудження чоловіка Строкатової —

Караванського С. Й., стверджується, що сама Строкатова була заарештована нібито незаконно.

В період після 1965 року придбав у когось із своїх знайомих і зберігав до 12 січня 1972 року два примірники антирадянського документа І. Дзюби «інтернаціоналізм чи русифікація?» у вигляді машинописного тексту та фоторепродукції, який є пасквілем на радянську дійсність, національну політику КПРС і практику комуністичного будівництва в СРСР.

В 1968 чи 1969 році також придбав від когось із своїх знайомих і зберігав до січня 1972 року саморобну збірку віршів Холодного «Крик з могили», в якій у віршах «Собака», «Дядько має заводи і фабрики…» та багатьох інших автор з антирадянських позицій змальовує радянський лад, життя та побут нашого народу, зводить наклеп на політику КПРС і Радянського уряду.

В період після 1966 року придбав від когось із своїх знайомих і зберігав до січня 1972 року машинописний текст так званої «новели» Василя Захарченка під назвою «Дзвінок». Цей документ, що має антирадянське спрямування, вміщує в собі наклепи на радянську дійсність, на органи управління та державні установи, на життя радянських людей.

В грудні 1971 року та в січні 1972 року Стус, перебуваючи на лікуванні в санаторії «Світанок» в м. Моршині Львівської області, в розмовах з відпочиваючими Мацкевичем Н. М., Кислинським В. В. та Сидоровим В. Г. висловлював антирадянські та наклепницькі судження. Викладаючи свої ворожі погляди, в образливій формі висловлювався на адресу засновника Радянської держави, вихваляв спосіб життя в капіталістичних країнах, твердив, що в країнах капіталістичного заходу нібито існують більш широкі демократичні свободи, ніж в СРСР, зводив наклепи на матеріальне становище трудящих нашої країни та всіляко вихваляв українських буржуазних націоналістів, які вели збройну боротьбу проти Радянської влади, називав їх «визволителями» українського народу, тобто винен в скоєнні злочину, передбаченого ст. 62 ч. I КК УРСР.

Відповідно до ст. 225 КПК УРСР кримінальну справу по обвинуваченню Стуса Василя Семеновича надіслати Прокурору Української РСР.

Обвинувальний висновок складено «26» липня 1972 року у м. Києві слідчим управління КДБ при РМ УРСР
по Київській області старший лейтенант Логінов

Згодні: Начальник слідчого відділу КДБ
при РМ УРСР підполковник Туркін

Заст. Голови комітету державної безпеки
при Раді Міністрів української РСР генерал-полковник В. Федорчук

м. Київ-179
вул. Чорнобильська, 13-а, кв. 94
Стусу Василю Семеновичу
м. Луцьк, вул. 50 років Жовтня, 3-а
Коц М. Г.

Христос воскрес!
Шановний Василю Семеновичу, Вітаю Вас і Вашу дружину з нагоди свята Великодня!

Бажаю Вам веселих свят, бездоганного здоров'я і докорінних змін на краще існуючого статусу.

Микола

P. S. Кілька слів про себе. Нарешті на сьомому місяці свого бездомного животіння ... легалізувався. Допомогла-таки поїздка в міністерство. Ще дехто норовився, «консультувався», дувся, однак діватись було нікуди, прийшлось змиритись з тим, що треба прописати.

А кути прописатись? Найшов собі місце серед будівельників. поступив учнем в учб. комбінат вивчати кран, тим самим я проклав собі шлях на 5 міс. в гуртожиток. Зараз практикуюсь управляти цією машиною, а згодом, очевидно, прийдеться на ній працювати. На диво, ноги обі вільні, такого не сподівався!

Дуже Вам вдячний за гостинність.

Всього Вам доброго.

З подякою Микола
2.IV.1980 р., Луцьк

До Верховного Суду УРСР
Копія: до Генерального Прокурора
Союзу СРСР

23 жовтня 1979 р. було заарештовано мого товариша по укр. правоз. руху Миколу Горбаля і цинічно звинувачено в опірі міліції й згвалтуванні.

19.VI я звернувся до Прокуратури УРСР з вимогою судити осіб, винних у безпідставному й звинуваченні Горбаля.

На це прокурор м. Києва гр. Паньков відповів, що вину Горбаля доведено слідством.

17—21.1.1980 р. Жовтневий райсуд м. Києва засудив Миколу Горбаля до 5 років позбавлення волі.

Як стало відомо, зацікавлені служби організували проти Горбаля заготовлену провокацію. Наймитенко (вона ж і «потерпіла»!) нав'язалася Горбалеві в знайомі, а через якийсь час, зустрівши його, попросила провести її додому. Горбаль, не підозрюючи нічого, проводив її, а по дорозі, — в темному провулку, — на нього накинулися два «свідки» — Летовський та Іванов.

Їм допомагала дебела Наймитенко. Решту — обвинувачення Горбаля — вони й вигадали, оскільки не передбачалося жодного об'єктивного розбору.

Більш того: адвокат Васютинська, що розповів їй про справу, шиту білими нитками, допомогла звинуваченню перекрутити попередні матеріали «справи».

Отже, для того щоб звинуватити Горбаля, звинуватити безневинно, треба було організувати таємну змову проти Горбаля, схиливши на злочин «потерпілу» Наймитенко, юриста Батуру, «свідків» Іванова, Летовського, адвоката Васютинську.

В ряду численних інших розправ над дисидентами розправа над Горбалем — найцинічніша.

Я звертаюся до вас із проханням переглянути «справу» Горбаля, допитати першого слідчого, Васютинську, Горбаля і «свідків» і «потерпілих», аби встановити справжніх злочинців цієї справи, старанно прихованих слідчо-судовим текстом.

Я вимагаю звільнення Горбаля, як абсолютно невинного в цих «злочинах», я вимагаю суду над справжніми злочинцями — Батурою,

Наймитенко, Івановим і Летовським — та тими, що інсцирували за допомогою цинічної розправи над М. Горбалем.

Забрали зі справи багато документів, сфабрикували слідство. На 5-й день зняли побої медексперти.

...Попросила його провести (вели по вулиці Мамина-Сибіряка). Він провів на її прохання, там у темному місці його побили. Сфабрикувало КГБ.

Свідомість того, що моє існування ось уже кілька років, як стало вимушеним самознищенням вроздріб, спонукає мене звернутися до вас за роз'ясненням.

Смію заявити, що моє покликання — література, а єдине моє бажання — творити добро своєму народові. Тимчасом я позбавлений і одного, і другого.

Одинадцять ровів тому покійний Андрій Самійлович Малишко дав мені своє письменницьке благословення. Але путівка в літературу виявилась для мене жовтим квитком — так само, як для Миколи Воробйова, Василя Голобородька, Віктора Кордуна, Василя Рубана, Миколи Холодного і багатьох інших.

В березні 1963 року я вперше віддав свою збірку віршів до видавництва «Молодь», у тому ж році одержав першу рецензію. Але збірка так і не вийшла в світ.

Після того, вже в «Радянському письменнику», рецензували книгу Микола Нагнибіда (в 1965 р.), Іван Драч (в 1968 р.), Євген Адельгейм (1970 р.). Всі рецензенти (навіть Нагнибіда) називають автора талановитим, але анонімний наглядач над музами нишком наказує: не друкувати.

Оскільки подібна тяганина є кричущим порушенням авторських прав і видавничих обов'язків, прошу назвати її причину.

За одинадцять років літературної роботи, роботи в найнесприятливіших умовах, я написав чимало літературно-критичних статей, які могли б скласти цілу книгу і, сподіваюсь, досить цікаву й потрібну. Склали б окрему книгу мої переклади німецьких, білоруських, російських, польських, чеських, іспанських, французьких поетів. Нарешті, мавши бодай якусь перспективу, я б міг покласти на редакторський стіл книгу прози.

Але — перспективи ніякої. Тимчасом до моєї квартири будь-коли може вдертися загін опричників з КГБ і залишити мій письмовий стіл порожнім. Вилучені речі вони назовуть самвидавською літературою, готованою для закордону, і просто знищать.

А для мене це гірше, ніж одинадцять років ув'язнення. Адже вони спалять на вогні одинадцять років мого життя. Дії КГБ я особисто розцінюю як такі, що жорстоко караються нашим кримінальним кодексом: адже ось уже кілька літ підряд мене вбивають з садистською насолодою, повільно, з дня на день, готуючи смерть уроздріб або сподіваючись на те, що я зрештою знищу самого себе — своїми руками: якщо не накладу на себе руки, то вмру, як людина, як громадянин, перетворюсь на залякану гидь, яка може доконувати все, що їй тільки накажуть. Таким чином, умови, за яких я не можу існувати, як людина, розцінюю як зумисне вбивство, що карається відповідною статтею кодексу.

Вони домагаються смерті в трьох подобах на перевагу останній, їм хочеться, вбивши мене, залишити смерця.

Оскільки ж діяльність моїх смертоносців носить виразне українське спрямування, процес мого повільного вбивства іще й расистського забарвлення.

Отже, винних у моїй повільній смерті я звинувачую в моєму вбивстві, расизмі й садизмі. Ви знаєте, що подібні до нас караються (тобто повинні каратися) смертю.

Живий смертник, або живцем закопаний в землю, протестую проти всілякої примусової смерті, будь-кого.

Я тільки прагну нагадати про те, як вас будуть проклинати нащадки, коли ви домучите молоде покоління, народжене від розстріляних батьків.

Засуджений на життя
Василь Стус

Перевод с немецкого языка

Моя дорогая сестра!

Во-первых — разреши мне поздравить тебя. Я очень рад — слышать твой голос. Как дела? Я — чернорабочий — очень беспокойная, грязная работа, — формировщик на литейном заводе. Всей корреспонденции у меня нет. Но фото Альбу и Гейдеггера мне прислала госпожа Паулина Диттус из Мюнхена. У меня была также поздравительная телеграмма от Евы Глазен и почтовая открытка от Пенклуб. У меня есть короткое письмо от профессора Леонида Рудницкого из Ла Салль колледжа (Филадельфия).

Я телеграфировал ему:

Гранд I'm arred. Спасибо. У меня есть за предложение. Я согласен поехать на весенний семестр. У него есть моя телеграмма? Мой хороший друг Мик. Горб. вернулся. Заключенный ждет своего суда к новому году. Этот суд будет бесчеловечным, открытый суд, закрытый суд.

Я посылаю сегодня телеграмму к господину Андропову, я требую освобождения для Миколы Горбаля ... организована большая провокация.

От тебя у меня ничего не было. Но я тебе ничего не посылал. Прости — моя сестра — мои тысяча извинений.

Переводчик: (Манукьян)

Перевод с немецкого языка

Моя дорогая сестра!

Я прошу прощения: так долго не писал. Но мои обстоятельства почти постоянно напряжены. Я благодарю за твою посылку. Недавно я написал письма пани Гале и Жозефине Пуллен Томсон. Но что ожидает эти письма (какая беда) — я не знаю. Я часто тебя вспоминаю, — ты слышишь? Я обнимаю тебя, моя маленькая сестра. Новый год — плохой год, к сожалению!

С сердечным приветом — Василь

Кристине Бремер,
Фултонштрассе, 12
2800 Бремен
Федеративная Республика Германия

СССР
252179
Киев-179
Чернобыльская, 13а, кв. 94
Стус Василь Семенович

Переводчик: (подпись)

Протокол виїмки
поштово-телеграфної кореспонденції

місто Київ 22 травня 1980 року

Старший слідчий слідчого відділу КДБ Української РСР майор Селюк з участю понятих: Жалій Антоніни Михайлівни, що мешкає в місті Києві, вулиця Живописна, 12, квартира 14, та Коливай Катерини Степанівни, що проживає в місті Києві, вулиця Живописна, 12, квартира 33, в присутності замісника начальника поштового відділення № 179 Тімченко Надії Григорівни, додержуючись вимог ст. ст. 180, 181, 183, 185-186-188 та 189 КПК УРСР, провів виїмку поштової кореспонденції, яка надійшло до поштового відділення № 179 міста Києва на адресу Стуса Василя Семеновича.

Переліченим особам роз'яснено їх право бути присутніми при всіх діях слідчого робити заяви з приводу цих дій.

Понятим, крім того, роз'яснено на підставі ст. 127 КПК УРСР їх обов'язок засвідчити факт, зміст та наслідки виїмки.

Виїмку почато о 16 год 10 хв.

Закінчено о 16 год. 52 хв.

Перед початком виїмки слідчим було пред'явлено постанову про це від 13 травня 1980 року, після чого Тімченко Н. Г. було запропоновано видати зазначені в постанові документи; поштову кореспонденцію, яка надійшла на адресу Стуса В. С. Тімченко видала:

1. Художній авіаконверт з адресою отримувача: «Киев-179, Чернобыльская, 13-а, кв. 94, Стусу Василю Семеновичу» та адресою відправника: «Бурятская АССР, Зангранеевский р-н, поселок Новая Брянь Лісовий В. С.». В конверті знаходиться лист на 4 аркушах у клітинку, що починається зі слів: «Дорогий друже! 24.IV.80. Оце вичуную від чергового...» і закінчується словами: «...Вітання Валі, сину, рідним, друзям. Лісовий».
2. Поштовий рекомендований авіалист з адресою отримувача, виконаного іноземною мовою: USSR Ukrajinska SSR 252179 g. Kiew 179 ul. Tschornobil 13-a, kv 94 Stus Wassyl» та адресою відправника: «Christina Bremer Fulton Str. 12 2800 Bremen 33 0421/27.04.65» В конверті знаходиться лист на іноземній мові, що починається зі слів: № 4. 24.4.1980. Main lieben Wassyl!» і закінчується словами: «...In Liebe und Sreuel».

3. Поштовий рекомендований конверт з адресою на іноземній мові: «Einhlheben — Reih pebein UdSSR Ukr SSR Kiew 179 в. Чернобильська 13-а, кв. № 94 Стус Василь Stus Vasyl». В конверті знаходиться лист, виконаний українською мовою на подвійному аркуші білого нелінованого паперу.

Текст листа починається зі слів: «22.4.80. Дорогий пане Василю! Хоч трохи пізно...» і закінчується словами: «...що дістанете листа! Щиро Ваш Гор. Г.»

Перелічені в протоколі листи були вилучені.

Заяв та зауважень від понятих та присутньої Тімченко не надійшло.

Протокол оголошено слідчим, записано правильно.

Поняті:	(підпис)	Жалій
	(підпис)	Коливай
Присутня	(підпис)	Тімченко

Старший слідчий Слідчого відділу
КДБ УРСР — майор А. В. Селюк

Копію протокола одержала
22 травня 1980 р. — Тімченко

Перевод с немецкого языка

№ 4 — 22.4.1980

Мой дорогой Василь!

Сегодня прибыл твой ответ от 25.2.80 г., большое спасибо! Я немного удивилась, так как он долго шел. Несмотря на то, что я всегда думаю тебя увидеть, ты сейчас намного ближе! Я могу надеяться, что ты вовремя получил мое поздравление с Пасхой, от 31.3 выслано, иначе я должна здесь спросить, почему так задерживается. Но, наверное, это у меня так много неудач, а «Пен»-друзьям посчастливилось с их передачами, главная задача для меня, чтобы ты поскорее получил почту. Так или иначе, я поспорила с нашей почтой, но мой адвокат (поверенный) хлопочет.

Я тебя еще не спрашивала, как у тебя дела, здоров ли ты? Как твой желудок? Я думаю об этом, потому что мы оба были оперированы и становится все тяжелее. Каждое волнение становится заметным. Сначала началась боль в горле у меня, затем последовал тяжелый грипп, но я выздоровела, к счастью, так как у меня срочная работа. Горе не уменьшается, я как оглушенная, но сильная.

Уже наступила весна. Такая долгожданная, и сейчас мне нет смысла обращать на это внимание и оценить ее по достоинству. Михаил смог на последней неделе даже позвонить. Сейчас он может учить русский язык по книге: «Русский язык без усилия». Так называется этот учебник, он хочет все о шахматах прочитать на русском языке, пусть спокойно учит.

Сейчас я хочу еще ответить на письмо, так как у меня большая семья, что меня радует. Орыся уже ждет мое письмо, также я хочу написать Лео из Филадельфии [професор Леонід Рудницький]. Так как время бежит и собирается корреспонденция, на которую я должна ответить.

«Пен» послал через меня 8.4. картину собрания Э. Моне, как она тебе нравится? Но я убеждена, хорошо! А 27.2 тебе отправилась ценная посылка, кажется, она потерялась, нужно посмотреть. Ты можешь мне верить, я все время думаю о тебе! Твои дорогие письма я очень жду, но я понимаю, что у тебя мало времени и вообще! Я волнуюсь.

Дорогой побратим!
Бог тебя сохрани.
Я крепко тебя обнимаю
с любовью и верностью.

Переводчик: (Манукьян)

Протокол виїмки
поштово-телеграфної кореспонденції

м. Київ 9 червня 1980 року

Старший слідчий слідчого відділу КДБ Української РСР майор Пастухов в присутності зам. начальника 179 відділення зв'язку Тімченко

Надії Григорівни і понятих — працівників відділення Жалій Антоніни Михайлівни, яка мешкає в м. Києві, вулиця Живописна, 12, кв. 14, та Коливай Катерини Степанівни, яка проживає в м. Києві, вулиця Живописна, 12, кв. 33, з додержанням вимог ст. ст. 85, 187 і 188 КПК УРСР провів виїмку поштової кореспонденції, яка надійшла до поштового відділення № 179 міста Києва на адресу Стуса Василя Семеновича.

Переліченим особам роз'яснено їх право бути присутніми при всіх діях слідчого робити заяви з приводу цих дій.

(підписи)

Понятим, крім того на підставі ст. 127 КПК УРСР роз'яснено їх обов'язок засвідчити факт, зміст та наслідки виїмки.

(підписи)

Виїмку почато о 16 год 10 хв
Закінчено о 16 год. 40 хв

(підписи)

Перед початком виїмки слідчий оголосив, що виїмка поштово-телеграфної кореспонденції проводиться згідно постанови про арешт кореспонденції від 13 травня 1980 року. Після цього зам. начальника поштового відділення № 179 Тімченко Н. Г. видала:

1. Поштовий авіаконверт на адресу: «м. Київ 179, ул. Чорнобильська, 13 а, кв. 94 Стус Василь» з адресою відправника: «671510 Бурят Багдарин Ждан. 63» і далі нерозбірливий підпис. В конверти знаходяться поштова листівка з текстом, який починається словами: «15.V.80. Дорогий...» і закінчується: «...дорогий...»; аркуш білого паперу розміром 9 × 13 см з текстом (продовження попереднього), який починається: «2 — писати такого...» і закінчується словами: «...Є лише ті номери».
2. Поштова листівка з зображенням будинків міста Франкфурта-на-Майні з адресою одержувача: «Стусові Василеві Київ-179 вул. Чорнобильська, 13-а, кв. 94». Адреса відправника відсутня. Текст на

листівці розпочинається словами: «Дорогий пане Василю!..» і закінчується словами: «...щирі вітання!» і нерозбірливий підпис. Листівка датована 16.V.1980 року.

Перелічені листи вилучені.

Заяв та зауважень від понятих Жалій та Коливай та присутньої Тимченко не надійшло.

Протокол оголошено слідчим, записано правильно.

Поняті:	(підпис)	Жалій
	(підпис)	Коливай
Присутня	(підпис)	Тімченко

Старший слідчий Слідчого відділу
КДБ УРСР майор Пастухов

Копію протоколу одержала
9 червня 1980 року (Тімченко)

Протокол виїмки
поштово-телеграфної кореспонденції

місто Київ 21 липня 1980 року

Старший слідчий слідчого відділу КДБ Української РСР майор Селюк з участю понятих: Риженко Марії Михайлівни, що мешкає в місті Києві, вулиця Чорнобильська, 13, квартира 36, та Коливай Катерини Степанівни, що проживає в місті Києві, вулиця Живописна, 12, квартира, 33, в присутності замісника начальника поштового відділення № 179 Тімченко Надії Григорівни, додержуючись вимог ст. ст. 85, 180, 181, 183, 185—189 КПК УРСР, провів виїмку поштової кореспонденції, яка надійшла до поштового відділення № 179 міста Києва на адресу Стуса Василя Семеновича.

Переліченим особам роз'яснено їх право бути присутніми при всіх діях слідчого робити заяви з приводу цих дій.

Понятим, крім того, роз'яснено на підставі ст. 127 КПК УРСР їх обов'язок засвідчити факт, зміст та наслідки виїмки.

Виїмку почато о 15 год 00 хв.

Закінчено о 15 год. 30 хв.

Перед початком виїмки слідчим було оголошено, що виїмка проводиться на підставі постанови про це від 13 травня 1980 року, після чого запропоновано Тімченко Надії Григорівні видати поштову кореспонденцію, яка надійшла на адресу Стуса В. С. Тімченко Н. Г. видала:

1. Поштовий рекомендований авіаконверт з адресою отримувача, виконаного іноземною мовою: «USSR 252179 Ukrajinska SSR g. Kiew 179 ul. Tschornobil 13-a, кв № 94 Stus Wassyl» та адресою відправника: «Christa Bremer Fulton Str. 12 2800 Bremen 33 0421/27.04.65»

В конверті знаходиться рукописний лист, виконаний іноземною мовою, що починається зі слів: № 3. 30.3.1980. Main lieben Pobratym!» і закінчується словами: «…Posestra Kpustuhka».

2. Поштовий конверт № 330452 з адресою отримувача іноземною мовою: «Mr. Vasyl S. Stus Kiew 179 252179 Chornobylska Street 13-a, 94 U.S.S.R» та адресою відправника: «Joseph H. Previty 2319 S 21st Phila Pa 19145».

В конверті знаходиться друкований лист, що починається зі слів: «The School…» і закінчується словами: «…CC: Dr. DiMarco».

Вказані в протоколі виїмки листи вилучені.

Заяв та зауважень від понятих та присутньої Тімченко Н. Г. не надійшло.

Протокол оголошено слідчим, записано правильно.

Поняті:	(підпис)	Риженко
	(підпис)	Коливай
Присутня	(підпис)	Тімченко

Старший слідчий Слідчого відділу
КДБ УРСР майор А. В. Селюк

Копію протокола одержала
21 липня 1980 року Тімченко

Перевод с немецкого языка

№ 3 30.3.1980

Мой дорогой побратим!
Христос воскрес! Слышишь, как я к тебе и Вас призываю? С моими мыслями я буду возле тебя и праздную Пасху.

Как у тебя дела, не слишком ли тяжелая работа? Знаешь, я все время думаю о тебе, и я думаю, что ты также не забыл свою названую сестру.

Я предполагаю, времени мало и наверное ты послал мне несколько строчек, но они, к сожалению, затерялись. Лео я тоже написала, он, наверное, радуется, когда приходят поздравления на Пасху. 25.2 я тебе написала, а 27 отправила тебе ценное письмо. И я всегда верила, что теперь мое письмо придет намного быстрее. Как дела у твоих? Сегодня я посылаю тебе 2 почтовые открытки, оригиналы времен Риля. Я тоже так фотографировала, если фотографии хорошо получатся, ты получишь некоторые.

Леонид и Галина были в Бремене, они восхищались архитектурой, Галина много фотографировала, конечно и «бременских музыкантов». Галя поглощена работой, должна ли она будет написать к празднику, это для нее будет перенагрузка.

У меня пока все хорошо, как ведет себя твой желудок? Я знаю, как мой реагирует, на волнение например. Дорогой Василь, сегодня также только одно короткое письмо, но я передаю тебе большие приветы.

Я желаю веселой Пасхи, здоровья и счастья!!! Обнимаю и целую тебя, твоя названая сестра.

Переводчик: (Манукьян)

ПРОТОКОЛ ОГЛЯДУ

місто Київ «11» серпня 1980 року

Старший слідчий Слідчого відділу КДБ УРСР майор Цімох з участю перекладача англійської мови Чеботарьової Людмили Іванівни, мешканки м. Києва, вул. Щербакова, № 49«г», кв. 65 (з вищою освітою, в 1971 році закінчила факультет іноземних мов Львівського держуніверситету ім. І. Я. Франка, працює викладачем англійської мови Київського інституту народного господарства ім. Д. Коротченка), в присутності понятих: Авраменко Ніни Миколаївни, що мешкає в м. Києві, бульвар Леніна, 14, кв. 18, Митафір Тетяни Андріївни, мешканки м. Києва, вул. Вишгородська, 90 «а», кв. 209, в зв'язку з розслідуванням кримінальної справи № 5 відносно Стуса В. С., в приміщенні слідчого відділу КДБ УРСР, у відповідності зі ст. ст. 85, 190, 191 і 195 КПК УРСР провів огляд поштової кореспонденції, вилученої під час виїмки 9 липня 1980 року в поштовому відділенні зв'язку селища Матросова Тенькінського району Магаданської області.

У відповідності зі ст. 127 КПК УРСР понятим роз'яснено їх право бути присутніми при всіх діях слідчого під час огляду, робити зауваження з приводу цих дій, які підлягають обов'язковому занесенню до протоколу, а також їх обов'язок засвідчити своїми підписами відповідність записів у протоколі виконаним діям.

(підпис) (підпис)
(Авраменко) (Митафір)

Передбачені ст. 128 КПК УРСР обов'язки перекладача зробити повно і точно доручений переклад мені роз'яснено. Про кримінальну відповідальність за відмову виконати обов'язки перекладача, та завідомо неправильний переклад, передбачених ст. ст. 179 і 178 КК УРСР, мене попереджено.

Передбачене ст. 85 КПК УРСР право робити зауваження, які підлягають занесенню в протокол, мені роз'яснено.

(підпис) (Чеботарьова)

Оглядом встановлено

1. Тридцять дев'ять поштових повідомлень на ім'я колишнього мешканця селища Матросова Тенькінського району Магаданської області Стуса Василя Семеновича про посилки, цінні листи і бандеролі, що надійшли йому в 1978—1979 рр. з різних населених

пунктів СРСР та з зарубіжних країн. Прізвища та точні адреси відправників не вказані.

На звороті всіх цих повідомлень є власноручні записи Стусом про одержання ним зазначених поштових відправлень, з його підписами та датами одержань, а саме: 10 січня, 29 квітня, 21, 28, 30 червня, 21 липня, 11, 18, 26 серпня, 5, 18, 19, 20 вересня, 2, 18 жовтня, 11 листопада, 2, 16, 28 грудня 1978 року; 4, 9, 17, 25, 29 січня, 5, 17 лютого, 2, 16 березня, 28 травня, 6, 23 червня, 2, 20, 25 липня 1979 року.

2. Двадцять п'ять повідомлень на ім'я Стуса надійшло відносно посилок з різних населених пунктів СРСР, які він одержав, про що є відповідні його власноручні записи і підписи за звороті цих повідомлень, а саме: 4, 10 січня, 18 лютого, 13 березня, 19 квітня, 27 липня, 3, 26 серпня, 5 вересня, 2 жовтня, 18 листопада, 2, 13, 16 грудня 1978 року; 4, 15, 17 січня, 19 лютого, 13, 27, 29 квітня, 5, 12 травня 1979 року.
3. На ім'я Стуса із-за кордону в 1978 році надійшли посилки, в яких, згідно переліку, були такі промислові та продовольчі товари:

- в посилці за № 474610І із Філадельфії (США) знаходились: одні штани, вартістю 20 доларів, один чоловічий светр (за 30 доларів), шарф (за 30 дол.), 3 пари шкарпеток (за 6 дол.), 4 пакети кофе (за 10 дол.), 7 пачок шоколаду (за 4 дол.) — загальною вартістю 100 доларів;
- в посилці за № 1746725 із Нью-Йорка (США) такі речі й продукти: один піджак, 2 светра, 2 сорочки, 3 шарфи, 6 пар шкарпеток, один костюм, 2 рушники, І кофта, 50 бритвених лез, 5 кулькових ручок, 6 носових хусток, 6 кусків мила, 5 пачок кофе, 6 пакетів какао, — загальною вартістю 200 доларів;
- в посилці за № 1497314 із Балтимора (США) були продукти: 2 пакети цукру, 3 пакети какао, 2 пакети рису, 6 пакетів сухофруктів, 2 пакети чаю, 4 пакети кофе, 5 пакетів цукерок, 2 пакети перця, 2 тюбика спецій, 2 блоки цигарок, — загальною вартістю 50 доларів;
- в посилці із Торонто (Канада) були такі товари: шість кусків (12 метрів) кримпліна, ковдра, чоловічий синтетичний полувер, одна пара жіночих зимових чобіт, — всього вартістю 44 долари;
- посилка із Базеля (Швейцарія) вагою 14,400 кг.

На трьох документах є підписи Стуса про одержання посилок: 12 вересня, 6 і 17 жовтня 1978 року. Точні адреси та прізвища відправників цих посилок не вказані.

4. Дві поштові книги «для записи выдаваемых отправлений и извещений» відділення зв'язку селища Матросова Магаданської області — за 1979 рік, кожна на 24 аркушах, в яких вказано вид відправлення, номер та місце подачі, кому адресовано і підпис одержувача.

- книга почата на 1-му аркуші датою «4 січня» і закінчена на звороті 10-го аркуша датою «2/7».

  Із записів в цій книзі вбачається, що в період з 4 січня по 2 липня 1979 року Стус одержав 75 адресованих йому відправлень, в тому числі — 52 з населених пунктів СРСР і 2 із-за кордону.

- книга почата на 1-му аркуші датою «9.1», і закінчена на звороті 21-го аркуша датою «5.12».

  Із записів в цій книзі видно, що за період з 9 січня по 2 серпня 1979 року Стус одержав 158 відправлень, з них — 49 відправлень із-за кордону.

Таким чином, в період з 4 січня по II серпня 1979 року Стус одержав 233 відправлень (посилок, цінних і заказних бандеролей і листів), в тому числі — 72 із-за кордону, про що є його підписи про одержання зазначених відправлень. Точні адреси та прізвища відправників в книгах не вказані.

Огляд проводився від 9 год. 30 хв. до 12 год. 50 хв. при денному освітленні.

Протокол нами прочитано. Записано правильно. Зауважень і доповнень до протоколу не маємо.

Перекладач:
(підпис) (Чеботарьова)

Поняті:
(підпис) (підпис)
(Авраменко) (Митафір)

Старший слідчий
Слідчого відділу КДБ УРСР майор Цімох

ТОМ 6

Начальнику следственного отдела
КГБ Украинской ССР
полковнику тов. Туркину В. П.

На Ваш запрос сообщаем, что международная организация писателей т. н. «пен-клуб» объединяет в своих рядах литераторов различных стран.

«Пен-клуб» сотрудничает с ЮНЕСКО и другими неправительственными организациями. Председателем «пен-клуба» длительное время является известный западный писатель Белль Генрих.

Сотрудничая с т. н. «международной амнистией», «пен-клуб» принимает участие в проводимых на Западе кампаниях в защиту лиц, осужденных за антисоветскую деятельность.

Зам. начальника подразделения КГБ
Украинской ССР А. П. Ганчук

2 сентября 1980 года

СПРАВКА

Горбач Анна-Галина, 1924 года рождения, украинка, проживает в ФРГ, известная украинская буржуазная националистка, сотрудничает в зарубежных антисоветских националистических изданиях «Сучасність» и «Український самостійник».

Ее муж — Горбач Алексей, 1918 года рождения, уроженец Львовской области, выпускник Львовского университета, во время Великой Отечественной войны служил переводчиком в лагерях советских военнопленных, а затем в немецкой дивизии «СС-Галичина», в настоящее время является деканом факультета славяноведения во Франкфурте-на-Майне.

Сын Горбач — Горбач Марк-Николай, 1954 года рождения, уроженец и гражданин ФРГ, проживает в городе Франкфурт-на-Майне, член молодежной националистической организации «Пласт».

В феврале 1973 года находился на территории Украинской ССР в качестве туриста. Свое пребывание в СССР использовал для сбора тенденциозной информации, о чем писала газета «Радянська Україна» 15 марта 1973 года в статье «Турист за дорученням».

За враждебные действия, совершенные Горбачем в республике, 27 февраля 1973 года он был выдворен из СССР.

Начальник оперативного подразделения КГБ
Украинской ССР А. П. Ганчук

Начальнику следственного отдела
КГБ Украинской ССР —
полковнику товарищу Туркину В. П.

На Ваш запрос сообщаем, что Бремер Кристина, жительница города Бремена (ФРГ), близкая связь [так у тексті] националистки Горбач, является членом т. н. «международной амнистии».

Зам. начальника оперативного подразделения
КГБ Украинской ССР А. П. Ганчук

3 сентября 1980 года

Копия

Отец — Стус Семен Демьянович
Мать — Стус Елена Яковлевна
г. Донецк, ул. Чувашская, д. 19

Личная карточка № 3390

I. Общие сведения

1. Стус имя Василий отчество Семенович
2. Год рождения 1938 месяц 01 число 08

3. Место рождения — Винницкая обл. Гайсинский район, с. Рахнивка.
4. Национальность — украинец
5. Партийность — в/п
6. Состоит ли членом ВЛКСМ — нет
7. Член профсоюза — да
8. Образование:
   а) Высшее. Донецкий пединститут в 1959 г.
9. Специальность по диплому — украинский язык, литература и история
10. Квалификация по диплому (свидетельству)
11. Основная профессия — учитель украинского языка и литературы и истории
12. Общий стаж работы — VIII.1959
13. Непрерывный стаж работы — 6.III.1977
14. Последнее место работы — Мордовская АССР, с. Потьма, п/я ЖХ-385/19 — отбывал срок наказания по ст. 62 ч. I УК СССР, ср. 5 лет, 3 ссылки.
15. Семейное положение — Попелюх Валентина Васильевна 1938 г. рожд.
    Сын — Дима — 1966 г.
    г. Киев, ул. Львовская, д. 62, к. 1.
16. Паспорт: серия СП № 21/248
    Взамен паспорта. Управление МВД по Магаданской обл.
17. Домашний адрес: Центральная, д. 37 кв. 36.
    Дата заполнения 6 марта 1997 г.

III. Назначения и перемещения

Дата	**Цех (отдел), участок**	**Профессия (должность)**	**Разряд (оклад)**	**Основание**
1	2	3	4	5
6.03.77 г.	Подземный КПВ	Ученик проходчика	1/1	Пр. 62 от 6.3.77 г.

Дата	Цех (отдел), участок	Профессия (должность)	Разряд (оклад)	Основание
25.05.77 г.	Горный подземный участок	Ученик машиниста скрепера	1/1	Пр. 305 от 25.5.77 г.
15.06.77 г.	Горный подземный участок	Машинист скрепера	3/1	Пр. 280 от 28,6,77
С 17.12.77 г. по 17.01.80 г.	Стройцех	Разнорабочий	2/5	Пр. 553 18.12.77 г.

IV. Отпуска

Вид отпуска	За какой период; дата начала/окончания отпуска	Основание
В счет очередного	3 дня с 7.7.77 г.	
За 1 ч.	с 27.5.78 г.	Пр. 342 от 29.5.78 г.
В счет очеред.	3 дня с 27.5.78 г.	Пр. 342 от 29.5.78 г.
В счет очередн.	10 дн. с 5.6.78 г.	Пр. 366 от 3.6.78 г.
За 1 ч. осн. и по вредности	с 6.08.78 г.	Пр. 497 от 31.7.78 г.

Копия верна: (подпись)

---

8 июля 1980 г. Р-к им. Матросова

СПРАВКА

Выдана Стус Василию Семеновичу,

в том, что его заработок, учитываемый при исчислении пенсии, составил:

I. Сумма заработка, кроме премий, доплат и вознаграждений, выплаченных за период свыше месяца

Месяцы	**1977 г.**	**1978 г.**	**1979 г.**
Январь	—	26/ 362,56	26/ 411,97
Февраль	—		
Март	22. 144,50	26/ 431,79	26/ 593,31
Апрель	26. 202,13	25/ 308,81	25/ 548,03
Май	24. 247,19	Отпуск 4/ 50,80 20/ 285,11	24/ 430,35
Июнь	5 б/л. без опл. 25/ 48	Отпуск 10/ 129 12/ 114,00	13. 245,94 б/л 13/ 259,61
Июль	8. 27,60 23. 350,93	26/ 255,72	26/405,34
Август	6 б/л. опл. 18. 244,03	22/ 282,92 Отпускные	27/ 457,92 отпуск
Сентябрь	4 б/л. без опл. 22. 397,47	47,50 329,92	25/ 439,00 отпуск
Октябрь	26. 377,26	25/ 315,18	14/ 245,84 отпуск 23/ 417,05 компенсация
Ноябрь	24. 348,24	24/ 454,73	—
Декабрь	14. 203,14 13. 188,63	24/ 454,73 26/ 497,72	—
ИТОГО:	2983,60	4188,06	4983,80

Двенадцать тысяч сто пятьдесят пять рублей 46 коп.

Примечание. Месяцы *нет* замене другими месяцами не подлежат.
Основание выдачи справки: бухгалтерские карточки.

М. П.

Руководитель предприятия
(учреждения, организации) (подпись)

Главный бухгалтер (подпись)

II. Премии, доплаты к заработной плате и вознаграждения, выплаченные за период свыше месяца

Месяцы и год	**Сумма**	**Выплачено за период (квартал, полугодие, год и т. д.)**	**За какие показатели выплачена премия (доплата, вознаграждение)**
XII.78 г.	90,58	Выслуга лет за 1978 г.	
Итого	90,58		

Настоящая справка о зарплате т. Стус дана для предъявления в УКГБ Украинской ССР

Директор: (подпись)
Гл. бухг.: (подпись)

(Копия)

АКТ
расследования несчастного случая,
происшедшего в быту и по пути на работу

Ф.И.О.: Стус Василий Семенович.
Место работы (цех): горный подземный участок № 1.
Должность (профессия): машинист скрепера.
Несчастный случай произошел: в 19 час 21 числа 08 месяца 1977 г.

Описание причин и обстоятельств несчастного случая, указать также источники данных: справка лечебного учреждения, органов милиции, опрос свидетелей, указать, где произошел несчастный случай, находился ли в состоянии алкогольного опьянения: в общежитии, упал со второго этажа, пытался проникнуть в свою комнату, т. к. забыл ключ. Случай произошел в трезвом состоянии.

В каком лечебном учреждении (*адрес*) *и когда была оказана первая медицинская помощь* (*дата, время суток*): мед. сестрой рудника им. Матросова в 20 часов 21.10.77 г.

Характер повреждения: закрытый перелом пяточных костей.

Когда и кем было проведено расследование несчастного случая: комиссией по соцстраху.

Подписи лиц, проводивших расследование

(подпись)
(подпись)
20 августа 1977 г.

Копия верна

Начальник отдела кадров рудника им. Матросова (подпись)

Выписка из историй болезней
№ 1774/341 и № 1532/247
больного СТУС В. С. 1938 г. рождения

Больной СТУС В. С. впервые поступил в хирургическое отделение Транспортинской больницы 21.08.77 г. по поводу бытовой травмы, диагноз при поступлении клинический: закрытый оскольчатый перелом обеих пяточных костей. В хирургическом отделении больному была сделана рентгенография обеих пяточных костей. Проводилась консервативная терапия: наложены циркулярные гипсовые повязки типа «сапожок», получал обезболивающие вещества, антигистаминные препараты, стимулирующие терапию, витаминотерапию, переливалась одногруппная донорская кровь. После снятия гипсовых повязок получал физиотерапевтическое лечение.

В удовлетворительном состоянии 18.10.77 г. больной был выписан на амбулаторное лечение. Находясь на амбулаторном лечении, больной самовольно снял гипсовые повязки раньше положенного срока. 07.06.79 г. СТУС В. С. повторно поступил в хирургическое отделение больницы Транспортный после диспансерного осмотра по поводу посттравматического артрозоартрита левого голеностопного сустава в стадии обострения. В отделении больной получал парафиновые аппликации на оба голеностопных сустава, электрофорез с калий иод, чередуя с ДДГ.

Из сопутствующих заболеваний у больного признаки болезни оперированного желудка, по поводу чего больной получал 40 % глюкозу внутривенно, витаминотерапию, алоэ; больному переливались белковые кровезаменители. Больной получал индивидуальный стол. Больной был обследован рентгенологически. На рентгеноскопии желудка: культя желудка по типу Бильрот-1, проходимость анастомоза хорошая.

Больному сделаны биохимические анализы крови, консультирован гастроэнтерологом. За время пребывания в отделении состояние больного улучшилось: исчезли боли в области голеностопного сустава, улучшился аппетит, нормализовался сон, больной прибавил в весе.

В хорошем состоянии 21.06.79 г. выписан домой. Трудоспособность восстановлена. За время пребывания в стационаре претензий к лечению и уходу больной не предъявлял.

Главврач Л. А. Ильина

Форма № 25

Справка
о состоянии здоровья заключенного
Стуса Василия Семеновича

Содержащийся в следственном изоляторе КГБ Украинской ССР заключенный Стус В. С., в возрасте 1938 г. р., жалоб на здоровье не предъявляет. В 1975 г. — резекция желудка (язвенная болезнь)
Объективные данные осмотра: общее состояние удовлетворительное
З/к: высокого роста, правильного телосложения, пониженного питания
Кожные покровы: чистые, обычной окраски
Язык: влажный, слегка обложен беловатым налетом
Пульс: 72 уд. в мин., удовлетворительного наполнения и напряжения
Сердце: тоны ясные, ритмичные
АД: 130/75

В легких: везидыхание
Живот: обычный, мягкий, не напряжен, небольшая чувствительность при глубокой пальпации в эпигастральной области. Печень и селезенка не пальпируются. Толстый кишечник обычных свойств.
Состояние после резекции желудка: (прочерк)

Врач (підпис)
21/IX-80 г.

ШЛЯХ ПЕРЕМОГИ

ТРИ ЗАЯВИ ВАСИЛЯ СТУСА

На захід продісталися три заяви українського літератора Василя Стуса, який тепер перебуває на засланні в Магаданській області, після закінчення ув'язнення в таборі сурового режиму. Ці заяви написані ще влітку 1976 року, і вони ілюструють шовіністичні настрої пануючої російської імперіялістичної верстви СССР супроти української літератури.

Василь Стус народився 1938 року в селі Рахнівка, Вінницької області. Після закінчення Донецького педагогічного інституту служив в армії, потім працював викладачем, шахтарем, газетним робітником, а від 1965 року був аспірантом в Інституті літератури АН УССР. Був членом комсомолу. Під час відлиги Стус друкувався на сторінках советської преси. 12 січня 1972 року Стуса арештували, а 7 вересня 1972 року закритий суд в Києві засудив його на 5 років таборів і 3 роки заслання.

«До президії Верховної Ради СССР

ЗАЯВА

Я боровся за демократизацію — а це оцінили як спробу звести наклеп на советський лад; мою любов до рідного народу, занепокоєння кризовим станом української культури закваліфікували як націоналізм; моє невизнання практики, на грунті якої виросли сталінізм, беріївщина та інші подібні явища, визнали як зокрема злобний наклеп. Мої вірші, літературно-критичні статті, офіційні звернення до ЦК КП

України, Спілки письменників і до інших офіційних органів сприйняли як докази пропаганди та агітації.

Слідство і суд насправді перекреслили всі мої надії на будь-яку участь в літературному процесі, надовго позбавили мене прав людини. Усю мою творчість — поета, критика, перекладача, прозаїка — поставили поза законом; увесь мій 15-річний дорібок сконфіскували і напевно в більшості вже знищили.

В ув'язненні я зазнав ще більшого пониження. Згнітивши серце, я довго стримував себе від природного кроку — відмови від громадянства, сподіваючись, що в найближчому часі буде привернене моє правне становище моїх друзів неволі, а прийнятий курс загострення політичного клімату буде зревізований — хоч би тому, що він наявно безперспективний. Виявилося, що я помилявся. Репресії 1972 року показали, що в дискусії з українськими патріотами влада не знайшла переконливіших аргументів, ніж застосування сили. А таборові умови переконують в тому, що розмір застосування тієї сили не має меж».

Лист Стуса кінчається такими словами:

«Сьогодні я прийшов до висновку, що мене свідомо звели на становище одиниці — власности КГБ. Крім того, в СССР бути українським патріотом — просто заборонено, а в такій ситуації мені на все життя гарантують опіку органів розшуку.

Таким чином, я заявляю: залишатися підданим СССР я більше не вважаю можливим для себе і тому прошу виселити мене за границі країни, в якій мої права людини нахабно знехтовані.

Рішитися на такий крок — не легко, але стримуватися від нього в таких обставинах — ще важче.

1 серпня 1976 року
Василь Стус»

«До голови Президії Верховної Ради СССР
В річницю Гельсінської конференції… я пропоную Вам подумати над тим, чи справедливо називати бандитами борців за демократію. Я пропоную Вам подумати, чи багато слави приносить СССР наявність інституції політичних в'язнів. І чи можна повністю обвинувачувати Піночета в браку справедливости, коли останньо він так енергійно висилає поза межі своєї країни людей з небезпечними для держави мозками? Я вважаю, що з амнестією для політв'язнів в СССР безна-

дійно спізнилися, а кожний день відкладання її приходиться надто дорого для престижу країни в світі.

Свободу совєтським політв'язням!

Винуватих за репресії — до відповідальности!

Василь Стус
1 серпня 1977 року»

«До Пенклюбу
Я, український літератор, репресований в січні 1972 року разом з іншими українськими літераторами. Органи КГБ, використовуючи жупел українського буржуазного націоналізму і наскрізь сфабриковану «справу Добоша», провели чергову розправу над представниками української інтелігенції і в першій мірі над творчою інтелігенцією. Адже їх ціль — знищити ту літературу, яка не вкладається в прокрустове ложе соцреалізму, розправитися з тими літераторами, які рішуче відмовилися бути мовчазними чиновниками на державній службі. Під час арешту мені забрали книжки К. Ясперса, К. Юнга, К. Єдиміда, В. Вовк, Л. Костенко, В. Кордуна, М. Вінграновського, В. Симоненка, І. Калинця, Г. Чубая, М. Холодного. Сконфіскували рукописи всіх моїх віршів, рукописні поетичні збірки «Зимові дерева», «Веселий цвинтар», незакінчені повісті «Поїздка в Счастевськ», «Щоденник Петра Шкоди», нарисні варіянти декілька інших оповідань і повістей. Серед сконфіскованих речей були около два десятки літературно-художніх статтей, присвячених творчості П. Тичини, В. Свідзінського, Г. Белля, Брехта, Гете і Рільке, Енценберга, П. Целяна, І. Базмана, Бобровського. Загально мені забрали около 500 оригінальних віршів, около 10 друкованих аркушів прози, стільки ж публіцистики, около 30 друкарських аркушів поетичних перекладів; окрему велику книжку можна було б скласти з моїх літературно-художніх статтей.

Практично це значить, що мені забрали все написане мною протягом 15 років літературної діяльности. Тільки мала частина написаного побачила вже світ — адже мені постійно відмовляли права друкуватися.

Вже в таборі я написав декількасот віршів, переклав приблизно 200 віршів Гете, около 100 віршів Рільке (елегії, сонети до Орфея і т. д.). Сьогодні все написане мною в таборі знаходиться під загрозою знищення. Довгий час мені не дозволяли висилати мої вірші в листах

Василь Стус, кінець 1970-х років

до рідних. Місцева цензура КГБ погодилася з тим, що вірші не мають політичного характеру, але конфіскують їх тільки тому, що вже саме перебування автора в ув'язненні може надати ліричним текстам політичного значення.

Доведений до розпуки похмурною перспективою втратити весь свій літературний дорібок за 1973—1976 рр., я проголосив 4 серпня 1976 року політичну голодівку протесту. Все ж таки це нічого не дало. Усі листи з віршами, як і раніше, немилосердно вилучують. Недавно я помістив у листі декілька сонетів П'єра Шарля Бодлера — їх сконфіскували, знайшовши в них «складності».

Я неодноразово звертався до правлячих інстанцій СССР — це нічого не помогло. Тому я звертаюся до Вас з проханням використати весь Ваш авторитет для захисту моєї літературної творчости від знищення. Допоможіть мені рятувати мої вірші від вогню!

11 серпня 1976 року

Василь Стус»

Начальнику следственного отдела
КГБ Украинской ССР
полковнику тов. Туркину В. А.

Антисоветская националистическая газета «Шлях перемоги» является печатным органом ЗЧ ОУН.

Главная редакция газеты находится в Мюнхене (ФРГ). Исполняющим обязанности ответственного редактора является Куцан Андрей [зять провідника ОУН Степана Бандери].

«Шлях перемоги» наиболее реакционная газета, на страницах которой печатаются материалы антисоветского содержания.

Зам. начальника оперативного подразделения
КГБ Украинской ССР А. П. Ганчук

Строк слідства по кримінальній справі та утримання
обвинуваченого Стуса Василя Семеновича під вартою
до 13 вересня 1980 року
подовжую

Прокурор Української РСР
державний радник юстиції І класу
Ф. К. Глух

10 липня 1980 року

ДО СПРАВИ

В зв'язку з тим, що т. зв. моя «справа» закінчена на стадії слідства і мені запропоновано з нею ознайомитися, вимагаю:

надати мені змогу знайомитися з цією «справою» в присутності міжнародного адвоката, який, я певен, заочно мені призначений — чи то Amnisty International, чи Пен-клубом. Така необхідність викликана тим, що інститут політичної адвокатури в СРСР практично відсутній (на судах офіційні адвокати СРСР виконують функції другого прокурора). А другий прокурор мені не потрібен.

В. Стус
3.9.80 р.

ПОСТАНОВА
про відхилення клопотання обвинуваченого

м. Київ 3 вересня 1980 року

Ст. слідчий слідчого відділу КДБ УРСР майор Селюк, розглянувши матеріали кримінальної справи № 5 у звинуваченні Стуса Василя Семеновича в скоєнні злочину, передбаченого ст. 62 ч. 2 КК УРСР і ст. 70 ч. 2 КК РРФСР, —

встановив:
3 вересня 1980 року обвинуваченому Стусу В. С. слідчим в присутності помічника прокурора УРСР старшого радника юстиції Потапенка, з додержанням вимог ст. 218 КПК УРСР було оголошено, що попереднє слідство по кримінальній справі № 5 відносно нього визнано закінченим, а зібрані докази достатні для складання обвинувального висновку.

Обвинувачений Стус В. С. тоді ж заявив та написав у своїй заяві від 3 вересня 1980 року, що він бажає ознайомитись з матеріалами справи за допомогою адвоката, виділеного «Міжнародною амністією» чи «Пен-клубом».

Вказане клопотання обвинуваченого Стуса В. С. не підлягає задоволенню, оскільки запропонований ним порядок призначення захисників не передбачено нормами КПК УРСР.

На підставі викладеного, керуючись вимогами ст. ст. 44, 47 і 130 КПК УРСР, —

постановив:
1. Відхилити клопотання обвинуваченого Стуса Василя Семеновича про призначення йому для участі в ознайомленні з матеріалами кримінальної справи № 5 адвоката, виділеного «Міжнародною амністією» чи «Пен-клубом».
2. З цією постановою ознайомити під розписку обвинуваченого Стуса В. С.
3. Копію постанови надіслати Прокурору УРСР.

Старший слідчий слідчого відділу КДБ УРСР майор А. В. Селюк

Згідні:

Начальник відділення слідчого відділу КДБ УРСР
підполковник Б. А. Колпак

Помічник Прокурора УРСР
старший радник юстиції О. А. Потапенко

Постанова оголошена:
3 вересня 1980 року

Обвинувачений
(підпис) /Стус/

Обвинувачений Стус особисто ознайомився з постановою в присутності помічника Прокурора УРСР старшого радника юстиції Потапенка О. А. Підписатись під її текстом безмотивно відмовився.

Старший слідчий Слідвідділу
КДБ УРСР майор Селюк

Помічник Прокурора УРСР
старший радник юстиції Потапенко

3 вересня 1980 року

ПОСТАНОВА
про призначення обвинуваченому захисника

місто Київ 3 вересня 1980 року

Старший слідчий Слідчого відділу КДБ УРСР майор Селюк, розглянувши матеріали кримінальної справи № 5 у звинуваченні Стуса Василя Семеновича в скоєнні злочинів, передбачених ст. 62 ч. 2 КК УРСР і ст. 70 ч. 2 КК РРФСР, —

встановив:
3 вересня 1980 року обвинуваченому Стусу В. С. слідчим в присутності прокурора було оголошено, що попереднє слідство по кримінальній справі № 5, по якій звинувачується Стус В. С., закінчено і йому згідно ст. 218 КПК УРСР надається змога ознайомитися з усіма матеріалами справи як самому, так і з участю захисника, про що було складено протокол.

Обвинувачений Стус В. С. заявив і написав в своїй заяві від 3 вересня 1980 року про своє бажання, щоб йому був призначений адвокат із «Міжнародної амністії» чи «Пен-клубу».

Це клопотання обвинуваченого Стуса В. С. відхилено постановою слідчого від 3 вересня 1980 року.

Беручи до уваги, що ст. 47 КПК УРСР дозволяє слідчому у випадках, коли участь в справі захисника, вибраного обвинуваченим, неможлива, призначити цьому обвинуваченому захисника через колегію адвокатів, та, керуючись вимогами ст. ст. 44, 47 ч. 3 і 130 КПК УРСР, —

постановив:

1. Для участі в ознайомленні з усіма матеріалами цієї кримінальної справи, згідно вимог ст. ст. 218—220 КПК УРСР, призначити через Президію Київської міської колегії адвокатів захисника, про що оголосити обвинуваченому Стусу В. С. під розписку в цій постанові.
2. Про прийняте рішення повідомити Президію Київської міської колегії адвокатів.
3. Копію цієї постанови надіслати Прокурору УРСР.

Старший слідчий Слідчого відділу КДБ УРСР
майор А. В. Селюк

Згоден:
Начальник відділення Слідчого відділу КДБ УРСР
підполковник Б. А. Колпак

Постанова оголошена:
3 вересня 1980 року
Обвинувачений (підпис) /Стус/

Обвинувачений Стус особисто ознайомився з постановою в присутності помічника Прокурора УРСР старшого радника юстиції Потапенка О. А. з цією постановою, підписувати її безмотивно відмовився.

Старший слідчий Слідвідділу КДБ УРСР майор Селюк

Помічник Прокурора УРСР — старший радник юстиції Потапенко

Голові Президії Київської міської
колегії адвокатів
тов. Кальному В. І.

3 вересня 80 р. місто Київ

3 вересня 1930 року по розслідуваній Слідчим відділом КДБ Української РСР кримінальній справі № 5 постановою слідчого прийнято рішення про призначення обвинуваченому Стусу Василю Семеновичу захисника через Президію Київської міської колегії адвокатів.

В зв'язку з зазначеним просимо призначити захисника обвинуваченому Стусу В. С. для ознайомлення з усіма матеріалами кримінальної справи № 5 при виконанні вимог ст. 218 КПК УРСР.

Начальник Слідчого відділу КДБ УРСР полковник В. П. Туркін

Киевская городская коллегия адвокатов
юридическая консультация № 2
40 лет Октября 18-б

Соглашение
№ 56358 от 4.IX.1980 г.
Корытченко Л. П.
Участие на предварительном следствии
Стус В. С.

КГБ УССР
Рассматривается 4/IX-80 г.

Заведующий юридической консультацией

Протокол
місто Київ 5 вересня 1980 року

Старший слідчий Слідчого відділу КДБ Української РСР майор Селюк та помічник Прокурора Української РСР старший радник юстиції Потапенко, керуючись ст. ст. 84, 85 КПК УРСР, склали цей протокол про слідуюче:

Постановою слідчого від 3 вересня 1980 року по кримінальній справі № 5 було відхилено клопотання обвинуваченого Стуса Василя Семеновича про призначення йому для участі в ознайомленні з матеріалами справи адвоката, виділеного «Міжнародною амністією» чи «Пен-клубом».

Тоді ж Стус заявив, що оскільки його клопотання відхилено, то він буде знайомитись з матеріалами кримінальної справи № 5 сам, тобто без участі адвоката. На пропозицію прокурора запросити для участі в ознайомленні з матеріалами кримінальної справи захисника в встановленому ст. 47 КПК УРСР порядку через колегію адвокатів обвинувачений Стус заявив, що від запрошення захисника з колегії адвокатів він відмовляється.

Згідно постанови слідчого від 3 вересня 1980 року через Президію Київської міської колегії адвокатів був призначений захисник — адвокат юридичної консультації Московського району міста Києва Коритченко Людмила Петрівна для ознайомлення з усіма матеріалами кримінальної справи № 5.

В зв'язку з цим 5 вересня 1980 року о15 год. 00 хвилин обвинуваченому Стусу В. С. було представлено захисника Коритченко Л. П., яка пред'явила ордер № 56358 від 4 вересня 1980 року, виданий юридичною консультацією для участі в цій кримінальній справі. Адвокат Коритченко Л. П. пояснила обвинуваченому Стусу В. С, що прибула для ознайомлення з матеріалами його кримінальної справи та для надання йому кваліфікованої юридичної допомоги під час виконання вимог ст. ст. 218—220 КПК УРСР.

Обвинувачений Стус відмовився знайомитись з пред'явленим йому ордером № 56358 і заявив, що категорично відмовляється знайомитись з матеріалами кримінальної справи № 5 з участю адвоката, а буде це робити сам.

Протокол оголошений прокурором. Заяв та зауважень щодо протоколу не поступило.

Підписувати протокол обвинувачений Стус безмотивно відмовився.

Адвокат Коритченко

Старший слідчий Слідвідділу КДБ УРСР майор Селюк

Помічник Прокурора Української РСР
старший радник юстиції Потапенко

ПРОТОКОЛ

про пред'явлення обвинуваченому матеріалів справи

місто Київ 9 вересня 1980 року

Старший слідчий Слідчого відділу КДБ Української РСР майор Селюк в приміщенні Слідвідділу КДБ УРСР, кабінет № 20, в присутності помічника Прокурора Української РСР старшого радника юстиції Макашова Є. В., керуючись ст. ст. 84, 85 КПК УРСР склав цей протокол про те, що 3 вересня 1980 року обвинуваченому Стусу Василю Семеновичу було оголошено в присутності прокурора про закінчення попереднього слідства по його справі та, додержуючись вимог ст. ст. 218—220 КПК УРСР, пред'явлено для ознайомлення всі матеріали кримінальної справи № 5 у підшитому і пронумерованому вигляді в 6 /шести/ томах і окремому пакеті, з яких: том 1 на 268 аркушах, том 2 на 236 аркушах, том 3 на 285 аркушах, том 4 на 223 аркушах, том 5 на 394 аркушах, том 6 на 166 аркушах і пакет з записними книжками та загальними зошитами, вилученими в Стуса В. С. під час обшуку 14—15 травня 1980 року.

Ознайомлення обвинуваченого Стуса В. С. з матеріалами кримінальної справи проводилось 3, 4, 5, 6, 8, 9 вересня 1980 року згідно графіку, який додається до цього протоколу.

Після ознайомлення з усіма матеріалами кримінальної справи № 5 обвинувачений Стус заявив, що з матеріалами справи він повністю ознайомився. Вимагає, щоб до справи були приєднані його дві заяви, на які він отримав відповіді, але цих заяв не знайшов в матеріалах справи.

Інших клопотань, як заявив обвинувачений Стус В. С., він не має.

В зв'язку з тим, що обвинувачений Стус відмовився знайомитись з цим протоколом, протокол був оголошений слідчим.

Ця слідча дія проводилась з 17 год. 30 хв. до 17 год. 45 хв.

Підписувати протокол обвинувачений Стус безмотивно відмовився.

Старший слідчий Слідвідділу КДБ УРСР майор А. В. Селюк

Помічник Прокурора Української РСР
старший радник юстиції Є. В. Макашов

ПОСТАНОВА
про відхилення клопотання обвинуваченого

місто Київ 9 вересня 1980 року

Старший слідчий Слідчого відділу КДБ УРСР майор Селюк, розглянувши матеріали кримінальної справи № 5 у звинуваченні Стуса Василя Семеновича в скоєнні злочину, передбаченого ст. 62 КК УРСР і ст. 70 ч. 2 КК РРФСР, —

Встановив:

9 вересня 1980 року після ознайомлення з усіма матеріалами кримінальної справи № 5 обвинувачений Стус заявив клопотання про те, щоб до матеріалів його справи були приєднані дві заяви, які він подав під час слідства і отримав на них відповіді.

Дане клопотання обвинуваченого Стуса задоволенню не підлягає. Його заява від 12 серпня 1980 року була відправлена 13 серпня 1980 року за № 6/607 до Прокуратури УРСР, і по ній помічником

Прокурора УРСР винесена постанова, яка об'явлена Стусу і приєднана до матеріалів кримінальної справи.

3-го вересня 1980 року під час оголошення обвинуваченому Стусу В. С. про закінчення попереднього слідства по кримінальній справі № 5, він подав присутньому при цьому прокурору заяву відносно того, що він не згоден з відповіддю Прокуратури на свою попередню заяву.

Відносно цієї заяви обвинувачений Стус також отримав відповідь, а сама заява знаходиться в Прокуратурі УРСР.

На підставі наведеного, керуючись ст. ст. 130 і 221 КПК УРСР, —

Постановив:

Клопотання обвинуваченого Стуса Василя Семеновича, заявлене ним 9 вересня 1980 року після ознайомлення з матеріалами кримінальної справи № 5, відхилити як безпідставне, про що оголосити йому через адміністрацію Слідчого ізолятора КДБ УРСР, де він утримується під вартою.

Старший слідчий Слідчого відділу КДБ УРСР майор А. В. Селюк

Згоден:
Начальник відділення Слідчого відділу
КДБ УРСР підполковник Б. А. Колпак

Стус ознайомлений, від підпису безпідставно відмовився.

Нач. слідчого ізолятору КДБ підполковник (Петруня)
10/IX.80 г.

Обвинувальний висновок
«Затверджую»
Зам. прокурора Української РСР
Державний радник юстиції 1 класу
Ф. К. Глух
12 вересня 1980 року

ОБВИНУВАЛЬНИЙ ВИСНОВОК
по кримінальній справі № 5 по обвинуваченню
Стуса Василя Семеновича, 1938 року народження, в скоєнні злочину, передбаченого ст. 62 ч. 2 КК УРСР та ст. 70 ч. 2 КК РРФСР

Кримінальна справа № 5 порушена слідчим відділом Комітету державної безпеки Української РСР 13 травня 1980 року. Запобіжний захід відносно Стуса В. С. — тримання під вартою застосовано 15 травня 1980 року.

Попереднім слідством по справі встановлено:

Обвинувачений Стус Василь Семенович, будучи раніше, 7 вересня 1972 року, засудженим Київським обласним судом за проведення антирадянської агітації і пропаганди (ст. 62 ч. 1 КК УРСР) до 5 років позбавлення волі і 3 років заслання, відбуваючи в 1974—1979 роках основну і додаткову міру покарання — у виправно-трудовій колонії № 19 селища Лісний Мордовської АРСР та в засланні в Магаданській області, а з серпня 1979 року до травня 1980 року, мешкаючи в місті Києві, до погашення судимості не став на шлях виправлення і, залишаючись на ворожих радянському суспільству позиціях, спілкуючись шляхом особистих контактів та листування з особами, засудженими за особливо небезпечні державні злочини, а також з представниками зарубіжних буржуазно-націоналістичних кіл й іншими відщепенцями, на грунті антирадянських націоналістичних переконань, незважаючи на неодноразові попередження з боку офіційних осіб органів влади та представників громадськості про недопустимість злочинної діяльності, протягом тривалого часу з метою підриву і ослаблення Радянської влади систематично виготовляв, зберігав та розповсюджував антирадянську і наклепницьку літературу, в якій містяться заклики до проведення боротьби з Радянською владою та вигадки, що порочать радянський державний і суспільний лад. Деякі з них потрапили за кордон в капіталістичні країни, де широко використовуються буржуазно-націоналістичними центрами в провокаційних кампаніях проти Союзу РСР. Разом з цим з тією ж ворожою метою займався антирадянською агітацією і пропагандою в усній формі, поширюючи наклепницькі вигадки на радянський державний і суспільний лад. (...)

Так, у грудні 1976 року, відбуваючи покарання у виправно-трудовій колонії № 19 селища Лісний Мордовської АРСР, незважаючи на оголошене йому 19 жовтня 1975 року у відповідності з Указом Президії Верховної Ради СРСР від 25 грудня 1972 року офіційне застереження про недопустимість ворожої діяльності, Стус з метою підриву та ослаблення Радянської влади виготовив наклепницький документ у вигляді «заяви» до Президії Верховної Ради СРСР і тоді ж поширив його, надіславши до Прокуратури Союзу СРСР зі своїм листом — проханням, щоб текст «заяви» було доведено до «адресата».

В зазначеному документі він зводить наклепницькі вигадки, що порочать радянський державний і суспільний лад. Зокрема, намагається довести, що в нашій країні начебто існує беззаконня та відсутня демократія. Схвалюючи діяльність осіб, заарештованих за особливо небезпечні та інші державні злочини, робить спробу обвинуватити Радянську владу в порушенні прав людини. (...)

Тоді ж, у 1976 році, відбуваючи міру покарання в Мордовській АРСР, з тією ж метою виготовив документ у вигляді «Відкритого листа до І. Дзюби». В ньому Стус, паплюжачи радянський державний і суспільний лад, наклепницьки твердить, що на Україні в 1972—1973 роках начебто відбувся «антиукраїнський погром», під час якого нібито притискувалась «національна гідність» радянських людей, що в СРСР кожен український літератор начебто «поневолений», а народ знаходиться нібито «в якомусь вакуумі» і його духовне існування «поставлено під загрозу».

Зазначений ворожий документ набув поширення серед націоналістично настроєних осіб, зокрема потрапив до мешканця міста Києва Шевченка Олеся Євгеновича, притягнутого по іншій справі до кримінальної відповідальності за антирадянську агітацію і пропаганду. Рукописна копія цього документа була вилучена по вказаній кримінальній справі під час обшуку 1 квітня 1980 року.

Згаданий документ також потрапив за кордон, де використовувався буржуазною пропагандою в ворожих акціях проти Союзу РСР і був надрукований під назвою «Відкритий лист В. Стуса до І. Дзюби» в журналі «Визвольний шлях» № 12 за грудень 1976 року, що видається організацією українських буржуазних націоналістів у Лондоні. (...)

Восени 1977 року, відбуваючи додаткову міру покарання — заслання в селищі Матросова Тенькінського району Магаданської області, з метою підриву та ослаблення Радянської влади виготовив рукописний документ у вигляді «листа» до своїх знайомих-мешканців м. Києва Коцюбинської М. Х., Кириченко С. Т. та її чоловіка — Бадзьо Г. В., пізніше засудженого за антирадянську діяльність.

В цьому документі Стус з ворожих націоналістичних позицій зводить наклепницькі вигадки, що порочать радянський державний і суспільний лад, паплюжить національну політику КПРС та братню дружбу українського і російського народів, наклепницьки стверджуючи, що в українського народу нібито «катастрофічне духовне існування», а радянська влада начебто «душить» та проводить «репресії українців». Поряд з цим, згадуючи про свою судимість за антирадянську агітацію і пропаганду, він відверто зазначає, що залишився на тих же націоналістичних позиціях і буде далі проводити ворожу діяльність.

Зазначений документ наприкінці 1977 року Стус надіслав поштою до м. Києва, де з його текстом ознайомились Коцюбинська М. Х., Андрієвська В. В., Кириченко С. Т. та її чоловік — Бадзьо Г. В. Тоді ж Кириченко та Бадзьо переписали названий документ і цей рукописний текст потрапив до Стуса, який зберігав його в своїй квартирі в м. Києві до вилучення під час обшуку 14 травня 1980 року. Доля оригіналу вказаного документа не встановлена. (...)

В листопаді 1977 року, під час перебування в засланні в Магаданській області, з тією ж метою виготовив рукописний документ у вигляді листа до мешканця м. Чернігова Лук'яненка Л. Г., судимого в 1961 році за зраду Батьківщини та в 1978 році — за антирадянську агітацію і пропаганду.

В цьому листі Стус з ворожих націоналістичних позицій зводить злісні наклепи на радянський державний і суспільний лад. Заявляючи про своє бажання бути членом так званого «Українського наглядового комітету», підбурює «однодумців» проводити ворожу діяльність «в більш широкому плані». Наклепницьки стверджує, що на Україні нібито проводяться незаконні «репресії української інтелігенції», паплюжить рівноправність України в складі Союзу РСР і твердить, що в Радянському Союзі нібито немає «фактичної рівності націй».

Тоді ж, в листопаді 1977 року, поширив зазначений документ, надіславши поштою в м. Чернігів вказаному Лук'яненку для ознайомлення, який розмножив його не менше як в десяти примірниках і розповсюдив їх серед своїх знайомих. (...)

Допитаний по цій справі 11 серпня 1980 року як свідок Лук'яненко Л. Г. показів щодо отримання від Стуса зазначеного вище листа не дав (том 3, а.с. 143—145).

В кінці 1977 року під час перебування в селищі Матросова з тією ж метою виготовив рукописний документ у вигляді «листа-звернення» до одного із членів Президії Верховної Ради Союзу РСР.

В цьому документі робиться спроба зганьбити діяльність Радянського уряду. Зокрема, наклепницьки твердиться, що в Радянському

Союзі нібито існує «беззаконие и насилие», «шовинистический произвол», в результаті чого було начебто безпідставно засуджено його — Стуса та інших осіб. Засуджених антирадянщиків автор намагається показати як «представників української інтелігенції», що репресовані нібито лише за їх «переконання».

Зазначений документ зберігав у своїй кімнаті гуртожитку до його вилучення 10 лютого 1978 року під час обшуку по кримінальній справі відносно Лук'яненка. (...)

В грудні 1977 року, перебуваючи в засланні в названому селищі, з метою підриву та ослаблення Радянської влади виготовив рукописний документ у вигляді «листа» до колишнього мешканця міста Москви Григоренка П. Г., якого, згідно Указу Президії Верховної Ради СРСР від 13 лютого 1978 року, за систематичне вчинення дій, несумісних з належністю до громадянства СРСР, завдання своєю поведінкою шкоди престижу Союзу РСР, позбавлено громадянства СРСР.

В цьому документі містяться наклепницькі вигадки на радянський державний і суспільний лад. Зокрема, в ньому Стус наклепницьки стверджує про нібито відсутність в нашій країні «человеческих прав и прав народов» та заявляє про свій намір проводити ворожу діяльність під виглядом участі в нібито існуючому в СРСР «демократическом движении», різного роду відщепенцям пропонує активізувати і посилити антирадянську агітацію та пропаганду. Поряд з цим з ворожих націоналістичних позицій захищає бандитів ОУН, називаючи їх «участниками партизанского движения».

Вказаний документ Стус зберігав в своїй кімнаті гуртожитку до його вилучення 10 лютого 1978 року під час обшуку по кримінальній справі відносно Лук'яненка. (...)

Вказаний Григоренко не допитаний як свідок по цій кримінальній справі, оскільки в 1978 році його було позбавлено громадянства СРСР і він мешкає за межами Союзу РСР.

В кінці 1977 року Стус, перебуваючи в засланні, з тією ж метою виготовив рукописний документ у вигляді «листа» до вказаного Григоренка П. Г.

В зазначеному документі містяться наклепницькі вигадки, що порочать радянський державний і суспільний лад. Зокрема, в ньому твердиться, що нібито в нашій країні існують беззаконня і сваволя, безпідставні «репрессии творческой интеллигенции». При цьому в документі паплюжаться органи радянського правосуддя, яких Стус наклепницьки називає ворогами народу.

Названий «лист» Стус зберігав у себе в кімнаті гуртожитку до дня вилучення його під час обшуку 10 лютого 1978 року по кримінальній справі відносно Лук'яненка. (…)

Незважаючи на повторно оголошене Стусу 19 червня 1978 року офіційне застереження про недопустимість надалі дій, які суперечать інтересам державної безпеки СРСР, він не тільки не припинив виготовлення, зберігання і розповсюдження антирадянських наклепницьких документів, а, навпаки, активізував свою ворожу діяльність. (…)

Так, мешкаючи в місті Києві після відбуття основної і додаткової міри покарання за проведення антирадянської агітації і пропаганди, Стус до погашення судимості, з метою підриву та ослаблення Радянської влади, виготовив у листопаді 1979 року рукописний документ у вигляді «заяви» до Прокуратури УРСР.

В цьому документі, датованому 19 листопада 1979 року, Стус, виступаючи на захист М. Горбаля, раніше судимого за антирадянську діяльність і арештованого за вчинення іншого кримінального злочину, зводить наклепницькі вигадки, що порочать радянський державний і суспільний лад. Зокрема, наклепницьки заявляє, що радянські правозахисні органи нібито «вдаються до брутальних способів розправи і дискредитації людей». Поряд з цим він намагається ствердити, що в нашій країні нібито існує «свавілля» і «беззаконня», зневажаються права людини.

Для широкого розповсюдження зазначеного ворожого документа Стус розмножив його не менше як в чотирьох рукописних примірниках українською і російською мовами та поширив їх.

З них:

- один примірник українською мовою, датований 19 листопада 1979 року, надіслав до Прокуратури УРСР;
- один примірник російською мовою 21 січня 1980 року надіслав поштою до мешканки міста Москви Лісовської Ніни Петрівни, який було вилучено під час виїмки 25 січня 1980 року на Київському поштамті по кримінальній справі відносно Калиниченка В. В., притягнутого до відповідальності за антирадянську агітацію і пропаганду;
- два примірники, датовані 18 листопада 1979 року, один — українською мовою до Прокуратури УРСР, а другий — російською мовою,

викладений в листі до мешканця м. Москви Сахарова А. Д., зберігав у себе вдома до дня вилучення під час обшуку 14 травня 1980 року.

Виготовлений Стусом зазначений ворожий документ потрапив за кордон на Захід, де використовується в підривних акціях проти СРСР антирадянськими центрами, зокрема його текст був переданий радіостанцією «Радіо Свобода» 27 лютого 1980 року, а також опублікований 4 квітня 1980 року в буржуазно-націоналістичній газеті «Українське слово», що видається в Парижі. (...)

Мешкаючи в місті Києві з серпня 1979 року до травня 1980 року, з тією ж метою виготовив рукописний документ без назви в загальному зошиті, який зберігав у себе вдома до дня вилучення його під час обшуку 14 травня 1980 року.

В цьому документі містяться злісні наклепницькі вигадки, що порочать радянський державний і суспільний лад. Зокрема, робиться спроба ревізувати марксистсько-ленінське вчення про соціалістичну революцію, опорочити ленінізм, засновника Радянської держави та історичний досвід нашого народу в будівництві соціалізму. Щодо Великої Жовтневої соціалістичної революції наклепницьки твердиться, що нібито вона «совершилась во имя тоталитарного марксизма», «неизбежно ведет к национализму и националистической политике», а «коммунистический строй переходного периода есть строй крепостнический». (...)

Крім того, після повернення із заслання до міста Києва з серпня 1979 року до травня 1980 року Стус з тією ж ворожою метою зберігав у своїй квартирі рукописні та машинописні тексти документів і віршів, виготовлених ним у 1963—1972 роках, а саме:

- рукописний текст вірша «Безпашпортний і закріпачений...», в якому він викладає наклепницькі вигадки щодо політики КПРС і Радянської влади відносно колгоспного селянства нашої країни, яке нібито «закріпачене» і «катоване»;
- документ, що починається зі слів: «Існує тільки дві форми...», в якому паплюжаться демократичні основи нашої країни, робиться спроба посіяти недовір'я народу до Уряду та Радянської влади. Так, в ньому Стус наклепницьки твердить, що в Радянському Союзі нібито «існує тільки дві форми контактування народу з урядом: відверта боротьба (в усіх можливих її проявах) і відкрита полеміка».

Поряд з цим наклепницьки вказується, що в нашій країні начебто «той, хто не згоден з урядом, є ворогом...»;

- машинописний документ, що починається зі слів: «Нещодавно в "Літературній Україні" було надруковано…», в якому Стус, виступаючи на захист засуджених за ворожу діяльність Караванського, Чорновола, Осадчого та інших відщепенців, зводить наклепницькі вигадки на радянську дійсність, твердячи, що на Україні нібито безпідставно переслідуються інтелігенція та науковці, начебто відсутні демократія і свобода, що в нашій країні нібито знущаються з «соціалістичної законності, правосуддя, демократичних свобод»;
- машинописний текст вірша «Ось вам сонце, сказав чоловік з кокардою…», де зводяться наклепи на радянську дійсність, паплюжиться життя радянського народу, який начебто «злиденний і духовно збіднений».
- рукописний та машинописний примірники вірша «Колеса глухо стукотять…», в якому Стус зводить наклепницькі вигадки на радянський державний і суспільний лад, зображаючи нашу країну як «концтаборів союз».

Ці ворожі документи зберігав у себе вдома в м. Києві до дня вилучення їх під час обшуку 14 травня 1980 року. (…)

Залишаючись на антирадянських націоналістичних позиціях, в другій половині 1979 року — початку 1980 року з метою підриву та ослаблення Радянської влади виготовив у місті Києві для подальшого розповсюдження рукописний документ українською і російською мовами під назвою «Пам'ятка українського борця за справедливість» («Памятка украинского борца за волю»), який за своїм змістом і спрямуванням є відверто антирадянським, наклепницьким. В ньому Стус з націоналістичних позицій зводить злісні наклепницькі вигадки, що порочать радянський державний і суспільний лад, викладає конкретну програму боротьби проти Радянської влади, обстоює необхідність створення так званої «незалежної України». При цьому закликає проводити ворожу діяльність шляхом створення «широкої мережі правозахисних об'єднань» на платформі «забезпечення незалежної України, організації випуску періодичних журналів типу "Укр. вісника" і т. д.». Наклепницьки твердить, що Україну нібито тримають «в колоніальному ярмі шляхом страшного терору, геноциду», виправдовує антирадянську, антинародну діяльність бандитів ОУН-УПА, називаючи її «національно-визвольним рухом».

Зазначений антирадянський документ зберігав у себе вдома в м. Києві до вилучення його під час обшуку 14 травня 1980 року. (…)

Обвинувачений Стус на попередньому слідстві відносно виготовлення, зберігання та розповсюдження перелічених вище антирадянських і наклепницьких документів дати показання безпідставно відмовився (том 2 а. с. 90—94, 96—98, 101—107, 111—114, 121—131, 134—142, 145—146, 166—177, 179—189, 234—236).

Поряд з виготовленням, розповсюдженням і зберіганням ворожих документів Стус протягом тривалого часу з метою підриву та ослаблення Радянської влади проводив антирадянську агітацію і пропаганду в усній формі, поширюючи злісні вигадки, що порочать радянський державний і суспільний лад.

Так, відбуваючи покарання у виправно-трудовій колонії № 19 селища Лісний Мордовської АРСР та спілкуючись з грудня 1974 року по січень 1977 року з засудженим за антирадянську діяльність Сіриком Миколою Івановичем, в неодноразових розмовах з ним систематично висловлював наклепницькі вигадки на радянський державний і суспільний лад, стверджуючи, що в Радянському Союзі нібито порушуються права людини, а органи Радянської влади начебто чинять «беззаконня», арештовують і засуджують «невинних людей». Існуючий в нашій країні лад називав «фашистським» та порівнював його з режимом царської Росії; заявляв, що на Україні нібито проводиться «насильницька русифікація», яку, за його словами, чинять органи Радянської влади, що УРСР начебто не є рівноправною республікою, а перебуває в підневільному стані. Обробляючи Сірика в антирадянському націоналістичному дусі, закликав його до проведення активної ворожої діяльності, заявляючи, що «проти Радянської влади всі засоби боротьби підходять, починаючи від антирадянської агітації та пропаганди до вчинення терористичних акцій». (...)

Перебуваючи в засланні в селищі Матросова Тенькінського району Магаданської області з тією ж ворожою метою в період з весни 1977 року до літа 1979 року під час розмов з мешканцями цього селища систематично зводив наклепницькі вигадки на радянський державний і суспільний лад.

Зокрема, в розмовах з робітником рудника імені Матросова Шаврієм Іваном Ніканоровичем по місцю роботи та в гуртожитку в названий вище час наклепницьки стверджував, що в нашій країні начебто відсутня свобода, що органи Радянської влади нібито порушують права громадян, творять «беззаконня» і «пригнічують народні маси». (...)

В той же період під час розмов з начальником відділу кадрів вказаного рудника Шаріповим Рашідом Гаріфовичем наклепницьки твердив, що в Радянському Союзі відсутні свобода слова, друку, пересування, намагався порівняти органи Радянської влади з гестапо та з націоналістичних позицій заявляв, що «Україна повинна бути тільки для українців». (...)

Під час розмов з завідуючою книжковим магазином зазначеного селища Банніковою Альбіною Миколаївною в жовтні—листопаді 1977 року, у вересні 1978 року та в березні 1979 року наклепницьки твердив, що записані в Конституції СРСР права і свободи для радянських людей неначе є «фікцією», «вигадкою» для обману радянського народу і світової громадськості, оскільки ці права, за його словами, начебто порушуються органами Радянської влади, що в нашій країні нібито відсутня демократія, чиниться «цинічне беззаконня». Державний лад нашої країни порівнював з режимами дореволюційної Росії та фашистським, в той же час вихваляв «демократію» і спосіб життя в капіталістичних країнах. (...)

В період від грудня 1977 року до липня 1979 року під час розмов з прохідником рудника ім. Матросова Радевичем Євгеном Володимировичем наклепницьки твердив, що в Радянському Союзі начебто «грубо порушуються права громадян», органи влади «раз у раз чинять беззаконня», безпричинно переслідують «передових людей». З ворожих позицій висловлювався, що Радянський уряд начебто «гнобить» народні маси і творить у країні «цинічне беззаконня». Намагався довести, що Україна нібито є «колонією Москви», перебуваючи в складі Союзу РСР начебто не має прав суверенної республіки, та закликав Радевича до проведення ворожої діяльності, заявляючи, що «українцям» треба вести «національно-визвольну боротьбу» за «звільнення України». (...)

У грудні 1977 року під час розмови з прохідником вказаного рудника Голубенком Василем Васильовичем, висловлюючи своє невдоволення існуючим в нашій країні державним і суспільним ладом, зводив наклепницькі вигадки на демократичні основи радянського суспільства, заявляв, що радянські люди нібито обмежені в своїх громадянських правах, а також вихваляв спосіб життя в капіталістичних країнах, де начебто існує «справжня демократія». (...)

Проживаючи в одній кімнаті гуртожитку з головним енергетиком фабрики цього ж рудника Русовим Євгеном Костянтиновичем, в період з січня 1978 року до червня 1979 року під час розмов з ним наклепницьки твердив, що в Радянському Союзі начебто відсутня демократія, існує сваділля та беззаконня. Разом з цим радянський державний і суспільний лад ототожнював з режимом царської Росії, стверджував, що на Україні нібито проводиться «насильницька русифікація». Наклепницьки заявляв, що Українська РСР начебто не є рівноправною республікою в складі СРСР, а також виправдовував злочинну діяльність бандитів ОУН. (…)

У березні 1978 року в кімнаті гуртожитку вказаного селища в присутності прохідника Ковальова Георгія Івановича і його дружини Ковальової Світлани Григорівни зводив наклепницькі вигадки на радянський державний і суспільний лад, стверджуючи, зокрема, що начебто в УРСР для громадян відсутні права і вони незаконно переслідуються. (…)

В період від березня 1978 року до липня 1979 року, під час розмов з робітником названого рудника Грибановим Валерієм Яковичем, з яким проживав в одній кімнаті, Стус наклепницьки твердив, що Радянська влада нібито не є народною, що в нашій країні неначе чиниться «беззаконня» та порушуються права громадян. З ворожих позицій заявляв, що Україна в складі Союзі РСР нібито не суверенна держава, та закликав до боротьби з Радянською владою. (…)

Протягом вересня 1978 року — січня 1979 року в розмовах з сусідом по кімнаті гуртожитку робітником Мастраковим Петром Михайловичем наклепницьки твердив, що в Радянському Союзі нібито порушуються права людини та демократичні принципи нашого суспільства, зводив злісні наклепи на внутрішню політику КПРС та Радянського уряду. (…)

У грудні 1978 року в приміщенні рудника імені Матросова Стус в присутності робітників Стефановського Бориса Геннадійовича, Казакова Петра Вікторовича і згаданого вище Голубенка В. В. зводив наклепи на радянський державний і суспільний лад, політику КПРС, заявляючи, що комуністи нібито довели країну до убогості й злиденності. (…)

В квітні 1979 року під час розмови з директором вказаного рудника Войтовичем Всеволодом Степановичем зводив наклепи на радянську дійсність, заявляючи, що в нашій країні нібито існує «беззаконня», радянський народ начебто «безправний», «заляканий», а КПРС начебто проводить антинародну політику. (…)

Під час лікування в хірургічному відділенні лікарні селища Транспортний Тенькінського району Магаданської області протягом серпня-жовтня 1977 року в розмовах з сестрою — господаркою Никифоренко Ніною Кирилівною систематично допускав наклепи на радянський спосіб життя, політику КПРС і Радянського уряду. Зокрема, твердив, що в нашій країні начебто відсутні демократичні права і свободи громадян. Органи Радянської влади, за його словами, нібито творять «беззаконня». З ворожих позицій заявляв, що Україна в складі Союзу РСР начебто нерівноправна. (…)

Перебуваючи на лікуванні в тій же лікарні в червні 1979 року, під час розмов з мешканцем селища Омчак Тенькінського району Магаданської області неповнолітнім Жеренковим Миколою Михайловичем зводив наклепницькі вигадки на радянський державний і суспільний лад, заявляв, що в нашій країні начебто відсутня свобода слова, друку, обмежуються права громадян і радянські люди нібито позбавлені елементарних людських прав, а також допускав наклепи на марксистсько-ленінське вчення. (…)

Відносно проведення вищеперелічених фактів антирадянської агітації та пропаганди в усній формі обвинувачений Стус безпідставно відмовився дати будь-які показання. (…)

Протягом попереднього розслідування цієї кримінальної справи Стус безпідставно відмовлявся давати показання та знайомитись з протоколами допиту і підписувати їх. (…)

Разом з тим під час слідства вів себе провокаційно — у деяких власноручних записах до протоколів допиту в травні-червні 1980 року зазначав, що свою антирадянську діяльність не вважає злочином. (…)

Допитаний по суті пред'явленого обвинувачення 21 травня 1980 року і 2 вересня 1980 року Стус у скоєнні вищевказаного злочину винним себе не визнав, від дачі показань безпідставно відмовився. (…)

Проте проведення Стусом агітації та пропаганди, направленої на підрив і ослаблення Радянської влади, як особою, раніше судимою за особливо небезпечний державний злочин, стверджується наведеними вище численними доказами: матеріалами про його попередню судимість, показаннями свідків, протоколами обшуків, виїмок і оглядів, висновками криміналістичних експертиз, вилученими і приєднаними речовими доказами і документами та іншими матеріалами цієї кримінальної справи.

Про спрямованість злочинної діяльності Стуса на підрив і ослаблення Радянської влади та про його антирадянські націоналістичні переконання свідчать: характер діянь обвинуваченого, ворожий зміст виготовлених і розповсюджених вищеперелічених документів, як серед свого оточення, так і за кордоном на Заході, систематичне поширення ним в усній формі наклепницьких вигадок на радянський державний і суспільний лад, а також ті обставини, що такою діяльністю він займався тривалий час, протягом 1974—1980 років і не припиняв її, незважаючи на неодноразові попередження офіційними органами та громадськістю про недопустимість таких ворожих дій. Зокрема, ігноруючи офіційні застереження органів КДБ від 19 жовтня 1975 року та 19 червня 1978 року у відповідності з Указом Президії Верховної Ради СРСР від 25 грудня 1972 року, Стус не тільки не припинив цю діяльність, а, навпаки, активізував її в 1977—1980 роках, перебуваючи в Магаданській області та мешкаючи в місті Києві.

Так, він встановив і підтримував шляхом особистих контактів і листування злочинні зв'язки з судимими за антирадянську діяльність Бадзьом, Горбалем, Лук'яненком, Овсієнком та іншими відщепенцями, а також з представниками зарубіжних буржуазно-націоналістичних кіл, зокрема з Горбач та Бремер, що мешкають в ФРН, виготовляв і розповсюджував ряд антирадянських та наклепницьких документів, які були поширені на території нашої країни і за кордоном на Заході, свідомо надав тим самим можливість буржуазно-націоналістичним центрам використовувати їх в провокаційних акціях проти Радянського Союзу, дезінформуванні світової громадськості щодо радянської дійсності для приниження міжнародного авторитету нашої держави та в інших ворожих кампаніях.

Про антирадянські націоналістичні переконання Стуса свідчать також його твердження, викладені у своїх документах, про те, що він залишається на попередніх позиціях і надалі буде проводити ворожу діяльність.

Зокрема, в своєму листі від 9 листопада 1977 року до названого вище Лук'яненка Л. Г. він вказує: «Коли мені випаде йти на другий тур, то я говоритиму тільки в останньому слові, … ні на які компроміси не піду, ні на яке визнання вини й самокаяття».

Про це також твердиться у виготовленому ним програмному документі «Пам'ятка українського борця за справедливість» («Памятка украинского борца за волю»).

Крім того, в розмовах з мешканцями селища Матросова Магаданської області Банніковою А. М., Войтовичем В. С., Грибановим В. Я. та іншими Стус, поширюючи наклепницькі вигадки на радянський державний і суспільний лад, заявляв, що він залишається на своїх попередніх ворожих позиціях.

Будучи раніше судимий за антирадянську агітацію і пропаганду, маючи великий життєвий досвід і вищу освіту, Стус не міг не усвідомлювати, що його дії, пов'язані з виготовленням, зберіганням та розповсюдженням значної кількості ворожої літератури, а також систематичне поширення ним в усній формі серед широкого кола громадян наклепницьких вигадок, що порочать радянський державний і суспільний лад, були спрямовані саме на підрив та ослаблення Радянської влади по вчиненню особливо небезпечного державного злочину — антирадянської агітації і пропаганди.

Обставиною, передбаченою ст. 41 Кримінального Кодексу УРСР, що обтяжує відповідальність обвинуваченого Стуса В. С., є те, що раніше він вчинив особливо небезпечний державний злочин — проводив антирадянську агітацію і пропаганду, за що в 1972 році був засуджений.

Після цього під час відбуття основної і додаткової міри покарання та після звільнення до погашення судимості вчинив аналогічний державний злочин.

Передбачених ст. 40 КК УРСР обставин, які пом'якшували б відповідальність обвинуваченого Стуса В. С., немає.

На підставі викладеного обвинувачується:

Стус Василь Семенович, 8 січня 1938 року народження, уродженець села Рахнівка Гайсинського району Вінницької області, українець, громадянин СРСР, безпартійний, з вищою освітою, одружений, має сина 1966 року народження, із селян, військо-зобов'язаний, раніше судимий — 7 вересня 1972 року за ст. 62 ч. 1 КК УРСР на 5 років позбавлення волі і 3 роки заслання, до арешту по цій справі — робітник Київського виробничого об'єднання взуттєвих підприємств «Спорт», мешканець міста Києва, вул. Чорнобильська, № 13 «а», кв. 94, — в тому, що він, будучи раніше, 7 вересня 1972 року, засудженим Київським обласним судом за проведення антирадянської агітації і пропаганди (ст. 62 ч. 1 КК УРСР) до 5 років позбавлення волі і 3 років заслання, відбуваючи в 1974—1979 роках основну і додаткову міру покарання — у виправно-трудовій колонії № 19 селища Лісний Мордовської АРСР та в засланні в Магаданській області, а з серпня 1979 року до травня 1980 року, мешкаючи в місті Києві, до погашення судимості не став на шлях виправлення і, залишаючись на ворожих радянському суспільству позиціях, спілкуючись шляхом особистих контактів та листування з особами, засудженими за особливо небезпечні державні злочини, а також з представниками зарубіжних буржуазно-націоналістичних кіл і іншими відщепенцями, на грунті антирадянських націоналістичних переконань, незважаючи на неодноразові попередження з боку офіційних осіб органів влади та представників громадськості про недопустимість злочинної діяльності, протягом тривалого часу з метою підриву і ослаблення Радянської влади систематично виготовляв, зберігав та розповсюджував антирадянську і наклепницьку літературу, в якій містяться заклики до проведення боротьби з Радянською владою та вигадки, що порочать радянський державний і суспільний лад. Деякі з них потрапили за кордон в капіталістичні країни, де широко використовуються буржуазно-націоналістичними центрами в провокаційних кампаніях проти Союзу РСР.

Разом з цим з тією ж ворожою метою займався антирадянською агітацією і пропагандою в усній формі, поширюючи наклепницькі вигадки на радянський державний і суспільний лад.

Так, у грудні 1976 року, відбуваючи покарання у виправно-трудовій колонії № 19 селища Лісний Мордовської АРСР, незважаючи на оголошене йому 19 жовтня 1975 року у відповідності з Указом Президії Верховної Ради СРСР від 25 грудня 1972 року офіційне попередження про недопустимість ворожої діяльності, з метою підриву та ослаблення Радянської влади виготовив наклепницький документ у вигляді «заяви» до Президії Верховної Ради СРСР і тоді ж поширив його, надіславши до Прокуратури Союзу РСР зі своїм листом-проханням, щоб текст «заяви» було доведено до «адресата».

В зазначеному документі він зводить наклепницькі вигадки, що порочать радянський державний і суспільний лад. Зокрема, намагається довести, що в нашій країні начебто існує беззаконня та відсутня демократія.

Схвалюючи діяльність осіб, заарештованих за особливо небезпечні та інші державні злочини, робить спробу обвинуватити Радянську владу в порушенні прав людини.

Тоді ж, у 1976 році, відбуваючи міру покарання в Мордовській АРСР, з тією ж метою виготовив документ у вигляді «Відкритого листа до І. Дзюби». В ньому, паплюжачи радянський державний і суспільний лад, наклепницьки твердить, що на Україні в 1972—1973 роках начебто відбувся «антиукраїнський погром», під час якого нібито притискувалась «національна гідність» радянських людей, що в СРСР кожен український літератор начебто «поневолений», а народ знаходиться нібито «в якомусь вакуумі» і його духовне існування «поставлено під загрозу».

Зазначений ворожий документ набув поширення серед націоналістично настроєних осіб, зокрема потрапив до мешканця міста Києва Шевченка О. Є., притягнутого до кримінальної відповідальності за антирадянську агітацію і пропаганду по іншій справі, під час обшуку по якій 1 квітня 1980 року була вилучена рукописна копія цього документа.

Згаданий документ також потрапив за кордон, де використовувався буржуазною пропагандою в ворожих акціях проти Союзу РСР і був надрукований під назвою «Відкритий лист В. Стуса до І. Дзюби» в журналі «Визвольний шлях» № 12 за грудень 1976 року, що видається організацією українських буржуазних націоналістів у Лондоні.

Восени 1977 року, відбуваючи додаткову міру покарання — заслання в селищі Матросова Тенькінського району Магаданської області, з ворожою метою виготовив рукописний документ у вигляді «листа» до своїх знайомих-мешканців м. Києва Коцюбинської М. Х., Кириченко С. Т. та її чоловіка — Бадзьо Г. В., пізніше засудженого за антирадянську діяльність.

В цьому документі зводить наклепницькі вигадки, що порочать радянський державний і суспільний лад, паплюжить національну політику КПРС та братню дружбу українського і російського народів, наклепницьки стверджуючи, що в українського народу нібито «катастрофічне духовне існування», а радянська влада начебто «душить» та проводить «репресії українців». Згадуючи про свою судимість за антирадянську агітацію і пропаганду, він відверто зазначає, що залишився на тих же націоналістичних позиціях і буде далі проводити ворожу діяльність.

Зазначений документ наприкінці 1977 року надіслав поштою до м. Києва, де з його текстом ознайомились Коцюбинська М. Х., Андрієвська В. В., Кириченко С. Т. та її чоловік — Бадзьо Г. В. Рукописний текст цього документа, переписаний Кириченко та Бадзьом, потрапив до Стуса, який зберігав його в своїй квартирі в м. Києві до вилучення під час обшуку 14 травня 1980 року. Доля оригіналу вказаного документа не встановлена.

В листопаді 1977 року також під час перебування в засланні в Магаданській області, з тією ж метою виготовив рукописний документ у вигляді листа до мешканця м. Чернігова Лук'яненка Л. Г., судимого в 1961 році за зраду Батьківщини та в 1978 році — за антирадянську агітацію і пропаганду.

В цьому листі з ворожих націоналістичних позицій зводить злісні наклепи на радянський державний і суспільний лад. Заявляючи про своє бажання бути членом так званого «Українського наглядового комітету», підбурює «однодумців» проводити ворожу діяльність «в більш широкому плані». Наклепницьки стверджує, що на Україні нібито проводяться незаконні «репресії української інтелігенції», паплюжить рівноправність України в складі Союзу РСР і твердить, що в Радянському Союзі нібито немає «фактичної рівності націй».

Тоді ж, в листопаді 1977 року, поширив зазначений документ, надіславши поштою в м. Чернігів вказаному Лук'яненку для ознайомлення.

В кінці 1977 року під час перебування в селищі Матросова з тією ж метою виготовив рукописний документ у вигляді «листа-звернення» до одного із членів Президії Верховної Ради Союзу РСР.

В документі робиться спроба зганьбити діяльність Радянського уряду, наклепницьки твердиться, що в Радянському Союзі нібито існує «беззаконие и насилие», «шовинистический произвол», в результаті чого було начебто безпідставно засуджено його — Стуса та інших осіб. Засуджених антирадянщиків намагається показати як «представників української інтелігенції», що репресовані нібито лише за їх «переконання».

Зазначений документ зберігав у своїй кімнаті гуртожитку до його вилучення 10 лютого 1978 року під час обшуку по кримінальній справі відносно Лук'яненка.

В грудні 1977 року, перебуваючи в засланні в названому селищі, з ворожою метою виготовив рукописний документ у вигляді «листа» до колишнього мешканця міста Москви Григоренка П. Г., якого згідно Указу Президії Верховної Ради СРСР від 13 лютого 1978 року за систематичне вчинення дій, несумісних з належністю до громадянства СРСР, завдання своєю поведінкою шкоди престижу Союзу РСР позбавлено громадянства СРСР.

В цьому документі містяться наклепницькі вигадки на радянський державний і суспільний лад. Зокрема, стверджується про нібито відсутність в нашій країні «человеческих прав и прав народов», і заявляється про намір проводити ворожу діяльність під виглядом участі в нібито існуючому в СРСР «демократическом движении»; різного роду відщепенцям пропонується активізувати і посилити антирадянську агітацію та пропаганду, з ворожих націоналістичних позицій захищаються бандити ОУН як нібито «участники партизанского движения».

Вказаний документ зберігав в своїй кімнаті гуртожитку до його вилучення 10 лютого 1978 року під час обшуку.

В кінці 1977 року, перебуваючи в засланні, з тією ж метою виготовив рукописний документ у вигляді «листа» до вказаного Григоренка П. Г.

В зазначеному документі містяться наклепницькі вигадки, що порочать радянський державний і суспільний лад. Зокрема, в ньому твердиться, що нібито в нашій країні існують беззаконня і сваволля, безпідставні «репрессии творческой интеллигенции». При цьому в документі паплюжаться органи радянського правосуддя, яких він наклепницьки називає ворогами народу.

Названий «лист» зберігав у себе в кімнаті гуртожитку до вилучення його під час обшуку 10 лютого 1978 року.

Незважаючи на повторно оголошене йому 19 червня 1978 року офіційне застереження про недопустимість надалі дій, які суперечать інтересам державної безпеки СРСР, він не тільки не припинив виготовлення, зберігання і розповсюдження антирадянських наклепницьких документів, а, навпаки, активізував свою ворожу діяльність.

Так, мешкаючи в місті Києві після відбуття основної і додаткової міри покарання за проведення антирадянської агітації і пропаганди, до погашення судимості з метою підриву та ослаблення Радянської влади виготовив у листопаді 1979 року рукописний документ у вигляді «заяви» до Прокуратури УРСР.

В цьому документі, датованому 19 листопада 1979 року, він, виступаючи на захист М. Горбаля, раніше судимого за антирадянську діяльність і арештованого за вчинення іншого кримінального злочину, зводить наклепницькі вигадки, що порочать радянський державний і суспільний лад. Зокрема, наклепницьки заявляє, що радянські правозахисні органи нібито «вдаються до брутальних способів розправи і дискредитації людей» та намагається ствердити, що в нашій країні нібито існує «сваволля» і «беззаконня», зневажаються права людини.

Для широкого розповсюдження зазначеного ворожого документа розмножив його не менше як в чотирьох рукописних примірниках українською і російською мовами та поширив їх.

З них:

- один примірник українською мовою, датований 19 листопада 1979 року, надіслав до Прокуратури УРСР;
- один примірник російською мовою 21 січня 1980 року надіслав поштою до мешканки міста Москви Лісовської Ніни Петрівни, який було вилучено під час виїмки 25 січня 1980 року на Київському поштамті по кримінальній справі відносно Калиниченка В. В., притягнутого до відповідальності за антирадянську агітацію і пропаганду;
- два примірники, датовані 18 листопада 1979 року, один — українською мовою до Прокуратури УРСР, а другий — російською мовою, викладений в листі до мешканця м. Москви Сахарова А. Д., зберігав у себе вдома до дня вилучення під час обшуку 14 травня 1980 року.

Зазначений ворожий документ потрапив за кордон на Захід, де використовується в підривних акціях проти СРСР антирадянськими центрами, зокрема його текст був переданий радіостанцією «Радіо Свобода» 27 лютого 1980 року, а також опублікований 4 квітня 1980 року в буржуазно-націоналістичній газеті «Українське слово», що видається в Парижі.

Мешкаючи в місті Києві з серпня 1979 року до травня 1980 року, з тією ж метою виготовив рукописний документ без назви в загальному зошиті, який зберігав у себе вдома до вилучення його під час обшуку 14 травня 1980 року.

В цьому документі містяться злісні наклепницькі вигадки, що порочать радянський державний і суспільний лад, робиться спроба ревізувати марксистсько-ленінське вчення про соціалістичну революцію, опорочити ленінізм, засновника Радянської держави та історичний досвід нашого народу в будівництві соціалізму. Щодо Великої Жовтневої соціалістичної революції наклепницьки твердиться, що нібито вона «совершилась во имя тоталитарного марксизма», «неизбежно ведет к национализму и националистической политике», а «коммунистический строй переходного периода есть строй крепостнический».

Крім того, після повернення із заслання до міста Києва з серпня 1979 року до травня 1980 року з тією ж ворожою метою зберігав у своїй квартирі рукописні та машинописні тексти документів і віршів, виготовлених ним у 1963—1972 роках, а саме:

- рукописний вірш «Безпашпортний і закріпачений…», в якому він викладає наклепницькі вигадки щодо політики КПРС і Радянської влади відносно колгоспного селянства нашої країни, яке нібито «закріпачене» і «катоване»;
- документ, що починається зі слів: «Існує тільки дві форми…», в якому паплюжаться демократичні основи нашої країни, робиться спроба посіяти недовір'я народу до Уряду та Радянської влади, наклепницьки твердиться, що в Радянському Союзі нібито «існує тільки дві форми контактування народу з урядом: відверта боротьба (в усіх можливих її проявах) і відкрита полеміка» та вказується, що в нашій країні начебто «той, хто не згоден з урядом, є ворогом;
- машинописний документ, що починається зі слів: «Нещодавно в "Літературній Україні" було надруковано…», в якому, виступаючи на захист засуджених за ворожу діяльність Караванського, Чорновола, Осадчого та інших відщепенців, зводить наклепницькі вигадки на радянську дійсність, твердячи, що на Україні нібито безпідставно переслідуються інтелігенція та науковці, начебто відсутні демократія і свобода, що в нашій країні нібито знущаються з «соціалістичної законності, правосуддя, демократичних свобод»;
- машинописний текст вірша «Ось вам сонце, сказав чоловік з кокардою…», де зводяться наклепи на радянську дійсність, паплюжиться життя радянського народу, який начебто «злиденний і духовно збіднений»;
- рукописний та машинописний примірники вірша «Колеса глухо стукотять…», в якому Стус зводить наклепницькі вигадки на радянський державний і суспільний лад, зображаючи нашу країну як «концтаборів союз».

Ці ворожі документи зберігав у себе вдома в м. Києві до дня вилучення їх під час обшуку 14 травня 1980 року.

Залишаючись на антирадянських націоналістичних позиціях, в другій половині 1979 року — на початку 1980 року з метою підриву та ослаблення Радянської влади виготовив у місті Києві для подальшого розповсюдження рукописний документ українською і російською мовами під назвою «Пам'ятка українського борця за справедливість» («Памятка украинского борца за волю»), який за своїм змістом і спрямуванням є відверто антирадянським, наклепницьким. В ньому з націоналістичних позицій зводить злісні наклепницькі вигадки, що порочать радянський державний і суспільний лад, викладає конкретну програму боротьби проти Радянської влади, обстоює необхідність створення так званої «незалежної України». При цьому закликає проводити ворожу діяльність шляхом створення «широкої мережі правозахисних об'єднань» на платформі «забезпечення незалежної України, організації випуску періодичних журналів типу "Укр. вісника" і т. д.» Наклепницьки твердить, що Україну нібито тримають «в колоніальному ярмі шляхом страшного терору, геноциду», виправдовує антирадянську, антинародну діяльність бандитів ОУН-УПА, називаючи її «національно-визвольним рухом».

Зазначений антирадянський документ зберігав у себе вдома в м. Києві до вилучення його під час обшуку 14 травня 1980 року.

Поряд з виготовленням, розповсюдженням і зберіганням ворожих документів протягом тривалого часу з метою підриву та ослаблення Радянської влади проводив антирадянську агітацію і пропаганду в усній формі, поширюючи злісні вигадки, що порочать радянський державний і суспільний лад.

Так, відбуваючи покарання у виправно-трудовій колонії № 19 селища Лісний Мордовської АРСР та спілкуючись з грудня 1974 року по січень 1977 року з засудженим за антирадянську діяльність Сіриком Миколою Івановичем в неодноразових розмовах з ним систематично висловлював наклепницькі вигадки на радянський державний і суспільний лад, стверджуючи, що в Радянському Союзі нібито порушуються права людини, а органи Радянської влади начебто чинять «беззаконня», арештовують і засуджують «невинних людей». Існуючий в нашій країні лад називав «фашистським» та порівнював його з режимом царської Росії; заявляв, що на Україні нібито проводиться «насильницька русифікація», яку, за його словами, чинять органи Радянської влади, що УРСР начебто не є рівноправною республікою, а перебуває в підневільному стані. Обробляючи Сірика в антирадянському націоналістичному дусі, закликав його до проведення активної ворожої діяльності, заявляючи, що «проти Радянської влади всі засоби боротьби підходять, починаючи від антирадянської агітації та пропаганди до вчинення терористичних акцій».

Перебуваючи на засланні в селищі Матросова Тенькінського району Магаданської області з тією ж ворожою метою в період з весни

1977 року до літа 1979 року під час розмов з мешканцями цього селища систематично зводив наклепницькі вигадки на радянський державний і суспільний лад.

Зокрема, в розмовах з робітником рудника імені Матросова Шаврієм Іваном Ніканоровичем по місцю роботи та в гуртожитку в названий вище час наклепницьки стверджував, що в нашій країні начебто відсутня свобода, що органи Радянської влади нібито порушують права громадян, творять «беззаконня» і «пригнічують народні маси».

В той же період під час розмов з начальником відділу кадрів вказаного рудника Шаріповим Рашідом Гаріфовичем наклепницьки твердив, що в Радянському Союзі нібито відсутні свобода слова, друку, пересування, намагався порівняти органи Радянської влади з гестапо та з націоналістичних позицій заявляв, що «Україна повинна бути тільки для українців».

Під час розмов з завідуючою книжковим магазином зазначеного селища Банніковою Альбіною Миколаївною в жовтні-листопаді І977 року, в вересні 1978 року та в березні 1979 року наклепницьки твердив, що записані в Конституції СРСР права і свободи для радянських людей неначе є «фікцією», «вигадкою» для обману радянського народу і світової громадськості, оскільки ці права, за його словами, начебто порушуються органами Радянської влади, що в нашій країні нібито відсутня демократія, чиниться «цинічне беззаконня». Державний лад нашої країни порівнював з режимами дореволюційної Росії та фашистським, в той же час вихваляв «демократію» і спосіб життя в капіталістичних країнах.

В період від грудня 1977 року до липня 1979 року під час розмов з прохідником рудника ім. Матросова Радевичем Євгеном Володимировичем наклепницьки твердив, що в Радянському Союзі начебто «грубо порушуються права громадян», органи влади «раз у раз чинять беззаконня», безпричинно переслідують «передових людей». З ворожих позицій висловлювався, що Радянський уряд начебто «гнобить» народні маси і творить у країні «цинічне беззаконня». Намагався довести, що Україна нібито є «колонією Москви», перебуваючи в складі Союзу РСР начебто не має прав суверенної республіки, та закликав Радевича до проведення ворожої діяльності, заявляючи, що «українцям» треба вести «національно-визвольну боротьбу» за «звільнення України».

У грудні 1977 року під час розмови з прохідником вказаного рудника Голубенком Василем Васильовичем, висловлюючи своє невдоволення існуючим в нашій країні державним і суспільним ладом, зводив наклепницькі вигадки на демократичні основи радянського суспільства, заявляв, що радянські люди нібито обмежені в своїх громадянських правах, а також вихваляв спосіб життя в капіталістичних країнах, де начебто існує справжня демократія.

Проживаючи в гуртожитку в одній кімнаті з головним енергетиком фабрики цього ж рудника Русовим Євгеном Костянтиновичем, в період з січня 1978 року до червня 1979 року під час розмов з ним наклепницьки твердив, що в Радянському Союзі начебто відсутня демократія, існує свавілля та беззаконня. Разом з цим радянський державний і суспільний лад ототожнював з режимом царської Росії, стверджував, що на Україні нібито проводиться «насильницька русифікація». Наклепницьки заявляв, що Українська РСР начебто не є рівноправною республікою в складі СРСР, а також виправдовував злочинну діяльність бандитів ОУН.

У березні 1978 року в кімнаті гуртожитку вказаного селища в присутності прохідника Ковальова Георгія Івановича і його дружини Ковальової Світлани Григорівни зводив наклепницькі вигадки на радянський державний і суспільний лад, стверджуючи, зокрема, що начебто в УРСР для громадян відсутні права і вони незаконно переслідуються.

В період від березня 1978 року до липня 1979 року під час розмов з робітником названого рудника Грибановим Валерієм Яковичем, з яким проживав в одній кімнаті, наклепницьки твердив, що Радянська влада нібито не є народною, що в нашій країні неначе чиниться «беззаконня» та порушуються права громадян. З ворожих позицій заявляв, що Україна в складі Союзу РСР нібито не суверенна держава, та закликав до боротьби з Радянською владою.

Протягом вересня 1978 року — січня 1979 року в розмовах з сусідом по кімнаті гуртожитку робітником Мастраковим Петром Михайловичем наклепницьки твердив, що в Радянському Союзі нібито порушуються права людини та демократичні принципи нашого суспільства, зводив злісні наклепи на внутрішню політику КПРС та Радянського уряду.

У грудні 1978 року в приміщенні рудника імені Матросова в присутності робітників Стефановського Бориса Геннадійовича, Казакова Петра Вікторовича і згаданого вище Голубенка В. В. зводив наклепи на радянський державний і суспільний лад, політику КПРС, заявляючи, що комуністи нібито довели країну до убогості й злиденності.

В квітні 1979 року під час розмови з директором вказаного рудника Войтовичем Всеволодом Степановичем зводив наклепи на радянську дійсність, заявляючи, що в нашій країні нібито існує «беззаконня», радянський народ начебто «безправний», «заляканий», а КПРС начебто проводить антинародну політику.

Під час лікування в хірургічному відділенні лікарні селища Транспортний Тенькінського району Магаданської області протягом серпня-жовтня 1977 року в розмовах з сестрою — господаркою Никифоренко Ніною Кирилівною систематично допускав наклепи на радянський спосіб життя, політику КПРС і Радянського уряду. Зокрема, твердив, що в нашій країні начебто відсутні демократичні права і свободи громадян. Органи Радянської влади, за його словами, нібито творять «беззаконня». З ворожих позицій заявляв, що Україна в складі Союзу РСР начебто нерівноправна.

Перебуваючи на лікуванні в тій же лікарні в червні 1979 року, під час розмов з мешканцем селища Омчак Тенькінського району Магаданської області неповнолітним Жеренковим Миколою Михайловичем зводив наклепницькі вигадки на радянський державний і суспільний лад, заявляв, що в нашій країні начебто відсутня свобода слова, друку, обмежуються права громадян і радянські люди нібито позбавлені елементарних людських прав, а також допускав наклепи на марксистсько-ленінське вчення.

Таким чином, переліченими діями по виготовленню, зберіганню і розповсюдженню з метою підриву та ослаблення Радянської влади ворожої літератури, що порочить радянський державний і суспільний лад, вчиненими на території УРСР, Стус скоїв злочин, передбачений ст. 62 ч. 2 КК УРСР, як особа, раніше судима за особливо небезпечний державний злочин.

Діяннями по виготовленню, зберіганню, розповсюдженню з метою підриву і ослаблення Радянської влади антирадянської та наклепницької літератури, поширення в усній формі з тією ж метою наклепницьких вигадок, що порочать радянський державний і суспільний лад, вчиненими на території РРФСР, Стус скоїв злочин, передбачений ст. 70 ч. 2 КК РРФСР, як особа раніше судима за особливо небезпечний державний злочин.

Згідно ст. 225 КПК УРСР кримінальну справу № 5 по обвинуваченню Стуса Василя Семеновича разом з обвинувальним висновком надіслати Прокурору Української РСР. Обвинувальний висновок складено 10 вересня 1980 року в місті Києві.

Старший слідчий Слідчого відділу КДБ УРСР майор А. В. Селюк

Згодні:
Заступник Голови Комітету державної безпеки УРСР — генерал-лейтенант С. Н. Муха

Зам. начальника Слідчого відділу КДБ УРСР
полковник В. П. Туркін
10 вересня 1980 року

ПОСТАНОВА
про віддання до суду

м. Київ 19 вересня 1980 р.

Член Київського міського суду Фещенко Л. І., розглянувши матеріали кримінальної справи про звинувачення Стуса Василя Семеновича по ст. 62 ч. 2 КК УРСР та 70 КК РРФСР, —

ВСТАНОВИВ:

Попереднє слідство по справі проведено з достатньою повнотою. Кваліфікація дій обвинуваченого, а також обвинувальний висновок відповідає матеріалам справи. Міра запобіжного заходу щодо обвинуваченого обрана правильно. Порушень норм процесуального закону по справі не виявлено. По справі зібрано достатньо доказів для розгляду її в судовому засіданні. Справа підсудна Київському міському суду.

Керуючись ст. ст. 237, 242, 246 КПК УРСР —

ПОСТАНОВИВ:

Справу прийняти в провадження Київського міського суду.

Віддати до суду Стуса Василя Семеновича за ст. ст. 62 ч. II КК УРСР та 70 ч. 2 КК РРФСР.

Справу призначити для розгляду в відкритому судовому засіданні в приміщені Київського міського суду на 10 годин 29 вересня 1980 року. Участь прокурора по справі вважати обов'язковим.

Запобіжний захід щодо підсудного залишити попередній: утримання під вартою в слідчому ізоляторі КДБ УРСР.

В судове засідання викликати підсудного, а також свідків згідно списку обвинувального висновку.

Член суду (підпис)

Министерство юстиции УССР
Киевский городской суд
13.09.1980 г.
№ 1-с/80 г.

Прокурору города Киева тов. Гайде В. Ф.
Сообщаю, что дело по обвинению Стуса Василия Семеновича по ст. ст. 62 ч. 2 УК УССР, 80 ч. 2 УК РСФСР назначено для рассмотрения в судебном заседании на 29 сентября 10 час. 00 мин. 29 сентября 1980 г. С обязательным участием прокурора.

Зам. председателя
Киевского городского суда (підпис)

Министерство юстиции УССР
Киевский городской суд
__.09.1980 г.
№ 1-с/80

Председателю президиума Киевской городской коллегии адвокатов

Дело по обвинению Стуса Василия Семеновича ст. ст. 62 ч. 2 УК УССР, 80 ч. 2 УК РСФСР назначено для рассмотрения в судебном заседании на 10 час. 00 мин. 29 сентября 1980 г.

Прошу обеспечить участие адвоката.

Зам. председателя
Киевского городского суда (подпись)

Секретарь (подпись)

В Киевский городской суд 248

адвоката Медведчук В.В

ЮК Шевченковского р-на

г. Киева

Заявление

Прошу разрешить мне свидание в СИЗО КГБ УССР с подсудимым Стус Василием Семеновичем 1938 г. рождения, для согласования вопросов, касающихся его защиты в суде

24.09.1980 г. [signature] /Медведчук/

Свидание разрешаю [signature]

24.09.80 г.

Заява адвоката Віктора Медведчука з проханням дозволити йому відвідати підсудного Василя Стуса

В Киевский городской суд
адвоката Медведчук В. В.
ЮК Шевченковского р-на
г. Киева

Заявление

Прошу разрешить мне свидание в СИЗО КГБ УССР с подсудимым Стус Василием Семеновичем 1938 г. рождения, для согласования вопросов, касающихся его защиты в суде.

24.09.1980 г. (Медведчук)

Свидание разрешено

24.09.80 г.

Министерство юстиции УССР
Киевский городской суд
25/IX.1980 г.
№ 1-с/80 г.

Начальнику следственного изолятора КГБ УССР
Копия: Командиру войсковой части ____________________

Прошу доставить в судебное заседание городского суда по адресу: г. Киев, ул. Владимирская, № 15, к 9 час. 30 мин. 29 сентября 1980 г. для рассмотрения дела заключенного Стуса Василия Семеновича, 1938 года рождения.

Приложение: Копия обвинительного заключения для немедленного вручения заключенному под расписку, расписку просим направить в городской суд для приобщения к делу.

Зам. председателя
Киевского городского суда (подпись)

Секретарь (подпись)

Экз. № 1

Комітет Державної безпеки Української РСР	Комитет Государственной безопасности Украинской ССР

__ сентября № 23/575

г. Киев
Председателю Киевского
городского суда
тов. Бутенко Г. А.
г. Киев, ул. Владимирская, 15

При этом направляем расписку заключенного Стуса Василия Семеновича, 1938 года рождения, о вручении ему копии обвинительного заключения.
Приложение: расписка на одном листе.

Начальник следственного
изолятора КГБ УССР подполковник В. Ф. Петруня

Приложение 65

Расписка

Я, Стус В. С. даю настоящую расписку в том, что копия звин. висновку мне вручена 25 вересня 1980 р. 15 час. 30 мин.

(подпись) В. Стус

Киевская городская коллегия адвокатов
Шевченковская юридическая консультация
г. Киев ул. Артема 10

Соглашение № 1816
Ордер № 058310 от 24 сентября 1980 г.
Адвокату Медведчук В. В.
_____ ведение уголовного дела
Стус В. С.

В киевском городском суде
Рассматривается 29.09.1980 г.

Заведующий юридической консультацией (подпись)

Міністерство юстиції Української РСР
Справа № _____ 198_ г.

Ухвала

1980 року 29 вересня, Судова колегія в кримінальних справах Київського міського суду в складі:

Головуючого Фещенко П. І.
Народних засідателів: Михайловського П. О.
Мойсеєвої Н. О.
При секретарі Ткаченко Н. Г.
З участю прокурора Аржанова П. С.
Громадського обвинувача — з участю адвоката Медведчука В. В.

розглянула у відкритому судовому засіданні в залі суду в місті Києві справу про обвинувачення Стуса Василя Семеновича в скоєнні злочину, передбаченого ст. ст. 62 ч. 2 КК УРСР та ст. 70 ч. 2 КК РРФСР,

встановила:

в судовому засіданні Стус В. С. заявив відвід всьому складу суду, посилаючись на те, що радянський суд взагалі не може розглядати його справу.

Заявивши клопотання про надання права бути присутнім в судовому засіданні представників міжнародних організацій, підсудний вважає, що його справу може розглянути тільки міжнародний суд.

Заслухавши прокурора та адвоката, судова колегія не знаходить підстав для задоволення клопотання підсудного.

Обставини, що виключають участь судів в розгляді справи, передбачені ст. 54 КПК УРСР.

Стус В. С. не назвав жодної з підстав, передбачених законом, для відводу суддів.

А тому, керуючись ст. 57 КПК УРСР, судова колегія —

ухвалила:

364

До Голови суду

Стуса В. С., в'язня КГБ,
засудженого 2.X.80 р.

Звертаюся до вас із вимогою — надати мені для ознайомлення протокол судового засідання Київського міського суду 29.9–2.X.80 р. і копію вироку.

Додам, що від подачі касаційної скарги я рішуче відмовляюся, добре знаючи, що таке радянський політичний суд.

В. Стус

8.10.80 р.

Звернення Василя Стуса до голови суду

заявлене Стусом Василем Семеновичем клопотання про підвід складу Київського міського суду залишити без задоволення як обгрунтоване на законі.

Головуючий (підпис)
Народні засідателі: (підпис)

Ухвала

1 жовтня 1980 року судова колегія в кримінальних справах Київського міського суду в складі:
Головуючого Фещенка П. І.
Народних засідателів: Михайловського П. О.
Мойсеєвої Н. О.
При секретарі Ткаченко Н. Г.
З участю прокурора Аржанова П. С.
з участю адвоката Медведчука В. В.

розглянувши у відкритому судовому засіданні в залі суду в м. Києві справу про звинувачення Стуса Василя Семеновича в скоєнні злочину, передбаченого ст. ст. 62 ч. 2 КК УРСР та ст. 70 ч. 2 КК РРФСР

встановила:

Під час попереднього слідства по справі 27 червня 1980 року була допитана Кириченко Світлана Тихонівна як свідок. Вона дала конкретні показання, які мають значення по справі. Свої показання писала власноручно, протокол яких міститься в томі 3 на а.с. 127—133 кримінальної справи по звинуваченню Стуса В. С. Будучи викликана в судове засідання в Київський міський суд на 10 годину 1 жовтня 1980 року Кириченко С. Т., незважаючи на те, що вона була попереджена про кримінальну відповідальність за ст. 179 КК УРСР за відмову або ухилення від дачі показань, заявила в судовому засіданні, що вона категорично відмовляється давати будь-які показання по справі. Приймаючи до уваги те, що в діях Кириченко С. Т. міститься злочин, передбачений ст. 179 КК УРСР, судова колегія, керуючись ст. 4 КПК УРСР —

ухвалила:

порушити кримінальну справу проти Кириченко Світлани Тихонівни 1935 року народження, що мешкає в м. Києві по вул. Червоноармійській 93 кв. 16, за ст. 179 КК УРСР.

Копію цієї ухвали направити прокурору м. Києва для притягнення Кириченко С. Т. до кримінальної відповідальності.

Головуючий (підпис)
Народні засідателі: (підпис)

1980 р.

ПРОТОКОЛ
судового засідання

29 вересня 1980 р. судової колегії в кримінальних справах Київського міського суду в складі головуючого Фещенко П. І.
Народних засідателів: Михайловського П. О.
Мойсеєвої Н. О.
при секретарі Ткаченко Н. Г.
з участю прокурора Аржанова П. С.
з участю адвоката Медведчука В. В.

розглянувши у відкритому судовому засіданні в залі суду в м. Києві кримінальну справу по звинуваченню Стуса Василя Семеновича по ст. ст. 62 ч. 2 КК УРСР, ст. 70 ч. 2 КК РРФСР.
Засідання розпочалося о 10 годині 00 хвилин
Судове засідання оголошено відкритим.
Головуючий доповідає, яка справа буде розглядатись.
Головуючий доповідає, що у судове засідання з'явились: прокурор, адвокат, під вартою доставлений підсудний, свідки викликані на послідуючі дні.

З'ясовується особа підсудного:
Підсудний відмовляється назвати свої анкетні дані.

Згідно з обвинувальним висновком підсудний:
Стус Василь Семенович

8 січня 1938 р. народження, уродженець с. Рахнівка Гайсинського р-ну Вінницької області, українець, громадянин СРСР, безпартійний, з вищою освітою, одружений, має сина 1966 р. народження, із селян, військовозобов'язаний, раніше судимий — 7 вересня 1972 р. за ст. 62 ч. 1 КК УРСР на 5 років позбавлення волі і 3 роки заслання, до арешту по цій справі — робітник Київського виробничого об'єднання взуттєвих підприємств «Спорт», мешканець м. Києва, вул. Чорнобильська, 13А, кв. 94.

Копію обвинувального вироку одержав 25/IX-1980 р.

На запитання головуючого, з якого часу підсудний Стус утримується під вартою, підсудний Стус відповідати відмовився.

На запитання головуючого підсудний:
Перекладач мені не потрібен на той випадок, якщо свідки будуть давать свої покази російською мовою.

Головуючий роз'яснює, що підсудний має право:
1. заявляти відводи;
2. заявляти клопотання і висловлювати свою думку про клопотання інших учасників судового розгляду;
3. просити суд про приєднання до справи документів, про виклик свідків, про призначення експертизи і витребування інших доказів;
4. давати пояснення по суті справи в кожний момент судового слідства;
5. просити суд про оголошення доказів, що є в справі;
6. задавати питання свідкам;
7. брати участь в огляді речових доказів, місця вчинення злочину і документів;
8. звертатися до суду з останнім словом.

ПІДСУДНИЙ. Права мені зрозумілі.

Оголошується склад суду:

1. Головуючий	Фещенко П. І.
2. Народні засідателі:	Михайловський П. О.
	Мойсеєва Н. О.
3. При секретарі	Ткаченко Н. Г.

4. З участю прокурора Аржанова П. С.
5. Адвоката Медведчука В. В.

Головуючий роз'яснює учасникам процесу право відводу складу суду, секретарю, прокурору.

ПРОКУРОР. Відводів не маю.

АДВОКАТ. Відводів не маю.

ПІДСУДНИЙ. Любий склад суду я не визнаю, я вимагаю запросити у судове засідання:

- представників комісії по правах людини при ООН;
- представників міжнародної організації письменників «Пен-клуб»;
- Хельсінської наглядової комісії українців з Москви і з України.

Я вимагаю, щоб у судове засідання мали доступ представники зарубіжної і російської преси, а також ті особи, які хочуть бути присутніми у судовому засіданні.

На розгляд учасників процесу ставиться питання про клопотання підсудного Стуса.

ПРОКУРОР. Я вважаю, що для відводу суду немає підстав і клопотання підсудного Стуса задоволенню не підлягає.

АДВОКАТ. На розгляд суду.

Суд іде до нарадчої кімнати для постанови ухвали.

Після повернення з нарадчої кімнати головуючий оголосив ухвалу.

ПІДСУДНИЙ СТУС. Я відмовляюсь від адвоката Медведчука і взагалі від любого радянського адвоката. Я вимагаю адвоката міжнародної правозахисної організації.

ПРОКУРОР. Клопотання підсудного Стуса задоволенню не підлягає, так як запрошення адвоката з міжнародної організації не передбачене нашим законом. Участь у судовому засіданні адвоката Медведчука необхідна, поскільки підсудний звинувачується в тяжкому державному злочині, сам не має юридичної освіти і свої інтереси в повній мірі не зможе захистити.

АДВОКАТ. В першій частині я згоден з прокурором. А що стосується моєї участі у судовому засіданні — це право підсудного і я покладаюсь на розсуд суду.

Суд, радячись на місці, ухвалив:

Клопотання підсудного Стуса відносно звільнення адвоката залишити без задоволення.

Головуючий робить попередження підсудному Стусу за те, що він почав ображати склад суду.

До початку судового слідства інших клопотань від учасників процесу не поступило.

Суд переходить до судового слідства.

Оголошується обвинувальний висновок.
Головуючий пояснює підсудному Стусу суть обвинувачення і запитує його, чи зрозуміле йому обвинувачення, чи визнає він себе винним і чи бажає давати показання.

ПІДСУДНИЙ СТУС. В чому мене обвинувачують, мені зрозуміло. Але винним я себе не визнаю.

На обговорення учасників процесу ставиться питання про порядок проведення судового слідства.

ПРОКУРОР. Я вважаю, що проведення судового слідства слідує почати з допиту підсудного, а якщо він відмовиться давати показання, то з огляду документів, потім допитати свідків по справі та дослідити інші матеріали справи.

Інші учасники процесу згідні з думкою прокурора.

Суд, радячись на місці, ухвалив:
Проведення судового слідства почати з допиту підсудного, а якщо він відмовиться давати показання, то з огляду документів, потім допитати свідків по справі та дослідити інші матеріали справи.

На запитання головуючого ПІДСУДНИЙ СТУС. Я відмовляюсь давати будь-які покази по справі.

Суд досліджує:
- т. 4 арк. с. 11—12 — «лист Стуса до Президії Верховної Ради СРСР»
- т. 4 арк. с. 151—163 — висновок судово-почеркознавчої експертизи.
- т. 4 арк. с. 125 — ксерокопія конверта на ім'я Лук'яненко.
- т. 4 арк. с. 123—124 — ксерокопія відкритого листа Стуса до І. Дзюби.
- т. 4 арк. с. 138—140 — ксерокопія журналу «Суспільно-політичний науково-літературний щомісячник». № 12, 1976 р. Видавництво «Лондон».

- т. 6 арк. с. 67 — довідка КДБ УССР.
- т. 4 арк. с. 15 — лист Стуса «…Дорога Михасю, Світлана, Юрку…»
- т. 4 арк. с. 16—20 — «лист Стуса до мешканця м. Чернігова Лук'яненка».
- т. 4 арк. с. 21 — лист Стуса «До одного з членів Президії Верховної Ради СРСР».
- т. 4 арк. с. 22 — «лист Стуса до П. Г. Григоренка».
- т. 4 арк. с. 23 — «лист Стуса до П. Г Григоренка».
- т. 4 арк. с. 25 — «заява Стуса до Прокуратури УРСР».
- т. 4 арк. с. 130 — лист КДБ СРСР.
- т. 4 арк. с. 131 — текст радіопередачі радіостанції «Радіо Свобода».
- т. 4 арк. с. 28 — «загальний зошит, в якому є рукописний текст, виконаний Стусом».
- т. 4 арк. с. 29—40 — документи виготовлені Стусом: «Безпашпортний і закріпачений…»
  «Існує тільки дві…»
  «Нещодавно в "Літературній Україні" було надруковано…»
  «Ось вам сонце, — сказав чоловік з кокардою…»
  «Колеса глухо стукотять…»
- т. 4 арк. с. 41 — рукописний документ, виготовлений Стусом «Пам'ятка українського борця за справедливість» («Пам'ятка українського борця за волю»).

Оголошується перерва до 10:00 30 вересня 1980 р.

30 вересня 1980 р. в 10:00 судове засідання продовжено
СВІДОК. Ковалева Светлана Григорьевна
1945 г. р.
Магаданская обл.
ул. Комсомольская 1 кв. 5,
дет. сад — воспитатель
Свидетель предупреждается об уголовной ответственности по ст. ст. 178, 179 УК УССР.

Стуса знаю, отношения нормальные.

Со Стусом мы познакомились в 1978 г. в квартире Дмитришина, мы с мужем были у них в гостях. За столом сидели гости, и среди них был Стус. За столом завязалась беседа, мужчины говорили о работе, я говорила с хозяйкой. В бригаде Дмитришина работают украинцы с западных областей, шла речь об успехах в этой бригаде, и Стус сказал: «А як же може бути інакше, це ж люди, українці, а не такі як ви, східники». Мой муж возмутился на это высказывание, среди них стал разгораться конфликт. Стус высказывал недовольство существующим строем, говорил о себе как о поэте и что его место не среди этого общества. Стус говорил, что Россия оказывает давление на Украину и что он считает себя образцом за освобождение Украины.

Мой муж рассорился со Стусом на почве того, что Стус считал, что украинцы с западных областей превосходят над другими украинцами.

На вопрос прокурора СВИДЕТЕЛЬ КОВАЛЕВА. Стус был единственным ссыльным у нас на руднике. В поселке знали, что Стусу из-за границы приходили посылки, переводы. Стус говорил моему мужу, что он поэт, что он борется за освобождение Украины. Мой муж говорил, что его родственники погибли во время войны в борьбе с националистами. Корреспонденту я рассказала все так, как было. Мои показания на следствии правдивые, я их подтверждаю и сейчас.

На вопрос адвоката СВИДЕТЕЛЬ КОВАЛЕВА. Стус не говорил, как можно переустроить наше общество. Содержание стихов, которые читал Стус, я не помню. Я поняла, что Стус ведет идеологическую борьбу за Украину. После этого я видела Стуса на руднике, но не говорила с ним. Многие вступали в конфликт со Стусом из-за его убеждений. Как он работал, я не знаю.

СВІДОК. Банникова Альбина Николаевна
1936 г. р.
Магаданская обл.
п. Матросова
книжный магазин — заведующая
свидетели об уголовной ответственности по ст. ст. 178, 179 УК УССР предупреждена.

Стуса знаю, отношения нормальные.

Со Стусом мы познакомились в мае 1977 г., я тогда работала в парткоме рудника. Я впервые его увидела на лекции, он тогда спросил у лектора: «Кто в США получил почетное гражданство?» Лектор ответил, что он не знает. Мне приходилось много говорить со Стусом, т. к. я была воспитателем в общежитии. Я слышала, что Стус пишет стихи, и попросила его прочитать. Он прочел свой стих «На лысий гори», от этого стиха повеяло упадочничеством, он говорит, что на руднике он не живет, что это не жизнь. Я пыталась его переубедить, ведь он жил, как и все люди у нас в поселке, но он оставался при своем мнении. Мы знали, что он отбывает у нас ссылку. Стус считал себя передовой личностью, он говорил, что его сослало Советское правительство так же, как ссылало царское правительство. Он говорил, что он считает себя вроде Чацкого, он говорил, что еще время чацких придет. Я пыталась переубедить Стуса, но он стоял на своем мнении. Стус говорил, что он борется за демократию, которая у нас нарушается в стране. Я возражала ему, но он мои возражения не принимал во внимание. Стус сравнивал Сталина с Гитлером. Он восторгался только современными зарубежными писателями.

В разговорах со мной он националистически высказывался. Жители нашего поселка отрицательно относились к Стусу, его высказывания не находили в нашем обществе благодатной почвы. Стус ставил себя выше работников коллектива. Работал он обыкновенно.

На вопрос прокурора СВИД. БАННИКОВА. Стус говорил много, я всех его высказываний не запомнила. На мой вопрос, перевоспитался ли Стус в ссылке, он ответил почти в нецензурной форме, что этого никогда не будет. Стус говорил, что он входит в руководящее ядро комитета по проверке исполнения Хельсинкских соглашений, он говорил, что и Сахаров в этой организации.

На следствии мои показания записаны верно, я их подтверждаю сейчас в судебном заседании.

На вопрос прокурора СВИД. БАННИКОВА. Стус не говорил, что он делает в этом комитете. Внешне Стус человек корректный и образованный, но эти его качества теряются среди его этих высказываний и я вижу перед собой врага, больше о нем я ничего не могу сказать.

СВІДОК. Шарипов Рашид Гарифович
1924 г. р.
г. Казань
ул. А. Кутуя 5-А кв. 29
не работаю

Свидетель об уголовной ответственности по ст. ст. 178, 179 УК УССР предупрежден.

Я работал начальником ОК на руднике им. Матросова, в 1977 г. он прибыл к нам отбывать ссылку. Коллектив принял Стуса дружелюбно, его поселили в хорошую комнату. Дня через два я навестил Стуса в его комнате, он показал мне фотографии своих родителей, они у него простые люди. Я спросил у него, почему у него такие чуждые взгляды на нашу действительность.

Он говорил, что он хочет, чтобы Украина была для украинцев. Он говорил, что в г. Киеве во время войны в том здании, где сейчас КГБ, было гестапо и что между ними нет никакой разницы. Он называл милицию полицией.

Наш рудник основан в 1945 году комсомольцами, общежитие, в котором жил Стус, было хорошим, со всеми коммунальными удобствами, есть буфет, красный уголок. Стус был у нас единственным ссыльным в поселке. Жил он и работал так же, как и все остальные наши рабочие. Дважды к Стусу приезжала жена с ребенком. Он жил в обыкновенном рабочем общежитии.

В иностранной газете была написана ложь по вопросу его проживания у нас на руднике, когда коллектив обсуждал эту заметку, то Стус ушел из зала. Коллектив осудил поведение и высказывания Стуса. Рабочие не любили Стуса, не хотели с ним работать, т. к. у него были не советские взгляды.

На вопрос прокурора СВИД. ШАРИПОВ. Весной Стус упал с окна и поломал ноги, т. к. хотел проникнуть в свою комнату, потому что у него не было ключа, а в буржуазной прессе это было расценено, что за ним гнались бандиты.

Было, что Стус объявлял политическую голодовку. Стус порвал свой профсоюзный билет, т. к. по закону ему было не положено оплачивать больничный лист, потому что у него не было 6 месяцев стажа. Затем ему оплатили этот больничный. На почте я видел, что Стус посылал телеграмму Сахарову о том, что он объявляет политическую голодовку. Это лично мое мнение, что Стус резко антисоветски настроен.

Директор рудника делал все усилия, чтобы у Стуса были нормальные условия жизни и работы.

Свои показания на следствии я подтверждаю.

На вопрос адвоката СВИД. ШАРИПОВ. По просьбе МК Стус был восстановлен в профсоюзе. Стус 2 дня не ходил на работу, из-за чего он был переведен на 1 месяц на нижеоплачиваемую должность.

На вопрос нар. засед. Моисеевой СВИД. ШАРИПОВ. Голодовка Стуса длилась 1—2 дня.

На вопрос нар. зас. Михайловского СВИД. ШАРИПОВ. Стус зарабатывал в месяц 400—450 руб.

СВІДОК. Русов Евгений Константинович
1937 г. р.
Магаданская обл. п. Омчак
главный энергетик ф-ки рудника им. Матросова
Свидетель об уголовной ответственности по ст. 178 ч. 2, 179 УК УССР предупрежден.

Стуса знаю, отношения нормальные.

Стуса я знал с 1978 г. по июнь 1979 г., я с ним жил в одной комнате в общежитии. Стус сказал, что он отбывал наказание в Мордовии за издание стихов за границей. Стус постоянно называл наш Советский строй — режимом, ИТК он называл концлагерем. Он говорил, что украинский народ насильно русифицируют, он говорил, что у нас нет конституционных свобод. Он говорил, что наша народная власть — это фикция. Работников органов госбезопасности он называл «гебистами», называл их «3-м отделением» и т. д. и т. п. Стус называл себя борцом за права народа, что он страдает. Он говорил, что он не сломится, не подогнется, т. е. останется при своих убеждениях. Я не слышал из уст Стуса стремления вернуться к нормальной Советской жизни. Рабочих рудника Стус называл людьми низшего сорта, себя ставил выше всех наших рабочих. Я недопонимал психологию Стуса, на тот период, когда он был в ссылке, он от своих убеждений не отказался и ничего не понял.

Стус постоянно слушал радиопередачи зарубежных радиостанций антисоветского характера.

На вопрос прокурора СВИД. РУСОВ. Когда Стуса поселили в мою комнату, то меня не было. Приятного от этого соседства было мало, т. к. мы с ним люди разных убеждений. В обиходе Стус был корректным человеком, моя неприязнь к нему нарастала изо дня в день. Он неоднократно утверждал, что власть в нашей стране захватили «узурпаторы».

В конце концов я просил администрацию перевести меня в другую комнату. Стус говорил, что он останется «несломленным» в своих убеждениях и что будет вести свою борьбу вопреки всему.

С 1 по 10 июня 1978 г. Стус объявил политическую голодовку в той связи, что его не отпускали в отпуск, затем в отпуск он все же ездил, задержка была связана с режимом его содержания.

Жена к Стусу приезжала в 1977 году и в 1978 году. В 1977 году Стус с женой жили в гостинице, а в 1978 г., пока жена Стуса жила у него в комнате, я жил в профилактории 20 с лишним дней.

Стус получал письма, посылки, газеты из-за границы. В общем Стус зарабатывал в первое время 200—250 руб., а затем 400—450 руб. в месяц. Материально Стус помогал своей семье. В подачках Стус не нуждался, которые присылали ему из-за границы.

На вопрос адвоката СВИД. РУСОВ. Из разговоров со Стусом я знал о «Пен-клубе», он говорил, что он член этого клуба, затем я понял, что это антисоветская организация. Стус говорил, что он «идейный борец за права народа». Я знаю, что Стус поддерживал какие-то связи со своим единомышленником с г. Чернигова. У него открыто стояла фотография Сахарова. Стус говорил, что он перенес операцию язвы желудка.

СВІДОК. Шаврей Иван Никонорович
1936 г. р.
Магаданская обл.
п. Матросова
І-й участок рудника им. Матросова
Свидетель об уголовной ответственности ст. ст. 178, 179 УК УССР предупрежден.

Стуса знаю, отношения нормальные. Я со Стусом работал в одной бригаде и жил с ним в одном общежитии. Стусу не нравится наша Советская власть, о нашем правительстве он говорил, что «собралась кучка бандитов и руководит Россией». Я знал о том, что он у нас на руднике отбывал ссылку. Стус ставил себя выше всех нас.

Однажды нам не дали «лепестки» и Стус не вышел на работу. Стус сторонился всех наших рабочих, т. к. мы не разделяли его антисоветские взгляды.

На вопрос прокурора СВИД. ШАВРЕЙ. Общежитие у нас благоустроенное, зарабатываем мы не менее 400 руб. Я сказал Стусу, что он сорняк в нашем обществе.

На вопрос адвоката СВИД. ШАВРЕЙ. В 1977 году в тушении пожара в лесной зоне Стус участия не принимал. Стус объявлял политическую голодовку.

СВІДОК. Голубенко Василий Васильевич
1943 г. р.
Магаданская обл.
п. Матросова
ул. Центральная 29 кв. 2
рудник им. Матросова
Свидетель об уголовной ответственности ст. ст. 178, 179 УК УССР предупрежден.

Стуса знаю, отношения нормальные.

Весной 1977 г. Стус прибыл к нам на рудник, мы с ним работали на одном участке. Однажды в раздевалке Стефановский сказал Стусу, что он хорошо работает и что ему скоро дадут значок «Ударник коммунистического труда». На это Стус ответил, что если ему дадут такой значок, то он бросит его в «полицейского» Шарипова, почему он его так называл, я не знаю.

Но на руднике мы все Шарипова уважали, а Стус его не уважал. Я член партии, а Стус мне сказал, что скоро мы на свои собрания пойдем в одних трусах, меня это обидело, и я потребовал, чтобы он прекратил эти высказывания.

Высказывания Стуса противоречили нашему социалистическому образу жизни и нашей стране.

На вопрос прокурора СВИД. ГОЛУБЕНКО. Я слышал, но не видел, что Стус порвал свой профсоюзный билет, а когда стал вопрос об оплате его больничного листа, то он стал просить, чтобы его восстановили в профсоюзе.

Я был как-то в отъезде, и в мое отсутствие он объявил «политическую голодовку», вывесил объявление, что он голодует и что просит его не беспокоить.

Травмировался Стус тогда, когда лез к себе в комнату через окно.

МІНІСТЕРСТВО ЗВ'ЯЗКУ УРСР

252

ТЕЛЕГРАМА

Прийом 27 12 45

Бланк № 01

Передача

МАКЕЕВКА ДОНЕЦКОЙ 2501 26 27 1014

=Г КИЕВ УЛ ВЛАДИМИРСКАЯ ДОМ 15 ПРЕДСЕДАТЕЛЮ КИЕВСКОГО ГОРОДСКОГО СУДА=

-ПРИБЫТЬ НА СУД НЕ МОГУ В СВЯЗИ С БОЛЕЗНЬЮ ПОКАЗАНИЯ ДАННЫЕ НА СЛЕДСТВИИ ПОДТВЕРЖДАЮ=ГРИБАНОВ ВАЛЕРИЙ ЯКОВЛЕВИЧ-

Вход. № 3565

Дата

МІНІСТЕРСТВО ЗВ'ЯЗКУ УРСР

Ф. ТГ-12

253

ТЕЛЕГРАМА

Прийом 1248

Бланк № 79

Передача

№ зв'язку

ТРАНСПОРТНЫЙ МГД 27901 49 25 0455=

ЗАВЕРЕННАЯ ПОДПИСЬ Г КИЕВ УЛ ВЛАДИМИРСКАЯ 15 ГОРОДСКОЙ НАРОДНЫЙ СУД=

Вход. №

Дата

ПОКАЗАНИЯ ДАННЫЕ МНОЮ НА ПРЕДВАРИТЕЛЬНОМ СЛЕДСТВИИ ПОЛНОСТЬЮ ПОДТВЕРЖДАЮ ВЫЕХАТЬ НЕ МОГУ В СВЯЗИ С НАХОЖДЕНИЕМ НА СТАНЦИОНАРНОМ ЛЕЧЕНИИ=НИКИФОРЕНКО=ДЕЙСТВИТЕЛЬНО НАХОДИТСЯ НА ЛЕЧЕНИИ И О ГЛАВНОГО ВРАЧА КОЛЕСНИКОВА НАЛИЧИЕ ПЕЧАТИ И ПОДПИСИ ВРАЧА ПОДТВЕРЖДАЮ ЗАМЕСТИТЕЛЬ НАЧАЛЬНИКА ОТДЕЛЕНИЯ СВЯЗИ ЛАВРОНЕНКО=

Телеграми на адресу суду від свідків-робітників з Колими

Довідка

Про рішення Прокуратури УРСР відносно відхилення клопотань обвинуваченого Стуса В.С., викладених ним у заяві від 12 серпня 1980 року, йому – Стусу В.С. повідомлено адміністрацією слідчого ізолятора КДБ УРСР.

Старший слідчий
слідвідділу КДБ УРСР
майор [signature] (Семко)

15.08.80 р.

138

Начальнику следственного отдела

КГБ УССР полковнику тов. Туркину В.П.

В связи с тем, что 7 августа 1980 года обвиняемый СТУС Василий Семенович отказался явиться по вызову следователя на допрос, был доставлен в следственный отдел в соответствии с Инструкцией "Об организации службы в следственных изоляторах органов КГБ", в принудительном порядке.

Начальник следственного изолятора КГБ УССР
полковник [signature] С.У.Швец
"7" августа 1980 года.

На вопрос адвоката СВИД. ГОЛУБЕНКО. Мы со Стусом выполняли разные работы, и, как он работал, я не знаю.

СВІДОК. Жеренков Николай Николаевич
1962 г. р.
Молдавская ССР
г. Бельцы
ул. Красноармейская 40
уволился с работы в связи с призывом в ряды СА
Свидетель об уголовной ответственности ст. ст. 178, 179 УК УССР предупрежден.

Стуса знаю, отношения нормальные.

В 1979 г. я лежал в больнице в хирургическом отделении в Магаданской обл., в это же отделение был помещен Стус. Стус был недоволен тем, как его лечат, он говорил, что советская медицина не отдает все силы для речения больных в ССР, он расхваливал методы лечения за рубежом. Стус говорил, что у нас в стране люди не живут, а существуют. Он говорил, что три сверхдержавы помогут исправить «ошибку» человечества — социализм. Он говорил, что люди в СССР полностью изолированы от внешнего мира, он говорил, что в СССР нет свободы печати, слова, что отсутствует частная собственность, что отсутствует конкуренция и что поэтому нет хорошей продукции.

Стус говорил также, что марксистско-ленинская теория — это утопия и бред советских фанатиков. Стус говорил, что ему не дают писать правду и что, написав правду, он был наказан, что в СССР его не признают как писателя, а за рубежом, напротив, его признают. При таких его разговорах присутствовали и другие больные.

Стус говорил, что СССР изолирован, что неугодных людей изолируют и что остается только надеяться на силы извне.

На вопрос адвоката СВИД. ЖЕРЕНКОВ. Все больные отрицательно относились к высказываниям Стуса, на некоторое время он замолкал, а затем возобновлял снова свою тему.

СВІДОК. Сирик Николай Иванович
1954 г. р.
Ворошиловградская обл.

п. Песчаное
зав. гаражом
Свидетель об уголовной ответственности ст. ст. 178, 179 УК УССР предупрежден.

Стуса знаю, отношения нормальные.

Я отбывал меру наказания в Мордовской АССР в ИТК, зимой 1974 г. я встретился со Стусом в штрафном изоляторе. Стус был общительным среди осужденных. Стус называл Советское правительство «бандой». Мы со Стусом встречались вторично также в штрафном изоляторе (карцере), он был среди тех лиц, которые призывали к массовым голодовкам. Стус был один из инициаторов написания массовых жалоб, петиций по вопросу якобы нарушаемых прав человека в нашей стране. Я пришел к выводу, что Стус открытый враг Советской власти и в местах лишения свободы он не прекратил занятия антисоветской деятельностью. Стус говорил относительно выхода Украины из состава Союза ССР, что украинцы хотят выйти из «оккупации» России. Стус предлагал вести против Советской власти террористические акты.

На вопрос прокурора СВИД. СИРИК. Он призывал меня вести против Советской власти агитацию и пропаганду аж до террора, что все средства против Советской власти хороши. Стус говорил, что он стал «революционером», я понял, что свою антисоветскую деятельность он не оставит. Мне кажется, что от своей антисоветской деятельности он не отступил. Я выполнял в колонии поручения Стуса, передавал письма другим заключенным. Стус оказывал негативное влияние на других заключенных, в частности на Овсиенко, и если бы не Стус со своими убеждениями, то Овсиенко не попал бы снова в места лишения свободы.

ПІДСУДНИЙ СТУС. Сірика я не знаю, це провокатор. Я з ним не знайомий, я з ним ніколи й словом не обмовився.

На вопрос председательствующего СВИД. СИРИК. Стуса я знаю, нас вместе водили на работу. Стус еще себя называл «пан Василь».

На запитання підсудного СВІДОК СІРИК. С 1974 г. по 1975 г. я отбывал наказание вместе со Стусом в колонии № 19. Помиловали меня потому, что писали мои родители, т. к. у меня сестра без ног и мать инвалид.

На вопрос председательствующего СВИД. СИРИК. Сейчас я живу и работаю как все нормальные Советские люди. Если бы я не стал на нормальный путь жизни и разделил его взгляды, то он не назвал бы меня провокатором.

На запитання підсудного СВІДОК СІРИК. Когда Стус уезжал из колонии в ссылку, то меня в это время не было.

ПІДСУДНИЙ СТУС. Я прошу викликати в суд і допитати Овсієнка Василя Васильовича, який був досить близьким до мене в колонії, з питання, чи бачив він коли-небудь мене з Сіриком.

Звертаю увагу суду, що це єдиний випадок, коли я порушив свій принцип мовчання в судовому засіданні.

На вопрос председательствующего СВИД. СИРИК. Овсиенко я знаю, он входил в круг знакомых Стуса. С Овсиенко я также знаком, сейчас он осужден за антисоветскую деятельность.

ПРОКУРОР. Я прошу суд оголосити протокол допиту свідка Овсієнка В. В.

Заперечень від учасників процесу не заявлено.

Суд оголошує протокол допиту свідка Овсієнка В. В.

ПІДСУДНИЙ СТУС. Я знімаю своє клопотання про виклик в судове засідання Овсієнка, так як не хочу обтяжувати його етичної позиції.

Головуючий доповів, що свідки Войтович та Никифоренко надіслали до суду телеграми в зв'язку з тим, що в судове засідання з'явитися не можуть.

Головуючий оголошує телеграми.

ПРОКУРОР. Я вважаю, що телеграми треба долучити до справи, а покази свідків Войтович і Никифоренко оголосити в судовому засіданні.

АДВОКАТ. Я згоден з думкою прокурора.

Суд радячись на місці, ухвалив: Телеграми Войтович і Никифоренко долучити до матеріалів справи, а їх покази на слідстві оголосити в судовому засіданні; покази на слідстві свідків: Грибанова, Мастракова, Радевича, які не з'явились в судове засідання з поважних причин, також оголосити.

Суд оголошує:

т. 3 арк. с. 32—51 — покази свідка Войтовича В. С.

т. 3 арк. с. 62—77 — покази свідка Грибанова

т. 3 арк. с. 146—154 — покази свідка Мастракова

т. 3 арк. с. 190—202 — покази свідка Радевич

т. 3 арк. с. 155—166 — покази свідка Никифоренко

Оголошується перерва до 10:00.

1 жовтня 1980 р.

1/Х-80 р. о 10:00
судове засідання продовжено
СВІДОК. Коцюбинська Михайлина Хомівна
1931 р. н.
Видавництво «Вища школа»
м. Київ
вул. Леніна 84, кв. 6
Свідок попереджається про кримінальну відповідальність за ст. ст. 178, 179 КК УРСР.

Стуса знаю, стосунки у мене з ним дружні. Ми з Стусом працювали разом в інституті літератури АН УССР, я була науковим працівником, а він аспірантом. Нас з Стусом єднали спільні думки, інтереси. Я в 60-х роках уже знала вірші, які писав Стус, і високо цінувала його поетичний талант. З Стусом було говорити завжди цікаво, спілкування з ним і далі дає мені дуже багато. Стус завжди вабив мене своєю вдачею, він кришталево чиста людина.

На несправедливість Стус завжди реагував так, як вважає за потрібне. Я завжди високо цінувала своє знайомством з Василем Стусом. В 1965 р. Стуса було звільнено з Інституту літератури за те, що він виступив з відкритим протестом в кінотеатрі «Україна» проти арештів наших друзів Світличного та інших. Після його звільнення ми продовжували підтримувати свої стосунки. Ходили в кіно, в концерти, обговорювали різні хвилюючі нас питання. Василь хворів, працював на тяжкій фізичній роботі, мені боліло серце за нього.

В 1972 р. Василя було заарештовано, осуджено і відправлено в табір, я писала йому весь час листи. Коли він був уже в засланні, то наше листування посилилось. Після повернення Василя із заслання наші стосунки були досить близькими.

Стус мені говорив, що він звертався до прокуратури з листом в захист Горбаля, якого обвинувачували у зґвалтуванні, це був один із його проявів на несправедливість.

Свідку пред'являється т. 4. арк. с. 15

Я пам'ятаю, що листа такого змісту я писала.

На запитання прокурора СВІД. КОЦЮБИНСЬКА. Я не можу дати оцінку цьому листу, т. як пред'явлений мені лист не оригінал. На попередньому слідстві покази я писала власноручно, я їх зараз підтверджую.

Дружина Стуса їздила три рази до нього у заслання. Умови, в яких жив Стус у засланні, були дуже жахливі, він жив у гуртожитку, там були люди, які надміру пили, — це я знаю зі слів Стуса. Стус мені розповідав, що коли він був у засланні, то одного разу у нього не було ключа від кімнати, він хотів потрапити у кімнату через вікно, але упав і зламав обидві ноги.

На запитання адвоката СВІДОК КОЦЮБИНСЬКА. Я можу охарактеризувати політичні погляди Стуса в межах демократичного соціалізму, він волів би більшого розвитку українського народу.

Вірші Стуса, які носять антирадянську спрямованість, мені невідомі.

На запитання підсудного Стуса СВІДОК КОЦЮБИНСЬКА. Мені відома декларація прав людини. Мені відомо, що порушення таємниці листування карається законом. Крістіна Бремер член соціалістичної партії, з ФРН, до українського націоналізму вона не має ніякого відношення.

Мені невідомо, що 8 серпня 1980 р. в КДБ до Стуса застосовували фізичні тортури, але якщо про це говорить Стус, то це правда.

СВІДОК. Кириченко Світлана Тихонівна

Я не буду відповідати ні на які питання в цьому суді, який Стус не визнає чинним. Я буду давати свідчення тільки в тому суді, де В. Стус буде звинувачувати, а не сидіти на лаві підсудних.

Головуючий попереджає свідка Кириченко про кримінальну відповідальність за відмову від дачі показів і за дачу завідомо неправдивих показів за ст. ст. 178, 179 КК УРСР.

На запитання головуючого СВІДОК КИРИЧЕНКО. Ніяких свідчень в цьому суді я давати не буду.

ПРОКУРОР. Я прошу суд порушити проти Кириченко кримінальну справу за відмову давати покази у судовому засіданні.

Ставиться на обговорення питання про клопотання прокурора.

АДВОКАТ. Я покладаюсь на рішення суду.

Для постанови ухвали суд іде до нарадчої кімнати.

Повернувшись з нарадчої кімнати, головуючий оголошує ухвалу.

СВІДОК. Радевич Евгений Владимирович
1952 г. р.
г. Львов
ул. Малая 6 кв. 7
работаю в Магаданской обл. на руднике им. Матросова.
Свидетель предупреждается об уголовной ответственности по ст. ст. 178, 1787 УК УССР.

Стуса знаю, отношения нормальные.

Стус работал у нас на руднике, мы знали, что на руднике он отбывал ссылку. Стус был недоволен нашим строем в СССР, он говорил, что у нас нет свободы слова, печати, что эта свобода есть только на Западе. Правительство СССР он называл «кликой», что они чинят беззаконие. Стус говорил, что его осудили и выслали в ссылку незаконно.

На вопрос прокурора СВИД. РАДЕВИЧ. Стус высказывал мысли, чтобы Украина была «самостійной», говорил, что украинцам надо вести борьбу освободительную за «самостійность», я попросил Стуса больше никогда со мной не говорить на такие темы, т. к. национализм для меня неприемлем.

Свои показания на следствии полностью подтверждаю.

На вопрос адвоката СВИД. РАДЕВИЧ. Работал Стус на руднике посредственно. Стуса не любили рабочие из-за его разговоров на антисоветские темы.

СВІДОК. Андрієвська Валерія Вікторівна
1938 р. н.
Інститут психології
вул. Плеханова 6 кв. 40
м. Київ
Стуса знаю, стосунки нормальні.

Особисто познайомилася я з Василем Стусом десь на початку 70-х років. Він справив на мене велике враження як поет. В 1972 році, коли Стус був засуджений, ми обмінялися з ним кількома листами. Після свого заслання Стус був декілька разів у мене. Як літератор Стус обдарована людина.

Свідку пред'являється т. 4 арк. с. 15 — що стосується тої частини листа, яка адресована мені, то мені здається, що це зміст того листа, який писав Василь Стус.

На запитання підсудного Стуса СВІДОК АНДРІЄВСЬКА. Я ніколи не чула, щоб Стус мав які-небудь терористичні наміри. Я вважаю, що в цьому листі, який писав Стус своїм друзям у м. Києві, в тому числі і мені, немає ніяких антирадянських проявів.

В зв'язку з тим, що свідок Кириченко С. Т. відмовилась давати свідчення в судовому засіданні, **суд оголошує т. 3 арк. с. 127—133** — покази свідка Кириченко С. Т.

Суд переходить до доповнень по справі

Суд оголошує т. 1 арк. с. 144—154 — копія вироку у відношенні Стуса В. С.

т. 2 арк. с. 20—23 — производственные характеристики на Стуса В. С.

т. 2 арк. с. 35—88 — протокол огляду документів

т. 4 арк. с. 134—136 — ксерокопія газети «Українське слово».

т. 4 арк. с. 137—141 — ксерокопія журналу «Визвольний шлях».

т. 4 арк. с. 151—163 — висновок почеркознавчої експертизи.

т. 6 арк. с. 71 — справка відносно сім'ї Горбач

т. 6 арк. с. 72 — справка відносно Бремер К.

т. 6 арк. с. 73—77 — справки відносно Стокотельного, Мороз, Світличної, Строкатої, Караванського, Григоренка.

т. 6 арк. с. 159—162 — ксерокопія газети «Шлях перемоги»

т. 6 арк. с. 163 — справка

Інших доповнень у учасників процесу немає.

Судове слідство об'являється закінченим.

Суд переходить до судових дебатів.

Слово в дебатах надається державному обвинувачу прокурору тов. Армсанову

Товариші судді!

Вина підсудного повністю доведена як на слідстві, так і в судовому засіданні. Дії його кваліфіковані за ст. ст. 70 ч. II КК РРФСР, 62 ч. II КК УРСР вірно.

Оскільки Стус раніше був судимий за особливо небезпечний державний злочин і знову скоїв такий злочин, прошу суд згідно ст. 26 КК УРСР визнати його особливо небезпечним рецидивістом.

В зв'язку з доведеністю в повному обсязі звинувачення Стуса, з урахуванням його особи і тяжкості вчиненого ним злочину, прошу суд визнати його винним у вчиненні вказаного злочину та засудити:

- за ст. 62 ч. II КК УРСР до позбавлення волі строком на 10 (десять) років та засланням терміном на 5 років.
- за ст. 70 ч. II КК РРФСР до позбавлення волі строком на 10 років та з засланням терміном на 5 років.

У відповідності до ст. 42 КК УРСР визнати остаточною міру покарання Стусу у вигляді позбавлення волі строком на 10 (десять) років та з засланням строком на 5 років.

Відбуття міри покарання визначити у виправно-трудовій колонії особливого режиму.

Такий вирок, вважаю, буде відповідати тяжкості скоєного Стусом злочину і особі підсудного. Такого покарання вимагає справедливість і наші радянські люди.

Слово в дебатах надається захиснику тов. Медведчуку В. В.
Товариші судді!
Предметом судового розгляду ось вже на протязі трьох днів являється кримінальна справа по звинуваченню Стуса Василя Семеновича в скоєнні злочинів, передбачених ст. 62 ч. 2 КК УРСР та ч. II ст. 70 КК РРФСР. Кваліфікацію його дій я вважаю вірною.

Але при винесенні вироку я прошу урахувати всі обставини, які характеризують особу підсудного, його відношення до праці, сімейний стан та стан здоров'я, всі ці обставини заслуговують уваги і потребують ретельного вивчення з вашої сторони.

Це пов'язано не тільки з вимогою закону, але й з тим, що тільки враховуючи їх при обранні міри покарання ваш вирок, винесений в нарадчій кімнаті, буде обґрунтований і справедливий.

Судові дебати закінчені.

Суд надає останнє слово підсудному Стусу В. В.
Я не визнавав і не визнаю себе винним. До самої смерті я буду стояти на обороні правди від брехні, чистих людей від убивць, Ісуса Христа від диявола.

Суд іде до нарадчої кімнати для постанови вироку.
2.X.1980 р. в 10:00 після повернення з нарадчої кімнати головуючий проголосив вирок.
Головуючий роз'яснює засудженому та іншим учасникам процесу суть вироку, порядок та строки його оскарження.

Головуючий роз'яснює засудженому його право ознайомитися з протоколом судового засідання на протязі 3 діб з дня його виготовлення та представити свої зауваження вказаним на його неправильність або неповноту.

Судове засідання закінчено о 11:30 2.X.1980 р.

Головуючий: (подпись)
Секретар: (подпись)

Міністерство юстиції Української РСР

Справа № _____

Вирок

Ім'ям Української Радянської Соціалістичної Республіки

1980 року 2 жовтня Судова колегія в кримінальних справах Київського міського суду в складі:

Головуючого	Фещенко П. І.
Народних засідателів:	Михайловського П. О.
	Мойсеєвої Н. О.
При секретарі	Ткаченко Н. Г.
З участю прокурора	Аржанова П. С.
Громадського обвинувача	
З участю адвоката	Медведчука В. В.

розглянула у відкритому судовому засіданні в залі суду в місті Києві справу про обвинувачення Стуса Василя Семеновича 8 січня 1938 року народження, який народився в селі Рахнівка Гайсинського району Вінницької області, українця, громадянин СРСР, з вищою освітою, одруженого, що має сина 1966 року народження, судимого 7 вересня 1972 року за ст. 62 ч. І КК УРСР на 5 років позбавлення волі та 3 роки заслання, мешканця м. Києва (вул. Чорнобильська, 13а кв. 94), до арешту працюючого робітником Київського взуттєвого об'єднання

«Спорт» — в скоєнні злочину, передбаченого ст. 62 ч. ІІ КК УРСР, та ст. 70 ч. ІІ КК РРФСР

встановила:

Стус В. С., будучи раніше засудженим за особливо небезпечний державний злочин на 5 років позбавлення волі та 3 роки заслання, відбуваючи в 1974—1979 роках основну і додаткову міру покарання, а з серпня 1979 року мешкаючи в м. Києві, куди він прибув після відбуття міри покарання, не став на шлях виправлення; залишаючись на ворожих радянському суспільству позиціях, спілкуючись з особами, засудженими за особливо небезпечні державні злочини, а також з представниками зарубіжних буржуазно-націоналістичних кіл, на ґрунті антирадянських націоналістичних переконань з метою підриву та ослаблення Радянської влади протягом тривалого часу систематично виготовляв, зберігав та розповсюджував антирадянську і наклепницьку літературу, в якій містяться заклики до проведення боротьби з Радянською владою, та вигадки, що порочать радянський державний і суспільний лад. Деякі з них потрапили за кордон в капіталістичні країни, де широко використовуються буржуазно-націоналістичними центрами в провокаційних кампаніях проти Союзу РСР.

Разом з цим Стус В. С. з тією ж ворожою метою займався антирадянською агітацією і пропагандою в усній формі, поширюючи наклепницькі вигадки на радянський державний та суспільний лад.

Ворожою діяльністю проти Радянського державного і суспільного ладу Стус В. С. займався, незважаючи на те, що йому 19 жовтня 1975 року та 19 червня 1978 року повторно було оголошено офіційне попередження про недопустимість дій, які суперечать інтересам державної безпеки СРСР у відповідності з Указом Президії Верховної ради СРСР від 25 грудня 1972 року.

Конкретно злочинна діяльність Стуса В. С. виразилась в слідуючому:

- В грудні 1976 року, відбуваючи покарання в виправно-трудовій колонії № 19 селища Лісний Мордовської АРСР, виготовив наклепницький документ в вигляді «заяви» до Президії Верховної Ради СРСР і тоді ж поширив його, надіславши до прокуратури Союзу РСР зі своїм листом-проханням, щоб текст «заяви» було доведено до «адресата».

В зазначеному документі він зводить наклепницькі вигадки, що порочать радянський державний і суспільний лад. Зокрема, намагається довести, що в нашій країні начебто існує беззаконня та відсутня демократія. Схвалюючи діяльність осіб, заарештованих за особливо небезпечні та інші державні злочини, робить спробу обвинуватити Радянську владу в порушенні прав людини.

- Тоді ж, у 1976 році, відбуваючи міру покарання в Мордовській АРСР, Стус В. С. виготовив документ у вигляді «Відкритого листа до І. Дзюби». В ньому, паплюжачи радянський державний та суспільний лад, наклепницьки твердить, що на Україні в 1972—1973 роках начебто відбувся «антиукраїнський погром», під час якого нібито притискувалася національна гідність» радянських людей, що в СРСР кожен український літератор начебто «поневолений», а народ знаходиться нібито «в якомусь вакуумі» і його духовне існування «поставлене під загрозу».

Зазначений ворожий документ набув поширення серед націоналістично настроєних осіб, зокрема потрапив до мешканця міста Києва Шевченка О. Є., притягнутого до кримінальної відповідальності за антирадянську агітацію і пропаганду по іншій справі, під час обшуку по якій 1 квітня 1980 року була вилучена рукописна копія цього документа.

Згаданий документ також потрапив за кордон, де використовувався буржуазною пропагандою в ворожих акціях проти Союзу РСР і був надрукований під назвою «Відкритий лист В. Стуса до І. Дзюби» в журналі «Визвольний шлях» № 12 за грудень 1976 року, що видається організацією українських буржуазних націоналістів у Лондоні.

Восени 1977 року, відбуваючи додаткову міру покарання — заслання в селищі Матросова Тенькінського району Магаданської області, з ворожою метою Стус В. С. виготовив рукописний документ у вигляді «листа» до своїх знайомих мешканців міста Києва — Коцюбинської М. Х., Кириченко С. Т. та її чоловіка — Бадзьо Г. В., пізніше засудженого за антирадянську діяльність.

В цьому документі зводить наклепницькі вигадки, що порочать радянський державний і суспільний лад, паплюжить національну політику КПРС та братню дружбу українського та російського народів, наклепницьки стверджуючи, що в українського народу нібито «катастрофічне духовне існування», а радянська влада начебто «душить» та проводить «репресії українців». Згадуючи про свою антирадянську агітацію і пропаганду, він відверто зазначає, що залишився на тих же націоналістичних позиціях і буде далі проводити ворожу діяльність.

Зазначений документ наприкінці 1977 року надіслав поштою до м. Києва, де з його текстом ознайомилися Коцюбинська М. Х., Андрієвська В. В., Кириченко С. Т. та її чоловік — Бадзьо Г. В. Рукописний текст цього документа, написаний Кириченко та Бадзьом, потрапив до Стуса, який зберігав його у своїй квартирі в м. Києві до вилучення під час обшуку 14 травня 1980 року. Доля оригіналу вказаного документа не встановлена.

В листопаді 1977 року також під час перебування в засланні в Магаданській області Стус В. С. з тією ж метою виготовив рукописний документ у вигляді листа до мешканця м. Чернігова Лук'яненка Л. Г., судимого в 1961 році за зраду Батьківщини та в 1978 році — за антирадянську агітацію і пропаганду.

В цьому листі з ворожих націоналістичних позицій зводить злісні наклепи на радянський державний і суспільний лад. Заявляючи про своє бажання бути членом так званого «Українського наглядового комітету», підбурює «однодумців проводити ворожу діяльність» в більш широкому плані. Наклепницьки стверджує, що на Україні нібито проводяться незаконні «репресії української інтелігенції», паплюжить рівноправність України в складі Союзу РСР і твердить, що в Радянському Союзі нібито не має «фактичної рівності нації».

Тоді ж, в листопаді 1977 року, поширив зазначений документ, надіславши поштою в м. Чернігів вказаному Лук'яненку для ознайомлення.

- В кінці 1977 року під час перебування в селищі Матросова з тією ж метою він виготовив рукописний документ, у вигляді «листа-звернення» до одного із членів Президії Верховної Ради Союзу РСР. В документі робиться спроба зганьбити діяльність Радянського уряду, наклепницьки твердиться, що в Радянському Союзі нібито існує «беззаконие и насилие», «шовинистический произвол», в результаті чого було начебто безпідставно засуджено його — Стуса та інших осіб. Засуджених антирадянщиків намагається показати як «представників української інтелігенції», що репресовані нібито лише за їх «переконання».

Зазначений документ зберігав у своїй кімнаті гуртожитку до його вилучення 10 лютого 1978 року під час обшуку по кримінальній справі відносно Лук'яненка.

- В грудні 1977 року, Стус В. С. перебуваючи в засланні в названому селищі, з ворожою метою виготовив рукописний документ у вигляді «листа» до колишнього мешканця м. Москви Григоренка П. Г., якого, згідно Указу Президії Верховної Ради СРСР від 13 лютого 1978 року, за систематичне вчинення дій, несумісних з прагненням до громадянства СРСР, завдання своєю поведінкою шкоди престижу Союзу РСР, позбавлено громадянства СРСР.

В цьому документі містяться наклепницькі вигадки на радянський державний і суспільний лад. Зокрема, стверджується про нібито відсутність в нашій країні «человеческих прав и прав народов». Заявляється про намір проводити ворожу діяльність під виглядом участі в нібито існуючому в СРСР «демократичном движении», різного роду відщепенцям пропонується активізувати і посилити антирадянську агітацію та пропаганду, з ворожих націоналістичних позицій захищаються бандити ОУН як нібито «участники партизанского движения».

Вказаний документ зберігав в своїй кімнаті гуртожитку до його вилучення 10 лютого 1978 року під час обшуку по кримінальній справі відносно Лук'яненка.

- В кінці 1977 року Стус В. С., перебуваючи в засланні, з тією ж метою виготовив рукописний документ у вигляді «листа» до вказаного Григоренка П. Г.

В зазначеному документі містяться наклепницькі вигадки, що порочать радянський державний і суспільний лад. Зокрема, в ньому твердиться, що нібито в нашій країні існують беззаконня і свавілля, безпідставні «репрессии творческой интеллигенции». При цьому в документі паплюжаться органи радянського правосуддя, яких він наклепницьки називає ворогами народу.

Названий «лист» зберігав у себе в кімнаті гуртожитку до вилучення його під час обшуку 10 лютого 1978 року по кримінальній справі відносно Лук'яненка.

Мешкаючи в місті Києві після відбуття основної і додаткової міри покарання за проведення антирадянської агітації і пропаганди, Стус В. С. до погашення судимості з метою підриву та ослаблення радянської влади виготовив у листопаді 1979 року рукописний документ у вигляді «заяви» до Прокуратури УРСР.

В цьому документі, датованому 19 листопада 1979 року, він, виступаючи на захист М. Горбаля, раніше судимого за антирадянську діяльність і арештованого за вчинення іншого кримінального злочину, зводить наклепницькі вигадки, що порочать радянський державний і суспільний лад. Зокрема, наклепницьки заявляє, що радянські правозахисні органи нібито «вдаються до брутальних способів розправи і дискредитації людей», та намагається ствердити, що в нашій країні нібито існує «свавілля і беззаконня», зневажаються права людини.

Для широкого розповсюдження зазначеного ворожого документа розмножив його не менше як в чотирьох рукописних примірниках українською і російською мовами та поширив їх.

З них:

- один примірник українською мовою, датований 19 листопада 1979 року, надіслав до Прокуратури УРСР;
- один примірник російською мовою 21 січня 1980 року надіслав поштою до мешканки міста Москви Лісовської Ніни Петрівни, який було вилучено під час виїмки 25 січня 1980 року на Київському почтамті по кримінальній справі відносно Калиниченка В. В., притягнутого до відповідальності за антирадянську агітацію і пропаганду;
- два примірники, датовані 18 листопада 1979 року, один — українською мовою — до Прокуратури УРСР, а другий — російською мовою викладений в листі до мешканця м. Москви Сахарова А. Д., зберігав у себе вдома до дня вилучення під час обшуку 14 травня 1980 року.

Зазначений ворожий документ потрапив за кордон на Захід, де використовується в підривних акціях проти СРСР антирадянськими центрами, зокрема його текст був переданий радіостанцією «Радіо Свобода» 27 лютого 1980 року, а також опублікований 4 квітня 1980 року в буржуазно-націоналістичній газеті «Українське слово», що видасться в Парижі.

- Мешкаючи в місті Києві, з серпня 1979 року до травня 1980 року, з тією ж метою виготовив рукописний документ без назви в загальному зошиті, який зберігав у себе вдома до вилучення його під час обшуку 14 травня 1980 року.

В цьому документі містяться злісні наклепницькі вигадки, що порочать радянський державний і суспільний лад, робиться спроба ревізувати марксистсько-ленінське вчення про соціалістичну революцію, опорочити ленінізм, засновника Радянської держави та історичний досвід нашого народу в будівництві соціалізму. Щодо Великої Жовтневої

Соціалістичної революції наклепницьки твердиться, що нібито вона «совершалась во имя тоталитарного марксизма», «неизбежно ведет к национализму и националистической политике», а «коммунистический строй переходного периода есть строй крепостнический».

Крім того, після повернення із заслання до міста Києва з серпня 1979 року до травня 1980 року з тією ж ворожою метою зберігав у своїй квартирі рукописні та машинописні тексти документів і віршів, виготовлених ним у 1963—1972 роках, а саме:

- рукописний вірш «Безпашпортний і закріпачений...», в якому він викладає наклепницькі вигадки щодо політики КПРС і Радянської влади відносно колгоспного селянства нашої країни, яке нібито «закріпачене» і «катоване»;
- документ, що починається зі слів: «Існує тільки дві форми...», в якому паплюжаться демократичні основи нашої країни, робиться спроба посіяти недовір'я народу до уряду та радянської влади, наклепницьки твердиться, що в радянському союзі нібито «існує тільки дві форми контактування народу з урядом: відверта боротьба (в усіх можливих її проявах) і відкрита полеміка» та вказується, що в нашій країні начебто «той, хто не згоден з урядом, є ворогом...»;
- машинописний документ, що починається зі слів: «Нещодавно в "Літературній Україні" було надруковано...», в якому виступаючи на захист засуджених за ворожу діяльність Караванського, Чорновола, Осадчого та інших відщепенців, зводить наклепницькі вигадки на радянську дійсність, твердячи, що на Україні нібито безпідставно переслідуються інтелігенція та науковці, начебто відсутні демократія і свобода, що в нашій країні нібито знущаються з «соціалістичної законності, правосуддя, демократичних свобод»;
- машинописний текст вірша «Ось вам сонце, сказав чоловік з кокардою...», де зводяться наклепи на радянську дійсність, паплюжиться життя радянського народу, який начебто «злиденний і духовно збіднений»;
- рукописний та машинописний примірники вірша «Колеса глухо стукотять...», в якому Стус зводить наклепницькі вигадки на радянський державний і суспільний лад, зображаючи нашу країну як «концтаборів союз».

Ці ворожі документи зберігав у себе вдома в м. Києві до дня вилучення їх під час обшуку 14 травня 1980 року.

Залишаючись на антирадянських націоналістичних позиціях, в другій половині 1979 року — на початку 1980 року з метою підриву та ослаблення радянської влади виготовив у м. Києві для подальшого розповсюдження рукописний документ українською і російською мовами під назвою «Пам'ятка українського борця за справедливість» («Памятка украинского борца за волю»), який за своїм змістом і спрямуванням є відверто антирадянським, наклепницьким. В ньому з націоналістичних позицій зводить злісні наклепницькі вигадки, що порочать радянський державний і суспільний лад, викладає конкретну програму боротьби проти радянської влади, обстоює необхідність створення так званої «незалежної України». При цьому закликає проводити ворожу діяльність шляхом створення «широкої мережі правозахисних об'єднань» на платформі «забезпечення незалежної України, організації випуску періодичних журналів типу "Укр. вісника" і т. д. ...», наклепницьки твердить, що Україну нібито тримають «в колоніальному ярмі шляхом страшного терору, геноциду», виправдовує антирадянську, антинародну діяльність бандитів ОУН-УПА, називаючи її «національно-визвольним рухом».

Зазначений антирадянський документ зберігав у себе вдома в м. Києві до вилучення його під час обшуку 14 травня 1980 року.

Поряд з виготовленням, розповсюдженням і зберіганням ворожих документів протягом тривалого часу з метою підриву та ослаблення радянської влади Стус В. С. проводив антирадянську агітацію і пропаганду в усній формі, поширюючи злісні вигуки, що порочать радянський державний і суспільний лад.

- Так, відбуваючи покарання у виправно-трудовій колонії № 19 селища Лісний Мордовської АРСР та спілкуючись з засудженим за антирадянську діяльність Сіриком Миколою Івановичем в неодноразових розмовах з ним систематично висловлював наклепницькі вигадки на радянський державний і суспільний лад, стверджуючи, що в Радянському Союзі нібито порушуються права людини, а органи радянської влади начебто чинять беззаконня, арештовують і засуджують «невинних людей». Пануючий в нашій країні лад називав «фашистським» та порівнював його з режимом царської Росії; заявляв, що на Україні нібито проводиться «насильницька русифікація», яку за його словами, чинять органи Радянської влади, що УРСР начебто не є рівноправною республікою, а перебуває в підневільному стані. Оброляючи Сірика в антирадянському націоналістичному дусі, закликав його до проведення активної ворожої діяльності, заявляючи, що «проти Радянської влади всі засоби боротьби підходять, від антирадянської агітації та пропаганди до вчинення терористичних акцій».

Перебуваючи на засланні в селищі Матросова Тенькінського району Магаданської області з тією є ворожою метою в період з осені 1977 року до літа 1978 року під час розмов з мешканцями цього селища систематично зводив наклепницькі вигадки на радянський державний і суспільний лад.

Зокрема, в розмовах з робітником рудника імені Матросова Шаврієм Іваном Ніканоровичем по місцю роботи та в гуртожитку в названий вище час наклепницьки стверджував, що в нашій країні начебто відсутня свобода, що органи Радянської влади нібито порушують права громадян, творять «беззаконня» і «пригнічують народні маси».

- В той же період під час розмов з начальником відділу кадрів вказаного рудника Шаріповим Рашідом Гаріфовичем наклепницьки твердив, що в Радянському Союзі нібито відсутні свобода слова, друку, пересування, намагався порівняти органи радянської влади з гестапо та з націоналістичних позицій заявляв, що «Україна повинна бути тільки для українців».
- Під час розмов з завідуючою книжковим магазином зазначеного селища Банніковою Альбіною Миколаївною в жовтні-листопаді 1977 року, в вересні 1978 року та в березні 1979 року наклепницьки твердив, що записані в Конституції СРСР права і свободи для радянських людей неначе є фікцією», «вигадкою» для обману радянського народу і світової громадськості, оскільки ці слова, за його словами, начебто порушуються органами Радянської влади, що в нашій країні нібито відсутня демократія, чиниться «цинічне беззаконня». Державний лад нашої країни порівнював з режимами дореволюційної Росії і фашистським, в той же час вихваляв «демократію» і спосіб життя в капіталістичних країнах.
- В період від грудня 1977 року до липня 1979 року під час розмов з прохідником рудника ім. Матросова Радевичем Євгеном Володимировичем наклепницьки твердив, що в Радянському Союзі начебто «грубо порушуються права громадян», органи влади «раз у раз чинять беззаконня», безпричинно переслідують «передових

людей». З ворожих позицій висловлювався, що радянський уряд начебто «гнобить» народні маси і творить у країні «цинічне беззаконня». Намагався довести, що Україна нібито є «колонією Москви», перебуваючи в складі Союзу РСР, начебто не має прав суверенної республіки, та закликав Радевича до проведення ворожої діяльності, заявляючи, що «українцям треба вести національно-визвольну боротьбу» за «звільнення України».

У грудні 1977 року під час розмови з прохідником вказаного рудника Голубенком Василем Васильовичем, висловлюючи своє невдоволення існуючим в нашій країні державним і суспільним ладом, зводив наклепницькі вигадки на демократичні основи радянського суспільства, заявляв, що радянські люди нібито обмежені в своїх громадянських правах, а також вихваляв спосіб життя в капіталістичних країнах, де начебто існує справжня демократія.

Проживаючи в гуртожитку в одній кімнаті з головним енергетиком фабрики цього ж рудника Русовим Євгеном Костянтиновичем, в період з січня 1978 року до червня 1979 року під час розмов з ним наклепницьки твердив, що в Радянському Союзі начебто відсутня демократія, існує свавілля та беззаконня. Разом з цим радянський державний і суспільний лад ототожнював з режимом царської Росії, стверджував, що на Україні нібито проводиться «насильницька русифікація». Наклепницьки заявляв, що Українська РСР начебто не є рівноправною республікою в складі СРСР, а також виправдовував злочинну діяльність бандитів ОУН.

- В березні 1978 року в кімнаті гуртожитку вказаного селища в присутності прохідника Ковальова Георгія Івановича і його дружини Ковальової Світлани Григорівни зводив наклепницькі вигадки на радянський державний і суспільний лад, стверджуючи, зокрема, що начебто в УРСР для громадян відсутні права і вони незаконно переслідуються.
- В період від березня 1978 року до липня 1979 року під час розмов з робітником названого рудника Грибановим Валерієм Яковичем, з яким проживав в одній кімнаті, наклепницьки твердив, що радянська влада нібито не є народною, що в нашій країні неначе чиниться «беззаконня» та порушуються права громадян. З ворожих позицій заявляв, що Україна в складі Союзу РСР нібито не суверенна держава, та закликав до боротьби з Радянською владою.

- Протягом вересня 1978 року — січня 1979 року в розмовах з сусідом по кімнаті гуртожитку робітником Мастраковим Петром Михайловичем наклепницьки твердив, що в Радянському Союзі нібито порушуються права людини та демократичні принципи нашого суспільства, зводив злісні наклепи на внутрішню політику КПРС та радянського уряду.
- У грудні 1978 року в приміщенні рудника імені Матросова, в присутності робітників Стефановського Бориса Геннадійовича, Казакова Петра Вікторовича і згаданого вище Голубенка В. В. зводив наклепи на радянський державний і суспільний лад, політику КПРС, заявляючи, що комуністи нібито довели країну до убогості й злиденності.
- В квітні 1979 року під час розмови з директором вказаного рудника Войтовичем Всеволодом Степановичем зводив наклепи на радянську дійсність, заявляючи, що в нашій країні нібито існує «беззаконня», радянський народ начебто «безправний», «заляканий», а КПРС начебто проводить антинародну політику.
- Під час лікування в хірургічному відділенні лікарні селища Транспортне Тенькінського району Магаданської області протягом серпня-жовтня 1977 року в розмовах з сестрою-господаркою Никифоренко Ніною Кирилівною систематично допускав наклепи на радянський спосіб життя, політику КПРС і радянський уряд. Зокрема твердив, що в нашій країні начебто відсутні демократичні права і свободи громадян. Органи радянської влади, за його словами, нібито «творять беззаконня». З ворожих позицій заявляв, що Україна в складі Союзу РСР начебто нерівноправна.
- Перебуваючи на лікуванні в тій же лікарні в червні 1979 року, під час розмов з мешканцем селища Омчак Тенькінського району Магаданської області Жеренковим Миколою Михайловичем зводив наклепницькі вигадки на радянський державний і суспільний лад, заявляв, що в нашій країні начебто відсутня свобода слова, друку, обмежуються права громадян і радянські люди нібито позбавлені елементарних людських прав, а також допускав наклепи на марксистсько-ленінське вчення.

Стус В. С. по суті пред'явленого йому обвинувачення будь-які показання дати категорично відмовився як в ході попереднього слідства, так і в судовому засіданні.

Незважаючи на це його вина в повному обсязі пред'явленого йому обвинувачення стверджується доказами, які добуті в ході попереднього слідства та судового засідання: документами, що приєднані до справи як речові докази, висновками криміналістичних експертиз, протоколами обшуків, виїмок і оглядів, показаннями свідків.

В судовому засіданні були досліджені документи, що приєднані до справи як речові докази:

- рукописний текст документу в вигляді «заяви» до Президії Верховної Ради СРСР від 10 грудня 1976 року;
- ксерокопія рукописного тексту документа під назвою «Відкритий лист до Івана Дзюби» та електрографічна копія цього ж документу, опублікованого в закордонному журналі «Визвольний шлях» організації українських націоналістів під заголовком «Відкритий лист В. Стуса до І. Дзюби» (т. 4 а. с. 123—124, 134, 137—141);
- рукописний текст в вигляді листа на 4 аркушах паперу, що починається зі слів «Дорога Михасю...» (т. 4 а. с. 15);
- електрографічна копія машинописного тексту листа Стуса до Лук'яненка від 9 листопада 1977 року та електрографічна копія поштового конверту, в якому Стус направив лист Лук'яненку (т. 4 а. с. 16—20, 125—126);
- рукописний документ в вигляді заяви Стуса В. С., що адресована «Члену Президії Верховної Ради СРСР...» на двох аркушах паперу (т. 4 а. с. 21);
- два рукописні документи в вигляді листів Стуса до Григоренка П. Г. Кожен з них починається словами «Уважаемый Петр Григорьевич...» (т. 4 а. с. 22, 23);
- рукописний текст документу в вигляді заяви Стуса до прокуратури УРСР від 18 листопада 1979 року (т. 4 а. с. 24—25);
- рукописний текст в загальному зошиті на 6 аркушах паперу, що починається словом «Бердяев», а закінчується «...и подчинило судьбу его Богу» (конверт з зошитом т. 4 а. с. 28);
- рукописний та машинописний тексти в вигляді віршів, що починаються словами: «Безпашпортний і закріпачений...», «Колеса глухо стукотять...», «Ось вам сонце, сказав чоловік...»
- рукописний текст, що починається зі слів «Існує тільки дві форми...»
- машинописний текст документа, що починається зі слів «Нещодавно в "Літературній Україні"...» (т. 4 а. с. 29—39);

- рукописний текст документа під назвою «Пам'ятка українського борця за справедливість (за волю)» (т. 4 а. с. 41, 42).

Із змісту перелічених документів, а також з протоколу огляду цих документів від 18 липня 1980 року (т. 5 а. с. 35—88) вбачається, що в них містяться наклепницькі вигадки на радянський державний і суспільний лад, вони мають ворожу спрямованість, а в останньому документі крім цього викладена конкретна програма боротьби проти радянської влади.

Рукописні документи, що знаходяться в томі 4 на аркушах справи: 11, 12, 13, 14, 21, 22, 23, 24, 25, 28, 29, 31, 32, 33, 41, 42, 123, 124, 125, 126, виготовлені власноручно Стусом В. С. Це стверджується висновком судово-почеркознавчої експертизи (т. 4 а. с. 151—163).

Копію листа, що починається зі слів «Дорога Михасю...» з примірника зняли Кириченко С. Т. та її чоловік Бадзьо. Це стверджується висновком цієї ж експертизи. В судовому засіданні свідки Коцюбинська М. Х. та Андрієвська В. В., ознайомившись зі змістом вказаного листа, показали, що автором примірника був Стус В. С., який направив лист з місця відбуття ним міри покарання. Тоді ж вони знайомилися зі змістом цього листа.

Свідок Кириченко С. Т. відмовилася дати показання в судовому засіданні щодо долі вказаного документу. Але з протоколу її допиту, який писався нею власноручно на попередньому слідстві, вбачається, що автором досліджуваного документу є Стус В. С., а копія в нього була знята нею — Кириченко та її чоловіком Бадзьо. Протокол допиту свідка Кириченко було оголошено в судовому засіданні.

Інші документи в вигляді машинописних документів, що досліджувались в судовому засіданні, були виготовлені машинкою, що належала Стусу В. С., що також вбачається з висновку експертизи.

Документи, що були предметом дослідження в судовому засіданні, Стус В. С. зберігав вдома. Вони в нього були вилучені під час обшуку 14 травня 1980 року, що вбачається з протоколу обшуку від 14—15 травня 1980 року (т. 4 а. с. 25—32, 34).

Про те, що Стус В. С. протягом тривалого часу займався антирадянською агітацією та пропагандою в усній формі, поширюючи злісні вигадки, що порочать радянський державний та суспільний лад, засвідчили в судовому засіданні Сірик М. І., Баннікова А. М., Шаріпов Р. Г., Русов Є. К., Голубенко В. В., Шаврій І. Н., Радевич Є. В., Ковальова С. Г., Жеренков М. М. Це також вбачається з протоколів свідків: Никифоренко А. К., Войтовича В. С., Грибанова В. Я., Мастракова П. М. Протоколи показів цих свідків, що вони дали на попередньому слідстві, були оголошені в судовому засіданні.

Так, свідок Русов Є. К. показав, що, проживаючи зі Стусом В. С. в одному гуртожитку в сел. Матросова Магаданської області, не раз чув від нього висловлювання наклепницького характеру відносно соціалістичної дійсності. Він ототожнював радянський державний і суспільний лад з режимом царської Росії, виправдовував злочинну діяльність бендерівців, називаючи їх учасниками «національно-визвольної боротьби».

Свідок Баннікова А. М. показала, що Стус В. С. під час зустрічі з нею вороже висловлювався про наш державний та суспільний лад, демократичні основи нашої країни, говорив, що в Радянському Союзі чиняться беззаконня, вихваляв спосіб життя в капіталістичних країнах. В розмові він висловлювався, що незважаючи на міру покарання, він залишився на попередніх, тобто ворожих позиціях.

Свідок Сірик М. І. показав, що Стус В. С., перебуваючи в виправно-трудовій колонії в Мордовській АРСР, закликав інших засуджених до порушення дисципліни та правил розпорядку, закликав його та інших проводити активну ворожу діяльність проти радянської влади. Свідок Радевич Є. В. показав, що Стус В. С. в розмовах з ним твердив, що Україна ніби є «колонією Москви», що вона не є суверенною республікою, закликав його до ворожої діяльності, говорив, що треба вести національно-визвольну боротьбу за звільнення України.

Свідок Жеренков М. М. показав суду, що в червні 1979 року в сел. Омчак Магаданської області йому доводилося спілкуватися зі Стусом В. С., перебуваючи разом з ним в лікарні. Неодноразово в розмовах з ним Стус зводив наклепи на марксистсько-ленінське вчення та на радянський державний і суспільний лад, твердив, що в нашій країні ніби обмежуються права громадян, відсутня свобода.

Свідки: Шаріпов, Шаврій, Голубенко, Ковальова дали аналогічні показання.

Із протоколів допитів свідків на попередньому слідстві Войтовича, Грибанова, Мастракова, Нікіфоренко, — вбачається, що в присутності цих осіб Стус В. С. також висловлював наклепницькі вигадки на радянський й державний і суспільний лад, паплюжив нашу дійсність, з націоналістичних позицій заявляв, що «Україна повинна бути тільки для українців».

Про спрямованість злочинної діяльності Стуса В. С. на підрив і ослаблення Радянської влади та про його антирадянські націоналістичні переконання свідчать: характер діянь підсудного, ворожий зміст виготовлених ним і розповсюджених документів, що досліджувались в судовому засіданні, як серед свого оточення, так і за кордоном на Заході, систематичне поширення ним в усній формі наклепницьких вигадок на радянський державний і суспільний лад, а також ті обставини, що такою діяльністю він займався тривалий час протягом 1974—1980 років і не припинив її, незважаючи на неодноразові попередження офіційними органами про недопустимість таких ворожих дій.

Так, він встановив і підтримував шляхом особистих контактів і листування злочинні зв'язки з судимими за антирадянську діяльність Бадзьом, Горбалем, Лук'яненком, Овсієнком та іншими особами, а також з представниками зарубіжних буржуазно-націоналістичних кіл, зокрема з Горбач та Бремер, що мешкають в ФРН, виготовляв та розповсюджував ряд антирадянських та наклепницьких документів, які були поширені на території нашої країни і за кордоном на Заході, свідомо надав тим самим можливість буржуазно-націоналістичним центрам використовувати їх в провокаційних акціях проти Радянського Союзу, дезінформуванні світової громадськості щодо радянської дійсності для приниження міжнародного авторитету нашої держави та в інших ворожих кампаніях.

Про антирадянські націоналістичні переконання Стуса свідчать також його твердження, викладені у документах про те, що він залишається на попередніх позиціях і надалі буде проводити ворожу діяльність.

Зокрема, в своєму листі від 9 листопада 1977 року до Лук'яненка він пише: «Коли мені випаде йти на другий тур, то я говоритиму тільки в останньому слові … ні на які компроміси не піду, ні на яке визнання вини й самокаяття».

Про це також твердиться у виготовленому ним програмному документі «Пам'ятка українського борця за волю (за справедливість)».

Крім того, в розмовах з мешканцями сел. Матросова Магаданської області Банніковою, Войтовичем та іншими Стус, поширюючи наклепницькі вигадки на радянський державний і суспільний лад, заявляв, що він залишається на своїх попередніх ворожих позиціях.

Таким чином, Стус В. С. займався діями по виготовленню, зберіганню та розповсюдженню з метою підриву та ослаблення Радянської влади ворожої літератури, що порочить радянський державний і суспільний лад, займався поширенням в усній формі з тією ж метою наклепницьких вигадок, що порочать радянський державний і суспільний лад. Злочинні дії його правильно кваліфіковані за ст. 62 ч. II КК УРСР як особи, що раніше була судима за особливо небезпечний державний злочин.

Кваліфікуючи злочинні дії Стуса В. С. за ст. 70 ч. 2 КК РРФСР, органи попереднього слідства посилались на те, що ним злочин було скоєно також на території РРФСР.

З матеріалів справи вбачається, що свою злочинну діяльність, зв'язану з виготовленням, зберіганням та розповсюдженням антирадянської та наклепницької літератури, а також розповсюдженням в усній формі наклепницьких вигадок Стус В. С. почав на території РРФСР.

Але приймаючи до уваги те, що його злочинна діяльність мала одну направленість і вона повністю охоплюється диспозицією ст. 62 ч. II КК УРСР, — його злочинні дії, що мали місце на території РРФСР додаткової кваліфікації не потребують.

В зв'язку з цим суд вважає за необхідне ст. 70 ч. II КК РРФСР із звинувачення Стуса В. С. виключити.

Визначаючи Стусу В. С. міру покарання, суд враховує суспільну небезпечність скоєного ним злочину та особу підсудного.

Він вчинив особливо небезпечний державний злочин, тому мірою покарання може бути визначено позбавлення волі із засланням.

Обставиною, що обтяжує відповідальність є те, що він раніше вчинив злочин.

Суд також бере до уваги те, що Стус В. С. раніше був осуджений за тяжкий державний злочин, відбував міру покарання, але не виправився, на протязі тривалого часу не припиняв свою ворожу діяльність, незважаючи на те, що йому робилося неодноразово предостереження, ставить собі за ціль і дальше боротися проти радянської влади.

При наявності таких обставин, що свідчать про те, що Стус В. С. не бажає стати на шлях виправлення, судова колегія знаходить необхідним згідно ст. 26 ч. ІКК УРСР признати його особливо небезпечним рецидивістом з призначенням виду режиму в виправно-трудовій колонії — особливого.

Речові докази — документи, що приєднані до справи, й також ті, що знаходяться в окремому пакунку, — зберігати при справі.

Запобіжний захід щодо підсудного залишити попередній — утримання під вартою в слідчому ізоляторі КДБ УРСР.

Судові витрати, зв'язані з оплатою свідків на попередньому слідстві, — 53 крб 65 коп.; вартість проведення експертиз — 22 крб, а також витрати, пов'язані з викликом свідків в судове засідання — 2073 крб 50 коп., а в загальній сумі — 2149 крб 15 коп. стягнути з осудженого на користь держави.

Керуючись ст. ст. 323—324 КПК УРСР, судова колегія

засудила:

Стуса Василя Семеновича за ст. 62 ч. II КК УРСР на 10 (десять) років позбавлення волі із засланням на строго 5 (п'ять) років.

На підставі ст. 26 ч. I КК УРСР Стуса В. С. признати особливо небезпечним, рецидивістом.

Вид режиму виправно-трудової колонії призначити йому особливий.

Ст. 70 ч. II КК РРФСР із звинувачення Стуса В. С. виключити, строк його ув'язнення рахувати з дня затримання і арешту — 15 травня 1980 року.

Міру запобіжного заходу Стусу В. С. залишити попередню — утримання під вартою в слідчому ізоляторі КДБ УРСР.

Речові докази в вигляді документів залишити при справі.

Стягнути зі Стуса Василя Семеновича на користь держави судові витрати в сумі 2149 крб 15 коп.

Вирок може бути оскаржений до Верховного суду УРСР на протязі 7 діб осудженим з дня отримання ним копії вироку, решті учасникам процесу — з дня його оголошення.

Головуючий (підпис)
Народні засідателі: (підписи)

Міністерство Юстиції УРСР
Київський Міський Суд
252025, м. Київ,
вул. Володимирська № 15

Министерство Юстиции УССР
Киевский Городской Суд
252025, г. Киев,
ул. Владимирская № 15

№ 12 1 октября 1980 г.

СПРАВКА

Бухгалтерией Киевского суда было выплачено 2073 руб. 50 коп. проезд свидетелям по делу Стуса В. С.

Ст. бухгалтер Л. И. Дегтярева

Председателю суда
Фещенко П. И.
Попелюх В. В.,
проживающей в г. Киеве
По ул. Чернобыльской 13А/94

ЗАЯВЛЕНИЕ

Прошу Вас разрешить мне и моему сыну свидание с моим мужем Стусом Василием Семеновичем.

Прошу не отказать в моей просьбе.

2.X.80 г. (подпись)

Разрешаю (подпись)
2.X.80 г.

До Голови суду
Стуса В. С., в'язня КГБ,
засудженого 2.X.80 р.

Звертаюся до вас із вимогою — надати мені для ознайомлення протокол судового засідання Київського міського суду 29.9—2.X.80 р. і копію вироку.

Додам, що від подачі касаційної скарги я рішуче відмовляюся, добре знаючи, що таке радянський політичний суд.

8.10.80 р. В. Стус

До Голови суду
Стуса В. С.,
засудженого 2.X.80 р.

Смисл репресій, вчинених наді мною, — подвійний. Перший смисл — розправитися з людиною, яка уже 15 років несхибно стоїть на обороні покривджених. Другий смисл — конфіскувати весь мій літературний набуток. У т. зв. справі є коло 500 моїх віршів, які суд, ставлячи мені їх за прогріх, залишив при справі.

Оскільки кара, визначена мені, практично є карою смерті, висловлюю свою постійну вимогу — повернути всі вірші, переписані в кількох зошитах, записниках і на окремих аркушах, моїй дружині, Попелюх В. В.

Нагадаю, що ці вірші уже завтра становитимуть гордість української поезії, української культури.

Василь Стус
8.X.80 р.

РОЗПИСКА

Я, Стус В. С., сьогодні, 28 жовтня 1980 р., ознайомився із протоколом судового засідання Київського міського осуду від 28.9—2.X.80 р. До протоколу вважаю за необхідне внести такі уточнення:

- я вимагав розглянути в судовому засіданні головне питання — злочину, скоєного КГБ УРСР перед українським народом, його культурою, я вимагав судити КГБ УССР як терористичну організацію гестапівського типу, що підлягає нюрнберзькій юрисдикції; питання ж про свою «винність» я відкидав як абсурдне;
- я вимагав оголосити і надати мені для користування Загальну декларацію прав людини прийняту ООН, і матеріали Хельсінських домовленостей — і суд і протокол обійшли цю вимогу;
- у зв'язку із закритим судовим засіданням (до залу були допущені лише обрані, моя ж дружина довідалася про суд лише на третій день) я відмовився брати участь у суді як т. зв. звинувачений, а коли брав — то на правах звинувача проти КГБ;
- суд ухилився від розгляду питання про застосування до мене фізичних тортур в СІЗО КГБ 7.8.80 р., а в протоколі не зазначено ні

про мої вимоги судити винних у розправі, ні про саму наявність таких заяв-вимог;

- я звернув увагу суду на провокатора — свідка Сірика, судженого за побутове злодійство двічі, на те, що цей «свідок» зміг 16 років позбавлення волі вибути за 6 років, але протокол, покриваючи інспірованого свідка, обійшов це своєю увагою;
- мені не дали виголосити своєї звинувальної промови — т. зв. останнього слова, суддя заборонив мені говорити.

Це т. зв. кримінальний суд, точніше суд, що розглядав «кримінальну» справу. Стус був переведений на рівні кримінальних злочинців, кишенькових злодюжок — точ. від народу, при герметизованому кагебістами залі. Це кримінальна справа злодюжок у суддівських та прокурорських мантіях.

Пропоную: протокол цього судового засідання переслати до Комісії ООН по правах людини, до Мадридської наради по співробітництву і безпеці в Європі — хай світ переконається, чи є в СРСР порушення прав людини і народу чи ні.

Василь Стус
28.X.80 р.

Секретно

экз. № 2

Начальнику следственного изолятора
КГБ УССР подполковнику
тов. Петруня В. Ф.
2-С/80 г.
29 октября 80 г.

Киевский городской суд сообщает, что приговор в отношении осужденного Стуса Василия Семеновича, 1938 года рождения, по ст. 62 ч. 2 УК УССР вступил в законную силу 19 октября 1980 года, о чем просим сообщить осужденному.

Зам. председателя
Киевского Городского Суда Г. И. Зубец

Виконавчий лист по кримінальній справі	Исполнительный лист по уголовному делу

Киевский городской суд

Рассмотрел уголовное дело по обвинению Стуса Василия Семеновича

Статья уголовного кодекса ст. 62 ч. 2 УК УССР к 10 годам л/с со ссылкой на 5 лет, на основании ст. 26 ч. 1 УК УССР признан особо опасным рецидивистом, вид режима — особый.

Взыскать со Стуса Василия Семеновича в доход государства судебных издержек в сумме 2149 (две тысячи сто сорок десять) руб. 15 коп.

Приговор вступил в законную силу 19 октября 1980 р.

Фамилия, имя, отчество должника, год и место рождения
Стус Василий Семенович, 1938 рода рождения, с. Рахнивка, Гайсинского р-на Винницкой области.
Адрес (постоянное или последнее местожительство) должника
Г. Киев, ул. Чернобыльская, 13-а, кв. 94
Наименование и адрес предприятия, учреждения, организация, в которой должник работает (или наименование и адрес места заключения)
Следственный изолятор КГБ УССР
Фамилия, имя, отчество (наименование) взыскателя и его адрес
государство

Исполнительный лист выдан 29 октября 1980 г.

Народный судья (подпись)
Секретарь (подпись)

2-С/80 г. 17 ноября 80 г.

Киевскому Городскому
Военному Комиссару

ПРЕДСТАВЛЕНИЕ

Приговором Киевского городского суда от 2 октября 1980 года СТУС Василий Семенович, 1938 года рождения, имеющий высшее образование, проживающий в г. Киеве по ул. Чернобыльской, 13-а кв. 94, осужден по ст. 62 ч. 2 УК УССР к 10 годам лишения свободы и 5 годам ссылки. На основании ст. 26 УК УССР он признан особо опасным рецидивистом. Вид режима в ИТК ему определен особый.

Стус В. С. признан виновным и осужден за то, что, будучи ранее судимым за особо опасное государственное преступление, на путь исправления не стал.

Отбывая основную и дополнительную меру наказания в 1974—1979 годах, а с августа 1979 года проживая в г. Киеве, куда он прибыл после отбытия меры наказания, систематически изготавливал, хранил и распространял антисоветскую и клеветническую литературу, в которой содержатся призывы для проведения борьбы с Советской властью, измышления, порочащие советский государственный и общественный строй.

Из материалов дела видно, что Стусу В. С., после окончания педагогического института в г. Донецке, было присвоено звание офицера запаса и выдан соответствующий военный билет.

Несмотря на то, что его преступная деятельность, направленная на подрыв и ослабление Советской власти, несовместима с высоким званием советского офицера, вопрос о лишении его офицерского воинского звания соответствующими органами не рассматривался.

В связи с изложенным и на основании ст. 340 УПК УССР считаю необходимым об изложенном довести до сведения Киевского городского военного комиссара.

Член Киевского Городского суда П. И. Фещенко

Председателю судебной коллегии
по уголовным делам
Киевского горсуда
г. Киев

В соответствии со ст. 359 УПК РСФСР сообщаем Вам, что осужденный 2 октября 1980 г. Вашим судом Стус Василий Семенович отбывает срок наказания по адресу: учреждение ВС-389/36 д. Кучино Чусовского р-на Пермской области

И.о. начальника учреждения ВС-389/36 А. И.Журавков

22.XII-80

Киевский
городской военный комиссариат
№ 3/5019
г. Киев
Председателю Киевского Городского суда
г. Киев-25, ул. Владимирская, 15
На № 2-С/80 от 17.11.1980 г.

Сообщаю, на гр-на Стус В. С. Киевским городским военным комиссариатом 22 декабря 1980 года представлен материал в Управление кадров Краснознаменного Киевского военного округа о лишении его воинского звания «лейтенант» запаса.

Начальник 3 отдела Киевского горвоенкомата
Полковник Т. Сидоров

Начальнику учреждения ВС-389/36
618263 Пермская область,
Пос. Кучино, Чусовского р-на
Вх. № 374
30/III-83 г.

ПРЕДЛОЖЕНИЕ

Направляется исполнительный лист № 2-С/ 80 г. Киевского горсуда о взыскании с осужденного, Стуса В. С. 2149 руб. 15 коп. судебных издержек и предлагается производить удержание со всех видов заработка должника ежемесячно по 20% и зачислять в госдоход.

О принятии к исполнению сообщить в нарсуд Ленинградского р-на (на наш № В/6-РВ).

Народный судья:
Судебный исполнитель:

Гуниной З. Ю. на исполнение
Подпись 30.03.83 г.

МВД СССР
Отделение внутренних дел
Исполнительного комитета
Пермского городского Совета народных депутатов
Учреждение ВС-389/36
д. Кучино, Чусовского района
№ 535
Киевский городской суд
г. Киев

При этом направляю исполнительный лист № 2-с от 02.10.80 г. на сумму 2149 руб. 15 коп. в доход государства на осужденного Стус Василия Семеновича, так как последний скончался.

Приложение: по тексту на 3 листах.

Начальник Учреждения ВС-389/36 В. Н. Федоров

Прокуратура СССР
Прокуратура
Украинской ССР
ПРОТЕСТ
(в порядку нагляду)

18.07.90 г. № 13—5398—72
г. Киев
по справі Стуса В. С.

У судову колегію в кримінальних
справах Верховного Суду УРСР

Вироком судової колегії в кримінальних справах Київського міського суду від 2 жовтня 1980 року, —

Стус Василь Семенович, 1938 року народження, українець, безпартійний, з вищою освітою, робітник Київського взуттєвого об'єднання «Спорт», мешканець м. Києва, судимий 7 вересня 1972 року за ст. 62 ч. І КК УРСР на 5 років позбавлення волі та 3 роки заслання, —

засуджений за ст. 62 ч. 2 КК УРСР на 10 років позбавлення волі і 5 років заслання.

На підставі ст. 26 ч. І КК УРСР Стуса В. С. визнано особливо небезпечним рецидивістом з відбуттям покарання в виправно-трудовій колонії особливого режиму.

Стаття 70 ч. 2 КК РРФСР із звинувачення Стуса В. С. виключена.

В касаційному порядку справа не розглядалася.

Згідно з вироком Стус В. С. визнаний винним в тому, що він, будучи раніше засудженим за особливо небезпечний державний злочин на 5 років позбавлення волі та 3 роки заслання, відбуваючи в І974—1979 роках основну і додаткову міру покарання, а з серпня 1979 року мешкаючи в м. Києві, куди він прибув після відбуття міри покарання, не став на шлях виправлення, залишаючись на ворожих радянському суспільству позиціях, спілкуючись з особами, засудженими за особливо небезпечні державні злочини, а також з представниками зарубіжних буржуазно-націоналістичних кіл, на ґрунті антирадянських націоналістичних переконань з метою підриву та ослаблення Радянської влади протягом тривалого часу систематично виготовляв, зберігав та розповсюджував антирадянську та наклепницьку літературу, в якій містяться заклики до проведення боротьби з Радянською владою, та вигадки, що порочать радянський державний і суспільний лад.

Деякі з них потрапили за кордон в капіталістичні країни, де широко використовуються буржуазно-націоналістичними центрами в провокаційних кампаніях проти Союзу РСР.

Разом з цим Стус В. С. з тією ж ворожою метою займався антирадянською агітацією і пропагандою в усній формі, поширюючи наклепницькі вигадки на радянський державний та суспільний лад.

Ворожою діяльністю проти радянського державного і суспільного ладу Стус В. С. займався, незважаючи на те, що йому 19 жовтня 1975 року та 19 червня 1978 року повторно було оголошене офіційне попередження про недопустимість дій, які суперечать інтересам державної безпеки СРСР у відповідності з Указом Президії Верховної Ради СРСР від 25 грудня 1972 року.

Конкретно злочинна діяльність Стуса В. С. виразилася в слідуючому.

- В грудні 1976 року, відбуваючи покарання в виправно-трудовій колонії № 19 селища Лісний Мордовської АРСР, він виготовив наклепницький документ в вигляді «заяви» до Президії Верховної Ради СРСР і тоді ж поширив його, надіславши до Прокуратури Союзу РСР зі своїм листом — проханням, щоб текст «заяви» було доведено до «адресата».

В зазначеному документі він зводить наклепницькі вигадки, що порочать радянський державний і суспільний лад. Зокрема, намагається довести, що в нашій країні начебто існує беззаконня та відсутня демократія. Схвалюючи діяльність осіб, заарештованих за особливо небезпечні та інші державні злочини, робить спробу обвинуватити Радянську владу в порушенні прав людини.

- Тоді ж, у 1976 році, відбуваючи міру покарання в Мордовській АРСР, Стус В. С. виготовив документ у вигляді «Відкритого листа до І. Дзюби». В ньому, паплюжачи радянський державний та суспільний лад, наклепницьки твердить, що на Україні в 1972—1973 роках начебто відбувся «антиукраїнський погром», під час якого нібито притискувалась «національна гідність» радянських людей, що в СРСР кожен український літератор начебто «поневолений, а народ знаходиться нібито в якомусь «вакуумі» і його духовне існування «поставлене під загрозу».

Зазначений ворожий документ набув поширення серед націоналістично настроєних осіб, зокрема потрапив до мешканця міста Києва Шевченка О. Є., притягнутого до кримінальної відповідальності за антирадянську агітацію і пропаганду по іншій справі, під час обшуку по якій 1 квітня 1980 року була вилучена рукописна копія цього документа.

Згаданий документ також потрапив за кордон, де використовувався буржуазною пропагандою в ворожих акціях проти Союзу РСР і був надрукований під назвою «Відкритий лист В. Стуса до І. Дзюби» в журналі «Визвольний шлях» № 12 за грудень 1976 року, що видається організацією українських буржуазних націоналістів у Лондоні.

Восени 1977 року, відбуваючи додаткову міру покарання — заслання в селищі Матросова Тенькінського району Магаданської області, з ворожою метою Стус В. С. виготовив рукописний документ у вигляді «листа» до своїх знайомих, мешканців міста Києва — Коцюбинської М. Х., Кириченко С. Т. та її чоловіка — Бадзьо Г. В., пізніше засудженого за антирадянську діяльність.

В цьому документі він зводить наклепницькі вигадки, що порочать радянський державний і суспільний лад, паплюжить національну політику КПРС та братню дружбу українського та російського народів, наклепницьки стверджуючи, що в українського народу нібито «катастрофічне духовне існування», а радянська влада начебто «душить» та проводить «репресії українців». Згадуючи про свою судимість за антирадянську агітацію і пропаганду, Стус В. С. відверто зазначає, що залишився на тих же націоналістичних позиціях і буде далі проводити ворожу діяльність.

Зазначений документ наприкінці 1977 року він надіслав поштою до м. Києва, де з його текстом ознайомились Коцюбинська М. Х., Андрієвська В. В., Кириченко С. Т. та її чоловік — Бадзьо Г. В. Рукописний текст цього документа, переписаний Кириченко та Бадзьом, потрапив до Стуса, який зберігав його в своїй квартирі в м. Києві до вилучення під час обшуку 14 травня 1980 року. Доля оригіналу вказаного документа не встановлена.

В листопаді 1977 року також під час перебування в засланні в Магаданській області Стус В. С. з тією ж метою виготовив рукописний документ у вигляді листа до мешканця м. Чернігова Лук'яненка Л. Г., судимого в 1961 році за зраду Батьківщини та в 1978 році — за антирадянську агітацію і пропаганду.

В цьому ж листі з ворожих націоналістичних позицій він зводить злісні наклепи на радянський державний і суспільний лад. Заявляючи про своє бажання бути членом так званого «Українського наглядового комітету», підбурює «однодумців» проводити ворожу діяльність «в більш широкому плані». Наклепницьки стверджує, що на Україні нібито проводяться незаконні «репресії української інтелігенції», паплюжить рівноправність України в складі Союзу РСР і твердить, що в Радянському Союзі нібито немає «фактичної рівності націй».

Тоді ж, в листопаді 1977 року, поширив зазначений документ, надіславши поштою в м. Чернігів вказаному Лук'яненку Л. Г. для ознайомлення.

- В кінці 1977 року під час перебування в селищі Матросова з тією ж метою Стус В. М. виготовив рукописний документ у вигляді «листа-звернення» до одного із членів Президії Верховної Ради Союзу РСР.

В документі робиться спроба зганьбити діяльність Радянського уряду, наклепницьки твердиться, що в Радянському Союзі нібито існує «беззаконие и насилие», «шовинистический произвол», в результаті чого було начебто безпідставно засуджено його — Стуса В. С. та інших осіб. Засуджених антирадянщиків намагається показати як «представників української інтелігенції», що репресовані нібито лише за їх «переконання».

Зазначений документ зберігав у своїй кімнаті в гуртожитку до його вилучення 10 лютого 1978 року під час обшуку по кримінальній справі відносно Лук'яненка.

- В грудні 1977 року Стус В. С., перебуваючи в засланні в названому селищі, з ворожою метою виготовив рукописний документ у вигляді «листа» до колишнього мешканця м. Москви Григоренка П. Г., якого, згідно Указу Президії Верховної Ради СРСР від 13 лютого 1978 року, за систематичне вчинення дій, несумісних з належністю до громадянства СРСР, завдання своєю поведінкою шкоди престижу Союзу РСР позбавлено громадянства СРСР.

В цьому документі містяться наклепницькі вигадки на радянський, державний і суспільний лад. Зокрема, стверджується про нібито відсутність в нашій країні «человеческих прав и прав народов», заявляється про намір проводити ворожу діяльність під виглядом участі в нібито існуючому в СРСР «демократическом движении», різного роду відщепенцям пропонується активізувати і посилити антирадянську агітацію та пропаганду, з ворожих націоналістичних позицій захищаються бандити ОУН, як нібито «участники партизанского движения».

Вказаний документ зберігав в своїй кімнаті гуртожитку до його вилучення 10 лютого 1978 року під час обшуку по кримінальній справі відносно Лук'яненка.

- В кінці 1977 року Стус В. С., перебуваючи в засланні, з тією ж метою виготовив рукописний документ у вигляді «листа» до вказаного Григоренка П. Г.

В зазначеному документі містяться наклепницькі вигадки, що порочать радянський державний і суспільний лад. Зокрема, в ньому твердиться, що нібито в нашій країні існують беззаконня і свавілля, безпідставні «репрессии интеллигенции». При цьому в документі паплюжаться органи радянського правосуддя, яких він наклепницьки називає ворогами народу.

Названий «лист» зберігав у себе в кімнаті гуртожитку до вилучення його під час обшуку 10 лютого 1978 року по кримінальній справі відносно Лук'яненка.

Мешкаючи в місті Києві після відбуття основної і додаткової міри покарання за проведення антирадянської агітації і пропаганди, Стус В. С. до погашення судимості з метою підриву та ослаблення Радянської влади виготовив у листопаді 1979 року рукописний документ у вигляді «заяви» до Прокуратури УРСР.

В цьому документі, датованому 19 листопада 1979 року він, виступаючи на захист М. Горбаля, раніше судимого за антирадянську діяльність і арештованого за вчинення іншого кримінального злочину, зводить наклепницькі вигадки, що порочать радянський державний і суспільний лад. Зокрема, наклепницьки заявляє, що радянські правозахисні органи нібито «вдаються до брутальних способів розправи і дискредитації людей», та намагається ствердити, що в нашій країні нібито існує «свавілля і беззаконня», зневажаються права людини.

Для широкого розповсюдження зазначеного ворожого документа розмножив його не менше як в чотирьох рукописних примірниках українською і російською мовами, та поширив їх.

З них:

- один примірник українською мовою, датований 19 листопада 1979 р., надіслав до Прокуратури УРСР;
- один примірник російською мовою 21 січня 1980 року надіслав поштою до мешканця міста Москви Лісовської Н. П., який було вилучено під час виїмки 25 січня 1980 року на Київському поштамті по кримінальній справі відносно Калиниченка В. В., притягнутого до відповідальності за антирадянську агітацію і пропаганду;

- два примірники, датовані 18 листопада 1979 року, один — українською мовою до Прокуратури УРСР, а другий — російською мовою викладений в листі до мешканця м. Москви Сахарова А. Д., зберігав у себе вдома до вилучення під час обшуку 14 травня 1980 року.

Зазначений ворожий документ потрапив за кордон на Захід, де використовується в підривних акціях проти СРСР антирадянськими центрами, зокрема його текст був переданий радіостанцією «Радіо Свобода» 27 лютого 1980 року, а також опублікований 4 квітня 1980 року в буржуазно-націоналістичній газеті «Українське слово», що видається в Парижі.

- Мешкаючи в місті Києві, з серпня 1979 року до травня 1980 року, з тією ж метою Стус В. С. виготовив рукописний документ без назви в загальному зошиті, який зберігав у себе вдома до вилучення його під час обшуку 14 травня 1980 року.

В цьому документі містяться злісні наклепницькі вигадки, що порочать радянський державний і суспільний лад, робиться спроба ревізувати марксистсько-ленінське вчення про соціалістичну революцію, опорочити ленінізм, засновника Радянської держави та історичний досвід нашого народу в будівництві соціалізму.

Щодо Великої Жовтневої соціалістичної революції наклепницьки твердиться, що нібито вона «совершилась во имя тоталитарного марксизма», «неизбежно ведет к национализму и националистической политике», а «коммунистический строй переходного периода есть строй крепостнический».

Крім того, після повернення із заслання до міста Києва з серпня 1979 року до травня 1980 року з тією ж ворожою метою зберігав у своїй квартирі рукописні та машинописні тексти документів і віршів, виготовлених ним у 1963—1972 роках, а саме:

- рукописний вірш «Безпашпортний і закріпачений…», в якому він викладає наклепницькі вигадки щодо політики КПРС і Радянської влади відносно колгоспного селянства нашої країни, яке нібито «закріпачене» і «катоване»;
- документ, що починається зі слів: «Існує тільки дві форми…», в якому паплюжаться демократичні основи нашої країни, робиться спроба посіяти недовір'я народу до Уряду та радянської влади, наклепницьки твердиться, що в Радянському Союзі нібито «існує тільки дві форми контактування народу з урядом: відверта боротьба (в усіх

можливих її проявах) і відкрита полеміка» та вказується, що в нашій країни начебто «той, хто не згоден з урядом, є ворогом...»;

- машинописний документ, що починається зі слів: «Нещодавно в "Літературній Україні" було надруковано...», в якому, виступаючи на захист засуджених за ворожу діяльність Караванського, Чорновола, Осадчого та інших відщепенців, зводить наклепницькі вигадки на радянську дійсність, твердячи, що на Україні нібито безпідставно переслідуються інтелігенція та науковці, начебто відсутні демократія і свобода, що в нашій країні нібито знущаються з «соціалістичної законності, правосуддя, демократичних свобод»;
- машинописний текст вірша «Ось вам сонце, сказав чоловік з кокардою...», де зводяться наклепи на радянську дійсність, паплюжиться життя радянського народу, який начебто «злиденний і духовно збіднений»;
- рукописний та машинописний примірники вірша «Колеса глухо стукотять...», в якому Стус В. С. зводить наклепницькі вигадки на радянський державний і суспільний лад, зображаючи нашу країну як «концтаборів союз».

Ці ворожі документи зберігав у себе вдома в м. Києві до дня вилучення їх під час обшуку 14 травня 1980 року.

- Залишаючись на антирадянських націоналістичних позиціях, Стус В. С. в другій половині 1979 року — початку 1980 року з метою підриву та ослаблення радянської влади виготовив у м. Києві для подальшого розповсюдження рукописний документ українською і російською мовами під назвою «Пам'ятка українського борця за справедливість» («Памятка украинского борца за волю»), який за своїм змістом і спрямуванням є відверто антирадянським, наклепницьким. В ньому з націоналістичних позицій зводить злісні наклепницькі вигадки, що порочать радянський державний і суспільний лад, викладає конкретну програму боротьби проти радянської влади, обстоює необхідність створення так званої «незалежної України». При цьому закликає проводити ворожу діяльність шляхом створення «широкої мережі правозахисних об'єднань» на платформі «забезпечення незалежної України, організації випуску періодичних журналів типу "Укр. вісника" — і т. д.». Наклепницьки твердить, що Україну нібито тримають «в колоніальному ярмі шляхом страшного терору, геноциду», виправдовує антирадянську, антинародну діяльність бандитів ОУН-УПА, називаючи її національно-визвольним рухом.

Зазначений антирадянський документ він зберігав у себе вдома в м. Києві до вилучення його під час обшуку 14 травня 1980 року.

Поряд з виготовленням, розповсюдженням і зберіганням ворожих документів Стус В. С. протягом тривалого часу з метою підриву та ослаблення радянської влади проводив антирадянську агітацію і пропаганду в усній формі, поширюючи злісні вигадки, що порочать радянський державний і суспільний лад.

Так, відбуваючи покарання у виправно-трудовій колонії № 19 селища Лісний Мордовської АРСР та спілкуючись з засудженим за антирадянську діяльність Сіриком М. І. в неодноразових розмовах з ним систематично висловлював наклепницькі вигадки на радянський державний і суспільний лад, стверджуючи, що в Радянському Союзі нібито порушуються права людини, а органи Радянської влади начебто чинять беззаконня», арештовують і засуджують «невинних людей». Існуючий в нашій країні лад називав «фашистським» та порівнював його з режимом царської Росії, заявляв, що на Україні нібито проводиться «насильницька русифікація», яку, за його словами, чинять органи Радянської влади, що УРСР начебто не є рівноправною республікою, а перебуває в підневільному стані. Обробляючи Сірика М. І. в антирадянському націоналістичному дусі, закликав його до проведення активної ворожої діяльності, заявляючи, що «проти Радянської влади всі засоби боротьби підходять, починаючи від антирадянської агітації та пропаганди до вчинення терористичних акцій».

Перебуваючи на засланні в селищі Матросова Тенькінського району Магаданської області, з тією ж ворожою метою в період з весни 1977 року до літа 1979 року під час розмов з мешканцями цього селища систематично зводив наклепницькі вигадки на радянський державний і суспільний лад.

Зокрема, в розмовах з робітником рудника імені Матросова Шаврієм І. Н. по місцю роботи та в гуртожитку в названий вище час наклепницьки стверджував, що в нашій країні начебто відсутня свобода, що органи Радянської влади нібито порушують права громадян, творять «беззаконня» і «пригнічують народні маси».

- В той же період під час розмов з начальником відділу кадрів вказаного рудника Шаріповим Р. Г. наклепницьки твердив, що в Радянському

Союзі нібито відсутні свобода слова, друку, пересування, намагався порівняти органи радянської влади з гестапо та з націоналістичних позицій заявляв, то «Україна повинна бути тільки для українців».

- Під час розмов з завідуючою книжковим магазином зазначеного селища Банніковою А. М. в жовтні-листопаді 1977 року, в вересні 1978 року та в березні 1979 року наклепницьки твердив, що записані в Конституції СРСР права і свободи для радянських людей неначе є «фікцією», «вигадкою» для обману радянського народу і світової громадськості, оскільки ці слова, за його словами, начебто порушуються органами Радянської влади, що в нашій країні нібито відсутня демократія, чиниться «цинічне беззаконня». Державний лад нашої країни порівнював з режимами дореволюційної Росії, з фашистським, в той же час вихваляв «демократію» і спосіб життя в капіталістичних країнах.
- В період від грудня 1977 року до липня 1979 року під час розмов з прохідником рудника ім. Матросова Радевичем Є. В. наклепницьки твердив, що в Радянському Союзі начебто «грубо порушуються права громадян», органи влади «раз у раз чинять беззаконня», безпричинно переслідують «передових людей». З ворожих позицій висловлювався, що радянський уряд начебто «гнобить» народні маси і творить у країни «цинічне беззаконня». Намагався довести, що Україна нібито є «колонією Москви», перебуваючи в складі Союзу РСР, начебто не має прав суверенної республіки, та закликав Радевича до проведення ворожої діяльності, заявляючи, що «українцям треба вести національно-визвольну боротьбу» за «звільнення України».

У грудні 1977 року під час розмови з прохідником вказаного рудника Голубенком В. В., висловлюючи своє невдоволення існуючим в нашій країні державним і суспільним ладом, зводив наклепницькі вигадки на демократичні основи радянського суспільства, заявляв, що радянські люди нібито обмежені в своїх громадянських правах, а також вихваляв спосіб життя в капіталістичних країнах, де начебто існує справжня демократія.

Проживаючи в гуртожитку в одній кімнаті з головним енергетиком фабрики цього ж рудника Русовим Є. К., в період з січня 1978 року до червня 1979 року під час розмов з ним наклепницьки твердив, що в Радянському Союзі начебто відсутня демократія, існує сваволя та беззаконня. Разом з цим радянський державний і суспільний лад ототожнював з режимом царської Росії, стверджував, що на Україні нібито проводиться «насильницька русифікація». Наклепницьки заявляв, що Українська РСР начебто не є рівноправною республікою в складі СРСР, а також виправдовував злочинну діяльність бандитів ОУН.

- В березні 1978 року в кімнаті гуртожитку вказаного селища в присутності прохідника Ковальова Георгія Івановича і його дружини Ковальової Світлани Григорівни зводив наклепницькі вигадки на радянський державний і суспільний лад, стверджуючи, зокрема, що начебто в УРСР для громадян відсутні права і вони незаконно переслідуються.
- В період від березня 1978 року до липня 1979 року, під час розмов з робітником названого рудника Грибановим Валерієм Яковичем, з яким проживав в одній кімнаті, наклепницьки твердив, що Радянська влада нібито не в народною, а що в нашій країні неначе чиниться «беззаконня» та порушуються права громадян, з ворожих позицій заявляв, що Україна в складі Союзу РСР нібито не суверенна держава, та закликав до боротьби з Радянською владою.
- Протягом вересня 1978 року — січня 1979 року в розмовах з сусідом по кімнаті гуртожитку робітником Мастраковим П. М. наклепницьки твердив, що в Радянському Союзі нібито порушуються права людини та демократичні принципи нашого суспільства, зводив злісні наклепи на внутрішню політику КПРС та Радянського уряду.
- У грудні 1978 року в приміщенні рудника імені Матросова в присутності робітників Стефановського Б. Г., Казакова П. В. і згаданого вище Голубенка В. В. зводив наклепи на радянський державний і суспільний лад, політику КПРС, заявляючи, що комуністи нібито довели країну до убогості і злиденності.
- В квітні 1979 року під час розмови з директором вказаного рудника Войтовичем В. С. зводив наклепи на радянську дійсність, заявляючи, що в нашій країні нібито існує «беззаконня», радянський народ начебто «безправний», «заляканий», а КПРС начебто проводить антинародну політику.
- Під час лікування в хірургічному відділенні лікарні селища Транспортне Тенькінського району Магаданської області протягом серпня-жовтня 1977 року в розмовах з сестрою-господаркою Никифоренко Н. К. систематично допускав наклепи на радянський спосіб життя, політику КПРС і Радянський уряд.

Зокрема твердив, що в нашій країні начебто відсутні демократичні права і свободи громадян. Органи радянської влади, за його словами, нібито «творять беззаконня». З ворожих позицій заявляв, що Україна в складі Союзу РСР начебто нерівноправна.

- Перебуваючи на лікуванні в тій же лікарні в червні 1979 року під час розмов з мешканцем селища Омчак Тенькінського району Магаданської області Жеренковим М. М. зводив наклепницькі вигадки на радянський державний і суспільний лад, заявляв, що в нашій країні начебто відсутня свобода слова, друку, обмежуються права громадян і радянські люди нібито позбавлені елементарних людських прав, а також допускав наклепи на марксистсько-ленінське вчення.

Пленум Верховного Суду УРСР 15 червня 1990 року скасував вирок Київського обласного суду від 7 вересня 1972 року і касаційну ухвалу із закриттям справи відносно Стуса В. С. за відсутністю в його діях складу злочину, передбаченого ст. 62 ч. І КК УРСР.

Підлягає скасуванню і вирок Київського міського суду від 2 жовтня 1980 року відносно Стуса В. С. з таких підстав.

Суд вірно встановив і навів у вироку фактичні обставини подій, але дав їм неправильну оцінку і зробив необгрунтований висновок про те, що Стус В. С. займався виготовленням, зберіганням, розповсюдженням з метою підриву та ослаблення Радянської влади антирадянської літератури і поширював в усній формі з тією ж метою наклепницькі вигадки, що порочили радянський державний і суспільний лад.

Написанням заяви до Президії Верховної Ради СРСР від 10 грудня 1976 року, яка була направлена в Прокуратуру Союзу РСР, Стус В. С. реалізував своє право громадянина звернутися за захистом гарантованих Конституцією СРСР політичних та особистих прав і свобод (т. 4 а. с. 11—13).

В заяві він посилався на безпідставне засудження його і інших осіб за політичні переконання, неправильне, на його думку, утримання громадян в психіатричних лікарнях, просив про реабілітацію і додержання закону.

Ця заява Стуса В. С. підлягала перевірці з повідомленням заявника про результати її розгляду.

Оскільки заява Стуса не містить в собі антирадянських і наклепницьких вигадок, вона не може бути предметом злочину, за який він засуджений.

У «Відкритому листі до І. Дзюби» Стус висловлював свою думку відносно арештів громадян на Україні в 1972—1973 рр. лиш за бажання мати почуття самоповаги, людської і національної гідності, прагнення до людяного соціалізму, рівноправного національного співжиття, демократизації громадського життя і духовного розкріпачення, переживав за духовне існування рідного народу, давав оцінку поведінці Дзюби в політичній боротьбі (т. 4 а. с. 123—124, 134, 137—141).

Посилання у вироку на паплюження в цьому листі радянського державного та суспільного ладу, наклепницькі твердження про арешти в 1972—1973 рр. на Україні, відсутність переслідування літераторів, загрозливого духовного існування народу не можна визнати обгрунтованими, оскільки суд не перевіряв ці факти в судовому засіданні, їх достовірність чи недостовірність, цей лист не містить агітації проти Радянської влади.

В листі до своїх знайомих — Коцюбинської М. Х., Кириченко С. Т., Бадзьо Г. В., Стус В. С. повідомляв їх про неправильну, на його думку, національну політику, репресії щодо українців, катастрофічне духовне існування народу, висловлював намір продовжити боротьбу за соціальну справедливість демократичним шляхом (т. 4 а. с. 15).

За тих умов, коли була спотворена і деформована ленінська національна політика, звинувачення Стуса В. С. в наклепницьких твердженнях щодо цього є безпідставним.

Висловлюючи в листі до Л. Лук'яненка своє бажання бути членом «Українського наглядового комітету», Стус В. С. мав на меті боротися демократичним шляхом за забезпечення інтересів національних меншостей, прав українського народу, незалежність України.

Наклепницьких тверджень в цьому листі немає ((т. 4 а. с. 16—20).

В листі-зверненні до Расула Гамзатова Стус повідомляв про його і інших осіб засудження за «недозволенные мысли», звинувачення в націоналізмі, посилався на беззаконня, просив переглянути всі справи політичних в'язнів на Україні і реабілітувати їх (т. 4 а. с. 21).

Цей лист не містить ні антирадянських, ні наклепницьких тверджень.

Звернення Стуса В. С. до представника демократичного руху Григоренка П. Г. також було визване бажанням приймати участь в роботі по забезпеченні прав народів на самостійне рішення своєї долі, захистити інтереси українців (т. 4 а. с. 22—23).

В цих листах він стверджував про репресії творчої інтелігенції, беззаконня і свавілля по відношенню до його однодумців. Закликів до насильницьких повалень або зміни радянського державного і суспільного ладу листи не містять. Про те, що ці листи є наклепницькими, судом не доведено.

З гуманістичних позицій Стус В. С. став на захист однодумця М. Горбаля, вважаючи його засудження необґрунтованим (т. 4 а. с. 24—27).

Його суб'єктивну думку про роботу правозахисних органів не можна розглядати як наклепи з метою підриву чи ослаблення державного і суспільного ладу.

Записи в загальному зошиті стосовно марксистсько-ленінського вчення, Великої Жовтневої соціалістичної революції — це точка зору Стуса В. С., концепція створення нашої держави. Вона ідеологічно помилкова. Але вважати, що ці записи були направлені на насильницьке повалення або зміну радянського державного і суспільного ладу, підстав немає. Доказів про це в справі не наведено (т. 4 а. с. 28).

Вивчення віршів Стуса В. С. «Безпашпортний, закріпачений в селі...», «Існує тільки дві форми...», «Ось вам сонце, сказав чоловік з кокардою...», «Колеса глухо стукотять...», лист, що починається словами «Нещодавно в "Літературній Україні..."», «Пам'ятки українського борця за справедливість», показує, що в них немає нічого антирадянського і наклепницького (т. 4 а. с. 29—39, 41—42).

Не свідчать про умисел засудженого на проведення в усній формі антирадянської агітації і пропаганди з метою підриву чи ослаблення Радянської влади і показання свідків.

Так, із показань свідка Баннікової А. М. видно, що Стус при обговоренні проекту нової Конституції в 1978 році, в бесідах з нею висловлював свої погляди про те, що записані в ній права і свободи для громадян є «фікцією», «вигадкою» для обману радянського народу і світової громадськості, оскільки ці права, за його словами, порушуються органами Радянської влади, що в нашій країні відсутня демократія, в виборах Уряду приймають участь не всі громадяни, а тільки комуністи, чиниться «цинічне беззаконня», переслідуються всі інакомислячі, відправляють на заслання тих, хто не згідний з офіційною лінією партії. При цьому Стус розповідав про себе, про його безпідставне засудження за переконання. Далі він говорив, що державний лад нашої країни не відрізняється від режиму дореволюційної Росії та фашистського,

Сталін від Гітлера, тому що по його наказу було вбито багато ні в чому не винних людей, що населення нашої країни залякане діями КДБ, що в нашій країні є люди, які борються за права людей, і він бажає стати членом цієї організації.

Вона намагалася на нього вплинути позитивно в зв'язку з тим, що Стус В. С. неправильно трактував деякі факти радянської дійсності (т. 1 а. с. 114—116, т. 3 а. с. 13—29, т. 6 а. с. 274—277).

Свідок Никифоренко Н. К. давала показання про те, що Стус був незгідний з офіційною лінією партії і уряду, розповідав про безпорядки у в'язниці, що органи влади творять беззаконня і його безпідставно засудили за те, що він боровся за права людей на краще життя, що життя у нас погане, в магазинах немає продуктів і товарів, люди нищі, не можуть заробити на життя, а за кордоном все це є і життя там краще, що Радянський уряд порушує закони, утискуються права людини, що Україна знаходиться в колоніальній залежності від СРСР і якби не Росія, то Україна була би самостійною і українці жили би краще, а так все вивозять в Росію (т. 1 а. с. 121—123, т. 3 а. с. 155—166).

Свідок Жеренков М. М. показав, що Стус говорив про погане медичне обслуговування в Радянському Союзі і хвалив його за кордоном, що утискуються права людини, немає свободи слова і друку, радянські люди не живуть, а існують, відмежовані від зовнішнього світу, порівнював їх з роботами, говорив, що через відсутність особистої власності і конкуренції в нас немає хороших продуктів, доказував, що соціалістичний лад себе не виправдовує, держиться на насильстві, називав марксистсько-ленінське вчення утопічним, маренням радянських фанатиків (т. 3 а. с. 93—100, т. 6 а. с. 289—291).

За показаннями свідка Грибанова В. Я., Стус В. С. говорив йому, що в нашій країні існує не влада народу, а влада кліки комуністів — пристосубленців, гнобителів, радянський уряд творить «цинічне беззаконня», порушує права громадян і переслідує передових людей, які борються з такими порушеннями. До числа передових людей він відносив себе і осіб, засуджених за антирадянську діяльність або висланих з СРСР, вихваляв їх, говорив, що вони утворюють опозицію Радянському урядові і за це їх переслідують співробітники КДБ, відправляють в концтабори і заслання, що нема свободи творчості, його безпідставно засудили як літератора, але історія його виправдає.

З озлобленням висловлювався, що проти Радянської влади всі засоби хороші, але конкретних своїх планів, предложень не називав. Радянська Україна, знаходячись в складі СРСР, немає тих прав, які б вона мала, будучи самостійною державою, що вона є колонією Москви, проводиться насильницька русифікація і українцям треба вести боротьбу за своє визволення (т. 3 а. с. 62—77).

Свідок Войтович В. С. показав, що Стус В. С. висловлювався про беззаконня в нашій країні, переслідування передових людей, в тому числі і його, безправність народу, що владу в країні захопила «шайка» із КПРС для одержання особистих вигод, що страждає за свої переконання. Його ідеологічні погляди він не розділяв (т. 3 а. с. 32—51).

Із показів свідка Голубенка В. В. видно, що Стус В. С. висловлював невдоволення державним і суспільним ладом, говорив про обмеження радянських людей в своїх правах, переслідування людей, які виступали з критичними зауваженнями, доказував, що винні в цьому керівники партії і уряду, існуючий лад, що комуністи довели країну до зубожіння (т. 3 а. с. 52—61, т. 6 а. с. 287—288).

Свідок Ковальов Г. І. показав, що Стус В. С. висловлювався за самостійну Україну, що тільки на Західній Україні справжні українці, а східні продалися москалям, що він страждає за свої переконання, за те, що боровся і бореться за волю для України, за демократичні права для народу (т. 3 а. с. 105—116).

За показаннями свідка Сірика М. І., він відбував покарання за антирадянську агітацію і пропаганду, спілкувався зі Стусом В. С., який був ініціатором написання засудженими різних петицій, заяв, скарг до різних державних установ і організацій про порушення прав людини в нашій країні, спонукав їх до проведення голодовок з різних приводів, у вигляді так званих «протестів», рекомендував йому читати різні рукописні документи націоналістичного, ідейно-шкідливого змісту, говорив, що в Радянському Союзі порушуються права людини, що органи влади чинять беззаконня, арештовують і засуджують безневинних людей. Як приклад цьому, він називав себе та інших осіб, засуджених за антирадянську діяльність.

Намагався довести йому, що Україна в складі СРСР не є рівноправною республікою, а перебуває в підневільному стані, в залежності від Росії, що наша республіка є колонією Москви. При цьому він заявляв, що на території України проводиться насильницька русифікація, яку чинять органи Радянської влади та кліка комуністів.

Говорив йому, що проти Радянської влади всі засоби боротьби підходять, починаючи від антирадянської агітації і пропаганди до вчинення терористичних акцій.

Він твердив, що на терор проти нас, засуджених за антирадянську діяльність, потрібно відповідати нашим терором — масовими голодовками засуджених, невиходом на роботу, написанням різних заяв, скарг.

Стус підкреслював, що таку боротьбу потрібно вести постійно, всюди: в колоніях, в місцях заслання, «на волі», намагався довести, що перемога над органами Радянської влади може наступити тільки тоді, коли всі «антирадянщини», всі течії антирадянської боротьби — дисиденти, і націоналісти, сектанти та інші об'єднаються і не будуть між собою ворогувати.

Говорив йому, що став на шлях революціонера, борця за права людини в СРСР і що з цього шляху він ніколи не зійде, завжди і всюди вестиме боротьбу проти існуючого в нашій країні ладу, який він називав фашистським, а також порівнював його з режимом царської Росії. Поглядів Стуса В. С. він не розділяв (т. 3 а. с. 229—244, т. 6 а. с. 291—294).

Зібрані у справі докази, в тому числі показання свідків, свідчать про те, що погляди, переконання Стуса В. С. в той час були ідейно шкідливими, але не спрямовані до насильницького повалення або зміни радянського державного і суспільного ладу. Публічних закликів до насильницьких дій з метою підриву чи ослаблення Радянської влади Стус В. С. не висловлював. Він демократичним шляхом, доступними йому методами боровся за становлення демократичних засад в організації державного життя, проти окремих порушень, які були допущені в той період.

Вважаю, що в діях Стуса В. С. відсутній склад злочину, за який він засуджений.

З урахуванням наведеного, керуючись ст. 384 УПК УССР, —

Прошу:

Вирок судової колегії в кримінальних справах Київського міського суду від 2 жовтня 1980 року відносно Стуса Василя Семеновича скасувати, а провадження у справі закрити за відсутністю в його діях складу злочину.

Додаток: кримінальна справа в 6 томах.

Прокурор Української РСР
державний радник юстиції
2 класу М. О. Потебенько

Справа № 315/490 Категорія ст. 62 КК УРСР

Доповідач Завгородня Г. М.

УХВАЛА
Судова колегія в кримінальних справах Верховного Суду
Української Радянської Соціалістичної Республіки
в складі:

Головуючого Завгородньої Г. М.
Членів суду Федченка О. С., Міщенка С. М.
за участю прокурора Макашова Є. В.
та адвокатів —
розглянула в судовому засіданні 2 серпня 1990 року
крим. справу за протестом Прокурора Української РСР на вирок судової колегії в кримінальних справах Київського міського суду від 2 жовтня 1980 року.

Цим вироком Стус Василь Семенович, 8 січня 1938 року народження, уродженець с. Рахнівки Гайсинського р-ну Вінницької обл., українець, з вищою освітою, громадянин СРСР, судимий 7 вересня 1972 року за ст. 62 ч. І КК УРСР на 5 років позбавлення волі та 3 роки заслання, засуджений за ст. 62 ч. 2 КК УРСР на 10 (десять) років позбавлення волі і на 5 років заслання.

На підставі ст. 26 ч. І КК УРСР Стус В. С. визнаний особливо небезпечним рецидивістом і відбування покарання визначено у виправно-трудовій колонії особливого режиму.

У касаційному порядку справа не розглядалася.

Стус В. С. визнаний винним у тому, що, відбуваючи в 1974—1979 рр. покарання за попереднім вироком, а з серпня 1979 р. мешкаючи у м. Києві і залишаючись на ворожих радянському суспільству позиціях, спілкуючись з особами, засудженими за особливо небезпечні державні злочини, а також з представниками зарубіжних буржуазно-націоналістичних кіл, з метою підриву та ослаблення Радянської влади протягом тривалого часу систематично виготовляв, зберігав та розповсюджував антирадянську наклепницьку літературу, в якій містяться заклики до проведення боротьби з Радянською владою, та вигадки, що порочать державний і суспільний лад.

Деякі з них потрапили в капіталістичні країни і широко використовувалися буржуазно-націоналістичними центрами в провокаційних кампаніях проти Союзу РСР.

З тією ж ворожою метою Стус В. С. займався антирадянською агітацією і пропагандою в усній формі, поширюючи наклепницькі вигадки на радянський державний та суспільний лад, хоч його 19 жовтня 1976 року та 19 червня 1978 р. було попереджено офіційно про недопустимість дій, які суперечать інтересам державної безпеки.

Зокрема, у грудні 1976 р. Стус виготовив наклепницький документ — «заяву» до Президії Верховної Ради СРСР і тоді ж надіслав до Прокуратури Союзу РСР, в якій порочить радянський державний і суспільний лад, схвалює діяльність осіб, заарештованих за особливо небезпечні та інші державні злочини.

У 1976 р. Стус виготовив «Відкритого листа до І. Дзюби», в якому твердить, що на Україні в 1972—1973 рр. начебто відбувся «антиукраїнський погром», цей документ набув поширення серед націоналістично настроєних осіб, а також потрапив за кордон, де використовувався буржуазною пропагандою в ворожих акціях проти Союзу РСР.

Восени 1977 р. Стус виготовив рукописний документ у вигляді «листа» до своїх знайомих Коцюбинської М. Х., Кириченко С. Т. та її чоловіка Бадзьо Г. В., в якому зводить наклепи на радянський державний і суспільний лад, національну політику КПРС та дружбу українського і російського народів, і надіслав його цим особам.

У листопаді 1977 р. Стус виготовив листа до Лук'яненка Л. Г., тоді ж надіслав йому. В листі він зводить наклепи на радянський державний і суспільний лад, підбурює «однодумців» проводити ворожу діяльність «в більш широкому планов», висловлює бажання бути членом так званого «Українського наглядового комітету».

В кінці 1977 р. Стус виготовив «лист-звернення» до одного із членів Президії Верховної Ради СРСР, в якому твердить про «беззаконие и насилие», що він і інші особи репресовано лише за їх «переконання», і зберігав за місцем свого проживання.

У грудні 1977 р. Стус виготовив «листа» до колишнього мешканця м. Москви Григоренка П. Г., якого за систематичне вчинення дій, несумісних з належністю до громадянства СРСР, позбавлено громадянства СРСР, і зберігав за місцем проживання. У листі паплюжаться органи правосуддя, яких він наклепницьки називає ворогами народу, зводяться наклепи на радянський суспільний лад.

У листопаді 1979 р. Стус виготовив «заяву» до Прокуратури УРСР, в якій, виступаючи на захист Горбаля, судимого за антирадянську діяльність і заарештованого за вчинення іншого злочину, він наклепницьки заявляє, ніби радянські правозахисні органи «вдаються до брутальних способів розправи і дискредитації людей», що зневажаються права людей. Текст цієї «заяви» він надіслав до Прокуратури УРСР, до мешканки м. Москви Лісовської Н. П., два примірники зберігав у себе.

«Заява» потрапила за кордон і використовувалася в підривних акціях проти СРСР.

В період із серпня 1979 р. до травня 1980 р. Стус виготовив рукописний документ без назви у загальному зошиті, у якому містяться злісні наклепницькі вигадки на радянський державний і суспільний лад, на марксистсько-ленінське вчення про соціалістичну революцію, ленінізм. Цей зошит він зберігав за місцем проживання.

В цей же період він зберігав раніше виготовлені: рукописні вірші «Безпашпортний і закріпачений...», «Ось вам сонце, сказав чоловік з кокардою...», «Колеса глухо стукотять...» та два інших документи.

У віршах та документах зводяться наклепи щодо політики КПРС і Радянської влади відносно колгоспного селянства, на демократичні основи нашої країни, соціалістичну законність, радянську дійсність.

В другій половині 1979 — на початку 1980 рр. Стус виготовив для розповсюдження рукописний документ українською і російською мовами під назвою «Пам'ятка українського борця за справедливість», в якому з націоналістичних позицій зводить наклепи на державний і суспільний лад, виправдовує антинародну діяльність бандитів ОУН-УПА, і зберігав його у себе вдома.

Крім цього, протягом тривалого часу Стус з метою підриву та ослаблення Радянської влади проводив антирадянську агітацію і пропаганду в усній формі.

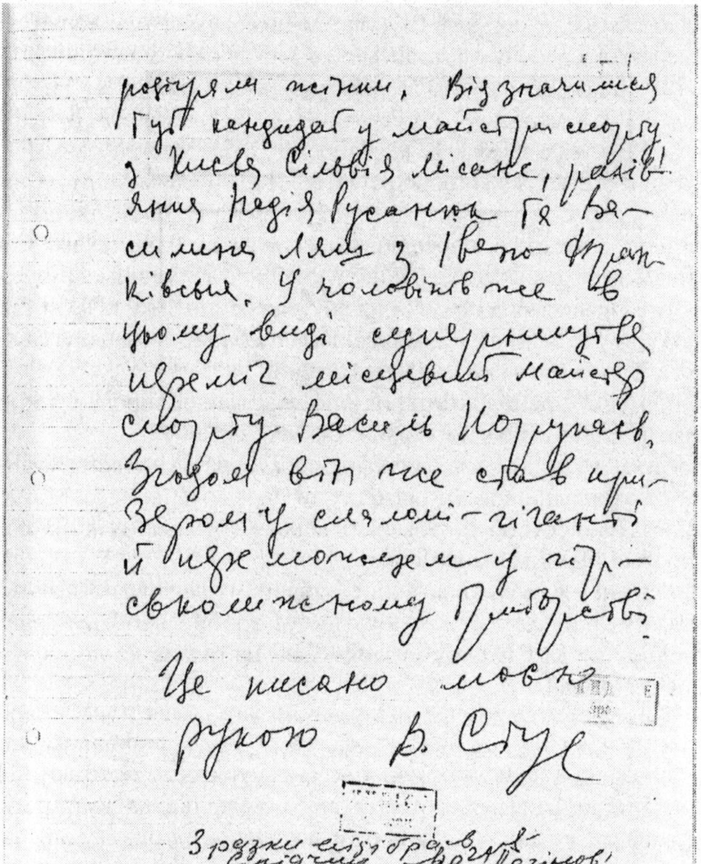

Серед машинописних документів справи іноді можна побачити й рукописи Василя Стуса

Спілкуючись у виправно-трудовій колонії № 19 Мордовської АРСР із засудженим Сіриком М. І., він систематично висловлював наклепницькі вигадки на радянський державний і суспільний лад, твердив про порушення прав людини, беззаконня в країні, про «насильницьку русифікацію України», закликав його до активної ворожої діяльності, при цьому говорив, що для цього всі засоби боротьби підходять.

Такого ж змісту розмови Стус вів з мешканцями селища Матросова Тенькінського району Магаданської області в період з весни 1977 до літа 1979 р., перебуваючи в засланні, зокрема з Шавріем І. Н., Шаріповим Р. Г., Банніковою А. М., Радевичем Є. В., Голубенком В. В., Русовим Є. К., Ковальовим Г. І., Грибановим В. Я., Мастраковим П. М., Войтовичем В. С., Никифоренко Н. К., Жеренковим М. М., а також в присутності Стефановського Б. Г. і Казакова П. В. Він твердив про відсутність демократії, порушення прав людей у Радянському Союзі, колоніальну залежність України від Москви, «насильницьку русифікацію» українців, зводив наклепи на внутрішню політику КПРС і Радянського уряду та заявляв, що «українцям» треба вести «національно-визвольну боротьбу» за «звільнення України».

У протесті ставиться питання про скасування вироку і закриття справи за відсутністю в його діяннях складу злочину.

Заслухавши доповідача, висновок прокурора, який підтримав протест, обговоривши доводи протесту та перевіривши за матеріалами справи законність і обгрунтованість вироку, судова колегія знаходить, що протест підлягає задоволенню.

Викладені у вироку фактичні обставини справи відповідають доказам, але на підставі цих доказів суд зробив необґрунтований висновок, що дії Стуса були спрямовані на підрив чи послаблення Радянської влади.

Зокрема, заявою до Президії Верховної Ради СРСР від 10 грудня 1976 року, яку Стус надіслав у Прокуратуру Союзу РСР, він реалізував своє право на захист гарантованих Конституцією СРСР політичних та особистих прав і свобод. В ній він посилався на необґрунтоване засудження його і інших осіб за політичні переконання, безпідставне утримання громадян в психіатричних лікарнях, прохав про реабілітацію і вирішення поставлених ним питань згідно закону. Заява підлягала до перевірки і відповідного реагування, тому пов'язані з цим звернення до Стуса суд необґрунтовано розцінив як злочин.

Без достатньої перевірки тверджень Стуса у «Відкритому листі до І. Дзюби» про арешти громадян на Україні в 1972—1973 рр. лише за бажання мати почуття самоповаги, людської і національної гідності, прагнення до людяного соціалізму та інших людських цінностей у вироку зроблено висновок про паплюження в ньому радянського державного та суспільного ладу.

У листі до Коцюбинської М. Х. та інших знайомих Стус виклав свою думку щодо національної політики, репресії українців, духовного існування народу, висловлював намір продовжити боротьбу за соціальну справедливість демократичним шляхом. За умов, коли в той час була спотворена і деформована ленінська національна політика, визнання Стуса винним в тому, що в листі він зводив наклеп з цього питання, є безпідставним.

Не містить наклепів і лист до Л. Лук'яненка, бо в ньому Стус висловив бажання бути членом «Українського наглядового комітету» і демократичним шляхом боротися за забезпечення інтересів національних меншостей, прав українського народу і незалежність України. Такого ж характеру і лист Стуса до Григоренка П. Г.

У листі до Р. Гамзатова Стус повідомляв про його і інших засуджених осіб за обвинувачення в націоналізмі, висловлювався про беззаконня, прохав переглянути всі справи політичних в'язнів країни і реабілітувати їх.

Зміст цього листа не містить ні антирадянських, ні наклепницьких тверджень.

З гуманістичних позицій став Стус на захист і Горбаля, бо вважав його засудження необгрунтованим.

Не можна розглядати як наклеп з метою підриву чи послаблення державного і суспільного ладу і думку Стуса про роботу правозахисних органів.

В загальному зошиті щодо марксистсько-ленінського вчення Великої Жовтневої соціалістичної революції Стус зробив записи про концепцію створення нашої держави, висловивши свою точку зору, і хоч вона є помилковою, суд не мав підстав і не навів доказів, що записи в зошиті були спрямовані на насильницьке повалення чи зміну радянського державного і суспільного ладу.

Аналіз віршів Стуса «Безпашпортний, закріпачений…», «Існує тільки дві форми…», «Ось вам сонце, сказав чоловік з кокардою», «Колеса

АВИА

250019
Чернигов-19,
Рокоссовского, 41-б, кв. 41
Лукьяненко Льву
Григорьевичу

686071
с. Матросово
Тенькінського р-ну
Магадан. обл., зо
вимоги В. Стус

Вилучений КДБ лист Василя Стуса товаришеві, члену Української Громадської групи сприяння виконанню Гельсінських угод Левку Лук'яненку

228

ПОСТАНОВЛЕНИЕ
о производстве выемки

9. июля 1980 г. гор. [пос.] Матросова Магаданской области

Следователь следственного отдела КГБ УССР майор ЦИМОХ

…смотрев материалы уголовного дела № в отношении СТУСА Василия Семеновича

…инимая во внимание, что в отделении связи поселка Матросова Тенькинского района Магаданской области находятся извещения на посылки, ценные бандероли, денежные переводы и другие почтовые документы, поступившие в 1977 – 1979 годах в адрес СТУСА Василия Семеновича, которые имеют значение для уголовного дела.

Значна частина матеріалів справи — це вилучені на пошті і в помешканнях Стуса приватні листи, бандеролі, посилки

До справи 168

В зв'язку з тим, що т. зв. моя „справа" закінчена на стадії слідства і мені запропоновано з нею ознайомитися, вимагаю:

1. надати мені змогу знайомитися з цією „справою" в присутності міжнародного адвоката, який, я певен, заочно мені призначений — чи то Amnisty International чи ПЕН-клубом. Така необхідність викликана тим, що інститут політичної адвокатури в СРСР практично відсутній (на судах офіційні адвокати СРСР виконують функції другого прокурора). А другий прокурор мені не потрібен.

В. Стус

3.9.80 р.

Вимога залучити до процесу представників правозахисної організації «Міжнародна амністія» та ПЕН-клубу. Причина — «інститут політичної адвокатури в СРСР практично відсутній (на судах офіційні адвокати СРСР виконують функції другого прокурора)» глухо стукотять…», інших документів, визнаних судом у вироку наклепницькими, свідчить про помилковість такого висновку.

Зміст показань свідків, на яких суд послався у вироку, також не свідчить про те, що розмови, які вів із ними та в їх присутності Стус, були спрямовані на підрив чи послаблення Радянської влади.

Із показань Баннікової вбачається, що з приводу проекту нової Конституції Стус у 1978 р. висловлювався як про «фікцію» для обману радянських людей і світової громадськості, вважав, що їх права порушуються, розповідав про себе і безпідставне його засудження за переконання. Він говорив, що державний лад нашої країни не відрізняється від режиму дореволюційної Росії та фашистського, Сталін від Гітлера, бо з його наказу вбито багато невинних людей. Висловлював бажання стати членом організації, яка бореться за права людей.

За показаннями свідка Никифоренко, їй Стус розповідав про безпорядки у в'язниці, що він безпідставно засуджений, бо боровся за право людей на краще життя, вихваляв умови життя за кордоном. Твердив про порушення законів Радянським урядом, утискування прав людини, про колоніальну залежність України від СРСР, що з України все вивозиться в Росію, тому українці погано живуть.

Із показань свідка Жеренкова вбачається, що Стус говорив про погане медичне обслуговування в Радянському Союзі і вихваляв закордонне, про утискування прав людей, доводив, що соціалістичний лад держиться на насильстві, марксистсько-ленінське вчення вважав утопією, доводив перевагу особистої і приватної власності над колективною.

Як показав свідок Грибанов, у розмові з ним Стус говорив про порушення прав громадян і переслідування людей, які борються з такими порушеннями. До таких людей він відносив і себе та осіб, засуджених за антирадянську діяльність або висланих із СРСР, вихваляв їх, говорив про переслідування таких співробітниками КДБ.

Аналогічні цим і показання свідка Войтовича.

Про те, що Стус висловлював невдоволення державним і суспільним ладом, говорив про обмеження радянських людей у правах, переслідування тих, хто виступав із критичними зауваженнями, доводив, що винні у цьому керівники партії і уряду, комуністи, показував свідок Голубенко.

Свідок Ковальов показав, що Стус висловлювався за самостійну Україну, вважаючи справжніми лише західних українців, говорив, що страждає за переконання та боротьбу за волю для України, за демократичні права для народу.

З показань свідка Сірика, який спілкувався зі Стусом у виправно-трудовій колонії, видно, що останній рекомендував йому читати різні рукописні документи націоналістичного, ідейно-шкідливого змісту, говорив про порушення прав людини і беззаконня в країні. Доводив, що Україна в складі СРСР перебуває у підневільному стані, є колонією Москви, заявляв про насильницьку русифікацію органів Радянської влади і комуністів. Твердив, що на терор проти засуджених за антирадянську діяльність треба відповідати нашим терором — масовими голодовками, невиходом на роботу, написанням скарг, закликав до об'єднання всіх «антирадянщиків», щоб вони не ворогували між собою.

Аналіз цих доказів, на які послався у вироку і суд, свідчить про те, що Стус у письмовій та усній формі висловлював свої переконання і погляди, які на той час не відповідали позиції офіційних органів, окремі з них були і шкідливими, але публічних закликів до насильницького повалення, підриву чи послаблення Радянської влади він не допускав. Доступними методами Стус боровся за становлення демократичних засад в суспільстві, проти окремих порушень, допущених в той період.

Тому в діях Стуса відсутній склад злочину, в зв'язку з чим вирок підлягає скасуванню, а справа — закриттю на підставі п. 2 ст. 6 КПК УРСР.

Вирок від 7 вересня 1972 р., яким Стус був засуджений за ст. 62 ч. I КК УРСР на 5 років позбавлення волі, постановою Пленуму Верховного Суду УРСР від 15 червня 1990 р. скасовано і справа закрита за відсутністю в його діяннях складу злочину. Цією ж постановою скасована і касаційна ухвала.

Керуючись ст. ст. 393, 394 КПК УРСР, судова колегія, —

ухвалила:

Протест Прокурора Української РСР задовольнити.

Вирок судової колегії в кримінальних справах Київського міського суду від 2 жовтня 1980 року відносно Стуса Василя Семеновича скасувати, а справу на підставі п. 2 ст. 6 КПК УРСР закрити за відсутністю в його діяннях складу злочину.

Головуючий (подпись)
Члени суду (подпись)

612

Комітет Державної Безпеки Української РСР	Комитет Государственной Безопасности Украинской ССР

9 июля 1991 г.
№ 10/1—1087
г. Киев

Председателю Верховного Суда
Украинской ССР
тов. Якименко А. Н.

Киевским городским судом 2 октября 1980 года был осужден по ст. 62 ч. II УК УССР (антисоветская агитация и пропаганда) к 10 годам лишения свободы и 5 годам ссылки Стус Василий Семенович, 1938 года рождения. По протесту Прокурора Украинской ССР от 18.07.1990 г. дело на Стуса рассмотрено Судебной коллегией по уголовным делам Верховного Суда УССР, которая Постановлением от 2 августа 1990 года отменила ранее вынесенный приговор и на основании п. 2 ст. 6 УПК УССР прекратила дело за отсутствием в действиях Стуса состава преступления.

В протесте Прокурора республики и в указанном Постановлении Судебной коллегии отмечено, что в показаниях свидетелей и вещественных доказательствах, вмененных ему в вину, отсутствуют призывы к свержению, подрыву или ослаблению Советской власти. В то же время вопрос о судьбе приобщенных к делу в качестве вещественных доказательств рукописных и машинописных документов, автором которых является Стус В., решен не был.

С учетом того, что указанные материалы могут представлять определенную литературно-художественную ценность, о чем неоднократно подчеркивалось в средствах массовой информации, считали бы целесообразным решить в установленном порядке вопрос о передаче родственникам Стуса В. С. изготовленных им и находящихся в уголовном деле рукописных и машинописных документов, признанных вещественными доказательствами.

Приговор от 7 сентября 1972 г., на основании которого Стус был осужден по ст. 62 ч. 1 УК УССР на 5 лет лишения свободы, постановлением Пленума Верховного Суда УССР от 15 июня 1990 года отменен и дело закрыто за отсутствием в его деяниях состава преступления.

Председатель Комитета Н. Голушко

Получ. 13.07.1991 г.

Верховний суд
Української Радянської
Соціалістичної Республіки
252024, м. Київ, 24, ГСП
вул. Чекістів, 4
31 июля 91 г. № 315/490
Председатель Киевского городского суда
Тов. Бутенко Г. А.
Копия: Комитет государственной безопасности УССР
На № 10/1087 от 9 июля 91 г.

Направляю письмо КГБ УССР по вопросу решения судьбы вещественных доказательств по делу Стуса Василия Семеновича, осужденного приговором Киевского городского суда от 2 октября 1980 г. по ст. 62 ч. 2 УК УССР.

Реабилитирован определением судебной коллегии по уголовным делам Верховного Суда УССР от 2 августа 1990 г.

Прошу разрешить указанный вопрос в порядке ст. ст. 409—411 УПК УССР.

Приложение: 3 л.

Заместитель председателя судебной коллегии
по уголовным делам Верховного Суда УССР Е. И. Овчинников

12.08.91

Председателю Комитета государственной безопасности Украинской ССР
тов. Голушко Н.
(10-й отдел архива УКГБ УССР)

Для решения вопроса о судьбе вещественных доказательств по делу Стуса Василия Семеновича, осужденного приговором Киевского горсуда от 2 октября 1980 года по ст. 62 ч. 2 УК УССР и впоследствии реабилитированного определением от 2.08.1990 года, а также для решения вопроса о возмещении ущерба и восстановлении нарушенных прав в связи с реабилитацией Литвинова Бориса Андреевича в соответствии с требованиями Закона Украинской ССР от 17.04.1991 г. «О реабилитации жертв политических репрессий на

Украине» прошу направить Киевскому городскому суду указанные уголовные деда.

По минованию надобности они будут возвращены.

В случае необходимости позвонить по тел. 228/35-76 — член суда Жукова Людмила Васильевна.

И. о. Председателя
Киевского городского суда Г. И.Зубец

СПРАВКА
о вещественных доказательствах
по архивному уголовному делу № 67524 ФП
на Стуса В. С.

1. Заявление Стуса «В Президиум Верховного Совета СССР…» от 10.12.1976 г., с письмом в Прокуратуру СССР; том 4, с. 11—14.
2. Письмо Стуса «Дорога Михасю! Дорогі Світлано, Юрку!…» переписанный Кириченко и Бадзьо; том 4, с. 15.
3. Письмо Стуса к Лукьяненко Л. Г. от 9.11.1977 г. (ксерокопия машинописи), том 4, с. 16—20.
4. Письмо Стуса «Члену Президиума Верховного Совета СССР…», том 4, с. 21.
5. Письма Стуса к Григоренко П. Г.— «Уважаемый Петр Григорьевич! Обращается к вам…» и «Уважаемый Петр Григорьевич! Ваше имя…», том 4, с. 22, 23.
6. Оригинал заявления Стуса «В Прокуратуру УССР» от 19.11.1979 г., том 4, с. 24.
7. Копия заявления «В Прокуратуру УССР» от 18.11.1979 г., том 4, с. 25.
8. Текст заявления «В Прокуратуру УССР», изложенный в письме «Уважаемый Андрей Дмитриевич…», том 4, с. 26.
9. Текст заявления Стуса «В Прокуратуру УССР», изложенный в письме к Лисовской Н. П., том 4, с. 27.
10. Общая тетрадь с текстом документов, начинающихся со слов «Бердяев. В типе рус. ч-ка…», том 4, с. 28.
11. Общая тетрадь с текстами стихов Стуса: «Безпашпортний і закріпачений…», том 4, с. 29.

12. Машинописные тексты стихов: «Колеса глухо стукотять...», «Ось вам сонце...», том 4, с. 30.
13. Рукописное стихотворение «Колеса глухо стукотять», том 4, с. 31—32.
14. Рукопись документа «Існує тільки дві форми...», том 4, с. 33.
15. Машинописный документ «Нещодавно в "Літературній Україні..."», том 4, с. 34—39.
16. Черновик документа «Нещодавно...», начинается со слов «В зарубіжній психології...», том 4, с. 40.
17. Рукописный документ Стуса «Памятка украинского борца за волю», том 4, с. 41—43.
18. Общая тетрадь с рукописным текстом, который начинается со слов: «Песни одного острова», том 4, с. 44—122.
19. Ксерокопія документа Стуса «Відкритий лист до Івана Дзюби», том 4, с. 123, 124.
20. Конверт, адресованный Лукьяненко Л. Г. от Стуса со штемпелем «10.11.1977 г.», т. 4, с. 125—126.

Міністерство юстиції УРСР Київський міський суд 252025, м. Київ вул. Володимирська № 15	Министерство юстиции УССР Киевский городской суд 252025, м. Киев ул. Владимирская № 15

№ 2-С/80 16 августа 1991 г.

Заместителю председателя Комитета
государственной безопасности Украинской ССР
генерал-майору
т. Ковтуну Г. К.
На № 10/1—1087 от 9.07.91 г.

Киевский городской суд считает возможным возвратить родственникам Стуса В. С. согласно их заявлению вещественные доказательства в количестве 20 наименований, перечисленные в приложенной справке за № 10/1—1088, который приобщен в т. 6 л. 411—412.

По миновании надобности возвращаем уголовное дело № 2-С/80 в отношении Стуса В. С.

Приложение: уголовное дело в 6 томах.

И.о. председателя
Киевского городского суда Г. И. Зубец

---

10 отдел КГБ УССР
Входящий № 3452
16.08.1991 г.

2-С/80 4 октября 1991 года
Гр. Попелюх В. В.,
прож. в гор. Киеве-179,
ул. Чернобыльская д. 13-а, кв. 94

Киевский городской суд извещает Вас, что определением судебной коллегии по уголовным делам Верховного Суда УССР от 2 августа 1990 г. приговор от 2 октября 1980 г. в отношении Стуса Василия Семеновича отменен, а делопроизводство прекращено на основании ст. 6 п. 2 УПК УССР за отсутствием в его действиях состава преступления, в связи с чем, исходя из «Положения о порядке выплаты компенсации, возвращения имущества или возмещения его стоимости реабилитированным» (утверждено постановлением Кабинета Министров УССР № 48 от 24 июня 1991 года), наследники реабилитированных лиц, с заявлением о выплате компенсации, могут обратиться в районную комиссию при исполкоме по вопросу восстановления прав реабилитированных по его месту жительства на момент ареста не позднее трех лет с момента вступления в силу Закона УССР «О реабилитации жертв политических репрессий на Украине» от 17 апреля 1991 года или со дня получения справки о реабилитации.

Зам председателя
Киевского городского суда Г. И. Зубец

СЕРЦЕ, САМОГУБСТВО ЧИ ВБИВСТВО? ЯК ЗАГИНУВ ВАСИЛЬ СТУС

Уночі проти 4 вересня 1985 року в карцері табору особливого режиму ВС-389/36 у селі Кучино Чусовського району Пермської області пішов із життя 47-річний поет і правозахисник Василь Стус. Версій, чому це сталося, кілька.

Я в той час перебував у 20-й камері цього ж бараку, тому вважаю своїм громадянським і людським обов'язком ще і ще раз свідчити перед новими й новими людьми про обставини і причини його загибелі.

З 1995 року в приміщеннях цього табору діє на весь світ нині відомий Музей історії політичних репресій і тоталітаризму «Перм-36». Востаннє я побував там 30—31 липня 2011 року.

Історія цього останнього заповідника ГУЛАГу коротка. Від 1 березня 1980 до 8 грудня 1987 року через нього пройшло всього 56 в'язнів. Пересічно нас тут утримували одночасно до 30 осіб.

За ці сім років загинули восьмеро в'язнів, у тому числі члени Української Гельсінської групи Олекса Тихий (27.01.1927—5.05.1984), Юрій Литвин (26.11.1934—5.09.1984), Валерій Марченко (16.09.1947—7.10.1984), Василь Стус (7.01.1938—4.09.1985). Власне, тільки Стус помер безпосередньо в цьому бараці, а інші троє — по тюремних лікарнях.

У різний час і в різних камерах тут каралися, окрім уже згаданих, члени УГГ Данило Шумук, Богдан Ребрик, Олесь Бердник, Іван Кандиба, Віталій Калиниченко, Юрій Литвин, Михайло Горинь, Валерій Марченко, Іван Сокульський, Петро Рубан, Микола Горбаль, іноземні її члени естонець Март Ніклус і литовець Вікторас Пяткус, які вступили в УГГ в найтяжчу годину — у 1982 році.

Тут минули й мої шість років життя.

Сучасний вигляд бараку, де провів останні роки життя Василь Стус. Перше вікно ліворуч — карцер, де поет провів останні свої дні. Фото Василя Овсієнка

Поруч, на суворому режимі, сиділи голова Групи Микола Руденко та член-засновник Мирослав Маринович. Ніде й ніколи не збиралися ми в такій кількості, хіба на урочистих зборах з нагоди 20-річчя, 25-річчя, 30-річчя Групи.

Тут також каралися українці Іван Гель, Василь Курило, Семен Скалич (Покутник), Григорій Приходько, Микола Євграфов, Олексій Мурженко. Як і в кожному політичному концтаборі, українці становили більшість його «контингенту».

У цьому справжньому «інтернаціоналі» провели багато років литовець Баліс Гаяускас, естонці Енн Тарто і Март Ніклус, латвієць Ґунар Астра, вірмени Азат Аршакян і Ашот Навасардян, росіяни Юрій Федоров, Леонід Бородін. Більшість із цих людей були відомими правозахисниками і діячами національно-визвольних рухів, а, звільнившись, стали політиками і громадськими діячами. Для радянської ж влади вони були особливо небезпечними рецидивістами.

Фактично це був не табір, а тюрма з наджорстоким режимом утримання. Якщо в кримінальних таборах рецидивістів виводили в цехи робочої зони, то ми й працювали в камерах через коридор.

Прогулянки нам давалося годину на добу в оббитому бляхою дворику два на три метри, перекритому згори колючим дротом, а на помості — наглядач.

З наших камер було видно тільки огорожу за п'ять метрів від вікна і смужку неба. Огорож різного типу сім, у тому числі дроти під напругою.

Харчування наше коштувало 24—25 рублів на місяць, вода іржава та смердюча.

Оригінальна вивіска останньої політзони СРСР, яка дивом збереглась. Фото Василя Овсієнка

Ми стрижені, увесь наш одяг зі смугастої тканини. Побачення нам належалося одне на рік, пакунок до 5 кг — один на рік після половини терміну, та й тих старалися позбавити. Дехто з нас роками не бачив нікого, крім співкамерників і наглядачів.

Щойно з Кучина. Політв'язні естонець Март Ніклус (ліворуч) і Григорій Приходько незабаром після звільнення

Кілька десятків політичних охороняли краще,
ніж тисячі кримінальних

Робота — прикручувати до шнура праски детальку, в яку вкручується лампочка. Робота не важка, але її багато: невиконання норми, як і будь-яке порушення режиму, каралося карцером, позбавленням побачення, пакунка, ларка (щомісяця дозволялося додатково купити продуктів на чотири-шість рублів).

«Злісних порушників режиму» карали ув'язненням в одиночці на рік, переведенням у тюрму на три роки. За генерального жандарма Андропова, 1983 року, до Карного кодексу було введено статтю 183—3, за якою систематичні порушення режиму каралися додатковими п'ятьма роками ув'язнення — уже в кримінальному таборі. Так що відкривалася перспектива довічного ув'язнення, а надто — швидкої розправи руками кримінальників.

Проте найтяжче було витримувати психологічний тиск. Якщо в сталінські часи, коли винищувалися цілі категорії населення, непридатні для будівництва комунізму, кинутою на перетворення в табірний пил людиною влада більше не цікавилася, то в наш час винесений судом вирок не був остаточним.

У наш час уже рідко хто потрапляв у політичні табори «нізащо». Це були активні люди, які, звільнившись, могли повстати знову. Тому влада

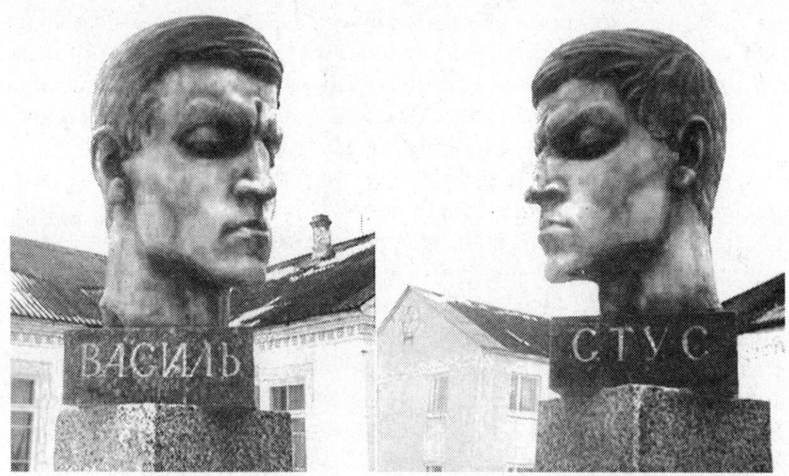

Пам'ятник Василеві Стусу у с. Рахнівка на Вінничині, де він народився. Скульптор — Борис Довгань. Фото Василя Овсієнка

пильно стежила за кожним, визначала значущість особи, її потенційні можливості — і відповідно до неї ставилася. Це була свого роду експертиза: вивчали тенденцію розвитку (чи занепаду) тієї чи тієї особи і вживали превентивних заходів, щоб з неї не виросло більшої для держави небезпеки.

З цього погляду український поет Василь Стус справді становив особливу небезпеку для російської комуністичної імперії, яка маскувалася назвою СРСР.

Стус, разом з іншими правозахисниками, справді підривав комуністичний тоталітарний режим, який лицемірно називався радянською владою.

І ця імперія таки впала — вичерпавши свої економічні можливості, не витримавши воєнного протистояння із Заходом, зазнавши ідеологічного краху.

Ми боролися на цьому фронті — ідеологічному — і перемогли. Я не схильний перебільшувати нашу роль у цьому падінні. Одного разу в Києві побував лідер Литовської Гельсінської групи Томас Венцлова — то він сказав, що дисиденти були тією мишкою, без якої дід, баба, внучка, собачка Жучка, кішка Мурка не вирвали б ріпку…

Відбувши п'ять років ув'язнення в Мордовії та три роки заслання в Магаданській області, Василь Стус був удруге заарештований 14 травня 1980 року, під час «олімпійського набору»: Москву і Київ, де мала відбутися частина ігор, очищали від небажаних елементів, у тому числі від решти дисидентів, що гуртувалися в Гельсінських групах.

Стус після першого ув'язнення втримався в Києві лише вісім місяців. Тоді жартували, що дисиденти бувають трьох видів: до-сиденти, сиденти і від-сиденти — вони ж знову до-сиденти.

Про свою готовність вступити до Групи, попри дещо критичне до неї ставлення, Стус неодноразово писав із заслання з жовтня 1977 року. Однак його прізвище кияни обачно не ставили під документами Групи. Та коли Стус у серпні 1979 року повернувся до Києва, втримати його вже не міг ніхто: навіть 75-річна вціліла поки що Оксана Яківна Мешко поглядала на його постать знизу вгору.

«У Києві я довідався, що людей, близьких до Гельсінської групи, репресують найбрутальнішим чином. Так, принаймні, судили Овсієнка, Горбаля, Литвина, так перегодом розправилися з Чорноволом і Розумним. Такого Києва я не хотів. Бачачи, що Група фактично лишилася напризволяще, я вступив до неї, бо просто не міг інакше. Коли життя забране — крихт я не потребую…

Психологічно я розумів, що тюремна брама вже відкрилася для мене, що днями вона зачиниться за мною — і зачиниться надовго. Але що я мав робити? За кордон українців не випускають, та й не дуже кортіло — за той кордон: бо хто ж тут, на Великій Україні, стане горлом обурення і протесту? Це вже доля, а долі не обирають. Отож її приймають — яка вона вже не є. А коли не приймають, тоді вона силоміць обирає нас…»[1]

«Але голови гнути я не збирався, бодай що б там не було. За мною стояла Україна, мій пригноблений народ, за честь котрого я мушу обставати до загину»[2].

Зі стандартним вироком десять років таборів особливого режиму, п'ять років заслання та з «почесним» титулом «особливо небезпечний рецидивіст» Василь Стус прибув у Кучино в листопаді 1980 року. Тут

---

1 «З таборового зошита», запис 6 // Стус В. Твори в 6 т. 9 кн. — Том 4. — Львів: Просвіта, 1994. — С. 493.

2 Там само, запис 4, с. 491.

Михайло Горинь у «рідній» камері № 17. Фото Василя Овсієнка

його пильнували особливо ретельно. З Уралу йому вдалося відіслати в листах до дружини лише кілька віршів.

На особливому режимі дозволялося писати один лист на місяць. Так уже його вилизуєш, а таки знайдуть «недозволену інформацію», «умовності в тексті», або просто — лист «підозрілий за змістом». І конфіскують. Або посилають того листа на переклад у Київ, а потім вирішують, чи його відсилати. Пропонували: «Пишіть російською — швидше дійде». А як це дружині, рідній матері чи дитині писати чужою мовою?

Одержувати листи можна було від будь-кого, проте насправді віддавали тільки деякі листи від рідні. В останні тижні життя Василеві надійшла телеграма від дружини про народження онука Ярослава (18 травня 1985 р.). Майор Снядовський викликав Стуса в кабінет, привітав і зачитав частину телеграми, але в руки не дав: недозволена інформація. Це дуже обурило Стуса.

Обшуки. Їх проводили два-три рази на місяць, але були періоди, що обшукати в'язня могли кілька разів на день — аби познущатися. У камері можна було тримати п'ять книжок, брошур і журналів, разом узятих. Решту — винось до каптьорки.

А кожен передплачує журнали, газети, намагається над чимось працювати, хоч би вивчати іноземну мову. Це вже треба тримати словник і підручник. Але режим невблаганний: наднормові книжки викидають у коридор.

Ми брали на роботу папірчики з іншомовними словами, щоб вивчати їх (Стус володів німецькою, англійською, читав усіма слов'янськими, вивчав з допомогою естонця Марта Ніклуса французьку). Папірці відбирали.

Виводячи на роботу, заведуть у свою «діжурку» — і роздягайся догола. Перемацають кожен рубчик, заглянуть у кожну складку тіла. Як тепер чую зболений голос: «Лапають тебе як курку…» Такої репліки було досить, щоб загриміти в карцер.

Особливо пильнували, коли наближалося побачення. Якщо в КГБ вирішили не надавати побачення, то позбавити його — справа техніки: наглядачам дається завдання знайти порушення режиму. Говорив через кватирку з сусідньою камерою. Не виконав норму виробітку. Оголосив незаконну голодівку.

Начальник режиму майор Федоров особисто виявляв пил на полиці. Той же Федоров покарав був Баліса Гаяускаса за те, що «в розмові не був відвертим». А якби відверто сказав, що про нього думаєш, — був би ще більшим порушником режиму.

Стус мав лише одне побачення в Кучині. Коли вели на друге — він не витримав принизливої процедури обшуку і повернувся в камеру.

Василя особливо почали «пресувати» з 1983 року. На його день народження, тобто на Різдво Христове, зробили обшук. Забрали рукописи.

Стус кличе чергового, майора Галєдіна, щоб повернули рукописи або склали акт про вилучення.

— А хто взяв?

— Отой новий майор, не знаю його прізвища. Отой татарин.

Складено рапорт, що Стус образив національну гідність майора Ґатіна. Хоч він справді яскраво виражений татарин, але, мабуть, уже записався до вищої раси — «великого русского народа». Стуса кидають у карцер. Одночасно кинули в карцер і естонця Марта Ніклуса:

— Стус, где ты?

— У якійсь душогубці імені Леніна-Сталіна! І Ґатіна-татарина!

У коридорі вмикають гучномовця.

Згодом Василь на роботі, енергійно закручуючи механічною викруткою ґвинтики, імпровізує: «За Леніна, за Сталіна! За Ґатіна-татарина! За Юрія Андропова! За Ваньку Давиклопова! І зовсім помаленьку за Костю, за Черненку. Бо як ти його в риму вбгаєш?»

Я чув, як Стус розмовляв з кагебістом Ченцовим Володимиром Івановичем:

— Кажете, що поклали мої рукописи в склад за зоною. Та я знаю, що ви хочете, щоб від мене нічого не залишилося, як я загину… Я вже не пишу свого, тільки перекладаю. То дайте мені можливість хоч щось завершити…

Хто міг у неволі не писати — тому було легше. Митець же, казав мій співкамерник Юрій Литвин, схожий на жінку: якщо він має творчий задум, то мусить розродитися твором. І як матері тяжко бачити, що нищать її щойно народжену дитину, так і митцеві, коли нищать його твір. А ще коли виривають ту дитину з утроби недоношеною і топчуть брудними наглядацькими чобітьми…

У лютому 1983 року Стуса запроторили в одиночку на рік. Коли він вийшов звідти, то нас із ним звели у 18-й камері десь на півтора місяця.

Я перечитав його саморобний грубий зошит у блакитній обкладинці (без назви) зількома десятками віршів, написаних верлібром, та зошит у клітинку з перекладами 11 елегій Рільке. Тоді я був у тяжкому фізичному стані і не спромігся вивчити жодного вірша. Та й не сподівався, що нас так швидко розведуть.

У листах від 12 вересня і від грудня 1983 року Стус називає ту збірку «Птах душі» і пише, що в ній близько сорока віршів[1], а в листі від 1 лютого 1985 року пише про сто віршів. «А 50 іще визрівають у чернетках»[2]. А ще пише: «…горить мені в душі така збірка "Страсті по Вітчизні"»[3].

«Переклав «Елегії» Рільке — це біля 900 рядків поетичного надзвичайно тяжкого тексту»[4].

Той «Птах» не вилетів з-за ґрат. І не тішмо себе солодкою казочкою, що рукописи не горять.

Михайлина Коцюбинська писала: «…дерево поезії Стуса — з обтятою біля верхівки кроною…»[5].

Це ще один злочин російського імперіалізму проти української культури. З п'яти Стусових кучинських років залишилося сорок п'ять листів, кілька віршів і текст, названий у виданнях «З таборового зошита». Ці шістнадцять клаптиків дрібно списаного конденсаторного паперу десь на початку 1983 року співкамерник Баліс Ґаяускас передав на побаченні

---

[1] Стус В. Твори в 6 т. 9 кн. — Т. 6, кн. 1. — С. 444, 449.

[2] Там само, с. 483.

[3] Там само, с. 479, лист від листопада-грудня 1984 року.

[4] Там само, лист від 12 вересня 1983 року.

[5] Там само, т. 1, с. 28.

400 honor Vasyl Stus at Toronto memorial service

Canadian actor Christopher Britton reads poetry by the late Vasyl Stus.

TORONTO — A commemorative ceremony honoring poet and Ukrainian dissident Vasyl Stus was attended by some 400 people on September 29.

The one-hour ceremony, orga-

human-rights activist to die in a Soviet labor camp in the last 18 months.

The afternoon commemoration was emceed by Halyna Benesh, a member of the students' club. A stage

Посмертне відзначення Василя Стуса в Торонто. Спроба зробити його Нобелівським лауреатом була пізня й неуспішна

дружині Ірені Ґаяускене разом зі своїми рукописами. У книжці це дванадцять сторінок тексту, але їхня вибухова сила була така потужна, що погубила й самого Василя.

Я вважаю, що однією з причин його знищення була поява на Заході цього тексту.

Друга причина — клопотання про висунення його творчості на здобуття Нобелівської премії 1986 року. Вірші Василя Стуса публікувалися кількома мовами. Світ бачив рівень таланту українського поета не крізь призму дисидентства, а як мистецьке явище.

У моїх давніших публікаціях сказано, що ніби висував творчість Стуса на здобуття Нобелівської премії Генріх Бьолль, лауреат 1972 року і президент Міжнародного ПЕН-клубу (1971—1976, він помер 16 липня 1985 року). Бьолль справді щонайменше двічі виступав на захист Стуса. Так, 24 грудня 1984 року він разом з німецькими письменниками Зіґфрідом Ленцом і Гансом Вернером Ріхтером надіслав телеграму тодішньому генеральному секретареві ЦК КПРС Костянтину Черненкові про загрозливий стан здоров'я В. Стуса. Відповіді не було.

10 січня 1985 року Генріх Бьолль дав інтерв'ю німецькому радіо про Василя Стуса. Воно було передруковане в пресі. Але документа про висунення на Нобелівську премію не існує, ніде про нього згадки не виявлено.

Кремль тоді мав доволі клопоту з нобеліянтами Олександром Солженіциним (1970), якого мусив викидати за кордон (13 лютого 1974 р.),

Друзі Стуса — Михайло Горинь, Паруйр Айрікян і Василь Овсієнко — на його могилі, на Байковому цвинтарі в Києві. Фото Вахтанга Кіпіані

та Андрієм Сахаровим (1975), якого з початком Афганської війни депортували в Горький (22 січня 1980 р.) і тримали там під домашнім арештом.

У Кремлі знали, що Нобелівська премія, згідно з її статутом, присуджується тільки живим, посмертно вона не присуджується. Кремль не міг допустити, щоб нобелівський лавріят, та ще й українець з'явився за гратами (а це піднесло б «українську справу» на нечувану висоту).

У 1936 році у схожій ситуації опинився був Адольф Гітлер. Тоді Нобелівську премію присудили німецькому публіцистові Карлові фон Осецькому. Але він сидів у концтаборі. Гітлер розпорядився його звільнити. Але поки прокручувалась бюрократична машина, лауреат помер у неволі.

Москва ж розв'язалася з українським кандидатом на Нобелівську премію за сталінським заповітом: «Нет человека — нет проблемы».

І сталося це вже в часи Горбачова, який посів кремлівський «престол» у квітні 1985 року.

Захисники Горбачова скажуть, що він, скоріше за все, й не чув про Стуса. Але я певен, що наші справи розглядалися і вирішувалися на найвищому рівні. Особливо небезпечних політичних рецидивістів тоді було чи не стільки ж, як у Кремлі членів Політбюро ЦК КПРС.

Горбачов, бачите, затіяв «перестройку», не випускаючи з неволі, здавалося б, найближчих своїх союзників — політв'язнів, як це всюди робиться. Але він тримав нас іще й у 1988-му, декого й у 1989 році, а сам ставши нобелівським лауреатом Премії миру (1990), розпочав новий набір політв'язнів. Він нас, бачите, помилував. Тобто вважав злочинцями, до яких проявив милосердя.

Реабілітація ж настала 1991 року…

Я певен, що адміністрація табору ВС-389/36 дістала завдання з Кремля в будь-який спосіб знищити Василя Стуса.

Як це сталося? У тюрмі мало що бачиш, але за звуками визначаєш, що відбувається.

Улітку 1985 року Василь Стус лише ненадовго виходив з карцерів і сидів у камері № 12 з Леонідом Бородіним (російський письменник, згодом головний редактор журналу «Москва»). Камера маленька, розкинеш руки — і дістанеш стіни. Подвійні нари, дві табуретки, одна на двох тумбочка і параша. На нарах можна перебувати лише вісім годин — з відбою до підйому. Сидіти на них в інший час — порушення режиму.

Одного разу вночі солдат на вежі голосно співав. Бородін устав, натиснув на кнопку дзвінка, покликав наглядача і попросив подзвонити солдатові, щоб не заважав спати.

Назавтра виявилося, що це Стус розбудив усю тюрму, — і його кинули до карцеру на п'ятнадцять діб. Бородін ходив правдатися до начальника табору майора Журавкова, але той сказав, що довіряє своїм підлеглим. Він уже мав інше завдання: знищити Стуса.

Через кілька днів після карцеру, а саме 27 серпня, — нова напасть. Стус узяв книжку, поклав її на горішні нари і так читав, спершись на них ліктем. У прозурку (вічко) заглянув прапорщик Руденко: «Стус, нарушаете форму заправки постели!» Стус зайняв іншу, дозволену позу. Але черговий офіцер старший лейтенант Сабуров, наглядач Руденко і ще один наглядач склали рапорт, що Стус у робочий час лежав на нарах у верхньому одязі і на зауваження громадянина контролера вступив у пририкання. П'ятнадцять діб карцеру.

Виходячи з камери, Стус сказав Бородіну, що оголошує голодівку. «Яку?» — «До кінця».

Карцер, де Василя Стуса утримували останні дні життя.
Фото Василя Овсієнка

У 1983 році було таке, що Стус тримав голодівку вісімнадцять діб. Казав мені потім: «Як то гидко — виходити з голодівки, так нічого й не добившись. Більше я так робити не буду». Це була людина слова.

Карцери розміщені в північній частині бараку, у невеликому поперечному коридорі. Стуса утримували в 3-му карцері, що на розі, у найближчому до вахти. Звідти до нас не доходили ніякі звуки.

Другого вересня нам з робочих камер було чути, що Стуса водили до якогось начальства. Повертаючись звідти, він у коридорі зумисне голосно повторював: «Накажу, накажу… Та хоч знищіть, гестапівці!» Так він оповіщав нас, що йому погрожували новим покаранням.

Естонець Енн Тарто ввечері забирав готову продукцію (шнури до прасок) з камер і розносив роботу на завтра. Третього вересня близько 17-ї години він почув, що Стус просить валідолу. Наглядач відповів, що нема лікаря. Тоді Енн Тарто сам сказав лікареві Пчельникову, і той дав Стусові валідол. Отже, йому було прикро з серцем.

У протилежному кінці того коридору, навпроти, в робочій камері № 7, працював удень Левко Лук'яненко. Коли не чути було наглядача, Левко гукав: «Василю, здоров!» Або: «Ахи!» Василь відгукувався.

Але 4 вересня він не відгукнувся. Натомість близько 10—11-ї години Левко почув, що в коридор запасним ходом зайшло начальство. Він розпізнав голоси начальника табору майора Журавкова, начальника режиму майора Федорова, кагебістів Афанасова, Василенкова. Відчиняли двері, про щось стиха перемовлялися. А потім — якась незвична тиша.

«Навіть та язичниця не реготала», — згадував Левко. Це про жінку-майстриню.

Того дня на кухні замовили пайку хліба, так ніби хтось іде на етап. Ніколи в Кучині не давали пайку в дорогу: їхати в Перм чи в лікарню лічені години, там видавали пайку. Але про ту пайку забули.

Ще було, що сказали Бородіну подати Стусову ложку. Так хотіли посіяти думку, що він припинив голодівку.

Упродовж кількох днів ми з різних приводів записувалися на прийом до начальства. Нема лікаря Пчельникова. Нема кагебіста Василенкова. Нема майора Журавкова. Обов'язки начальника виконує майор Долматов, замполіт. На запитання про Стуса відповідає: «Мы не обязаны отвечать вам о других заключенных. Это не ваше дело. Его здесь нет».

Ще теплилася надія, що Стуса відвезли в лікарню на станцію Всехсвятська. Але наприкінці вересня мене самого завезли туди. Тримають одного, а все ж я довідався, що Стуса тут не було. Може, повезли кудись далі?

П'ятого жовтня викликають мене двоє кагебістів — якийсь місцевий (схоже на Зуєв чи Зубов) та Ільків Василь Іванович, що приїхав з Києва. У розмові з ними я називаю всіх померлих у Кучині, у тому числі Стуса.

— Ну, Стус... Серце не витримало. З кожним може трапитися.

Отут і моє серце впало...

Це цілком можливо, що смерть настала від серцевого нападу. Але зважмо, що Стус тримав голодівку в холодному карцері, маючи на собі лише штани, куртку, труси, майку, шкарпетки та капці. Постіль не видається. Хіба капці під голову. Температура тоді вдень навряд чи сягала п'ятнадцяти градусів. Сонце в той карцер не заглядає.

Уранці в своїй 20-й камері ми з Балісом Ґаяускасом бачили лід на шибках. А Стус же не мав чим укритися. І енергії, щоб зігрітися, не мав...

Лук'яненко переживав подібні ситуації й описав їх у нарисі «Василь Стус: останні дні»[1]. Це психологічно достовірний нарис, проте мушу застерегти, що Лук'яненко почасти моделює поведінку Стуса і події довкола нього. Адже він не був поруч.

Удові Валентині Попелюх адміністрація табору мусила повідомити про смерть чоловіка. Вона замовила цинкову домовину і вибралася в дорогу з сестрою Олександрою та подругою Ритою Довгань.

---

[1] Не дам загинуть Україні! — К.: Вид. «Софія», 1994. — С. 327—343.

В аеропорту кагебісти категорично порадили їм не брати домовину, бо тіла їм не віддадуть.

Треба знати, що найгуманніший у світі совєцький закон не дозволяв забрати чи перепоховати тіло померлого в'язня, доки не закінчиться трив його ув'язнення. Так що мертві залишалися під арештом.

З Москви приїхав син Дмитро, який служив тоді у війську. Приїхали вони 7 вересня, і майор Долматов сказав їм: «Ну что же, пройдем на кладбище». І привіз їх на щойно засипану могилу в селі Борісово, за кілометрів три від зони.

Двадцять четвертого лютого 1989 року 46-літній майор Долматов ліг поруч зі Стусом, лише за кілька могил. А майор Журавков помер через днів десять після Стуса. Журавков-молодший, лейтенант-оперативник, улітку 1987 року втопився в річці Чусова. Усе це викликає поважні сумніви, чи справді смерть Стуса настала внаслідок серцевого нападу.

На місці першого спочину Василя Стуса на цвинтарі села Борісово Чусовського району Пермської області. Син поета Дмитро Стус, колишні політв'язні Віктор Пестов, Март Ніклус і Василь Овсієнко. Фото Вахтанга Кіпіані

Десь там в одному з карцерів (Баліс Ґаяускас каже, що в 6-му) сидів тоді Борис Ромашов, родом з Горького. Він убивця, що «став на політичну платформу». Його вчергове ув'язнили за примітивні антирадянські гасла, що ними він обписав свій паспорт та військовий квиток і кинув їх у двір військкомату.

Хоч Ромашов казав, що в нього є довідка про психопатію, та все ж таки йому дали дев'ять років ув'язнення та п'ять років заслання. У нього був конфлікт зі Стусом: замахувався на нього в 13-й робочій камері механічною викруткою. Стус теж підняв викрутку — і той

Київ, 19 листопада 1989 року: перепоховання Василя Стуса та його друзів Юрія Литвина та Олекси Тихого

не посмів ударити. Обох посадили на п'ять діб. А Баліса Ґаяускаса за рік до звільнення Ромашов намагався вбити, завдавши йому кілька ударів механічною викруткою по голові та в груди. Баліс упав під стіл, тому удар леза прийшовся навкіс, не діставши серця. За цей вчинок Ромашова покарали лише карцером, але кагебіст носив йому туди чай.

На нашій зустрічі в Кучині в жовтні 2000 року Гаяускас припустив, що Ромашова могли послати вбити Стуса…

Але в жовтні 1985 року Енн Тарто сказав, що нібито Ромашов чув, як увечері 3 вересня, під час «відбою», Стус застогнав: «Убили, холєра…»

Через кілька місяців я мав нагоду спитати Ромашова, чи підтверджує він, що чув цей стогін Василя. «Я об этом не хочу говорить».

А могло бути так. Під час «відбою» наглядач каже карцерникові: «Держи нары». Бо вони тримаються на шворні. Наглядач з коридору крізь дірку в стіні виймає шворня — і нари падають униз, в'язень має їх опустити. Під нарами приковано до підлоги табуретку, де тільки й можна сидіти. Наглядач міг несподівано вийняти шворня — і нари вдарили Стуса по голові…

Заднім числом ми, в'язні, згадували і порівнювали всі деталі.

Згадали, що вночі проти 5 вересня в коридорі пролунав вепрячий рик наглядача Новицкого: «Давай нож!» Це вони вже запускали версію, що Стус повісився в робочій камері на шнурі.

Цю версію 1996 року провадив мені в Кучино колишній наглядач Іван Кукушкін. Але Кукушкін під час загибелі Стуса в нас уже не працював. У розмові з Кукушкіним 2001 року Лук'яненко спростував цю версію. Він добре зауважив, що в його 7-й робочій камері, куди нібито виводили Стуса на роботу, у другу зміну ніхто не працював. Він зауважував, як залишав деталі на столі. Ніщо не було порушено.

Якщо Стус і був у другу зміну в робочій камері — то це у 8-й, яка в основному коридорі. Бо й я чув 3-го ввечері, що він вимагав дати йому черевики в робочу камеру (у карцері тримають у капцях). Його голосу з 7-ї камери я не почув би, бо вона за рогом, у поперечному коридорі.

Через кримінальника Вячеслава Остроглядa намагалися запустити версію про самогубство в карцері № 3 загостреною швайкою. Але ні шнур, ні швайка ніяк не могли потрапити в карцер: Стуса дуже ретельно обшукували.

При ексгумації 17 листопада 1989 року ми не запримітили ніяких пошкоджень голови і шиї. Обличчя не було спотворене, як це буває у повішеного. Тільки носовий хрящ (кінчик носа) запав. Та, власне, ця процедура відбувалася в такому напруженні, що нам не до огляду було.

Я не віддаю переваги жодній з двох версій: серцевий напад чи удар нарами по голові. Загадку загибелі Василя Стуса знають виконавці. Деякі з них не випадково скоро померли. Знають замовники, і деякі з них досі живі. Але вони до злочину не признаються.

Ось останній варіант відомого вірша Стуса, який я зберіг у пам'яті. Це смертний вирок Російській імперії.

* * *

О вороже, коли тобі проститься
гик передсмертний і тяжка сльоза
розстріляних, замучених, забитих
по соловках, сибірах, магаданах?
Державо тьми, і тьми, і тьми, і тьми!
Ти крутишся у гадину, відколи
тобою неспокутний трусить гріх

і докори сумління дух потворять.
Казися над проваллям, балансуй,
усі стежки до себе захаращуй,
бо добре знаєш — грішник усесвітній —
світ за очі од себе не втече.
Це божевілля пориву, ця рвань
всеперелетів — з пекла і до раю,
це надвисання в смерть, оця жага
розтлінного весь білий світ розтлити
і все товкти, товкти зболілу жертву,
щоб вирвати прощення за свої
жахливі окрутенства — то занадто
позначене по душах і хребтах.
Тота сльоза тебе іспопелить
і лютий зойк завруниться стожало
ланами й луками. І ти збагнеш
обнавіснілу всенищівність роду.
Володарю своєї смерти, доля —
всепам'ятна, всечула, всевидюща —
нічого не забуде, ні простить.

Василь Овсієнко,
філолог, член Української Гельсінської групи,
колишній політв'язень

СВІДОК УХОДУ. ОСТАННІ ДНІ ВАСИЛЯ СТУСА

Відомий російський письменник Леонід Бородін — останній, хто бачив Василя Стуса живим. Щоб записати його спогади, наприкінці 2002 року я поїхав до Москви, де на легендарному пішоходному Арбаті була редакція журналу «Москва». Працював колишній політичний ув'язнений головним редактором популярного у націонал-патріотичних колах часопису.

Варто додати, що за поглядами Бородін був російським монархістом і прихильником «единой и неделимой». Можна тільки уявити, які були очікування кагебістів, досвідчених «конфліктологів», коли вони звели у маленькій камері дільниці особливого режиму «виправної установи» ВС-389/36 (це Чусовський район Пермської області) двох повних антиподів. Але, вибачте за те, що забігаю наперед, у них нічого не вийшло.

У кінці серпня перебудовного 1985-го Стус і Бородін волею табірного начальства опиняються разом. І ці спогади через кілька десятиліть потрапляють у ще не написану, на момент нашої зустрічі, книжку. Як казав сам Леонід Іванович — «наиважнейшую, автобиографическую». Назви тоді і неї ще не було.

Бородін погодився начитати на диктофон фрагмент спогадів, де йшлося про його товариша Василя Стуса.

...Всякая добросовестная додуманная мысль о жизни способна причинить боль. Не мне принадлежит сие грустное суждение. Его высказал как-то Василь Стус — дивный украинский поэт, погибший в лагере. Год был 85-й, в стране уже началось непредвиденное, но мы, заключенные лагеря особого режима, так называемые «политические рецидивисты», то есть «неисправимые», то есть обреченные на вымирание сроками изоляции, не знали, не верили и не надеялись. Нам было некогда верить и надеяться, мы были озабочены выживанием.

Когда в конце лета 83-го, после месячного мотания по пересылочным тюрьмам, я прибыл на знаменитый 36-й, «особый», там было всего тридцать человек. Всем за сорок и за пятьдесят. У всех один и тот же срок — десять плюс пять [це максимальний термін, на який, згідно з тодішнім Кримінальним кодексом, могли бути засуджені особи, звинувачені у проведенні «антисоветской агитации и пропаганды».

У всех — хронические болезни и хроническое упрямство, никто не соглашался на свободу в обмен на компромисс. Путь на свободу был до смешного прост: нужно было пообещать больше никогда не высовываться. Только и всего. Из политических я был единственный русский, остальные — украинцы, прибалты, армяне. Несколько человек сидели «за войну», один ГРУшник [Анатолій Філатов], перебежавший к американцам, затем добровольно вернувшийся и получивший свой «червонец» вместо высшей меры наказания.

Ныне усилиями энтузиастов наша зона превращена в музей. Посетителям рассказывают, что это была самая суровая зона с жесточайшим режимом. И правда, и неправда. Режим приемлемый, питание намного лучше, чем в мордовских лагерях, где все мы пересидели в разное время. Работа не тяжелая, нормы выполняли, обращение нормальное. Тем не менее это была зона на умирание.

Умирать начали в начале 80-х [тут Бородін зупинився, вибачився і виправив у рукопису тавтологію — «начали в начале»].

Сначала Олекса Тихий, потом Валерий Марченко, потом — один за другим — двое тех, кто сидел «за войну» [так у політзонах називали громадян СРСР — німецьких колабораціоністів та учасників збройних антирадянських рухів опору — литовських «лісових братів», вояків УПА], потом Юрий Литвин покончил с собой, Василь Стус. Каждый раз за несколько дней или за неделю до чьей-то смерти всю ночь выла сторожевая собака…

За исключением Юрка Литвина и Василя Стуса, у каждой смерти была своя конкретная причина — болезнь. У каждого своя. Но была и общая причина — наипервейшая. Звали ее безысходность.

Что ожидало каждого из нас, приговоренного формально будто бы только к сроку заключения? Если переживешь «червонец» в клетке — ссылка в «медвежий угол» необъятной родины в окружении уголовников. Тяжелая физическая работа, на которую мы уже были не способны. Положим, и это переживем. Далее — нищета, безработица, бесправие, постоянный надзор, как правило, потеря семьи. Прежде прочего, чтобы жить, нужно было научиться не думать о будущем. И не знаю ничего более трудного для души, для воли, для ума — это вообще невозможно пресекать, переключаться, отключаться.

Зато под контролем другое: взаимоотношения с сокамерниками. Когда уже не новички, когда в возрасте, когда выяснены и запрещены к возбуждению все возможные разногласия, когда взаимоуважение построено на крепчайшем фундаменте каждой судьбой проверенной стойкости. Она, стойкость, и есть основа тюремного товарищества. И вторично то, за что стоим. Не место и не время разбираться в том. Потому украинский националист Михайло Горынь, оказавший мне помощь в труднейшие для меня минуты, и люб, и дорог, и всегда желанный гость в доме. Мы и теперь, встречаясь, не выясняем отношений, у него свое — у меня свое. Общее — зона особого режима, где нам было одинаково тяжко и где каждый помогал друг другу эту тяжесть переносить, пережить и выжить.

И еще одно общее: не выжившие, среди них — Василь Стус. О нем особо.

Перед тем как я оказался в одной камере со Стусом, он только что закончил перевод сборника стихов Рильке. При очередном обыске у него изъяли труд почти полутора лет. Обещали вернуть, если там нет антисоветчины. Считаю, что именно с этого момента он заболел.

Заболела душа. Есть ли такие врачи, которые могли бы не лечить, угадать заболевание, когда она начинает «маяться»? Есть ли филолог, способный вразумительно объяснить значение этого слова? На прогулке он ходил с низко опущенной головой по диагонали прогулочного загона и повторял одни и те же слова одной и той же песни…

Мы общались с ним на украинском языке. Стус вынудил меня к тому из единственного побуждения — показать мне красоту его родного языка. С самого раннего детства поклонник украинской песни, я вел с ним спор на одну-единственную тему: верлибр — унижение русского и, тем более, украинского языка, в котором бегающее ударение открывает несравненные возможности для ритма и рифмы. С запалом читал ему Богдана-Игоря Антонича — «То чи стони, то чи струни…». А он перебивал и читал того же Антонича, доказывая, что верлибр — простор для образов, что в верлибре поэзия дорастает до философии. Философия убивает поэзию — горячился я и читал Вячеслава Иванова…

Болезнь души его, однако, прогрессировала. Он находился на той стадии поэтической зрелости, когда, как я мог предполагать и как мне казалось, поэт непременно должен иметь аудиторию. Иначе само поэтическое дарование начинает как бы закольцовываться в душе и является одной из причин его маеты.

Все началось с того, что в камерах, с кем бы он ни сидел, создавалась ситуация конфликтности. А нет ничего страшнее для камерного бытия, чем напряженные отношения между сокамерниками. Ситуация осложнялась еще и тем, что существовали установки «попечителей» местного гэбэ относительно того, кто и с кем может сидеть, а кого ни в коем разе соединять нельзя. Последний конфликт Стуса с сокамерником едва не закончился побоищем.

Мы в своей камере провели совет, и, поскольку ни Михайло Горынь, страдавший в то время сердечными приступами, ни Иван Кандыба, сам конфликтер, в пару Стусу не годились, я предложил себя на роль разбивки. То есть я предложил начальству посадить меня либо со Стусом, либо с его напарником. А Стусу подыскать кого-нибудь из литовцев или армян. Местному гебисту вариант показался интересным — свести русского и украинского националистов на восьми квадратных метрах и посмотреть, что из этого получится.

Русский националист — это всего лишь штамп, сам я такой характеристики не признавал. По мне вообще сочетание «русский и националист» — чистейшая бессмыслица, в известном смысле принижающая смысл этих слов. Я и мне подобные были скорее «державниками», чуявшими неизбежность державной катастрофы как итога коммунистического правления и пытавшимися так или иначе воспрепятствовать национальной катастрофе. Всяк по степени своего разумения.

Столкнуть державника с националистом — таков был подлинный смысл решения оперов из местного гэбэ. Уже не помню, сколько мы просидели со Стусом, но удовольствия «шефам» не доставили. Стус прекрасно знал русскую литературу, к тому же он сумел заразить меня интересом к польскому языку, и через месяц я уже без словаря читал романы, оказавшиеся в тюремной библиотеке. Нам разрешалось выписывать любую советскую прессу, мы получали почти все серьезные литературные журналы. Особенно запомнилось обсуждение романа Сергея Залыгина «После бури». Уж сколько-то было споров! Роман пошел по камерам, и было общее мнение, что это — самое значительное событие в литературной жизни 80-х. Как выяснилось позже, на воле роман вовсе не был замечен, что меня удивило.

Казалось бы, ну и упекли, перекрыли воздух до конца жизни, оставьте в покое. Так нет же. Откуда-то из центра требуют от местных органов систематической работы по перевоспитанию обреченных, инициативы требуют, оперативных разработок, и результаты им подавай. Не может такого быть, чтобы хоть кто-нибудь, хоть один, да не прогнулся, сопли не пустил, домой не запросился!... А местные органы — кто там? Психологи, самородки, гении оперативных интриг, знатоки человеческих душ? Да нет же, честолюбивые недоучки, понимающие работу с политическими рецидивистами как единственный шанс выбиться куда-нибудь там в их гебистской иерархии, положительно засветиться, получить повышение и очередное звание. А может, и вовсе ничего такого, а просто удовольствие распоряжаться судьбами. Взять, к примеру, и лишить зека долгожданного свидания с родственниками. Или конфисковать письмо. Или даже просто придержать его на месяц-другой, чтобы помаялся злодей-антисоветчик, чтобы усох...

А вся беда в том, что чем отчетливее понимание собственной обреченности, тем, вопреки логике, отчаяннее цепляешься за них — за близких, своих. В том и слабость. Возможно, единственная слабость. На ней и прокалываешься. А тебе тут же штырь в рану — а вы уверены, что вы нужны, что вас ждут? Да нет, конечно же, не уверен. И жена может устроиться по жизни, и дети взрослеют, и отдаляется душа. А родители, если живы, сколько еще протянут?

Так погиб Юрко Литвин. Намекнули «опекуны», что не пишет сын — потому что не хочет. А кроме сына у Литвина — больше никого, кто ждет или ждал. Сказался больным, не вышел на работу. На обед пришли сокамерники, видят: лежит на шконке, укрывшись одеялом с головой. В последние дни хандрил, избегал общения. Не решились потревожить. И, лишь возвращаясь в рабочую камеру, кто-то рискнул окликнуть. Молчит. Подняли одеяло — заточенной ложкой зарезался. Еще был жив. Повезли, несколько операций, бесполезно — умер на операционном столе [це сталося 4 вересня 1984 року — рівно за рік до дня смерті Стуса].

И что, этот случай чему-нибудь научил «опекунов» из местного гэбэ? Ничуть. Через некоторое время — точно та же игра с Василем Стусом. Одно письмо от сына задерживают, другое… Разговорчики с намеками. А Стус на грани нервного срыва. На очередном собеседовании сорвался, каждому выдал поименно, не корректируя выражения. Словно того и ждали. В карцер.

Я видел Василя Стуса живым последний. В карцере он объявил голодовку. В следующую ночь на проходной, надрываясь, выла овчарка. Причину его смерти не знает никто…

На цьому Бородін закінчив читати. По його очах було видно, які сильні відчуття викликало повернення у минуле.

Мав нагоду поставити кілька запитань. Перше — як забрали Стуса до карцера? Інший табірний товариш поета і вже за часів незалежності його біограф Василь Овсієнко так описував причину: «Бородін був внизу, на нижніх нарах, а Василь на верхніх. Так от, десь, мабуть, 27 серпня [1985 р.] Василь взяв книжку, сперся ліктем на койку і так читав. Через вічко заглянув наглядач на прізвище Руденко. Йому не сподобалося, що Стус сперся ліктем на ліжко. Він йому зробив зауваження, мовляв, «нарушаєте форму заправкі постелі». Стус каже: «А як

Леонід Бородін — останній, хто бачив Василя Стуса живим

треба?» — «Поправьтє подушку, поправьтє постель». Стус це зробив, сів на стілець та й годі. І думав, що з того нічого не буде. …П'ятнадцять днів карцеру. Якби навіть чоловік і ліг на койку в денний час, то хіба за це належиться смертна кара? А фактично так воно сталося» [цитата за документальною книгою «Нецензурний Стус», Тернопіль, 2002].

— Нет. Просто пришли, объявили и отвели его в карцер. То, что вы сказали, бывало раньше — и мне, и ему. Это обычное дело: лежал на кровати. Так все лежали, но по закону нельзя. Если тебя надо наказать — заходят, а ты лежишь… В Кучино таких придирок было меньше, чем во Владимире. Там они другим доставали. Это — шмон. На работу идешь — раздевают, знают, что ничего у тебя нет. Просто унижают. С работы идешь — раздевают… При этом все очень вежливо — на «вы». Это была очень утонченная форма издевательства.

— Что предшествовало последнему вызову Стуса «с вещами»?

— Ну, между нами говоря, он всех обматерил. Дело в том, что тогда произошел прокол — почтальон сказала, что письмо от сына есть. А опер КГБ говорит — никакого письма нет. В тот последний раз Стус им всем выдал, стоял у двери и страшно кричал! От бессилия и злости он становился просто яростным.

— Бывшие политзеки вспоминают, что однажды, когда Стуса вели из «ментовской» комнаты, он кричал на них: «Фашисты, фашисты!»

— Да, было такое. И когда его привели, и он, быть может, еще полчаса продолжал кричать. Я сидел в сторонке, а он кричал до исступления. Причем вмешиваться было бесполезно. Потом он остановился и сам себе — ну, все, ну все…

— А как вы узнали, что Василь умер?

— Сначала слух пошел. А потом версии. Они таковыми остались и до сегодняшнего дня. Был один мент, которому мы чуть-чуть доверяли, так вот он уверял, что из камеры Стус вышел своими ногами. То есть якобы у него был сердечный приступ, но он своими ногами из камеры. Этот мент давал честное слово, что все так и было.

— Я знаком с одним из ваших бывших надзирателей, «контролеров», Иваном Кукушкиным…

— Да, помню! Мерзятина!

— Так вот, я спрашиваю Кукушкина: а что вы знаете о смерти Стуса, как он погиб? И он говорит такую фразу: «Ну, он, того, короче, удавился в рабочей камере». У нас с Василем Овсиенко, когда мы это услышали, был шок.

— Если эта версия существует, то у меня, зная характер Стуса, есть свое объяснение. Василь в карцере сразу объявил голодовку. Проходит четыре дня, приходит мент и говорит — давай ложку и миску Стуса! Я подал… Сразу отметил: значит, он снял голодовку. Вот если это правда, зная его характер, тогда он, не простив минутной слабости, мог на себя наложить руки.

— Кукушкин божится, что самоубийство произошло в рабочей камере, рядом с прогулочным двориком, — мол, Стус повесился на трубе отопления.

— Если архивы не откроют, так все это тайной и останется.

— Есть еще одна версия. Что Стус, державший голодовку, ослабел настолько, что не удержал нары, которые перед сном по команде надзирателя опускали вниз. И тяжелые, окантованные металлом, нары ударили зека по голове.

— Есть и такая версия. Мол, кто-то слышал грохот. Я не думаю, что это возможно. Ослабеть до такой степени за несколько дней голодовки нельзя. Я держал голодовку по десять дней и, как говорится, козлом бегал. Поскольку мы точно не знаем, когда наступила смерть, требование отдать ложку и миску — это могла быть и форма обмана…

У 2003-му у Москві вийшла та сама «наиважнейшая» книжка Леоніда Бородіна — «Без выбора. Автобиографическое повествование». 24 листопада 2011 року письменник помер. Похований на цвинтарі селища Реммаш у Сергієво-Посадському районі у Підмосков'ї.

Вахтанг Кіпіані

СТУС І НОБЕЛЬ. ДЕМІСТИФІКАЦІЯ МІФУ

Детектив. Справжній детектив — з убивством наприкінці. Такий вигляд має фінал історії про номінування українського поета і політв'язня Василя Стуса на Нобелівську премію з літератури 1985 року…

Найпопулярніша інтерпретація цієї трагедії дослівно така: «Тернопільське видавництво "Лілея" випустило друге видання монографії "Нобелівська інтелектуальна еліта й Україна"… Серед них був також поет-дисидент Василь Стус, якого 1985-го нобелівський лауреат Генріх Бьолль висував на здобуття Нобелівської премії з літератури…»

Або так: «…У таборі поет продовжував залишатися поетом і зумів навіть передати на волю свої записи — «З табірного зошита», які були висунуті на здобуття Нобелівської премії 1985 року… Відомо, що в табір, де політв'язень Стус відбував покарання, надійшла телеграма, у якій повідомлялось, що він висунутий на Нобелівську премію, і серед іншого зазначалося, що мертвим премію не присуджують».

І навіть так: «…Найтрагічніша доля у Василя Стуса, якого висунув на отримання Нобелівської премії німецький письменник Генріх Бьолль у 1985 році. Вважається, що тогорічна премія вже була присуджена талановитому українському поету та борцеві за свободу проти тоталітарного режиму, коли він помер (читай: був вбитий) під час голодування в карцері 3 вересня 1985 року» («Дзеркало тижня», № 36, 9—15 вересня 1995 р.).

І, нарешті, один із чільних популяризаторів спадщини українських дисидентів, політв'язень брежнєвсько-горбачовських часів Василь

Овсієнко подає, так би мовити, канонічну версію цієї історії: «27 серпня [1985 р.] — це за пізнішими розповідями Бородіна — Стус узяв книжку, поклав її на подушку своїх верхніх нарів і, зіпершись на них ліктем, так читав. Це не сподобалося наглядачеві Руденку — дуже недоброму хлопцеві з Молдавії родом, котрий, однак, часом послуговувався українськими словами. Він зауважив Стусові, що той «порушив форму заправки постелі», — а тоді вже сісти, чи, не дай Боже, лягти на койку до відбою було категорично заборонено. Стус озвався на те спокійно, поправив подушку і вибрав іншу, «дозволену» позу. Однак назавтра виявилося, що Руденко з черговим помічником начальника колонії старшим лейтенантом Сабуровим та ще з кимось із наглядачів склав рапорт, що Стус у неналежний час лежав на нарах, та ще й у верхньому одязі. Брехня була очевидна. Тож Василь, збираючись до карцеру, сказав Бородіну, що оголошує голодівку. «Яку?» — спитав Бородін. «До кінця».

Його доля, мабуть, уже була вирішена: не закатували б за цим разом, то за другим. Ми тоді ще не чули — навряд чи й Василь чув, — що його творчість висунуто на здобуття Нобелівської премії. Щоправда, ми не раз між собою говорили про неї, згадуючи, що в кінці 70-х років ішлося про присудження премії засновникам Московської та Української Гельсінських груп. Цей геніальний винахід, на жаль, не був достойно оцінений Нобелівським комітетом — яка то була б підтримка правозахисному рухові…

[Юрій] Литвин обмірковував, як би від української групи написати подання на присудження її Ліні Костенко за «Марусю Чурай». Коли я сказав про це Василеві, він засумнівався, чи дотягує цей роман того рівня, надто що в нім є антихристиянські, як він сказав, випади. Як би там не було, — кремлівська банда знала все і не могла допустити, щоб нобелівський лавріят сидів за ґратами. Такого не допускав навіть Гітлер: він випустив одного свого в'язня, коли йому присудили Нобелівську премію. Горбачов же вирішив убити його ще до присудження… Захисники Горбачова скажуть, що він, скоріше всього, й не чув про Стуса. Але я певен, що наші справи розглядалися і вирішувалися на найвищому рівні…» («Світло людей», Київ, 1996).

Для початку демістифікуємо один реальний історичний факт. Василь Овсієнко пише: «Гітлер… випустив одного свого в'язня, коли йому присудили Нобелівську премію». Справді, лауреатом Премії миру у 1936 році було обрано німецького публіциста Карла фон Осецького, який у той час перебував у концтаборі. Серед тих, хто підписав петицію на його підтримку, були Альберт Ейнштейн і Томас Манн, Ромен Роллан і Анрі Барбюс.

Вістку про нагородження Осецький зустрів у в'язничній лікарні. Закордонний паспорт йому так і не видали, хоча влада заявляла, що він зможе поїхати по премію, якщо забажає. «Темники» Геббельса заборонили пресі навіть згадувати про лауреатство Осецького. У травні 1938 р. літератор-антифашист помер у лікарняній палаті, так і не торкнувшись медалі з профілем Нобеля. Отже, Гітлер «випустив на свободу» свого політв'язня досить умовно.

З вищенаведених цитат можна виснувати, що автори численних публікацій, розходячись у нюансах і обставинах, загалом погоджуються із самим фактом висунення, наявністю достатніх підстав для відзначення Василя Стуса найпрестижнішою світовою премією в галузі літератури і безумовної невипадковості таємничої смерті поета.

Нобелівський лауреат 1935 року, політв'язень Карл фон Осецький

Головне «послання» таких матеріалів — страдницький шлях і літературний хист Стуса мусили б бути поціновані ще за життя, — і «нобелівка» в цьому сенсі видається чи не найадекватнішою оцінкою українського генія.

Літературні критики — в Україні і поза Україною (йдеться про тих, хто заглиблений у вітчизняний літературний процес) — визнають, що Стус був наймасштабнішою постаттю в українській поезії другої половини, а може, й цілого XX століття.

За життя (1938—1985) про це практично ніхто не казав уголос. По-перше, боялися — передусім ті, хто знав справжню ціну Стусовому слову: колеги по цеху, українські письменники та літературознавці, професійні мовчальники 1970-х. По-друге, сучасники практично не мали можливості читати твори Стуса — остання прижиттєва публікація його поезій у Радянському Союзі була у журналі «Донбас» на початку 1966 року.

Наступна — через понад тридцять років (1989) у газеті «Молодь України». Але ті люди, яких доля пов'язувала зі Стусом, не могли не визнавати велич цієї постаті.

Михайло Хейфець, товариш-співтабірник з мордовського періоду ув'язнення, щойно вийшовши з табору і діставшись на Захід, написав: «В українській поезії більшого немає…»

«…З усіх можливих героїзмів за наших умов існує тільки один героїзм мучеництва, примусовий героїзм жертви. Довічною ганьбою цієї країни буде те, що нас розпинали на хресті не за якусь радикальну громадську позицію, а за самі наші бажання мати почуття самоповаги, людської і національної гідности» (Василь Стус. Відкритий лист до Івана Дзюби, 1975).

Завдяки надзусиллям родини поета, тільки у 1990-х роках було видано повне зібрання творів Василя Стуса — у шести томах (дев'яти книгах). Можна тільки дивуватися багатющій спадщині автора, який більшу частину творчого періоду життя провів за гратами.

Починаючи журналістське розслідування цієї справи, розбираючи завали інтерпретацій, «не фактів» і навіть вигадок («антифактів»), треба було б спершу спертись на низку тверджень, які не викликають сумніву і різночитань.

Отже.

1. У заповіті шведського мільйонера і мецената Альфреда Нобеля вказано, що щороку з грошей Фонду Нобеля присуджується премія «особі, яка в галузі літератури створить видатний твір ідеалістичної спрямованості».
2. Посмертне присудження — згідно з регламентом премії — можливе за умови, якщо претендент був живий на момент оголошення про лауреатство, яке зазвичай відбувається у жовтні, але помер до 10 грудня, дати вручення нагороди. Наприклад, так було 1931 року — переможець, шведський поет Ерік Карлфельдт, пішов із життя напередодні нагородження.
3. У ніч проти 4 вересня 1985 року на дільниці особливого режиму колонії ВС-389/36—1 у селі Кучино Чусовського району Пермської

області представниками табірної адміністрації було зафіксовано смерть ув'язненого Василя Стуса.

4. Лауреатом премії Нобеля 1985 року є французький романіст Клод Сімон — «за поєднання у творчості поетичного й мистецького начал».

Основними джерелами цього дослідження стали зібрані в Архіві-музеї українського самвидаву «Смолоскип» фонди з історії дисидентського руху 1960—1980-х років, зокрема й про життя та творчість Василя Стуса. Серед іншого це велика колекція газет, журналів і вирізок з видань української діаспори та провідних світових медіа.

У підготовленому Оксаною Дворко покажчику «Бібліографія: життя та творчість Василя Стуса» міститься повний перелік наявних у «Смолоскипі» публікацій українською, російською, англійською, німецькою, французькою, польською мовами (статей, рецензій, повідомлень, спогадів тощо).

Запитання перше. Чи було висунуто українського поета на премію Нобеля?

Відповідь варто почати з опису процедури. Щороку до 1 лютого Нобелівський комітет приймає пропозиції щодо кандидатур від окремих авторитетних осіб, громадських і наукових інституцій тощо.

«Впродовж лютого-червня експерти добирають найгідніших і залишають у списку від 20 до 30 персоналій. І вже серед залишених у списку кандидатур проводиться особливо вимогливий і зважений добір. Зазвичай копітка добіркова робота щодо претендентів завершується у вересні, коли імена обранців подають на остаточний розгляд та офіційне затвердження членам Шведської Академії літератури… Академія приймає до розгляду кандидатури лише тих авторів, чиї твори були опубліковані та здобули широке визнання серед читачів і високу оцінку експертів… Академія радше дає перевагу авторам за всю сукупність їх творів, аніж за окрему книжку…

Прискіпливо розглядаються не лише художня вартість творів (для цього спеціально перекладених на шведську чи англійську мову), а й інші суттєві обставини, пов'язані з конкретною кандидатурою… Внутрішні дискусії та результати голосування на всіх стадіях добору й остаточного ухвалення рішення у жодному разі не розголошуються, попри наполегливі спроби публіцистів, дослідників-нобелістів вивідати бодай найменші відомості. Засідання Нобелівських комітетів не стенографують, імена претендентів, які лишилися без премії, не повідомляють».

Автограф Нобелівського лауреата з літератури 1985 року Клода Сімона

«Кухня» Нобелівського комітету назавжди залишатиметься для нас закритою. Але, як правило, ініціатори висунення письменників і поетів діють публічно. Принаймні, громадяни країни точно знають, прізвище якого співвітчизника фігурує в посланнях до Стокгольма.

Щоб з'явитися у номінаційних списках Нобеля-85, кампанія з «розкруткою» постаті і книжок Стуса мала стартувати не пізніше від початку 1985 року, щоб можна було встигнути підготувати бодай кілька листів від тогочасних літературних і суспільних авторитетів світового рівня.

У газеті «Америка» за 17 грудня 1985 року знаходимо інформацію, що наприкінці 1984 року в Торонто було створено «Міжнародний комітет для осягнення літературної нагороди Нобеля Василеві Стусові в 1986 році». Ця інформація тягне на сенсаційну, адже до сьогодні вважають, що поета-дисидента мали відзначити роком раніше.

Хто ж увійшов до складу комітету? Мирослав Іван кардинал Любачівський, тодішній глава Української Греко-Католицької церкви у вигнанні, Юрій Шевельов, професор-емерит Колумбійського університету, Володимир Янів, ректор Українського Вільного університету, Петро Цимбалистий, ректор Українського Католицького університету, Валентин Мороз, відомий дисидент, митці Ганна Черінь, Яр Славутич, Володимир Біляїв, Остап Тарнавський, Леонід Полтава, Михайло Хейфець та інші представники художньої та політичної еміграції. Іноземна складова — професор Сорбонни, американський конгресмен, римо-католицький кардинал та інші авторитетні люди з США, ФРН, Канади, Швеції, Нідерландів, Ізраїлю, Великої Британії, Бельгії, Франції та навіть Пуерто-Ріко.

Головою комітету був проголошений відомий славіст Ярослав Рудницький, професор-емерит Університету Манітоба, а секретарями — Оксана Керч з Філадельфії та Світлана Кузьменко з Торонто.

Аналіз публікацій з архіву «Смолоскипу» дозволяє виснувати, що «мотором» процесу виступила пані Керч, письменниця, авторка споминів про Тодося Осьмачку. Її чоловік — Володимир Куліш, син драматурга Миколи Куліша. Це про неї склав дружню епіграму Ігор Качуровський:

Хапає корч
І ставить сторч,
Шкереберть і правцем:
Пройшла, мов смерч,
Оксана Керч…

Загалом, про діяльність комітету вдалося відшукати три згадки — це серед кількох сотень публікацій про Василя Стуса. Окрім, на жаль, неідентифікованої замітки Софії Наумович «Розголос про Василя Стуса» (зберігається в архіві, але не містить назви видання і дати), усі написані… Оксаною Керч.

1. К. О. Не стало Василя Стуса. // Америка.— 1985.— 13 вересня.
2. Керч Оксана. Василь Стус і нагорода Нобеля. // Америка.— 1985.— 17 грудня.
3. Керч Оксана. Василь Стус і нагорода Нобеля. // Свобода.— 1986.— 13 червня. — Ч. 111.

У фондах Музею-архіву українського самвидаву зберігається лист члена «Міжнародного комітету…» Остапа Тарнавського до директора видавництва «Смолоскип» Осипа Зінкевича від 29 серпня 1985 року (до смерті Стуса залишається тиждень!): «…Йде тепер акція за те, щоб Стус дістав нагороду Нобеля. Почали цю акцію, правда, не так щасливо, бо її очолює самий академік Ярослав Рудницький, а за ним стоять бандерівці, але — хто б це не робив — акцію треба підтримати. Вони звернулися до мене, щоб я дав своє прізвище до президії, і — зрозуміла річ — відмовлятись не можна…»

Тут можна припустити: серед причин невисокої ефективності комітету варто розглядати й той факт, що нобелівську ініціативу в діаспорі асоціювали з конкретним політичним середовищем, а не позиціонували як позаполітичний рух інтелектуалів. Так це чи не так? Ця версія потребує окремого дослідження.

Здавалося б, головною метою новоствореного громадського, та ще й міжнародного, комітету мала б стати широка рекламно-просвітницька кампанія, скерована на звільнення й можливий виїзд з СРСР «номінанта» Василя Стуса, популяризація його творів. Для початку публікації про Нобелівську ініціативу, про склад комітету мали б бути розміщені у кожній з масових газет у країнах українського поселення — «Свободі», «Америці», «Вільній думці», «Шляху перемоги», «Українському слові», «Новому шляхові», «Українській думці» тощо. Чому ці елементарні речі не були зроблені? Це викликає щонайменше подив.

Запитання друге. Чи має Нобелівський лауреат Генріх Бьолль якийсь стосунок до ініціативи «Міжнародного комітету...»?

Знайти публікації чи бодай окремі згадки, які дозволили б вирахувати, звідки поширилася легенда про те, що лауреат Нобелівської премії 1972 року, колишній керівник Міжнародного ПЕН-центру Генріх Бьолль нібито був ініціатором (в іншій інтерпретації — «підтримав») висунення Стуса на найвищу літературну премію, нам не вдалося. Проте можна витворити асоціативний ряд — Бьолль докладав чимало зусиль для порятунку колег по перу, які потерпали від комунізму у країнах Варшавського пакту, на захист Стуса виступав щонайменше двічі. Чому б йому і не посприяти за «нобелівку»...

Видатний німецький письменник і драматург Генріх Бьолль вимагав звільнення українського поета Василя Стуса, але на Нобелівську премію не висував

Двадцять сьомого грудня 1984 року видатний письменник разом із колегами, німецькими літераторами Зігфрідом Ленцом і Гансом Вернером Ріхтером (стимулював цей процес радянський вигнанець Лев Копєлєв, якому надавала матеріали Анна-Галя Горбач), надіслав тодішньому генсекові ЦК КПРС Костянтину Черненкові телеграму, у якій ішлося про незадовільний стан здоров'я поета («…що й так уже був загрозливий, а тепер ще погіршився… набрякають очі, постійно підвищена температура, пухнуть ноги, біль серця і нирок. Це може бути туберкульоза нирок, яку можна лікувати тільки в нормальній лікарні»). Звучала і пряма вимога звільнити українського дисидента.

На звернення Нобелівського лауреата з Москви не було жодної відповіді. Це Бьолля не здивувало: «Як президент Міжнародного ПЕН-клюбу я вислав впродовж 14—15 років десятки телеграм до радянських властей, до посольств, до спілок письменників — і ще ніколи не дістав жодної відповіді. Виходить, що це зовсім безглуздо, а однак треба це робити, аби звернути увагу на певну особу. Я ще ніколи не дістав жодної відповіді, навіть від моїх колег зі Спілки [радянських] письменників, з якими почасти особисто знайомий…»

Можна припустити, що однією з підстав для виникнення легенди стало телефонне інтерв'ю Генріха Бьолля німецькому радіо, датоване 10 січня 1985 року, яке неодноразово передруковували у пресі. У мікрофона — журналістка радіо Західної Німеччини пані Мертесгаймер.

МЕРТЕСГАЙМЕР. У чому полягає злочин Стуса, чому його так суворо карають?

БЬОЛЛЬ. Його так званий злочин полягає в тому, що він пише свої поезії по-українськи, а це інтерпретують як антирадянську діяльність… Стус пише свідомо по-українськи. Це єдиний закид, що мені відомий. Навіть не закид у націоналізмі, що також легко застосовують, а виключно на підставі української творчості, що трактують як антирадянську діяльність.

Кореспондентка далі питає письменника: чи більша поінформованість про в'язня «охоронятиме» його від нових репресій?

БЬОЛЛЬ. Нещодавно вийшло дві збірки з поезіями Василя Стуса в гамбурзькому видавництві. Ці публікації здійснено з ініціативи товариства «Орієнт-Окцидент». Більша поінформованість про нього допомогла б йому безперечно, бо він справді в дуже важкому становищі, якщо згадати, що він уже дванадцять років перебував у таборах і на засланні, а після заслання його одразу запроторили знову до табору. Сподіваймося, що якогось дня не прийде вістка, що все було запізно.

Нобелівський лауреат Бьолль помер у Кельні 16 липня 1985 року — за півтора місяці до загибелі Василя Стуса.

В архіві «Смолоскипу» зберігаються скрипти й кількох передач «Радіо Свобода», де йшлося про трагічну долю поета:

22.07.1985 р. Автор Кирило Ростислав. Генріх Бьолль в обороні Василя Стуса (3 арк.).

06.09.1985 р. Автор Юрій Маєрник. З приводу смерті Василя Стуса (4 арк.).

06.09.1985 р. Автор Надія Світлична. Над труною Василя Стуса (1 арк.).

Але у жодній з програм немає згадок про «нобелівську ініціативу», Бьолля, якихось інших осіб.

Запитання третє. Що конкретно було зроблено «Міжнародним комітетом для осягнення літературної нагороди Нобеля Василеві Стусові 1986 року»?

Варто зауважити: про діяльність комітету нам відомо лише з нечисленних публікацій самих комітетників.

З дописів Оксани Керч виходить, що роботу скеровували в двох напрямках — видання перекладів вибраних поетичних творів Василя Стуса англійською мовою та «найширшої популяризації імені нашого поета в світі. При цьому шляхом рекомендації кандидатури нашого поета до Нобелівського комітету при Шведській Академії».

Першу ціль реалізували збиранням коштів. На звернення у пресі відгукнулися: відділ Об'єднання Жінок Організації Оборони Чотирьох Свобід України (Філадельфія), Ярослава Томич (Ютика), Світлана Кузьменко (Торонто), Андрій Стецюк (Чикаго), Михайло Михалюк (Філадельфія), кредитний кооператив «Будучність» (Детройт), кооператив СУМА (Йонкерс), Спілка українців-католиків «Провидіння» (Філадельфія), кредитний кооператив Святого Йосафата (Торонто), кредитний кооператив Гамільтон, Українська національна кредитна спілка (Монреаль), «Самопоміч» (Нью-Йорк), «Українська щадниця» (Філадельфія), Український федеральний кредитний кооператив (Рочестер), Ніна Міхалевич (Філадельфія), Українське об'єднання письменників «Слово» в Канаді, Український кредитний кооператив (Реджайна), Український кредитний кооператив «Карпатія» (Вінніпеґ),

Іван Кусень (Філадельфія), Ірина Іванчишин (Нью-Йорк) та інші жертводавці.

Зі слів Оксани Керч відомо, що «Міжнародний комітет...» поширив понад сто листів з проханням написати рекомендаційні листи до Швеції «одною з европейських мов, виключаючи слов'янські». Відтак епістоли до Стокгольма на підтримку Стуса надіслали Наукове товариство ім. Тараса Шевченка (Ярослав Падох, Леонід Рудницький), поетка Ганна Черінь, професор Володимир Жила, доктор Богдан Стебельський, доктор Ольга Вітошинська, магістр Аріядна Стебельська.

На початку вересня 1985 року Стуса не стало. Ще одна витримка зі щоденника «Америка»: «Комітет не був песимістом навіть тоді, коли прийшла страшна вістка з пермського табору, що наш кандидат Василь Стус не живе... Ми написали листа до шведського короля... Ми просили короля помогти нам у випадку, коли ув'язнений поет, що заслуговує на нагороду, не витримав фізичних знущань, а ми ставили його кандидатуру тоді, коли він жив. З королівської канцелярії листа переслали в Нобелівський комітет, секретар якого Лярс Гіленстен відповів, що ця установа не підпорядковується ні королю, ні державі і вони не можуть задовольнити прохання, оскільки правильник Академії "такого випадку не передбачає". І навіть надіслали примірник статуту нагороди».

Сам Василь Стус не знав про торонтсько-філадельфійську ініціативу і тим більше не міг отримувати жодної телеграми до табору з інформацією ні про номінування (хоча спроба зробити це могла бути цілком успішною — якби про це повідомили його родину і далі через побачення), ні тим більше «лауреатство» (якого не було в принципі), але важкий стан його здоров'я не дозволяв чекати так довго...

Знаючи про це, комітетники не мали права відкладати «осягнення нагороди Нобеля» на наступний 1986 рік, а повинні були одразу братися до справи.

Питання четверте. Чи «Міжнародний комітет...» підготував переклади творів Василя Стуса на англійську та інші світові мови?

До моменту загибелі на Заході виходили нечисленні переклади поезії та публіцистики Стуса:

1. Unfilled [Один вірш в перекладі Володимира Грушкевича]. // Smoloskyp.— 1978. — Fall. м № l.
2. Stus, the poet. [Три вірші в перекладі Володимира Грушкевича]. // Smoloskyp.— 1981. — Spring.— № 11.

3. Ein dichter im Widerstand. Aus dem Tagebuch des Wassyl Stus. // Gerold & Appel Verlag, Hamburg.— 1984.
4. Ukraine / Vasyl Stus. [Чотири вірші в перекладі Володимира Грушкевича]. // «Pen International» Bulletin of Int. P. E.N. London.— 1985. — Vol. XXXV.— № 1.
5. A Gulag Notebook. [Переклад Марка Царинника та Георгія Луцького «З таборового зошита». Вірші у перекладі Марка Царинника.] // The Washington Times. — Washington.— 1985. — August 28.

Звичайно, цього було фантастично мало — і для зацікавленого українського, але англомовного читача, і тим більше для шведських академіків. Саме тому одним із завдань «Міжнародного комітету…» була підготовка першого повноцінного видання перекладів.

Книжка отримала назву «Selected Poems». Видавець — Український Вільний університет у Мюнхені за сприяння Фундації ім. Лариси і Уляни Целевич-Стецюк при об'єднанні жінок Організації Оборони Чотирьох Свобід України у Нью-Йорку.

«Вибрані поезії» видано двома мовами: ліворуч Стусів оригінал, праворуч переклад Ярополка Лісовського — 46 поезій зі збірок «Зимові дерева» та «Свіча в свічаді». Вступну статтю Юрія Шевельова упорядники взяли з видання «Палімпсести: Вірші 1971—1979 років» (Мюнхен, «Сучасність», 1986).

Нобелівський комітет і Шведська Академія літератури так і не отримали «Selected Poems» — бо поета Стуса вже не було серед живих. Та й не факт, що листи діячів української діаспори взагалі брали до уваги. Бо, справді, важко уявити, що успішною могла бути спроба видати за повноцінний переклад аматорський підрядник, та ще й виданий не у престижному видавництві, про що передусім мав би подбати зірковий за складом «Міжнародний комітет…», а у маргінальному за західними мірками УВУ, видавництві емігрантського університету.

Заради справедливості відзначимо, що Ярополк Ласовський реально оцінював свої можливості, бо назвав англомовну частину книжки «Synoptic Translation of Poems» (у нас зазвичай такі переклади називають підрядниками).

Проте відомий поет і критик Ігор Качуровський відзначає, що ця книжка була доволі успішним дебютом людини, яка досі була відома як музикознавець: «…і до того ж у царині поетичного перекладу. А це вимагає від перекладача, крім знання обох мов, також естетичного

Ось тут, в Українському Вільному Університеті в Мюнхені, було видано першу книжку перекладів Стуса англійською, але «осягненню нагороди Нобеля» це ніяк не допомогло

смаку та абсолютного відчуття ритму. І тут на допомогу дебютантові прийшли, на мою думку, його музичні здібності… З приємністю можна ствердити, що поставлене собі завдання перекладач виконав: ямбічні вірші перекладено ямбом, при тому вірш у вірш зі збереженням типових для Стусової ритмоструктури «енжамбеманів», себто ритмічних перехватів, коли закінчення думки не збігається із закінченням вірша» (газета «Українська думка», 26 травня 1988 р.).

Оскільки брошура вийшла 1987-го, тобто через два роки після загибелі Василя Стуса, її роль у справі «популяризації творчої спадщини поета» виявилася мінімальною.

І, нарешті, останнє запитання. Чому про діяльність «Міжнародного комітету…» не було поінформовано письменницькі організації, правозахисні спілки і навіть найтиражніші газети української діаспори?

У Музеї-архіві «Смолоскип» зберігаються десятки прижиттєвих і посмертних публікацій про Василя Стуса, що були надруковані у чільних діаспорних і провідних світових газетах:

1. Василь Стус — нова жертва терору. // Українське слово.— 1985. — Париж.— 22 вересня.
2. Волянська Людмила. «…За Вкраїну його замучили колись…» Поет Василь Стус не живе // Свобода. — Нью-Джерсі. — 1985. — 18 вересня; 19 вересня.
3. Гинзбург Арина. Памяти Василя Стуса. // La Pensée Russe.— 1985.— 13 сентября.
4. Горбач Анна-Галя. Міжнародна Амнестія та Німецький ПЕН-клюб затурбовані долею Василя Стуса. // Українське слово. — Париж.— 1985.— 24 лютого.

5. Кучер Михайло. На смерть Василя Стуса. // Свобода. — Нью-Джерсі.— 1985.— 2 і 3 жовтня.
6. М. О. Нова жертва кремлівських злочинців. // Шлях перемоги. — Мюнхен.— 1985.— 22 вересня.
7. Найбільший український сучасний поет — В. Стус не живе. // Свобода. — Нью-Джерсі.— 1985.— 7 вересня.
8. Патріот-мученик. // Українська думка. — Лондон.— 1985.— 27 червня.
9. Рахманний Роман. Протестне подзвіння на смерть поета. // Українська думка. — Лондон.— 1985.— 17 жовтня. — Ч. 42.
10. Світлична Надія. Усім людям доброї волі. // Вільна думка.— 1985.— 13—20 жовтня. — Ч. 41—42.
11. Смерть Василя Стуса. // Вести из СССР. — Мюнхен.— 1985.— 15 сентября.— № 17.
12. Fishbein Moses. Ein ukrainisches Schicksal. Das Martyrium von Wasyl Stus. // Neue Züricher Zeitung. — Zürich.— 1985.— 5 september.
13. Ukrainischer Dissident im Lager gestorben. Wassyl Stus — Dichter und Helsinki-Gruppen-Mitglied / Neue Urteile. // Frankfurter Algemeine Zeitung. — Frankfurt-am-Main.— 1985.— 7 September.
14. Tod des ukrainischen Regimekritikers Stus. // Neue Züricher Zeitung.— 1985.— 7 September.
15. Buch Hans Christoph. Weder Recht noch Gnade. Zum Tode des ukrainischen Dichters Wassyl Stus in einen sowjetischen Straflager. // Die Zeit.— 1985.— 13 September.
16. URSS: Mort d'un surveillant des accords d'Helsinki. // Le Matin. — Paris.— 1985.— 7 et 8 septembre.
17. URSS: Mort d'un poète dissident. // Le Quotidien de Paris. — Paris.— 1985.— 7 et 8 septembre. — No. 1802.
18. URSS: Mort d'un dissident dans un camp. // Liberation. — Paris.— 1985.— 7 et 8 septembre.
19. Un dissident ukrainien est mort d'épuisement au camp de Perm. // Le Monde. — Paris.— 1985.— 9 septembre.
20. URSS: Mort en prison d'un dissident estonien. // La Croix.— 1985.— 27 septembre.
21. Vasyl Stus dies in labor camp. // The Ukrainian Weekly.— 1985. — September 8.

22. Nahaylo Bohdan. The Soviet Writers who Led Dissent. // The Wall Street Journal. — New York.— 1985. — September 9.
23. Poet, rights activist Stus died of emaciation following long illness. // The Ukrainian Weekly.— 1985. — September 15.
24. Vasyl Stus Finally Finds Freedom in Death. // America. — Philadelphia.— 1985. — September 16.— № 148…

Прикметно, що в усіх цих матеріалах не знайти жодної згадки про діяльність «Міжнародного комітету для осягнення літературної нагороди Нобеля Василеві Стусові в 1986 році». Але, судячи з усього, Оксана Керч не вважала свою місію провальною, бо в одній зі статей чорним по білому написала: «…досвідом нашого комітету ми радо поможемо іншому кандидатові на Нобелівську премію…».

Прикро, але практично в той самий час, коли група відомих інтелектуалів займалася відвертим прожектерством, голова Закордонного представництва Української Гельсінської групи Надія Світлична, маючи підготовлену на основі авторських рукописів (!) книжку «Палімпсести», ходила по колу з простягнутою рукою, шукаючи незрівнянно менші гроші на першодрук унікального видання.

Що вже казати, коли презентація «Вибраних віршів», літературний вечір у Торонто з нагоди виходу книжки, відбулася аж 15 квітня 1989 року, тобто через три з половиною роки після смерті поета…

Вахтанг Кіпіані

ЧИ ВБИВАВ АДВОКАТ МЕДВЕДЧУК ПОЕТА СТУСА?

Четвертого вересня 1984 року поета Юрія Литвина знайшли з розтятим животом у житловій камері бараку колонії особливо-суворого режиму ВС-389/36 у селі Кучино на Уралі. Бездиханне тіло поета Стуса — у карцері, у цей самий день, роком пізніше. «Серце не витримало, з кожним може бути…» — передають слова табірного гебіста.

Ми маємо право не вірити: у невипадковість страдницького життя та випадковість смерті.

Місцем вічного спокою Юрка та Василя призначили маленький цвинтар при дорозі у селі Копально-Борісово.

«Особливо небезпечні державні рецидивісти» за «найгуманнішими в світі» радянськими законами не мали права навіть на скромний обеліск, не кажучи вже про людський хрест.

Тільки дерев'яні стовпчики із номерами. У Литвина — сьомий, у Стуса — дев'ятий…

Але вже через кілька років друзі та рідні перевезли їхні тлінні рештки додому. Вони знову поховані поруч — на Байковому цвинтарі у Києві. Нехай ця стаття буде, як кажуть у діаспорі, нев'янучим вінком на їхню могилу.

Стуса та Литвина багато що об'єднувало: хист, оголена поетична та громадянська реакція на несправедливість світу, врешті-решт, членство в Українській Гельсінській групі. Не кажучи вже про арешти, суди, тюрми й заслання. І зрештою, смерть. У цьому теж є знак з небес, бо це сталося в один день.

Але Юрка та Василя об'єднує не тільки спільність трагічної долі. В їхньому житті певну роль зіграв молодий тоді адвокат Віктор Медведчук.

Першим уголос заявив про те, що мораль і Медведчук — речі несумісні, — здається, Євген Сверстюк. Філософ і дисидент мав на увазі ненормальність ситуації, коли державну місію покладено на людину, яка нав'язує суспільству вовчі закони, має подвійне дно, є циніком і фарисеєм.

На жаль, у масовій свідомості слова глибокого й вимогливого Сверстюка трансформувалися в обивательську формулу «Медведчук засудив Стуса». Ці слова стали популярним звинуваченням, і їх вряди-годи кидають у маси з високих трибун.

У кожного є своя відповідальність перед Богом і сумлінням за зроблене на цьому світі. У Віктора Медведчука — так само. Керівник Союзу адвокатів України, заслужений юрист України і, зрештою, кум самого Путіна не заслуговує на якийсь захист. І, звісно, мова не про це. А про те, чи справді правильно звалити всю відповідальність за трагедію поета Стуса на одну — хай огидну й одіозну — постать.

Поет підписав собі вирок ще 4 вересня 1965 року, коли на прем'єрі «Тіней забутих предків» закликав підвестись усіх, хто виступає проти арештів інтелігенції, і попередив про відновлення сталінізму. Йому цього не пробачили — спершу втратив місце в аспірантурі та взагалі в українській літературі.

Перша книжка поета, видана на Заході. Із самвидаву — у тамвидав

Арешт у січні 1972 року — це кінець першого акту життєвої трагедії. Мордовія, заслання на Колиму, вимушене сусідство з матозязичним кримінальним російським світом, принизливі обшуки, перлюстрація листів до коханої дружини і малого Дмитрика, спроби фізично «провчити» — це все «этапы большого пути», це все сторінки ще не виписаної як слід трагедії Василя Стуса.

До чого ж тут Медведчук? У 1965-му, коли Стус і В'ячеслав Чорновіл «зривали» прем'єру (до речі, Сергій Параджанов згодом розцілував їх за чесний і сміливий вчинок), Вітє, що виховувався у родині політзасланця (за однією версією — батько був членом ОУН, інші кажуть — шуцман), було усього дев'ять років. У 72-му він ще вчився у школі і ще не вступив на юридичний факультет Київського університету. Отже, міг хіба чути про арешти якихось «антирадянщиків».

Віршів і літературно-критичних розвідок Василя Стуса майбутній адвокат Медведчук тоді не читав і не міг читати — їх після 1966 року у Радянському Союзі не публікували. Єдину на той момент збірку «Зимові дерева», без згоди автора, надрукували 1970 року за кордоном. На палітурці було вказано, що це зробило брюссельське видавництво «Література і мистецтво», а насправді книжка побачила світ у Лондоні, у «бандерівському» видавництві.

Уперше долі Медведчука та Стуса перетнулися, ймовірно, влітку 1980 року, коли Віктор Володимирович працював пересічним київським адвокатом, а Василь Семенович перебував у камері слідчого ізолятора КГБ на вулиці Володимирській.

Чотирнадцятого травня 1980 року Стус був заарештований співробітниками слідчого відділу Управління КГБ по м. Києву та Київській області за звинуваченням в «антирадянській агітації та пропаганді».

Фотографія Стуса з кримінальної справи 1972 р. Архів СБУ

Прощаючись з дружиною Валентиною, Стус сказав, що не братиме участі в попередньому слідстві й суді, відмовляється від адвоката [! — В. К.], не звертатиметься до вищих касаційних інстанцій, погодиться свідчити лише за умови відкритого судового процесу та участі міжнародних правозахисних інституцій, включно зі Світовим конгресом вільних українців.

Стусові інкримінували написання листів до Андрія Сахарова, Петра Григоренка, Левка Лук'яненка, Анни-Галі Горбач з Німеччини, члена «Міжнародної амністії» Крістіни Бремер (у матеріалах слідства вона фігурує як «націоналістка з ФРН» — хоча, насправді, була членом Соціалістичної партії Німеччини), заяву в обороні Миколи Горбаля та ще багато чого.

Слідство йшло все літо. Спершу держава призначила Стусу адвоката Людмилу Коритченко, яка вже мала досвід захисту іншого опозиціонера — Юрія Бадзя. Але з нез'ясованих причин вона зникає з процесу. У матеріалах справи немає відомостей про ці причини.

З дружиною Валентиною і сином Дмитром

І отоді в історії Стуса з'явився 26-річний Медведчук. Чи міг політв'язень обрати собі іншого адвоката, не призначеного згори?

Згадує Василь Овсієнко, член Української Гельсінської групи, політв'язень 1973—1977, 1979—1988 рр.: «У ті роки існував список адвокатів, з поміж яких тільки і можна було вибирати собі захисника, якщо ти проходив по політичній справі. Це, звісно, були перевірені люди, які мали від КГБ так званий «допуск» до справ такого роду.

Але в цих списках були й винятки. Наприклад, Сергій Макарович Мартиш, який, слава Богу, ще живий [інвалід Другої світової війни, кавалер ордену Вітчизняної війни І ступеня]. Він мав такий «допуск». Оксана Яківна Мешко попросила його написати касаційну справу в справі захисту її сина Олеся Сергієнка, також заарештованого за політичною статтею. Мартиш написав її блискуче, так що його відразу викинули з того переліку обраних... Після цього він міг захищати лише кримінальних злочинців.

Коли в 1979 році мене звинуватили, що я нібито напав на співробітника міліції і повідривав у нього ґудзики, Мешко порадила мені скористатися послугами Мартиша. І він добре мене захищав. Він запропонував судді закрити кримінальну справу, мене звільнити за відсутністю складу злочину, натомість покарати міліціонерів, які фальсифікували справу. Прокурор аж зайшовся від люті! Та просив суддю надіслати в адвокатську колегію Дарницького району Києва заяву «о неполном служебном соответствии» Мартиша».

Ніхто не знає, чи була можливість у Стуса обрати «менше зло». Проте є фактом, що наданого, підтримуваного держбезпекою адвоката звали Віктор Медведчук.

У грудні 1979 року Медведчук захищав у суді у Василькові іншого члена УГГ. Це вже була четверта «посадка» поета Юрія Литвина — раніше він карався за «політику» у 1951—1955, 1955—1965 та у 1974—1977 роках.

Литвина традиційно для кінця 70-х звинуватили не у злочині проти радянської держави, а у тому, що він нібито «будучи у нетверезому стані та порушуючи громадський порядок, вчинив спротив працівникам міліції з використанням насильства».

Знову дисидент бідного мєнта побив!

Литвин тоді отримав три роки позбавлення волі у колонії суворого режиму. З останнього слова, виголошеного 17 грудня 1979 року: «Зфабрикована проти мене справа є не що інше, як підла провокація, авторами якої є КДБ України, виконавцями ж — Васильківський райвідділ міліції, суд і прокуратура м. Василькова.

Провокація, вчинена проти мене, — це свідомий злочин, здійснений органами т. зв. радянської влади не лише проти мене як особи, як літератора, як члена Української Громадської групи «Гельсінкі», але й проти всіх тих, кому дорогі й близькі ідеали демократії, свободи й гуманізму.

Прокурор будував свої звинувачення не на ґрунті об'єктивних фактів (яких не було), а на хисткому тлі фальсифікацій і прямих лжесвідчень «потерпілих», які безсоромно брехали на суді під опікою «Влади» і «Закону»…

Пасивність мого адвоката Медведчука в захисті обумовлена не його професійним профанством, а тими вказівками, які він одержав згори, і підлеглістю: він не сміє розкривати механізму вчиненої проти мене провокації.

Адвокатська участь у таких справах зведена нанівець — це ще одне свідчення відсутності в СРСР інституту адвокатури при розгляді політичних справ, де садять людей «інакодумаючих»...

Як суд, так і прокуратура, так і державна безпека, так і міліція є вузлами на батозі, яким періщать і будуть періщити Литвина за його вільнодумство, за його літературну творчість та правозахисну діяльність».

Уже після «захисту» Василя Стуса Медведчукові довірили ще двох дисидентів – Миколу Кунцевича (3 роки таборів плюс 1,5 роки з попереднього терміну) та Клима Семенюка (7 років таборів і 5 років заслання). Роль адвоката в цих процесах варто дослідити окремо.

І знову риторичне запитання — чи міг адвокат (будь-який?!) врятувати підзахисних Стуса та Литвина?

Ні, бо їхня доля вирішувалася не в залі суду. Не у Василькові, і навіть не у Києві.

Збереглися архівні документи, що свідчать: репресії у відношенні членів Московської, Української, Литовської, Грузинської та Вірменської Гельсінських груп розпочалися після відповідної санкції ЦК КПРС.

Голова КГБ СРСР Юрій Андропов доповів, партія ухвалила рішення, відтак його довели до республіканських комітетів держбезпеки, і ті вже спустили на дисидентів «ланцюгових псів» із 5-го ідеологічного управління...

Усі інші коліщатка радянської тоталітарної системи лише забезпечували реалізацію московсько-цеківських рішень. Мєнти й гебісти фальсифікували справи. Чорноволові та Горбалеві не пощастило найбільше — їм приписали «спроби зґвалтування», Ярославу Лесіву — наркотики, Олесю Бердникові — підкинули валюту та порнографію тощо. Народні суди штампували терміни — по максимуму.

Адвокати відверто «відбували номер», не забуваючи, правда, здирати гонорари з убитих горем родин...

Ми всі вийшли не із гоголівської, а із брежнєвської шинелі. Хто каже, що без гріха, нехай не бреше...

Преса регулярно друкувала статті про «перерожденцев», «литературных власовцев», «агентів ЦРУ», «фашистів у сутанах», «українських буржуазних націоналістів».

Спілка письменників, провід якої точно знав вагу Стусової поезії, була відверто погромною інституцією. Інженери людських душ, під-

Секретно

Приложение

РИМ ЛИССАБОН
ЛОНДОН БРЮССЕЛЬ
ВАШИНГТОН БЕРН
БОНН СТОКГОЛЬМ
ТОКИО ОСЛО
МАДРИД (Торгпредство - для т.Богомолова, шифром МИД)

СОВПОСОЛ

За последнее время организаторы антисоветских кампаний в "защиту диссидентов" для придания "объективности" своим акциям предпринимают в некоторых странах попытки привлечь к участию в них представителей прогрессивных организаций и в этих целях делают вид, что они одновременно выступают за свободу жертв реак-

Один із документів з КГБ — наказ радянським дипломатам активніше протидіяти захисту дисидентів

куплені режимом, майже одностайно засуджували «неправильну поведінку» Івана Світличного, Валерія Марченка, Євгена Концевича.

Вони талановито славили Леніна, видавалися у престижних московських видавництвах, їздили за кордон, де ганебно брехали в очі «прогресивним» українцям і уникали зустрічей і дискусій з «націоналістами».

Чому суспільство не обговорює і не досліджує питання тодішньої колаборації цих людей з комуністичним режимом? Чому ми не цікавимось прізвищами суддів, прокурорів, чому не можемо пробачити конформізму, пристосуванства лише шістці комуністичної системи Медведчукові?

Чому ніхто з орденоносних інтелігентів — письменників, музикантів, вчених — не знайшов у собі мужності попросити політичного притулку у Канаді чи США та розповісти світові про фальш комуністичної системи, про русифікацію, про Голодомор?

Хто мусив знати істинну ціну поетичному генію Стуса — «син поліцая» чи керівники Спілки письменників?

Чому у вже перебудовному 85-му ще живого, але ув'язненого Стуса не було висунуто на Нобелівську премію колегами-письменниками, скажімо, Іваном Драчем?

На жаль, українське суспільство ще не дозріло, щоб про таке запитувати у людей, які пнуться вважати себе елітою.

Об'єктивним джерелом про поведінку Стуса та його адвоката Медведчука є 58-ме число московського самвидавного журналу «Хроника текущих событий». Саме там ми й можемо прочитати звіт про судовий процес 29 вересня — 2 жовтня 1980 року, що проходив у залі Київського міськсуду.

Головував суддя Фещенко, обвинувачення підтримував прокурор Аржанов, захищав Віктор Медведчук.

До речі, Стус чудово розумів, що справа не у конкретному виконавцеві, тому неодноразово відмовлявся від послуг адвоката. Взагалі!

За даними джерела «Хроники...», Медведчук на суді визнав, що всі «злочини», нібито вчинені його підзахисним, «заслуговують на покарання». Але просив врахувати, що Стус, працюючи на виробництві, «виконував норму», а до того ж має низку хронічних захворювань. Такі аргументи, треба розуміти, мали пом'якшити жорстокість спущеного з Москви вироку.

У короткому фінальному слові адвоката Медведчук сказав, що кваліфікацію дій його підзахисного «вважає вірною». Отже, він фактично підтримав звинувачення. Навіщо прокурори, коли є такі безвідмовні адвокати?..

Злочин перед поетом юрист Медведчук здійснив ще й тим, що не повідомив родині про початок розгляду справи. А це точно мало б бути його обов'язком перед клієнтом. Він цього не зробив. Боявся КГБ чи просто завжди був циніком і аморальним типом?

Насправді боронили Василя дві сміливі жінки — Михайлина Коцюбинська та Світлана Кириченко (дружина іншого політв'язня Юрія Бадзя).

С 29 сентября по 2 октября Киевский городской суд под председательством П.И.ФЕЩЕНКО рассматривал дело члена Украинской группы "Хельсинки" Василия Семеновича СТУСА (1938г.р.), обвинявшегося по ч.2 ст.62 УК УССР (=ст.70 УК РСФСР), Обвинитель - прокурор АРЖАНОВ. Несмотря на протесты и отказы СТУСА, на суде присутствовал назначенный защитником адвокат В.В.МЕДВЕДЧУК (Хр.55).

Арестовали СТУСА 14 мая (Хр.57). Во время предварительного следствия СТУС никаких показаний не дал.

СТУСУ инкриминировали его письма САХАРОВУ, ЛУКЬЯНЕНКО, ГРИГОРЕНКО и киевским друзьям, заявление в прокуратуру по поводу ГОРБАЛЯ, стихи, "устную агитацию".

25 сентября (четверг) жена СТУСА Валентина ПОПЕЛЮХ звонила СЕЛЮКУ, но он ей ничего о суде над мужем не сказал. Поздно вечером 30 сентября Михайлине КОЦЮБИНСКОЙ (Хр.45, 46, 48, 49), Светлане КИРИЧЕНКО и жене Евгения СВЕРСТЮКА В.АНДРИЕВСКОЙ были вручены повестки с вызовом на 1 октября на суд в качестве свидетелей. Только от них ПОПЕЛЮХ узнала, что суд над ее мужем уже идет, но и 1 октября ее в зал суда не пустили.

Выступая на суде, КОЦЮБИНСКАЯ назвала СТУСА человеком с обнаженной совестью, не способным пройти мимо малейшей несправедливости. "Такие люди встречаются редко, и я счастлива, что судьба свела меня со Стусом. Я много чем в жизни обязана ему." На вопрос судьи, что она может сказать о заявлении СТУСА в прокуратуру по поводу ГОРБАЛЯ (в этом заявлении СТУС требовал возбудить дело против организаторов циничной провокации), КОЦЮБИНСКАЯ ответила, что это заявление ярко подтверждает ее характеристику личности СТУСА: она также была убеждена, что ГОРБАЛЬ не виновен, но она только горевала об учиненной несправедливости, а СТУС немедленно и остро отреагировал на нее.

Фрагмент «Хроники текущих событий»,
яка містить виклад суду над Стусом

Михайлина Хомівна, виступаючи в суді, назвала Стуса «людиною з оголеною совістю, нездатним пройти повз найменшу несправедливість», заявила, що «є щасливою від того, що доля звела її з підсудним». Світлана Кириченко не відповідала на запитання катів, бо «не вважає процес законним», а відтак заявила, що «свідчитиме на тому суді, де Стус буде звинувачувати, а не сидіти на лаві підсудних», і на знак протесту залишила залу.

За словами очевидців (і це підтверджується матеріалами кримінальної справи № 5), у Стуса «вкрали» останнє слово. Спецпубліка, яка грала роль «масовки», покірно потягнулася до виходу. Василь гучно, як він це вмів, заволав: «Палачи! И вы не смоете всей вашей черной кровью поэта праведную кровь!»

Вирок прозвучав наче постріл: десять років позбавлення волі у таборі особливо-суворого режиму та п'ять років заслання. Визнаний

Світлана Кириченко

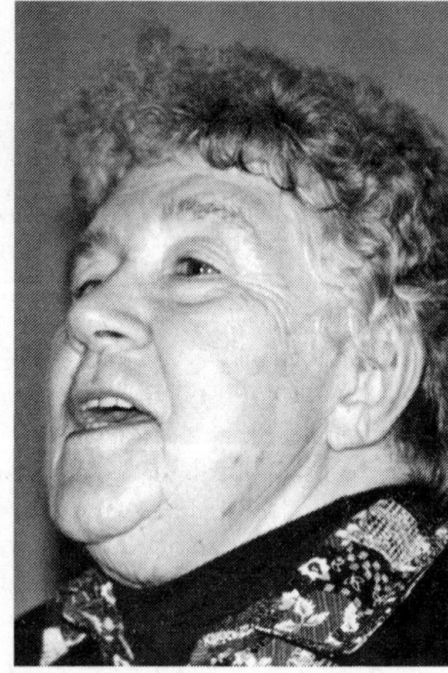

Михайлина Коцюбинська

«особливо небезпечним рецидивістом». Кінець терміну ув'язнення — 15 травня 1990 року. На побаченні, відразу після суду, сказав дружині, що такого терміну «не витягне».

Стус пише скаргу – не суду, який він зневажав, а фактично — у вічність. «Оскільки кара, визначена мені, практично є карою смерті, висловлюю свою постійну вимогу — повернути всі вірші, переписані в кількох зошитах, записниках і на окремих аркушах, моїй дружині, Попелюх В. В. Нагадаю, що ці вірші уже завтра становитимуть гордість української поезії, української культури». Так і сталося.

Після жорстокого, по суті смертельного вироку, із горьковського заслання на увесь світ пролунав одинокий, але сильний голос академіка Андрія Сахарова: «Нелюдяність вироку українському поету Василю Стусу — сором радянської репресивної системи. Так життя людини ламається безповоротно — це розплата за елементарну порядність та нонконформізм, за вірність своїм переконанням, своєму "я"»...

Вахтанг Кіпіані

З ТАБОРОВОГО ЗОШИТА. ОСТАННІЙ ВІДОМИЙ ТЕКСТ ВАСИЛЯ СТУСА

ЗАПИС І

Отож, п'ятого березня я прибув на Колиму. Позаду залишилося 53 дні етапу, майже два місяці. Згадую камеру челябінської тюрми з натовпами тарганів по стінах; надивившись на них, я чув, як свербить усе тіло, і потім — новосибірська пересилка, перебута разом з В. Хаустовим, страшна іркутська тюрма — мене вкинули в камеру з бічами-аліментщиками: вошиві, брудні, отупілі, вони розносили дух периферійної задушливої волі, від чого хотілося вити вовком: виявляється, і так можна жити, і так мучитися тюремною скрутою. П'яні наглядачі Іркутська — ніби вихоплені з когорти жандармів-самодурів часів Миколи І чи Олександра ІІ. Один з них мало не побив мене за те, що я сказав уголос про його брутальне поводження. Нарешті, Хабаровськ, і по тому — пасажирський літак, де вільні й невільники розділені рядами крісел: тут уже соромитися нікого. Мене скували наручниками із якимсь рецидивістом, і так ми перебували дві години льоту.

Аж ось і Колима. Холодне низьке небо, маленька тюрма на якомусь вигоні, порівняно добра страва і тепла тьмяна одиночка. Після прожарки можна було терпіти свій одяг. Викликав начальник тюрми: він нібито ніколи не бачив політв'язня.

За кілька днів воронок з буржуйкою всередині докинув мене до Усть-Омчуга. Це 400 кілометрів од Магадана. Кинувши до камери КПЗ і протримавши кілька днів, мене викликали до начальника міліції Переверзєва, і той заявив, що працюватиму я на рудні ім. Матросова шахтарем, житиму в гуртожитку в кімнаті ч. 6, а що я поскаржився на нездоров'я, то обіцяв показати лікарям. За яких 20 хвилин мене оглянули лікарі; всі заявили, що я здоровий.

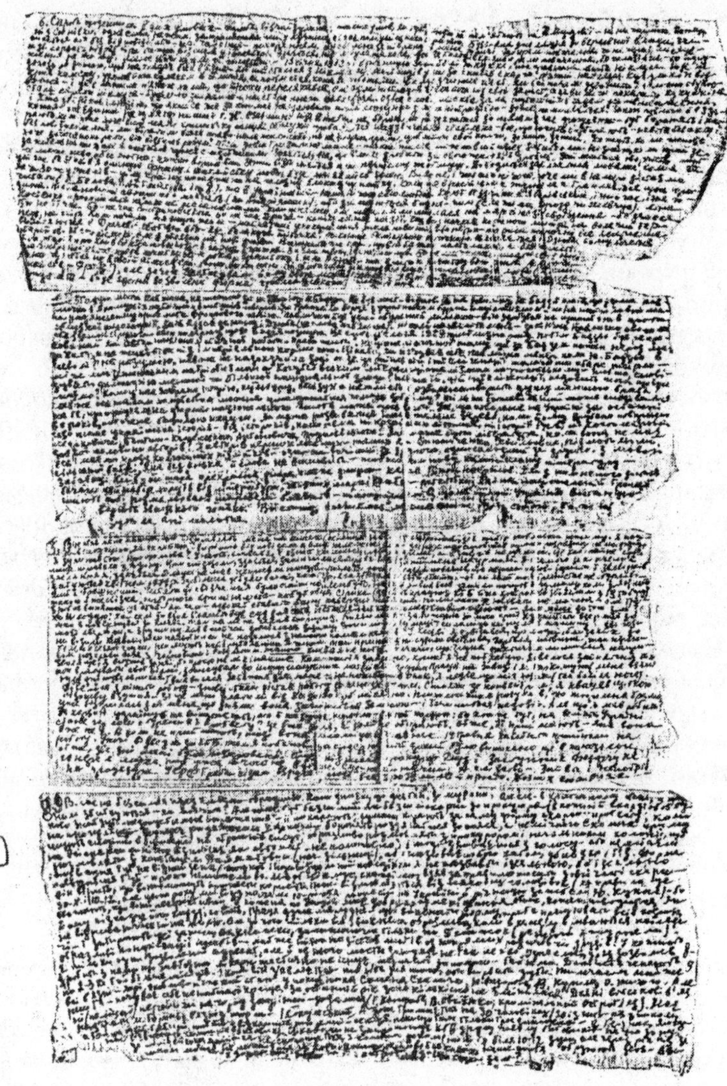

Такий вигляд мав написаний Стусом текст,
що згодом отримав назву «З таборового зошита»

Увечері 5 березня мене привезли до селища. В кімнаті, наче сподіваючись мене, сиділо кілька п'яних молодиків і пили горілку. Ніхто не здивувався мені. Ревіло радіо, вищав магнітофон і транзистор: їм було весело.

Почалася моя робота. Бригада — ударна, комуністична. Чи не половина робітників — партійні. Це показова бригада. Вони мали мене виховувати.

Страшний пил у вибої, бо вентиляції нема: бурять вертикальні глухі штреки. Молоток важить коло 50 кг, штанга — до 85 кг. Коли бурять «вікна», доводиться лопатити. Респіратор (марлева пов'язка) за півгодини стає непридатний: він стає мокрий і вкривається шаром пилу. Тоді скидаєш його і працюєш без захисту.

Кажуть, молоді хлопці (одразу після війська) за півроку такої пекельної праці стають силікозниками. За порохом не видно лопати, якою працюєш. Коли закінчуєш роботу — немає сухого рубчика, — вийдеш до кліті під крижане повітря, яке не підігрівається. Пневмонія, міозит, радикуліт — переслідують кожного шахтаря. А ще ж вібрація і силікоз. Але за 500—700 крб у місяць люди не бояться нічого. Через 5 років він збере гроші на машину, коли не зіп'ється чи не скалічіє.

Травматизм на рудні — досить високий. То завалилася стеля, придушивши жертву «заколом», то бурильник упав у «дучку», то попав під вагонетку, перебиті руки, ноги, ребра — чи не в кожного другого.

Але колимчани — люди міцні. Вони знають, що добробут дається нелегко. За нього треба платити — молодістю, здоров'ям, а то й цілим життям. Життя жорстоке — нічого не вдієш. А на Колимі є продукти, хоч і не завжди дістанеш м'яса. Але де воно є, те м'ясо?

ЗАПИС 2

Я повертався до гуртожитку і падав як убитий. Була робота і сон. Проміжків не існувало. Так я зміг витримати три місяці. Довелося заявити, що така робота — не для мого здоров'я. Міліція обурилась, почалися перші нагінки. До того ж я змінив кімнату, перейшов до іншої. Це було новим порушенням: як я смів, коли мені, всупереч положенню про заслання, наказано жити саме в цій кімнаті і саме з цими людьми. Але їхня постійна пиятика не давала мені спокою.

У травні мене викликали до райцентру і почали погрожувати: в разі подальшого порушення режиму будуть судити. Я послався на положення про заслання, яке дозволяє мені проживати в межах району, обирати житло своєю волею. Переверзєв тільки злісно усміхався, перейшовши на брудну лайку. Довелося його поставити на місце. «Зі мною навіть у концтаборі не розмовляли таким тоном, отож припиніть лаятися, інакше я піду. Я не збирався їхати до вас, а викликали — то розмовляйте людським тоном».

Незабаром приїхала дружина — нас поселили в т. зв. готелі, підселивши водночас двох кагебістів, що спокійно прослуховували всі наші розмови. Якось вони вдерлися до нас, сіли до столу, а один з них, вийнявши ножа, почав випробовувати мої нерви. Я просто не реагував на цю дешеву витівку. Інший пожилець хотів подарувати мені ножа; я відмовився від подарунка, навіть не знаючи, що це провокація з можливим осудженням (збереження холодної зброї)!

Коли дружина поїхала, зі мною стався нещасний випадок: прагнучи добратися до кімнати (сусід подався на кількаденні зальоти, не лишивши мені ключа), я спробував проникнути до кімнати через вікно, але впав — і зламав обидві п'яткові кості, мене відвезли до лікарні, наклали гіпс, а до кімнати підселили нового жильця. Уже звикши до того, що за мною влаштовували тотальне стеження, я не сумнівався, звідки цей жилець. Перебувши два місяці, я повернувся до кімнати. На ногах був гіпс із металевою дужкою — нижче Plattfus'a. Надворі мороз, сніг. Виходок — за 200 метрів. У мене пара милиць і гіпсові черевики, з яких виглядають пальці. На цей раз кімната була порожня. Принести води, сходити до буфету чи по нужді — стало дуже складною проблемою. З цих вояжів я повертався, чуючи на чолі циганський піт. Було невесело.

ЗАПИС 3

Я сидів за віршами, розв'язавши транспортну проблему (просто довелося зрізати гіпс, який я мав носити ще два місяці). Зрідка ходив на пошту, оскільки для засланця вона перетворилася на півжиття із зустрічами і контактами: пошта єднала нас, засланців, повертала голос Чорновола і Шабатури, Садунайте [Нійолє Садунайте — католицька монахиня, литовська правозахисниця, діячка самвидаву] і Коцюбинської, приносила вісті з закордону.

За листи доводилося витримувати справжню війну з КГБ. Десятки й десятки листів просто зникали. А на мої оскарження відповідали своєрідно: «В Магаданському аеропорту мішок, у якому носять кореспонденцію, дірявий». Довелося кілька разів бити телеграму до Андропова: «Ваша служба краде мої листи». Телеграми відсилали, але користі не було. Хіба шкода: це стало добре видно із щомісячних відвідин міліції (т. зв. реєстрація). Їздити туди треба було за 30 км (сел. Гастелло). Чулося, що в повітрі — гроза.

10.11.78 року, коли я, ледве пересуваючися на ногах, уже працював на шахті, мене викликали до відділу кадрів. Виявилося, налетіли на мене з обшуком. Групу очолював майор Грушецький із України. Обшук був у справі Лук'яненка. Байдуже, що Лук'яненка я не знав, хіба обмінявся з ним одним-двома листами, — в мене вилучили чернетки моїх листів до Гамзатова, Григоренка, деякі листи інших друзів, зошит віршів. Потім три дні допитували в Усть-Омчузі. Свідчень я не дав, хіба висловив обурення.

Тепер цькування зайшло на нове коло. До кімнати підселяли п'яниць (це вони згодом виявилися свідками на новому процесі). Вони пили, і мені в кімнаті один із них навіть помочився в чайник. Коли я протестував, мені казали: «Молчи, а то опять попадешь, где был». Я вимагав відселити їх — це нічого не давало. Я намагався знайти десь кімнату — мені було заборонено це зробити.

Стало відомо, що КГБ, міліція, партком старанно нацьковують проти мене людей. Одному з них, наприклад, запропонували підкласти в мої речі рушницю або ніж, іншому — підпоїти мене. За це обіцяли винагороду — 1500 крб (тобто дві місячні зарплати колимські). А до якого стану? Аби лиш запах був — відповіли йому. Але я цього ще не знав.

Кожного вечора до мене хтось з'являвся — то комсомольський патруль, то міліція. Розмова була недоброзичлива, провокаційна. Особливо докучав капітан Любавін. Довелося просто не реагувати, коли він з'являвся.

І тут дістав я телеграму, що батько при смерті. Але міліція мене не пустила — мені довелося оголосити голодівку на знак протесту. Через тиждень вони таки дозволили, але перед тим протримали цілу ніч у КПЗ — за те, що на дверях кімнати я вчепив оголошення: «Прошу не заважати. Голодівка з вимогою надати змогу поховати батька». Весь час — од Усть-Омчуга до Донецька — мене супроводжував загін шпигунів од КГБ. Так було в аеропорту, так було в Донецьку. Поховавши батька, я повернувся до Колими — ніби до в'язниці. Я чув, що кожного дня мене можуть зачинити знову.

ЗАПИС 4

Коли я повернувся до Магадана, в аеропорту на мене чекав виклик — негайно з'явитися до обласного КГБ. Ночувати довелося в готелі. В понеділок я поїхав до міста (це 60 км дороги). Прийняв мене заступник начальника Сафонов. Він прочитав мені друге застереження — з погрозою судити.

В Усть-Омчузі, коли я зайшов до начальника міліції Переверзєва, на мене чекав новий сюрприз — заступник редактора райгазети «Ленинское знамя» заявила, що збирається писати про мене статтю, і поставила кілька провокаційних питань. Я відповів, що жанр мені відомий, а тому я волію не розмовляти.

І справді, за якийсь час з'явилася довга стаття «Друзья и враги Василя Стуса». У ній було згадано все. І те, що я дістаю пакунки з закордону, і що порвав свій профспілковий квиток, довідавшись, що саме профспілки перечать проти надання мені медичної допомоги, і «свідчення» багатьох мешканців рудні. Як згодом виявилося, Супряга не марнувала часу: поки я був у Донецьку, вона вояжувала на рудні, готувала статтю. Чимало людей заявило мені потім, що нічого схожого вони не говорили, але свої журналістські обов'язки Супряга, забезпечена бронею КГБ, розуміла по-своєму. «Стус готов грабить и убивать», — свідчила одна медсестра із Транспортного. «Он похож на фашиста, такой на моих глазах убивал детей», — гнули комедію інші.

Прикро було за такий факт. Якось я відмовився стати до роботи, оскільки респіраторів не було. Мені обіцяли видати персональний. Я відмовився, наголошуючи, що респіратор — то обов'язковий захист для кожного шахтаря. Отож я обстоюю загальний принцип [протестуючи] проти порушення техніки безпеки. Респіратори потім знайшлися. Певна річ, їх видали всім. А мене покарали за «страйк». Супряга не оминула і цього випадку, вкрай перебрехавши факти.

Якраз на цей час приїхала дружина. Газета вплинула на людей. Вони сахалися мене, мов чумного. Я зрозумів, що маніпулювати громадською думкою — дуже легко. Особливо коли громади — нема, отже, у неї нема і своєї думки. І я, бачачи, що позивати Супрягу марно (жоден суд у Союзі не візьме такої справи до розгляду), наполіг на тому, аби дати їй публічну відповідь. На це адміністрація згодилася. Зробили поширене засідання рудкому, куди запросили підготовлену публіку. Був і журналіст з газети (Супряги не було). Я почав відповідати на брехню досить різко і аргументовано. Режисери побачили, що вистава може не вийти, — почали обструкцію, не даючи мені говорити. Нічого не лишалося, як покинути залу разом з дружиною, звинувативши публіку в боягузтві.

А в пресі не вщухала буря: десятки читачів обурювалися моєю поведінкою, за звичайною радянською звичкою. Тепер становище моє стало ще драматичніше. Прощаючися з дружиною, я заявив їй: «Відчуваю, що бачитися вдруге доведеться, напевно, в таборі». Вона згодилася з тим, тамуючи сльози. Але голови гнути я не збирався, бодай що б там не було. За мною стояла Україна, мій пригноблений народ, за честь котрого я мушу обставати до загину.

ЗАПИС 5

Протягом цього часу я фактично не мав медичної допомоги. Повертаючися з роботи, не чуючи ніг, я грів воду в мисці і, вклавши електронагрівача, готував собі ропу, аби попарити ноги. Ліва п'ята так і залишилася зміщеною: хірург просто не помітив того. Парафінові аплікації доводилося робити самому.

Зате провокацій побільшало. Одного разу після тяжкої застуди (у цей вечір повернувся жилець із «материка») я випив із іншими 100—150 г коньяку, ще не знаючи, що то мені заборонено. Міліція тут же довідалася про це — і почала чигати на мене. Коли увечері, вже перед сном, я вийшов на хвилину з гуртожитку — на мене накинулася міліція і повезла у витверезник. Я заявив, що почну політичну голодівку протесту, якщо вони не припинять комедії. Лікар, викликаний до міліції, встановив легке сп'яніння. Я сів писати протест прокуророві. За цей час напасники переграли ситуацію: відвезли мене до гуртожитку. Після цього я й довідався, що міліція вирішила оформити мене на примусове лікування од алкоголізму — їм потрібен був хоч який епізод. Тоді вони й запропонували 1500 крб, щоб мене підпоїли. Але номер не вийшов.

Довелося обшукувати свої речі в кімнаті, аби попередити випадок підкидання: рушниці, ножа, порнографічного тексту тощо. Повертаючись увечері з роботи, я не раз заставав зламані двері. Отож довелося звернутися до прокурора із спецзаявою: якщо в моїх речах буде виявлено зброю, вибухові речовини чи золотий пісок і т. д. — то буде наслідком реалізованої провокації.

Доведений до краю, я склав заяву до Верховної Ради СРСР з другою заявою про відмову від громадянства. Це було в кінці 1978 року. У ній я писав, що заборона займатися творчою роботою, постійне приниження моєї людської і національної гідности, стан, за якого я чую себе річчю, державним майном, яке КГБ вписало на своє конто; ситуація, за якої моє почуття українського патріотизму зведено у ранг державного злочину; національно-культурний погром в Україні — все це змушує мене визнати, що мати радянське громадянство є неможливою для мене річчю. Бути радянським громадянином — це значить бути рабом. Я ж до такої ролі не надаюся. Чим більше тортур і знущань я зазнаю — тим більше мій опір проти системи наруги над людиною і її елементарними правами, проти мого рабства. За патріотичним покликанням.

Ця заява від 18.X.78, уже друга на цю тему (першу я написав у таборі), звичайно, залишилася без відповіди. Згодом, у березні 1979 року, мене викликали до директора рудні Войтовича. У кабінеті сиділо біля 20 чоловік т. зв. громадськости, кілька невідомих осіб і начальник міліції Переверзєв. Цей останній заявив, що за дорученням Президії Верховної Ради він має відповісти мені на мою заяву. І почав її читати, кожного разу повторюючи, що це наклеп, за який мене слід судити.

ЗАПИС 6

Він почав мене лякати, що відправить на Омчак (селище за 6 км од Матросова, де є табір особливого режиму). Я поцінував ситуацію як крайню і вирішив відповідати йому належно. Коли директор спробував трохи розрядити атмосферу, я зупинив його: «Про що мова? У нього в одній кишені ордер на арешт, а в другій наручники!» Це кабінетне судилище тривало з годину. Цим епізодом, здається, закінчилася спроба КГБ взяти мене штурмом. До самого закінчення заслання, здається, більше не мав неприємностей. Тільки вже на суді я побачив, що перші судові допити т. зв. свідків датуються квітнем 1979 року. Здебільша це були всі ті, кого Супряга згадала у своїй статті: от тільки тон брехні став ще обурливіший і страшніший. Читати ці свідчення було смішно. Мабуть, на суді я виявив замало почуття гумору, коли для одного такого лжесвідка, табірного кримінальника-побутовця Сірика (за співпрацю з КГБ його достроково звільнили з 19-го табору), зробив виняток — як сам адвокат — почав ставити йому каверзні питання. Помилкою це назвати не можна, — але трохи шкодую: хай сам диявол влаштовує суд для себе, обставляючи його комедією вірогідности, яке мені до того діло? Так я повернувся до Києва. Там на мене чекав сюрприз. Виявилося, за тиждень до мого приїзду кагебісти вдерлися до моєї квартири, а дружину, яка в той час добивалася додому, схопили на вулиці, силоміць кинули в машину і дві години возили Києвом, поки нальотники подалися з нашого помешкання.

У Києві я довідався, що людей, близьких до Гельсінської групи, репресують найбрутальнішим чином. Так, принаймні, судили Овсієнка, Горбаля, Литвина, так перегодом розправилися з Чорноволом і Розумним. Такого Києва я не хотів. Бачачи, що Група фактично лишилася напризволяще, я вступив до неї, бо просто не міг інакше. Коли життя забрано — крихтя не потребую. Довелося зайнятися тим, аби врятувати свої вірші, дописувати до інформаційних матеріалів Групи. Праця на заводі ім. Паризької Комуни (мене взяли туди формувальником) виявилася затяжка для мене: наносившись опок, я ледве що міг ходити (так боліла нога). Довелося змінити роботу; знову-таки дістав її не за фахом. Стоячи за конвеєром, я квацяв щіткою підошви взуття; за це мені платили від 80 до 120 крб місячно.

Психологічно я розумів, що тюремна брама уже відчинилася для мене, що днями вона зачиниться за мною — і зачиниться надовго. Але що я мав робити? За кордон українців не випускають, та й не дуже кортіло — за той кордон: бо хто ж тут, у Великій Україні, стане горлом обурення і протесту? Це вже доля, а долі не обирають. Отож її приймають — яка вона вже не є. А коли не приймають, тоді вона силоміць обирає нас.

14 травня кагебісти прийшли на роботу. Уночі відвезли до КГБ, там я побачив, що ордер на мій арешт виписано ще в понеділок. Отже, два дні мені було подаровано. Ордер підписав прокурор Глух і заступник Федорчука генерал Муха. Тут уже нічого не вдієш. Суд — неми-

В КИЄВІ ЗААРЕШТОВАНО ВАСИЛЯ СТУСА, ЧЛЕНА КИЇВСЬКОЇ ГЕЛЬСІНКСЬКОЇ ГРУПИ

Париж, Франція. — Французьке пресове агенство Ажанс Франс поінформовало, що органи КҐБ заарештували в понеділок, 19-го травня ц.р., Василя Стуса, члена Київської Гельсінкської групи, підписи якого значилися під багатьма документами громадського протесту і які опісля розповсюджувалися Самвидавом та поміщувались в журналі „Український вісник". Широкого розголосу набрав був підписаний Стусом документ „Звернення ста тредцяти дев'яти" діячів культури, науки, мистецтва, а також робітників Київської ГЕС.

В 1972 р. В. Стуса було заарештовано вперше з великою групою представників української інтелігенції і йому інкримінували „антирадянську агітацію і пропаганду". Йому також

Василь Стус

ти шестидесятників. Після того Стуса виключили з аспірантури, не дали змоги захистити вже підготовлену кандидатську дисертацію, з видавництва „Радянський письменник" вилучено готову до друки збірку поезій, а через рік його позбавляють праці в Державчому історичному архіві, де

Повідомлення про арешт. Газета «Свобода» (США)

нучий. А слідство — зайва і непотрібна процедура. У СРСР треба сідати вдруге — тоді все зрозуміло і просто. Жодних сюрпризів.

ЗАПИС 7

Спроба щоденника в цих умовах — спроба відчайдушна: таких умов, як тут, люди не пам'ятають ні з Мордовії, ні на чорних зонах, ні з Сосновки. Одне слово, режим, запропонований у Кучині, сягає поліцейського апогею. Будь-яка апеляція до верховної влади залишається без відповіді або — найчастіше — загрожує карою. Буквально за півроку в мене тричі забирали побачення, чи не через місяць т. зв. «ларьок», підряд три тижні відсидів у ізоляторі. Здається, ніде не було такого, щоб за голодівку забирали побачення, бо голодівка — то порушення режиму. Мене двічі карали за голодівку — 13 січня 1982 року і в річницю загибелі Ю. Кукка, посправника Марта Ніклуса. Ніде не доходило до того, щоб наглядач бив в'язня, як то сталося з Ніклусом. Март сидів у ШІЗО і писав скарга. П'яний наглядач Кукушкін відкрив камеру, ударив його кулаком ув обличчя, а потім почав копати чобітьми. Ніклус зчинив гвалт. Ми всі почали дзвонити і голосно обурюватися, і це спинило п'яного хама, що трохи перелякався. Але адміністрація взяла його під свій захист, а на вимоги покарати Кукушкіна стала карати Ніклуса: буцімто за наклеп на старанного наглядача.

Одне слово, Москва дала тутешній владі всі повноваження, і хто зберігає ілюзію, що якийсь же закон має регулювати наші стосунки з адміністрацією, — дуже помиляється. Закон повного беззаконня — ось єдиний регулятор наших т. зв. взаємин.

Ніде в таборі не боронили роздягатися до пояса під час прогулянки, — тут боронять і карають, коли хто хоче впіймати крихту сонця. Обшуки провадяться надзвичайно свавільно: все, що хочуть, відбирають, навіть без акту і без повідомлення. Ми втратили всяке право належати собі, не кажучи про те, щоб мати свої книги, зошити, записи. Кажуть, коли Господь хоче когось покарати, Він відбирає розум. Так довго тривати не може — такий тиск можливий перед загибеллю. Не знаю, коли прийде загибель для них, але я особисто чуюся смертником. Здається, все, що я міг зробити за свого життя, я зробив. Займатися творчістю тут неможливо абсолютно: кожний віршований запис відбирається при першому ж обшуку. Доводиться вивчати мови. Коли я за цей час безголів'я опаную французьку й англійську мови, буде хоч якийсь хосен. Власне, і читати нічого, хоча ми в камері дістаємо читати (В. Бєлова, Ч. Айтматова й ін.), то в українській — нема нічого абсолютно. Культ бездарних Яворівських, їхній час, їхня доба. Талановиті автори або мовчать (як Андріяшик), або займаються бозна-чим (скажімо, Дрозд чи Шевчук). Ліна Костенко прохопилася кількома талановитими книжками, але так і залишилася на маргінесі сьогодення-безчасся. Бо не її час. Бо не час Вінграновського. Бо не час Драча — капітулянта поезії. Час визначає кожного митця на волячий терпець, на опір. Коли почали тягнути жили — найперші упокорилися талановиті. Що не рік — то риси жіночі все яскравіше виявляються в Драча. Сьогодні він — як балакуча тіточка. Такою ж балакучою тіточкою виявляється і Дзюба.

Йому хочеться старої своєї стилістики, але з оглядом на нові умови. Виходить же так, що він багато пашталакає, а без користі. Його стаття про «Київ» Вінграновського — і гарна, і грішна. Бо час твій, Іване, минув. Бо неможливо писати сьогодні про Вінграновського, поета початку 1960-х років. Зрештою, і сам Дзюба — то критик початку 1960-х років. А в 1980-х — вони чуються не в своїй атмосфері. Вони викинені зі свого часу напризволяще. Талановиті люди (який майстер — Дрозд!), але до чого застосувати йому свою майстерність? І він розмальовує громадські туалети — бо це єдина дозволена форма громадського служіння українського мистецтва.

ЗАПИС 8

Згадую лист Павличка, написаний до Юрія Бадзя. Це був лист-відповідь на репліку Ю. Бадзя про те, що дарма Павличко в якомусь із публічних виступів говорив про Франка як борця з українським буржуазним націоналізмом — чи не найголовніша (по-радянському) прикмета Франкового генія. Павличко був украй обурений реплікою — він здобувся на щирий гнів проти облудної філософії, якій віддав данину і Дзюба (це — мова Павличка). Ніколи не хваліть мене, — закінчив Павличко свого листа, демонструючи свою полярну супроти Бадзя позицію. Це стосувалося 1978 приблизно року. Потім Бадзьо був репресований як автор націоналістичної роботи «Право жити». Націоналістичної тому, що, за Бадзем, кожен народ має дихати, а не животіти під імперіальною кормигою. Цікаво, як почуває себе Павличко тепер, коли Ю. Бадзьо в неволі?

Не розумію, невже не надокучило досі т. зв. українській інтелігенції толочити старе тирло — між мазепинським патріотизмом і кочубеївським інтернаціоналізмом по-російському, тобто сповідувати філософію меншої чи більшої національної зради. Невже їй, цій інтелігенції, не досить того, що вже маємо? Коли у нас забрано історію, культуру, весь дух, а натомість дозволено творити душу меншого брата? Невже ось таким холуйством можна прислужитися чомусь доброму?

Тільки божевільний може сподіватися на те, що офіційна форма національного життя може щось дати. Усе, що створено на Україні за останні 60 років, поточено бацилою недуги. Як може розвиватися національне дерево, коли йому врубано півкрони? Що таке українська історія — без істориків, коли нема ні козацьких літописів, ні історії Руси, ні Костомарова, Маркевича, Бантиш-Каменського, Антоновича, Грушевського. Яка може бути література, коли вона не має доброї половини авторів? І авторів першокласних — таких, як Винниченко, Хвильовий, Підмогильний. Ось і маємо прозу колгоспних підлітків — один співучіший за другого, один солодший за другого. З мовою сільської бабусі, яка без «-енька» слова не вимовить, тобто типову колоніальну літературу-забавку. «Київ — то така прекрасна флора, але ж фауна!» — казав Віктор Некрасов. І як з ним не погодитися, бачачи цей набір холуїв від літератури, обозних маркітанток естетики, які на національній трагедії шиють собі розмальовані шаровари блазнів-танцюристів, що на трупі України витанцьовують хвацького гопака. Воістину, сказитись легше, аніж буть собою, бо ж ні зубила, ані молотка.

Власне безсилля перед кривдою — образливе. Коли знаєш, що десь там, за мурами, Олекса [Тихий] — в критичному стані, а над ним збиткуються, — як мовчати? Але голос тут безсилий. Як безсилі скарги до прокурора (в кожній скарзі обов'язково знайдуть «недопустимые выражения» — і покарають: думаю, карають за саму форму скарги-протесту), коли на прогулянці — всупереч радянським кодексам — боронять роздягатися до пояса, а немічного Скалича примушують сидіти в бушлаті на страшній спеці; образливо розмовляти з прокурором і начальником колонії, що на всі скарги цинічно відповідає, як автомат, «не положено», і тоді зриваєшся з голосу: або перестаєш розмовляти з капітаном Долматовим (начальник дільниці), або називаєш його катом, убивцею і т. д.

Форма існування тут не віднайдена (жодної індивідуальної поведінки я не назвав би ідеальною, бо ідеально поводитися тут — просто неможливо). Март Ніклус, скажімо, взяв за правило писати довгі часті скарги: він вірить, що вони можуть принести користь. Інші відмовляються від масових голодівок (як правило, це 30.X і 10.XII, але цього року ми відзначали 10-річчя репресій на Україні і річницю загибелі Ю. Кукка), бо вважають, що вони неефективні. І кожна позиція має добру аргументацію. Отож, кожен поводиться, як йому підказує його глузд і совість.

Праця дуже марудна: щоб виконати норму, треба працювати всі 8 годин, не відриваючись ні на мить. Але до чого тільки не звикнеш.

Образливо, коли в камеру вриваються наглядачі й забирають усі записи, всі книжки, залишаючи тільки по 5 книжок (рахуючи і журнали). Образливі конфіскації листів: майже ніхто не дістає листів од непрямих родичів чи друзів. У кожного є тільки один дозволений адресат, але й од нього листи доходять не так легко. Одне слово, уряд дозволив робити з нами все, що завгодно.

Лікарня практично не існує, медична допомога — так само. Дантиста чекають по 2—3, а то і більше місяців. І коли він з'являється, то хіба для того, аби вирвати зуби. Тим часом майже всі в'язні — хворі. Особливо тяжкий стан у покутника Семена Скалича, Ю. Федорова, В. Курила, О. Тихого. Але решта — почуває себе не набагато краще.

За останній рік зона кількісно не змінилася. Деякі військові в'язні (поліцаї) перейшли на чорну зону, інші —додалися (І. Кандиба, В. Овсієнко, кримінальник Острогляд). Має над'їхати М. Горинь, в'язні з тюрми (серед них — І. Сокульський). А зона тримається на 30 чоловіках (20 із них — під замком) або на одній третині, тобто у відкритій [безкамерній] секції — поки що там тільки три [в'язні]: О. Бердник, Яшкунас і Євграфов (колишній побутовий). Цікаво, чи не запропонує КГБ другу частку побутових на цю зону, де поліцейська домішка скорочується з кожним роком (нині їх біля 10—12 душ, але через рік під замком може не лишитися нікого). Поки що, окрім військових, наше життя отруюють двоє: В. Федоренко і побутовик Острогляд. Що буде далі?

ЗАПИС 9-10

Київ святкує своє 1500-річчя. Реставровано Золоті ворота, через які ніхто не в'їздить і не виїздить. Символом Києва була для мене брама Заборовського. Замурована. Бо цей Київ запечатано. Що кращим стає Київ, то він страшніший. Бо замість живого міста обернувся на маскарад, машкару вампіра, що п'є кров своїх синів і дочок — і від того кращає. Згадую жінку з «Соняшної машини», голова якої була схожа на зміїну. Золотоголовий Київ — змієголовий. Ніяк не позбудуся враження, що над ювілейним Києвом висить труна Івана Світличного (чи живий він?) — як статуя Ісуса Христа над Римом. Хизування ювілеєм Києва — гордість заброд і підніжків. Бо пишатися вони не вміють, бо люблять тільки хамською любов'ю. Право на офіційну любов до Києва має тільки сонм чиновників — т. зв. інтелігенція по-радянському.

Власне, чи є українська інтелігенція? Думаю, або її немає взагалі, або вона все молода і все недозріла. Вона втратила свою якість або ніколи її не досягала. Український інтелігент на 95 % чиновник і на 5 % патріот. Отож, він і патріотизм свій хоче оформити в бюрократичному параграфі, його патріотизм і неглибокий, і ні до чого не зобов'язує. Бо на Україні досі не створено патріотичної гравітації. Введена в систему держави, ця інтелігенція не чує жодного обов'язку перед народом, який так і не здобув індивідуального обличчя. Він теж многоликий янус, радянський Світовид. Ця інтелігенція офіціозу, прагнучи жити, простує до безславної смерти, ми, в'язні історії, — ідемо в життя (коли тільки воно прийме нас — життя, через скільки поколінь?).

Думаю про 1000-ліття християнства на Україні. Гадаю, що було зроблено першу помилку — візантійсько-московський обряд, що нас, найсхіднішу частину Заходу, прилучив до Сходу. Наш індивідуалістично-західний дух, спертий деспотичним візантійським православ'ям, так і не зміг вивільнитися з цієї двоїстости духу, двоїстости, що витворила згодом комплекс лицемірства. Здається, що пасеїстичний дух православ'я тяжким каменем упав на молоду невизрілу душу народу — призвів до жіночости духу як атрибуту нашої духовности. Залізна дисципліна татаро-монголів запліднила російський дух, додавши йому агресивности й пірамідальности будови. Український дух так і не зміг виламатися з-під тяжкого каменя пасеїстичної віри. Може, це одна з причин нашої національної трагедії. Не люблю християнства. Ні.

ЗАПИС II

Можливо, важило і те, що величезна брила духовного християнства впала на заюну душу, на її ще не зміцнілі плечі. В кожному разі жертвою православ'я ми є найбільшою. Вийти з-під його східних чар ми так і не змогли. Це знищило нашу вітальну, життєву енергію.

Негативний вплив християнізації на мову, здається, можна вичленити. Але там уже була течія, плин національної історії.

Можливо, це думки надто непідготовлені, чернеткові. Але життя маю таке, що негативізм до пасеїстичного православ'я не може не розвиватися.

Думаю про світогляд: як на мене, це поняття дуже метафізичне. Більш дійове почуття — співвідношення мусу і бажання, волі і логіки, волі і мусу. Світогляд — то у великій мірі питання темпераменту і совісти, нашої життєвої активности. Часом світогляд визначається шансом на вижиття, на соціальну впливовість, на масовість. Але міняються життєві обставини, а з ними міняються й складові світогляду. За мого теперішнього стану ніякі егоїстично-розрахункові міркування вже його не визначають. Що ж тоді? Погляд вічности чи відчаю? Нестерпно докучили уламки доль, ламані лінії бажань і звершень, гримаси наслідків.

Моторошно чутися без краю свого, без народу, яких мусиш творити сам зі свого зболілого серця. Може, випало жити в період межичасся, може, коли історичні умови зміняться (але — чи на краще?), можна буде виявити цей життєвий плин народу, його життєвий порив. Поки що його не видно. Звідси й наш супервідчай, кусючість душ, що виявляється і серед найкращих. Але поки що я не бачу — нікого і нічого. Жодного знаку сподівання.

У літі 1981 року до ШІЗО вкинено Олексу Тихого — тричі підряд по 15 діб. Було дуже холодно, і його почав мучити хворий шлунок. За

Василь Овсієнко, співкамерник Василя Стуса, Ірена Гаяускене-Думбріте, яка вивезла текст «З таборового зошита» з побачення у зоні Кучино, багаторічний політв'язень Баліс Гаяускас

ці 45 діб він уже не міг підводитися. Помітивши його катастрофічний стан, лікар дозволив подавати йому вночі грілку з гарячою водою. Просто з ШІЗО Олексу перевели в лікарню, де він вилежав ще три місяці і, як знятий з хреста, повернувся до камери.

Як боляче, що в наших умовах неможлива звичайна людська солідарність — загальної голодівки і протесту. Одне — люди виснажені довгою боротьбою, друге — повна неефективність будь-якого опору в цих абсолютно закритих умовах. Але як то калічить душу — коли ти бачиш і мовчиш.

Віталій Калиниченко зробив кілька спроб зв'язатися з волею — і все невдало. Йому не щастить. До рук КГБ потрапила його гостра заява протесту — його посадили на рік в одиночку (15.Х.1981). Через півроку (з 8.IV.82) рік одиночки дістав Март Ніклус. Я був на черзі — після трьох позбавлень побачень і трьох тижнів ШІЗО. Останнє випало за те, що, не витримавши, я обізвав кагебіста Черкасова фашистом і гестапівцем. Заяви перестав писати — через повну їхню безнаслідковість.

ЗАПИС 12

Чи не від самого Києва стежу за подіями в Польщі. Хай живуть волонтери свободи! Втішає їхня, поляків, нескореність радянському деспотизмові, їхні всенародні струси вражають; робітництво, інтелігенція, студентство — все, крім війська і поліції. Коли так ітимуть події, то завтра полум'я охопить і військо. Що тоді робитимуть Брежнєви-Ярузельські? У тоталітарному світі немає жодного іншого народу, який би так віддано захищав своє людське і національне право. Польща подає Україні приклад (психологічно ми, українці, близькі, може, найближчі до польської натури, але в нас нема головного — святого патріотизму, який консолідує поляків). Як шкода, що Україна не готова брати уроки в польського вчителя.

Але режим СРСР і офіційної Польщі, відважившися боротися з власним народом найгрубішим поліційним тиском, знову виявив свою антинародну деспотичну суть. Після Польщі — так мені здається — вірити в московські ідеали може тільки останній дурень і останній негідник. На жаль, не знаю, яке враження справила Польща на народи СРСР і цілого табору.

Профспілковий варіант визволення надзвичайно ефективний був би і для СРСР. Коли б початки, зроблені інженером Клєбановим, були підтримані по цілій країні, уряд СРСР мав би перед собою, може, найсучаснішого антагоніста. Бо Гельсінський рух — то вища математика для цієї країни, як, може, і національно-патріотичний. Зате рух за житло й шматок хліба, рух за нормальну платню робітника — це мова загальнозрозуміла, прийнятна.

Я захоплений польськими звитяжцями духу і шкодую, що я не поляк. Польща робить епоху в тоталітарному світі і готує його крах. Але чи стане польський приклад і нашим — ось питання. Польща підпалювала Росію ціле XIX ст., тепер вона продовжує свою спробу. Зичу найкращої долі для польських інсургентів, сподіваюся, що поліційний режим 13 грудня не задушить святого полум'я свободи. Надіюся, що в підневільних країнах знайдуться сили, що підтримають визвольну місію польських волонтерів свободи.

З огляду на польські події ще помітнішими стали вади Гельсінського руху — боягузливо-респектабельного. Коли б це був масовий рух народної ініціативи, з широкою програмою соціальних і політичних вимог, коли б це був рух із задумом майбутньої влади — тоді він мав би якісь надії на успіх. А так — Гельсінський рух схожий на немовля, що збирається говорити басом. Звичайно ж, він і мав бути розгромлений, бо своїми жалібними інтонаціями передбачав цей погром. Можливо, наступне оновлення влади в СРСР змінить шанси на краще, але поки що соціальний песимізм радянського дисидентства залізно аргументований.

Нарешті, прошу не забувати, що цілий ряд тутешніх в'язнів потребує матеріальної, грошової допомоги — бодай на те, аби передплачувати літературу. Отож, по можливості, бодай 50—100 крб щорічно істотно допомагали б таким в'язням, як М. Ніклус, І. Кандиба, В. Овсієнко, В. Стус, В. Калиниченко, О. Тихий.

Більшовики, оглушивши народ своєю репресивною пропагандою, виробили побудовану на винятковому лицемірстві методу. Факти ніколи не перевіряються, за аргументи правлять більшовицькі версії фактів. Такою, скажімо, видається стаття Куроєдова в «Литературной газете» (липень 1982). Там згадано С. Ф. Скалича, українського покутника, мученика польської політики санації і більшовицького визволення.

У 16 років (1936) він захворів на туберкульоз ніг, став інвалідом-калікою. 1945 року більшовики відправили його на Балхаш: за те, що знайшли в нього партизанську брошуру. Мук, які переніс він за 10 років ув'язнення, вистачало б на святого великомученика. З 1953 року він зв'язав своє життя з покутництвом — цікавою народною версією українського месіанізму. А те, що пише Куроєдов,— 100-відсоткова брехня. В ОУН його, скажімо, не було. Він Божий чоловік, дуже сумлінний за вдачею, вірує в нове пришестя Христа з фанатичною відданістю. Марія Куц, яку згадує Куроєдов, жодного відношення до покутництва не мала, її каліцтво — наслідок божевілля. Але більшовики використали цей факт для дискредитації покутництва. За що судили Скалича? За релігійні переконання, за небезпечну для Москви націоналістичну версію християнства. 700 віршів, узятих у Скалича, — це плід його роздумів над світом, вірою, християнством. Чи можна було судити Скалича? За що? Більшого злочину за той, що вчинено проти Скалича, я в таборі не бачив. Я вірю, що долею українського мучня переймуться всі чесні люди світу. Особливої підтримки він потребує з боку конфесійних організацій світу. Людина, що не має ні листів, ні грошей (навіть на те, щоб закупити продукти на 4 крб місячно), він тримається з винятковою гідністю. Здавшися на Божу волю, він певен, що тут, на цьому хресті, він і загине. Але не нарікає на долю: вона в нього прекрасна, він-бо — мучень за віру.

Недавно ж позбавили побачення О. Тихого. Українців пресують передусім. Ця тюрма — антиукраїнська за призначенням. Отже, загроза українського бунту для влади дуже страшна.

Прошу не покинути напризволяще мою маму, Стус Олену Яківну з 1900 року народження. Її адреса: 340026 Донецьк-26, Чуваська, 19. Живе вона з дочкою, Марією Семенівною (1935 року народження, вчителька математики). Потребує мама головне моральної підтримки, виплакуючи очі за сином. Люди добрі, пишіть їй, хай не буде вона самотньою в своєму горі — підтримайте її дух!

[1982]

ЗМІСТ

Суспільно-політичне видання

Серія «Історія та політика»

Справа Василя Стуса.
Збірка документів з колишнього архіву КДБ УРСР

Укладання Вахтанга КІПІАНІ

Головний редактор *О. С. Кандиба*
Провідний редактор *Г. В. Сологуб*
Технічний редактор *Д. В. Заболотських*
Дизайнер і верстальник *В. О. Верхолаз*

Підписано до друку 25.04.2019.
Формат 60x84/16. Ум. друк. арк. 28,93.
Наклад 2300 прим. Зам. № 417/04.

Термін придатності необмежений

ТОВ «Видавництво “Віват”»,
61037, Україна, м. Харків, вул. Гомоненка, 10.
Свідоцтво ДК 4601 від 20.08.2013.
Видавництво «Віват» входить до складу ГК «Фактор».

Придбати книжки за видавничими цінами та подивитися детальну інформацію
про інші видання можна на сайті www.vivat-book.com.ua
тел.: +38 (057) 717-52-17, +38 (073) 344-55-11, +38 (067) 344-55-11,
+38 (050) 344-55-11,
e-mail: ishop@vivat.factor.ua

Щодо гуртових постачань
і співробітництва звертатися:
тел.: +38 (057) 714-93-58,
e-mail: info@vivat.factor.ua

Адреса фірмової книгарні видавництва «Віват»:
м. Харків, вул. Квітки-Основ'яненка, 2,
«Книгарня Vivat»,
тел.: +38 (057) 341-61-90, e-mail: bookstorevivat@gmail.com

Видавництво «Віват» у соціальних мережах:
facebook.com/vivat.book.com.ua
instagram.com/vivat_publishing

UNISOFT

Надруковано у ПП «Юнісофт»
61036, м. Харків, вул. Морозова, 13б
www.unisoft.ua
Свідоцтво ДК № 5747 від 06.11.2017 р.